오키나와 전장의
기억과 「위안소」

HONG yunshin

〔新装改訂版〕

沖縄戦場の記憶と「慰安所」

洪玧伸

インパクト
出版会

目次

凡例

一．本書掲載の証言は、筆者が調査したものは名前、生年、調査日、場所、日時、調査者の順で表記した。沖縄市町村史からの引用は、市町村史の表記に準じる。但し、生年に関しては西暦に統一し、証言の理解に必要と思われる戦時動員歴の情報を取り入れた場合もある。

一．地名は証言引用の場合を除き、現在の読み方で表記した。ただし、戦後米軍基地になった集落の地名は、戦前の読み方を採用した。

一．行政単位の最小単位の字《あざ》の場合、「各字戦時概況図」を用いる場合や規模説明などを除き、地名の前に字を付けない。住民は自らの住む共同体を「部落」と呼ぶ場合もある。状況説明の場合に関しては集落として表記する。

一．村、町という行政単位の区分は、戦後、基地に取りこまれ、消滅・縮小・拡大したケースが多く、「村」「町」の区分が戦前と戦後で一致しないことがある。村と町は原則として地名のみ記入し、付録の図（四八八頁）で主な村・町の行政単位を表示した。

一．『陣中日誌』からの引用は原文の旧漢字の使用を原則とした。本書本文の中での説明に和暦に相当する西暦を併記した。

一．「慰安所」関連史料はその史料の発掘・発見・公表の過程そのものが重要な意味を持つ場合がある。その意味で本書では史料発見者の名前を記した。

東南アジア研究者の中原道子は、
訪ねる数々の地域でアジア太平洋戦争の記憶と出会った。
そして、ある日、一人の「慰安婦」と出会った。
夢中になって書き取る中原道子の手に触って「慰安婦」は、マレー語で言った。
「かしこいね」
彼女は文字を知らなかった。
中原道子は、この問題で自らの研究論文としては書かない、運動でかかわると、誓った。
その中原道子に学び、沖縄戦場で「慰安婦」を見た人々に出会った私。
それでも書き続けることしか、この状況に向き合う方法を見いだせない私は、
本書を、中原道子の手に触ったあの「慰安婦」の手の温かみと、
「書くことの倫理」を突き付けられた、若き中原道子の悩み
その後の生涯にかけての取り組みに、
本書を捧げます。

序章　記憶の空間／空間の記憶

1.「空間概念」としての一九四五年。そして、何故、沖縄か。

　ここに書くのは「慰安婦」の記憶ではない。「慰安婦」本人の語りでもない。また、いわゆる日韓関係の「解決すべき外交問題」に提言をするためのものでもない。「慰安所」という空間を、その地域に住んでいた沖縄の住民がどのように感じていたのか、に焦点を当てたものである。同じ空間を生きながら、「他者」であった人々が語る「慰安所」の記憶に注目したものである。

　韓国の政治史においては、しばしば「解放空間」という言葉が使われる。この「解放空間」とは、植民地統治の抑圧から脱した一九四五年八月一五日から、朝鮮戦争の勃発までを含む一定の期間をさす「時間概念」である。と同時に、「空間」という語と合成されることによって、帝国日本の統治機関の消滅とともに訪れた政治的な「空白」を意味する抽象的な「空間概念」でもある。つまり、解放直後から芽生えてきた新たな「国家」や、自由な「民族」意識の実現を希求した、民衆の動きに基づく「可能性の政治領域」をさす言葉として用いられてきたのである。そしてその「可能性の政治領域」は、米軍占領期において「親日派」が政治的な主導権を握ることによって挫折し、さらに朝鮮戦争、南北分断、軍事独裁という近現代史を歩むなかで崩壊してしまったとされる。しかし、その「可能性の政治領域」の挫折は、そうした単純な因果関係で説明しきれるものではない。こうした言説は、「可能性の政治領域」を論じながらも、再び、敗戦と解放という二分法の時間軸に回帰してしまうためである。対極的な位置づけではなく、一九四五年の日本の敗戦と朝鮮の解放を境に、「喜ぶ人間」と「悲しむ人間」の狭間に存在した「戸惑う人間」に注目しない限り、「解放空間」という「可能性の政治領域」の挫折は説明しきれない。

一九四五年の日本の敗戦と朝鮮の解放の歴史は、いま、改めて考察されなければならない。この時点で「宗主国」日本と「植民地」朝鮮という枠組みが崩壊し、さらに、新たな国家形成過程においてアメリカが入り込み、いわゆる「民主主義」のイメージが言葉としてのみ浮遊しているなかで、「加害国」と「被害国」の図式が形成されていった重要な時期である。しかしそれだけではない。同時にこの時期には、この「加害」と「被害」の「国家」という対立概念が顕著化し、人種・民族・階級、あるいは性などを基盤とする枠組みが混在した。その枠組みから外されている人間の存在、その人々が語る「一九四五年」を、浮かび上がらせる必要がある。

「戸惑う人間」とは、いわば、フーコーのいう「我々の社会においても、また他の社会においても、〈排除されるもの〉」あるいは、「社会の合理性の体系というもの自体、同時に〈排除という否定的体系〉[1]」を暴露する人々の集まりともいえよう。フーコーは「ある所定の地域で生活する人々の集まり」という包括的な意味で、かつ「国家が自身のために気を配る対象にほかならない」存在を「(population)」として捉える。一方、国家は「自らの権力を、生きているものに行使する」のであり、「その政治は、それ故、命の政治であるべき」であるにもかかわらず、「必要とあれば、住民を大量殺戮する権利を有している」存在となる。即ち、フーコーのいう「住民」とは、社会科学でいう国民、民族、市民などの概念と部分的に一致する概念であると同時に、「命の政治（biopolitics）の裏側には死の政治（thanatopolitics）」が潜んでいることを含意する「人々の集まり」である[2]。従って、こうした社会の契約や構成体にも含まれていなかった「排除された主体」にとっての「戦場」とは、単なる国家間の戦場にとどまらない。「力関係の衝突」と「消音」によって脅かされる日常生活にも、「戦場(bataille)」[3]の「死の政治(thanatopolitics)」は潜んでいるのである。また、抑圧されることによって狂っていく主体から、対抗する存在へ、更に「自己への配慮」を通して自ら「欲望する存在」へと変貌するのである。つまり、自分を抑圧する存在に気づいた個々が「自分自身に注目し、自分を解読し、自分を認識し、自分を欲望する存在であると認める」[4]に至るのである。そこにフーコーは、「敗者」と位置づけられた人々の可能性の政治を見つける。

「命の政治」の裏側には「死の政治」が潜んでいることを表す「戸惑う人間」の言葉。そこから生み出される新たな「可能性の政治領域」は、アジア太平洋戦争の経験を通して、国家や新たな体制の中で疎外されてきた多くの人が共有したものでもあるはずだ。日韓関係史という研究領域から考えると、こうした問題認識はさらに明らかになるだろう。既存の日韓関係史において、「戦後処理」を巡る歴史問題は広く分析されてきたが、戦後における断ち切れない「心情」の問題に関しては、ナショナリズムの問題である、と簡単に片付けられてしまう傾向がある。しかし、日韓関係の反目の歴史にまつわる「心情」の問題も、より立体的にその「関係史」を探求する必要はないのだろうか。一九四五年を、日本の敗戦と朝鮮半島の解放だけでは説明し切れない人々の「心情」を念頭に置きながら、分析することはできないのだろうか。「日韓関係」あるいは、「日韓関係史」という語自体、あらかじめ朝鮮半島の南の「国家」のみを想定したものであることに気付くからだ。そこで注目したのが沖縄である。沖縄を、こうした「心情の分岐点」において、国家、人種・民族・階級、あるいは性の二分法のなかでは説明し切れない、「朝鮮人」「沖縄人」「日本人」「米軍」が混在した空間として注目したい。

なぜ沖縄・沖縄戦にこだわるのか。たとえば、韓国の「戦争記念館」と、沖縄の「平和祈念公園」に対する違和感のようなものが、沖縄に注目するひとつの契機を与えた。韓国の「世界最大規模の戦争記念館」は、二〇〇一年の九・一一テロ以降再編成・移設が本格化している龍山《よんさん》米軍基地（二〇二一年現在三〇％返還）の隣に位置している。龍山米軍基地は、一〇〇年以上、清、日本、アメリカの基地として使われたため、一般住民が立ち入ることの出来ない軍事施設であった。日清、日露戦争時に、日本軍の司令部が最大の海外駐屯兵力を送り込んだのも龍山の基地であり、敗戦と共に米軍基地へと引き継がれた場所である。基地移設に伴い、一九四五年以来の土壌汚染が問題化している場所でもある。

その龍山米軍基地の隣にある「戦争記念館」には、「外敵の侵略により国が侵略される度に強靭な民族精神と、犠牲精神で命を賭けて闘った勇士」を記念して、愛国心を高揚する資料が保存・展示されている(5)。その展示は、韓国の軍隊がどのように発展してきたのか、また米軍とはどのような関係をもってきたのかを説明している。この記念館に、朝鮮戦争における韓国人と、「友軍」米軍戦死者一五万人の名前を刻んだ碑がある。しかし、韓国の解放前夜、帝国日本のために「日本兵」となって戦地で死んだ朝鮮人男性の死については言及されていない。朝鮮戦争の勃発日を一九五〇年の六月二五日だと繰り返し強調するこの「戦争記念館」では、植民地朝鮮で生まれ、帝国日本とアメリカとの激戦地で「日本兵」として参戦した朝鮮の男たちは、彼らが再び朝鮮戦争に巻き込まれて、今度は「韓国軍」として亡くならない限り、「日本兵」としての汚名を払う機会はない。

ところが沖縄の巨大な「平和祈念公園」では、植民地朝鮮から強制動員された男たちの名前が「平和の礎」という刻銘碑に刻まれている。それも、自身が生きている間は一度も見たことも聞いたこともない「韓国」と「北朝鮮」という国別に分けられて、きれいに刻まれているのである。そして、占領軍として上陸した米軍を含め、沖縄戦に巻き込まれて死んだ多くの人を、「敵」と「友」の区分なしに、また、軍・民の区分なしに刻み、祈念しているこの大きな祈念公園。そのなかに「慰安婦」の名前などは一つも刻まれていない(6)。結局のところ、記念館・祈念館という「われわれ」となることを強要する場では、その根底にある〝われわれの国家〟を死んで守る男たちを褒め称えるナショナリズムと、鎮魂との断絶を明らかにするのは不可能に近い。そのため、分断された朝鮮の兵士は、生きている間には見たこともない「国家」のパスポートを、死んでから持たされる。そして、男たちを喜んで死なせるための軍国主義の装置である「慰安婦」の女たちは、そこには〝祀られない〟〝悼まれない〟〝褒め称えられない〟〝名誉を与えられない〟〝記録されない〟〝記憶にとどめられない〟のである。

誤解を避けるためにいうが、問題は、ただ「記憶されない」という点でも、「祈念されない」という点でもない。帝国日本の「臣民」であった朝鮮人兵士、そして日本軍兵士に「慰安」を与えるための存在とされた朝鮮人「慰安婦」らが、最後に見たのは何だったのだろうか。彼・彼女らが戦場の沖縄で死に直面したときに見たのは、祖国解放の喜びなのか、それとも帝国日本の終末への悲しみなのか。沖縄戦に動員された二万人とも三万人ともいわれる彼・彼女らの憎しみは、朝鮮人をスパイとして虐殺した日本軍に向かっていたのだろうか。それとも迫ってくるアメリカ軍に向かっていたのか。こうした問いかけを通し、戦場の中の「何人にも成りきれなかった」人々、「成ろうとした人々」、それでもなお「戦後」の長い間、沈黙を強いられた人々の経験が、〈交差して語られる可能性〉をどのように見いだせるか、が問題なのである。

沖縄の戦場では、「天皇」の下に一つになった「日本人」、そういう教育を受けた「沖縄の住民」、そして植民地から強制動員された「朝鮮人」が、「臣民」として「殉国」することを強いられた。そして、日本軍は守るべき「臣民」に銃を向け、方言を話す沖縄の住民をスパイとして殺し、あるいは、極端な恐怖のなかに住民を放置し、「集団自決」の場に追い込んだ。また、住民自身は殺し合いの場で朝鮮人を差別的な目で見ていた。「敵」と「友」が重なり、「加害」と「被害」の間で、生き延びるために選択を狭められ、共犯関係に置かれた。この戦場で生き延びた人々が見ていた「戸惑い」とは、日本人、朝鮮人、沖縄人といった区分によりもたらされたものではなく、むしろ、もっと感覚的、肉体的な恐怖によるものではなかったのだろうか。過去が重要な理由は、その過去が、現在も生きて現実の政治や社会の関係に影響を与えるからである。死者は、それに想いを寄せる人々の記憶の中に生きる。ならば、「感覚的な恐怖」をもたらした状況や原因を探ることが、未来に迫りくるかもしれない同様の恐怖に立ち向かう手助けとなるであろう。戦後、日韓関係に横たわるアジア太平洋戦争期の反目の歴史も、そういった「感覚的な恐怖」に接近してこそ、反日と一般に呼ばれる「集団的な心情」の諸問題に対して、もっと多角的な分析を可能にするだろう。

重要なのは、被害の状況をならべて「被害者」と「加害者」の図式をくりかえすことではなく、むしろ、何故「被害」と呼ばれる状況に、また何故「加害」という状況に置かれたのか、である。そして、その「加害」や「被害」の経験が、全ての状況が終わってなお、なぜ交差せずにいるのかという点なのだ。国家を前提とする語りでは、その経験の交差や、内部に潜む「植民地主義」までは語りきれない。日韓関係と呼ばれる学問の分野を、「沖縄」という空間から考える理由がそこにある。

一九四五年の帝国日本の「敗戦」と、植民地朝鮮の「解放」の歴史も、国家戦略や外交、政治事象などの分析だけでなく、前述したような「戸惑う人間」、声なき人々の研究に移る必要があるのではないか[7]。韓国の「戦争記念館」にも、沖縄の「平和祈念公園」にも収容されない人々。彼らが、自分たちの生命を守ってくれると信じた「命の政治」の裏側に、死ぬことを強制する「死の政治」が潜んでいた。それが、沖縄戦であった。これら「死の政治」を、一九四五年八月一五日の帝国日本の敗戦を悲しむ「日本人」、植民地解放を喜ぶ「朝鮮人」といった図式で語ることを、拒否したい。歴史問題として「国家責任」を論じる際、「戦場には常にそういう暴力がある」という語りで普遍化することは避けなくてはならない。と同時に、人々の感情を、国家に属するもの、つまり「我々の体験」として一般化しないことが何より重要である。一般化され抽象化された言説が、被害者の苦痛をスローガン化してしまうからであり、そういう他者化は、被害者の苦痛を自分の身体体験と共に考察する微かな可能性を、封じこめてしまうからだ。
これらの問題認識が、私を沖縄という空間に、また、沖縄戦という歴史的経験に注目させる動機となった。

2. あなたは何処から来たのか—居場所と逃げ場について

毎年、沖縄戦の記憶が想起され、語られる「慰霊の日」の話から、始めたいと思う。
二〇〇六年六月二三日、「慰霊の日」のある集会に招待されて壇上に上った八六歳の朝鮮人軍夫の男性は、おそらく、四回以上同じことをくり返した。

「여기 오키나와 사람말고 일본사람《いるぼんさらむ》 와 있어요？（この場に沖縄人でなく、日本人は来ていますか？）」

「일본사람《いるぼんさらむ》　와 있어요？（日本人は来ていますか？）」

「여기 이 장소에 오키나와 시민들 외에 일본사람《いるぼんさらむ》 있으면 손들어 봐요（ここ、この場に沖縄市民の他に、日本人がいれば手を挙げてみてください）」

「일본사람《いるぼんさらむ》　없어요? 일본 본토에서 온 사람 손들어 봐요（日本人はいませんか？　日本本土から来た方、手を挙げてくれよ）」

皆、一瞬息を呑んだ。

最後の一言は、命令調、あるいは、命令するかのような強い語調の朝鮮語だった。恐らく、そういった語調に通訳も困ったらしく、「手を挙げて」という彼の朝鮮語に一言、日本語を加えていた。

「すみませんが、お願いします」

ぼつぼつ何人か手を挙げているのが見えた。次の瞬間だ。

「일본사람《いるぼんさらむ》　있으면 지금 이 자리에서 반성하고 고개를 숙이고 사죄해요. 사죄할 생각없어요?（日本人がいたら今、この場で、反省して、頭を下げて謝罪しなさい。謝罪するつもりはありませんか？）」

皆、固まった。

"I'm so sorry. But can I ask a question? ... I'm so sorry. I'm Japanese."

固まった空気のなか、一人の少女が英語で質問をしようとした。少女は証言会の途中で、彼の証言の流れをさえぎり、何度も質問をしようとしていた。そして皆から暗黙の拒否を受け、証言会はそのまま進行していた。ところが今、更にこういう微妙なタイミングで、少女は再び質問をしようとしている。〝謝罪を求めている〟彼の怒りが頂点に達し、日本人に「頭を下げての謝罪」という体の反応を要求しているまさにその瞬間だった。予測されていなかった彼女の質問に、証言者も聴衆も黙った一瞬のことだった。

"No!"

彼女の近くに座っていた、私は声を上げた。会場の皆に、私の"No"が聞こえていたのかは重要ではない。ただ、私の英語が、彼女に向かって、日本語か朝鮮語でなければ黙っていろ、と伝えたのは事実だ。その後、質問して良いと、壇上の姜さんが承諾した。しかし言葉が通じない。"I can't speak Japanese. I'm Japanese"と言う彼女の発言をめぐって、静かな動揺があった。「韓国語か日本語で質問をお願いします」という通訳者の声が入り、そのうち、「彼女は『従軍慰安婦』について質問をしているようだ」と解釈された。そして、それについては先ほどの証言で既に話されたのではないかという通訳者の推測と、詳しくは後に説明する、という主催者側の説明などがあり、とにかく慌しく時は過ぎ、引き続き証言が始まった。そして「일본정부는 야만의 정부에요 · 나는 한이 많아요 · 인간이 아니라고요 · 인간이면……（日本政府は野蛮な政府だ。私は恨《はん》が強い。人間ではないと思う。人間だったら……）」と姜さんは話を続けた。そして何回も、「오키나와 시민들 감사합니다 · 오키나와 사람 감사합니다 ·（沖縄市民の皆さん、ありがとうございます。沖縄人ありがとうございます）」が繰り返され、証言は終った。

少女の英語と、皆の戸惑いと、私の“No”が混ざり合ったその気まずい場に、五分の休憩が入った。

元朝鮮人軍夫の名前は、姜仁昌《かんいんちゃん》。当時八六歳で、一九四五年に沖縄に強制連行され、沖縄戦を体験した。沖縄戦当事は阿嘉《あか》島で軍夫として過酷な労働を強いられ、紆余曲折を経て生きのびた生存者である。姜さんは、一九九九年に慶尚北道英陽に「太平洋戦争・沖縄戦朝鮮半島出身者恨《はん》之碑（以下：英陽の「恨《はん》の碑」）」を、日本と沖縄の市民団体の協力を得て建立した体験を持っている。その建設過程に力を合わせた沖縄側も、本格的な全国募金活動などを行った。その結果が、証言会があった二〇〇六年五月に読谷に建てられた「恨の碑」第二号である。その読谷《よみたん》に立てられた「恨の碑」の除幕式で感想を求められた姜さんが、「それより、私たちが戦争中どんな体験をしたのか、私に聞くべきではないか」と訴えたことが証言会開催のきっかけとなったのだ。

姜さんの証言会を扱った新聞紙面の右下に、「熱心に議論を聴く人々」という見出し。その聴衆の中に筆者自身も写っている。「熱心に議論を聴く人々」の中の一人であった私。そして、「日本人」と「沖縄人」をきれいに分類し、「日本人」に「謝罪を求める」。そして、その前に、まず手をあげさせて、自らが何人であるかを「表明」することを強く訴える姜さんの「恨」と出会った時、その場の空気をさえぎって英語で「慰安婦」のことを聞こうとした少女に、私は“No”と言ってしまった。

沖縄と韓国に建てられた双子の「恨の碑」。その碑の中に入っているブロンズの彫刻を手がけた金城実さんに出会ったのは、その「証言会」から二ヶ月もたった八月のことである。韓国から遺族をはじめ二〇〇名余りの人々、台湾から駆けつけた「原住民」たち、そして、沖縄から数人の人々が、八月一五日の小泉首相の靖国参拝に対する反対行動を起こした。三日間、東京の道を歩き、スローガンを訴え、最後の夜はロウソクを手に「YASUKUNI NO」という文字を作った。その中で、私は、金城実さんに出会ったのだ。

金城実さんは、日本に対して「恨」があっても、あの時に死んだ友人のことを考えると、「靖国」にだけは触れられない「沖縄人」について語ってくれた。

「靖国」には、朝鮮と台湾から強制連行された人々も合祀されている。正確な人数は把握されておらず、推定人数しか知られていない。靖国に合祀されていると思われる人数のうち、朝鮮人二万一千余り、台湾の「原住民」は二万八千名を超えるといわれている。言うまでもなくその背景には、実名が分からない、創氏改名されたままの名で合祀されている朝鮮人という事実があり、この「日本人」になりきれなかった人々が、「日本人」として祀られていること自体、タブー化されている。死んでからも日本という国家、「天皇の赤子」という身分から解放されていない死者は、今や、独立した国の生者たちの「侮辱」と「恨」そのものになっている。死んでからも彼らは、日本という「祖国」に殉じることを命じられているのである。

このように「靖国」に祀られている名の中には、沖縄で食糧を盗んで日本軍によって殺された朝鮮人の名もある。自分たちが生きるために、その朝鮮人を日本軍に告発するという形で、朝鮮人の死に関わってしまった沖縄人。「天皇の赤子」として死んでゆくことに、疑いを持たずに死んで行った仲間の「死」を目の当たりにして生き残った自分たちが持つ「日本軍」への「恨」。その「恨」という「死」に対する問いかけに戸惑う沖縄人がいる。

このような戸惑いは、「祖国に殉じる死」というものに対する一人ひとりの問いかけとしての思想的な拠点としての沖縄を同時に意味する、と私は考える。

そして私は、「沖縄戦の図」に描かれた、入っていない目玉について考えざるを得ないのだ。それは同時に、自分が、なぜあの証言会で“But can I ask a question? ”と言った少女に向かって、“No”と言ったのかという、自分自身への問いかけでもある。

あの「沖縄戦の図」をはじめて目にしたのは、沖縄との係わりを持ち始めた頃だ。その時の衝撃を忘れない。戦争の悲惨さを伝える「沖縄戦の図」は、バラバラになっている身体をそのまま見せる戦争フィルムとは異なるものであった。五体満足に描かれた体は、ひとつひとつ丁寧な線で描かれ、まるで、描かれている死体を慰めるかのような優しささえも感じさせた。

しかし、あれほど綺麗な線で身体を描いている「沖縄戦の図」で、目玉が入っているのは三人の子どもだけである。「天皇の赤子」として戦場で協力し、また協力することで殺されていく多くの大人には、戦場の真実を見極める人間の目玉が入っていないのだ。三人の子どもだけが、逃げ場を見つけるように目玉を持つ。一人は立ち、一人はうつむき、一人は座り込んでいる。そして、この子どもの後ろには、逆さに落ちてくる、オレンジ色の血を流す女性の裸体。「沖縄戦の図」を描いた丸木位里と丸木俊夫妻は、「アラビンチャー・ヒンギリョウ（子どもたちよ、逃げなさい）」と、三人の子どもにだけ目玉を入れたのだという。「沖縄戦の図」が保管されている佐喜眞美術館の佐喜眞道夫館長からその話を聞いた瞬間の衝撃は、今なお鮮明に覚えている。

生まれ育った朝鮮半島の記憶を強く持ち、同時に「沖縄」を自分の思想の「拠点」として持とうとした私が、もしあの三人の子どもに「逃げなさい」と訴えかけるのであれば、果たしてどういう言葉で語りかければよいのだろうか。それは、朝鮮語でも沖縄口でも、または「天皇の赤子」としての言葉でもない。むしろ、ただあの「恐怖」を感じ取った者としての、言葉でない身振りや手振りが最もふさわしいのかもしれない。三人の子どもの後ろに逆さに落ちてくる殺されたスパイとは、私だったのかもしれない。言葉を発することすらできない私は、ただ身振り手振りで伝えることしかできないだろう。

ところが、二〇〇六年六月二三日に出会った沖縄戦の生き証人である朝鮮人軍夫は、はっきりとした口調で「謝罪」を求めた。しかも、日本人たるものと沖縄人たるものを厳然と区別して。そして、それを受け止める側がむしろ、言葉をなくしていた。佐喜眞美術館「沖縄戦の図」に描かれている目玉のない大人としてではなく、生き証人である朝鮮人軍夫は、「恨」という目玉を持って現在の「日本政府」に言葉を発している。そして、おそらくその場で証言を聞いていた人々は、「加害者かつ被害者」という歴史における真摯な立ち位置から、はっきりと彼の「恨」を共有していたように思う。しかも、それは、復帰における様々な「朝鮮人」言説とは異なっている。名前を、ある「碑」に書き込むという極めて「合理的」な作業を通して、その実践に基づいて、迫ってくる「慰霊の日」における「謝らない日本政府」に立ち向かおうとしていたのだ。

それは、野村浩也の言葉を借りれば、「戦場化を押し付けた者がいなければ、わたしは沖縄戦にこだわらなかったはずだ。しかし、沖縄人を殺した日本人がいた。沖縄人を殺した沖縄人がいた。朝鮮人を殺した沖縄人がいた。そして、沖縄人はわたしだ。わたしが日本人に殺され、沖縄人を殺し、朝鮮人を殺したのだ(8)」という問いかけであった。殺す側から自分の加害性を認めた上で発した野村の答えは、「沖縄戦の図」で、どうしても三人の子どもの後ろに逆さに落ちてくる殺されたスパイの姿に自分を重ねてしまう私よりも、戦場における暴力を直視しているように思える。

私が二〇〇六年「慰霊の日」の前夜、朝鮮人軍夫の証言会での出来事にこだわる理由とは、ごく単純である。「日本人謝れ、沖縄人ありがとう」という朝鮮語に向かって"I'm so sorry. But can I ask a question? … I'm so sorry. I'm Japanese."と問いかける者がいた。そして、「被害者」と名乗る人を目の前に形成されたあの聴衆の「熱心さ」は、その「熱心さ」に加わらなかったある〈少女〉を透明人間とした。少女が年配の男性であったなら、あの場であれほど透明化されなかったはずだ。またあの場が、米軍基地施設の約七〇%が集中している沖縄でなければ、私はこれほどあの場で英語で「日本人」だと名乗った少女にこだわらなくて済んだのかもしれない。とりわけ、その透明人間となった若い女性は、英語という言葉を持って、「加害者」としての「日本人」だと名乗らせようとする「恨」に、隙間を作った。そして、そこには、その隙間を“No”という英語で黙殺してしまおうとする「朝鮮人」としての「私」がいたのだ。沈黙する「沖縄人」が、そしてその隙間に、こっそりと上げた手を下ろした「日本人」がいたのだ。

そういう異なる身体の表現が、「日本政府にはまだ恨みが強い。日本人は謝罪するつもりはあるのか」という現在の政治への「恨」を共有することによって、沖縄戦を体験し、「沖縄人」たるものと「日本人」たるものを区分できる「恨」、つまり、「天皇の赤子」として共有すべき「恨」が、共有されていないことを、私は〝あえて〟指摘せざるを得ない。

今なすべきことは、迫り来る「戦場化を押し付ける者」、そしてこの現在の政治に向かって、「闘いの武器」となる証言を「恨」と定義することではない。むしろ、「祖国」に殉じることを命じられて死んでしまった者たちの「恨」と、生き残った者の「恨」とがなぜ分断されてしまうのかを問うべきであり、その証言を繋ぎ合わせるべきである。それによって、ようやく表現できる身振りを「恨《はん》」と呼べるのではないか。

こんな話から始めたのは他でもない。沖縄とかかわり、そして、日本で「沖縄」に思いを寄せる一人の研究者として、私は度々この“No”に出会うからである。その“No”は、平和を語る言葉探しをする、また「沖縄戦」にこだわる一人の研究者として、「日本語」という借りものの言葉を使い続ける中で、しばしば私の中に浮かび上がるからである。言い換えれば、それは、「ヤマトゥンチュ」と、「ウチナーンチュ」という言葉が飛び交う泡盛の二次会で、一人、「逃げ場」を作ってきた自分への問いかけでもある。と同時に、日本社会に住みながらも「外国人」であるという旅人の居場所から、少しは口を出そうと議論に顔を出した際、自分がしゃべる言葉が朝鮮語ではないこと、つまり、借りた日本語というものであるため、絶えず疑いと不安感を感じる旅人としての「居心地の悪さ」にかかわるともいえよう。

"No"と言ってしまったことで、私は朝鮮半島で生まれ育ったものとしての「共同体」に、自らを一瞬でも閉じ込めてしまった。それは、自分の目指すべき拠点としての「沖縄」、研究という道具を使って自ら構築してきた「沖縄」という「共同体」を、地図の上に名付けられた名称へと還元させてしまう。そのようなある種の挫折感を味あわせるものでもある。今のところ「挫折感」という言葉以外、「なんとも言えない」この「居心地の悪さ」を表現する言葉を思いつかない。

あの出来事の後、なぜ、その場で"No"と言えたのか、その問いが、頭から離れない。

繰り返しになるが、本書で注目する「沖縄」とは、たびたびこのような"No"に出会いながら、自らを「加害者」ではない立場におきたいと逃げ場を求めてきた経験を持つ私が、それにもかかわらず、こうした国家に回収されない「私」の領域として、これらの戦場を語り得る、そして思考作業を可能にする政治的な拠点として注目した空間である。それは言い換えれば、朝鮮人と呼ばれてきた人々と多くの文化的・歴史的な同一性を経験した者としての私が、あえて、「朝鮮人」の体験に潜む「被害性」の分析、「慰安婦」本人の証言ではなく、沖縄の「住民」との〈関係性〉に焦点を当てる理由である。

絶えず「あなたは何処から来たのか」と問われる沖縄で、その問いが、構造化した国家、民族、ジェンダーに属しながらも「平和」を論じる私たちに、一体、どのような意味を持つものなのか、その問いの意味を考えるために、沖縄戦に注目したい。

3．「慰安所」という状況

沖縄における「慰安所」の所在地は、沖縄諸島、大東諸島、先島諸島である。尖閣列島は、一九四〇年には既に「無人島」であったので、沖縄諸島、大東諸島、先島諸島と、アジア太平洋戦争時に、沖縄住民が住んでいた全ての諸島に、「慰安所」が存在したことになる。日本軍が沖縄に設置した「慰安所」の数は延べ一三〇カ所（二〇二二年現在一四六カ所）に上る。

「慰安所」とは、日韓関係における国家責任の問題の文脈で「加害のシンボル」として固定化されたようなものではない。沖縄の住民の日常が戦場化される過程で一つの「状況（局面）」として、つまり住民の日常を「変容」させ、かつ住民の間に何らかの影響を与えたものとして設定されている。沖縄戦における「朝鮮人」が見た戦場の恐怖と、戦場における「住民」の恐怖がどのように関係していたのかに注目するため、沖縄戦場における「慰安所」という状況に注目したい。

九〇年代以降、韓国における「慰安所」はアジア太平洋戦争における日本国の国家責任を問う場所として語られてきた。また沖縄では、日本国内では唯一、一三〇カ所を越える多くの「慰安所」が存在した理由として、沖縄が「準外地」とされてきた「植民地主義」の問題が提起されてきた。「国家責任」を問う場所であり、「植民地主義」を問う場所であることは、言うまでもない事実である。また、「恐怖」ということに注目することで、「慰安所」にまつわる日本国の「戦争責任」をあいまいにしてはいけないことも事実である。しかし、本書では、沖縄における「慰安所」をめぐり、植民地から連れられてこられた女性たちの「被害」の全貌を明らかにしたり、沖縄における住民の「被害」を強調するというよりも、むしろ、「慰安所」という場所が、いかに沖縄の内部に変化をもたらしたのかに注目したい。つまり一三〇カ所に上る「慰安所」の数は、「被害」の重さを語る数字としてあるのではなく、沖縄の日常に深く影響を与えた存在であったという仮説を、可能にさせる数字なのである。

つまり、「慰安所」は、それがどのように沖縄の村に入っていき、いかに消滅していったのか、に注目することで、朝鮮人と住民の関係性を考える場所として設定されている。「慰安所」とは、「加害」と「被害」が重なる戦場で、住民の間に「死の政治」が潜んでいたことをより鮮明に見せる空間であり、同時にそこに住民はどのように加担し、またどのように回避しようとしたのか、その背後にどのような「軍律」が作用していたのかを分析することによって、「死の政治」は単なる朝鮮人「慰安婦」だけではなく、それを〈見た人々〉にも影響を与えたと考えられる。「慰安所」は常に軍律のもとで存在し、住民の日常に影響を与えた「状況（局面）」であった。それが本書の仮説である。

そしてこれらの局面を、沖縄の住民の叙述（narrative）により再構成してみよう。「記憶」を用いる手法は、アジア太平洋戦争後に発展を遂げた歴史人類学の流れに沿うものである。「記憶」を中心テーマとし、具体的な地域や具体的な歴史事件を分析することの重要性は、今日においては改めて強調する必要のないほど認知されている。それは、既存の歴史学や民俗学で十分に語られない、「人間」の存在を浮き彫りにすることに寄与してきた。(9)

また、本書でとりいれる「叙述（narrative）」が、「慰安婦」とされた「朝鮮人」によるものではなく、「慰安所」という「戦時性暴力」の制度化されたシステムを見た側、つまり沖縄の住民の証言である点で、既存の研究とは異なる特徴を持つ。

住民の意識の「変容」に注目すると、沖縄に初めて「慰安所」が登場したとされる一九四一年、つまり、沖縄に地上戦が始まる以前から検討されなければならない。また、沖縄で戦後、米軍の軍政の下に公式に「琉球政府」が発足し、日本と沖縄が完全に分離された一九五二年までの時期を念頭に置き、繰り返し沖縄で「慰安所」が反復されたことをも視野に入れなければならない。つまり、日常における住民の意識の「変容」を中心に考えると、日本軍による沖縄戦の軍事的な「占領」と、その後の米軍「占領」という二つの占領が、「慰安所」をめぐって重なってくるのである。

分析に先立ってまず前提としておかなければならないのは、「占領」という概念である。本書でいう占領とは、ヨハン・ガルトゥングが『構造的な暴力』で指摘している「可能性と現実との間の、つまり実現可能であったものと現実に生じた結果との間のギャップを生じさせた原因」としての「構造的な暴力」という概念を指す。それはまた、「ある人に対して影響力が行使された結果、彼らが現実に肉体的、精神的に実感したものが、彼のもつ潜在的実現可能性を下回った場合」に存在する「暴力」の状況でもある。その点において、沖縄戦における日本軍の駐屯も、軍隊による「占領」である[10]。

なお、本書では、「朝鮮人」という語を歴史用語として使うこととする。

4．「関係」としての学問

「沖縄戦における住民と朝鮮人の関係性」を探る研究に限定すれば、本書の直接的な先行研究は見あたらない。本書の対象としている「慰安婦」問題に限定していうなら、一九九一年に金学順《きむはくすん》がその被害を実名で訴えるまで、韓国社会において、日本軍に性の「慰安」を提供することを強制されたこのような女性たちは忘れられた存在であった。「慰安婦」問題が本格的に浮上した九〇年代、それを学問の対象とするよりはまず、「強制連行」に関する事実や被害の全貌を把握することを急がなければならなかった。また、韓国は一九八七年の「六・二九民主化宣言」まで、軍事独裁政権下に置かれていた。沖縄は、「日韓関係」という学問の分野からは全く見えてこない地域であった点も大きい。

沖縄戦における「朝鮮人」に関しては、学術界の動向はともあれ、研究者や人権活動家による証言調査・収集の試みをまず先行研究として位置付ける必要がある。「沖縄戦における住民と朝鮮人の関係性」に対する関心は、主に沖縄の市町村史の取り組みや、沖縄に居住している活動家によって始まっている。

まず、重要な先行研究として、一九七一年『沖縄県史 第9巻 沖縄戦記録1』と、七四年の『沖縄県史 第10巻 沖縄戦記録2』の刊行があげられる。沖縄で語られる「朝鮮人」の問題が浮上したのは、元軍人や防衛庁などの戦史記録ではなく、住民側に立った証言収集作業や、市町村単位で体系的に取り組まれた沖縄戦史の中からであった。復帰への政治変動の中で刊行された『沖縄県史 第9巻 沖縄戦記録1』と『沖縄県史 第10巻 沖縄戦記録2』では、「朝鮮人慰安婦」や「朝鮮人軍夫」たちに関する証言が、沖縄戦で「朝鮮人」の存在に関して帝国日本の「加害性」を追求する証言を通して、語られている。

さらに一九七〇年代には、「朝鮮総連(沖縄支部)」が中心となって、日本軍による「朝鮮人虐待」に関する真相究明調査が始められた。この時期、韓国寄りの「民団」は沖縄に支部を持っていなかった。朝鮮総連沖縄支部が中心になって行った調査は、日本本土の弁護士などが加わり、特別調査班を組むなど、本格的に取り組まれた。また「慰安婦」問題が可視化される前の一九七五年、戦後始めて実存する朝鮮人「慰安婦」の存在が明らかになったのも沖縄であった。戦後も韓国に戻ることなく沖縄に置き去りにされた元「慰安婦」、裵奉奇《べぽんぎ》の存在が、復帰のさなかで注目された。沖縄戦における朝鮮人「慰安婦」の痕跡を探して沖縄を訪ねた最初の研究者は、尹貞玉《ゆんじょんおく》であった。尹は一九八〇年、韓国の光州民主化運動の直後と、民主化運動によって政権が変わり、光州民主化運動における虐殺の真相究明がおこなわれた八八年と、二度にわたって、置き去りにされた元「慰安婦」裵奉奇を訪ねている。八〇年代の調査記録は、『韓国日報』

に連載された「連れて行かれた人々」（一九八〇年八月二九日付、九月三日付）に紹介された。なお一九八〇年代に入ると、韓国から元朝鮮人軍夫の人たちが戦後初めての沖縄入りを果たしている〔補章参照〕。

しかし、韓国は長い間軍事独裁下にあった。十分な証言収集・真相究明も難しい状況のなか、研究を行える環境が整えられたのは九〇年代に入ってからであり、「朝鮮人軍夫」関連研究は、『恨―朝鮮人軍夫の沖縄戦』（海野福寿・權丙卓、河出書房新社　一九八七年）にとどまっている。また、「慰安婦」問題に関しても学界の関心は皆無に近かった。その点でも、以下のような先行研究は重要であろう。

一九九二年に沖縄女性史研究グループによって作成された「沖縄慰安所マップ」を重要な先行研究として位置づけたい。復帰二〇年という節目で開かれた第五回「全国女性史研究交流のつどい」の分科会発表において、文献と証言などの調査を通して、合計一二一カ所（一九九四年には一三〇ヵ所）の「慰安所」の存在を確認したと報告されている。無論、女性史グループは、あくまでも「慰安所」という場所に集中して調査をおこなった。狭い島で、元「慰安婦」たちの平安な生活を脅かすことになるのを懸念せざるをえなかったためである。実際、那覇の元辻遊郭の女性の証言は少ない。仮名の証言がいくつかと、元辻遊郭での経験を語った上原栄子の『辻の華』（一九七六年、一九八四年）や、『戦後五十年・生きぬいた女性たち』（「なは女性史証言集」第2巻　那覇　一九九五年）のなかでの小渡カマドの証言、新庄正子（正子・R・サマーズ）（『沖縄からアメリカ―自由を求めて！　画家 正子・R・サマーズの生涯』原義和編、高文研、二〇一七年）の自伝がある程度である。こうした沖縄の女性たちの取り組みは、戦後はじめて「慰安婦」問題を沖縄戦の中で位置づけた画期的な取り組みであり、先行研究としてははずせないものである。沖縄戦で残された日本軍の『陣中日誌』の分析は、主に沖縄在住の活動家により行われてきた。『陣中日誌』に「慰安婦」関連の記述が多少ながら存在しているが、特に詳しいのが『石兵團會報』である。高里鈴代は「第五節強制従軍『慰安婦』」(『なは・女のあしあと―那覇女性史 近代編』ドメス出版、一九九八年、四四八〜四六三頁)でも、これらの『石兵團會報』を分析対象としている。特に、沖縄出身者が多く在住した旧南洋群島や台湾に、沖縄出身の「慰安婦」がいたことにも触れるなど、「慰安婦」問題が、沖縄出身の女性たちにも無関係でなかったことを強調している点で重要である。

他にも浦崎成子は、「第四章　沖縄戦と軍『慰安婦』」『二〇〇〇年女性国際戦犯法廷の全記録　第3巻』(緑風出版、二〇〇〇年)で、第32軍の第24師団、第62師団、第28師団など沖縄の主力部隊が中国戦線から沖縄入りを果たしている点に触れる。浦崎は、「慰安所」のようなアジアに対する蔑視にまみれた組織を保持する日本軍を問題視する。そして、沖縄に「慰安所」そのものを持ち込んだことが、沖縄戦の悲劇とも無関係でなかったことを指摘する。

林博史も『沖縄戦と民衆』(大月書店、二〇〇一年)で、第32軍の沖縄戦展開と住民との関係を実証的に分析しているが、その中で、「慰安婦」に対する日本軍の『陣中日誌』記述に触れている。

近年、「沖縄慰安所マップ」を先行研究としながら、沖縄における日本軍の展開を分析する動きがある。沖縄本島においては、古賀徳子「沖縄戦における日本軍『慰安婦』制度の展開一〜四」(『季刊戦争責任研究』第六〇号〜第六三号　二〇〇八年)が、離島に関しては筆者らの日韓共同調査団による宮古島調査(『戦場の宮古島と「慰安所」―12のことばが刻む「女たちへ」』洪玧伸編、なんよう文庫　二〇〇九年)があげられる。

数えるほどしかない先行研究の中でも、「慰安婦」問題を、沖縄戦における住民の体験と共に考察したものはほとんどない。「朝鮮人問題」が喚起されるにつれて、沖縄内部で被害者かつ加害者である沖縄というような言説が生まれたが、それにしても実際、どのような関係性を持って「沖縄」という空間に居合わせたのかを認識論的に示したものは皆無である。私は、これらの先行研究、特に「証言収集」の努力に多くのことを学んだ。沖縄と韓国の共同で行われた証言収集・調査にも力を入れてきた。しかし、やはり、「証言」を扱う認識論の不在も痛感してきた。

本書で捉える「慰安所」に関して言えば、「沖縄人」の体験と「朝鮮人」の体験はあるものの、沖縄の住民と朝鮮人との関係性は、「加害者かつ被害者」である沖縄一般という普遍化された言説が主なものとして結論づけられる傾向がある。また、「収容所」においては混在する「敵」と「味方」のまなざしは捉えるものの、その分析の中に「朝鮮人」関連の叙述は、全くと言っていいくらいないのが現状である。沖縄戦研究には、もっと多角的なアプローチによって個別の「体験」を歴史的な「経験」としてつなげる認識論が必要である。本書は既存の研究と同様、住民の証言を分析材料とするが、朝鮮人「慰安婦」という「性」にかかわるポリティクスを認識の根底におくことで、異なる沖縄戦分析の切り口を提示する。

5．朝鮮ピーとアパラギーミドォン（美しい女）

沖縄の「慰安所」は民家を接収する場合も多く、住民の多くが「慰安婦」の存在を知り、または、自分の家の近くに存在する「慰安所」の「慰安婦」と交流するケースもあった。

沖縄で朝鮮人「慰安婦」は、主に「朝鮮ピー」と呼ばれた。「ピー」とは中国戦線で使われた隠語で女性の性器を意味する。

住民にとって、朝鮮人「慰安婦」は「風紀を紊乱」する「ピー」のような存在として見られ、日本軍の「慰安所」設置を反対したり、「強かん」を防ぐための「必要悪」として受け入れていったりした。しかし、一方、沖縄本土とは異なり、米軍の上陸がなかった離島、宮古島の住民にとって「慰安婦」は、「美しい（アパラギーミドォン（美しい女）」として見られ、親密な交流をしたケースもあった。

『陣中日誌』などの軍の資料と住民の証言とを比較分析していくと、各々の村に、「慰安所」が設置されていった時期と場所によって「慰安所」運用のあり方がどのように住民と「慰安所」の関係に影響を与えたのかが見える。本書では、そのことを、序章と終章を除き、次のような3部・9章構成で追っていく。

第1部「資本と『慰安所』」では、大東諸島《だいとう》に注目する。大東諸島は、沖縄県の島尻郡に属する南大東島《みなみだいとう》・沖大東島《おきだいとう》（以下：ラサ島）・北大東島《きただいとう》の三つの島である。資源（砂糖・燐鉱）の存在により帝国日本の南進と共に発見されてきた地域であった。ここは資源の島であり出稼ぎ労働者の島であった。沖縄戦に突入する前から、南北の大東島では「大日本製糖株式会社」による製糖業が独占的に行われ、また、ラサ島には「ラサ島工業株式会社」が燐鉱業を独占的に展開していた点は、極めて重要である。いずれも会社による徹底的な支配が行われた、プランテーションそのものであった。南大東島は「海軍」の航空基地が建設されていた一九四一年「慰安所」が設置されたとされ、ラサ島には沖縄戦当時到着した朝鮮人女性の名簿が存在する。また北大東島《きただいとう》は沖縄戦当時、同じ命令系統の下にあった。

今までの先行研究では、南大東島に「慰安所」が早い段階で設置された事実について触れる程度で、ほとんど第32軍創設後の本格的な「慰安所」建設や展開に焦点が当てられている。しかし、日本の領土となった資源の島で、プランテーション（資本）、海軍、第32軍へと島を統治する主体が移り変わっていく過程を、連続したものとして見ることが、沖縄における「飛行場建設（軍事化）」と「性」の問題を考える上で重要であると考えている。実際、沖縄戦における飛行場建設の始まりは、第32軍ではなく海軍であった。それが本論文を一九四五年ではなく、海軍飛行場建設の四一年の南大東島の状況を含む大東諸島から始める理由である。第1章では、大東諸島の『陣中日誌』と共にラサ守備隊長森田芳雄のまとめた『ラサ島守備隊記』を通して「慰安所」設置における島における出稼ぎ労働者、プランテーションの経営者、兵士、「慰安婦」の関係性に焦点を当てた。

第2部「沖縄戦・村に入った『慰安所』」から、本書の課題として設定している「慰安所」を分析する。まず第2章では「慰安所」が、沖縄に初めて設置された際に、県や各村でどのような反応があったのかを述べる。第3章では、日本軍の組織的な「慰安所」の展開と住民の日常を体系的に分析するために、「航空要塞建設地」としての沖縄の戦略的な位置に注目し、分析の手法を明らかにする。第3章〜6章では、前章で提示した手法に従い、海軍や陸軍の主な飛行場が設置された地域を中心に、各々の村にどのように「慰安所」が設置されていったのかを分析していく。

第2部で使う主な資料は、「防衛省防衛研究所所蔵資料」である。戦時中日本軍は、一ヶ月単位で各部隊の行動を記録した『陣中日誌』と司令部や部隊本部から指令下の各部隊に発した「命令書」、各部隊の戦闘報告書である「戦闘詳報」を書くことが義務付けられていた。その他に、主力守備隊であった第32軍が壕内向けの広報誌「球軍会報《たまぐん》」を作成している。日本軍は秘密保持のため、通称名を使っていたが、第32軍は通称「球部隊」と呼ばれていたため、このような名称となっていた。これら日本軍の資料は、戦中に作成されたものと、敗戦時に組織的に破壊された後、戦後にまとめられたものがある。戦中に作成されたもので、日本軍が捕虜となる際、焚書されずに米軍に押収されたものは、一九五八年、アメリカから日本側に返還されている。こうして返還された「防衛省防衛研究所所蔵資料」は、我部政男ら沖縄研究者により、沖縄戦に関わる日本陸・海軍史料が一九七六年にマイクロフィルム化（宮里政玄・我部政男監修『CD-ROM版写真―記録・沖縄戦全資料』日本図書センター、一九九九年）され一般に広く普及されたほか、沖縄県公文書館、東京の沖縄戦関係資料閲覧室などで閲覧できるようになっている。戦時中日本軍により作成された文献史料はその相当部分が組織的に破壊されたため、これらの史料を体系的に分析するのは、かなり困難である。しかし、我部政男『近代日本と沖縄』(三一書房、一九八一年)収録の「沖縄戦関係文書について」の詳細な説明が大いに参考となった。[11]なお本書で使う「防衛省防衛研究所所蔵資料沖縄戦関係文書」の閲覧は、主に沖縄戦関係資料閲覧室の協力により行われたことを付記したい。

しかしながら、およそ一五〇巻という膨大な量に比べると、その中で見られる「慰安所」関連部分は、それほど多くない。また、本書では「慰安所」自体の数や位置というより、それが村に入っていく過程で沖縄人の生活空間にいかなる変化をもたらしたのかを分析対象としているため、沖縄各市町村が発刊した沖縄戦関連証言集との関連性を考えつつ、『陣中日誌』と照らし合わせる手法を取った。

第3部では、まず、第2部で取り上げた飛行場周辺の「慰安所」にとらわれず、慶良間《けらま》諸島や北部など、飛行場建設は行われていないが戦場に巻き込まれた地域なども視野に入れて、米軍が上陸した地域に広まった「地上戦の予感」と「性」に対する恐怖が、どのようなものであったのかについて語る。特に沖縄戦によって中・南部から逃げ場を求めて北部に移動した住民がどのように「慰安所」を見たのか。それがいかなる恐怖に繋がって行ったのかを語る。さらに、その「恐怖」が、沖縄戦の終結で終わるのではなく終戦直後、米軍の占領下でどのように継続したのかを、「民主主義」に基づいて行われた「収容所」での議論を中心に取り上げる。特に「収容所」での議論は、現在沖縄戦の研究の中でも重要な位置を占める。それは、沖縄の被害が大きかった南部に比べ、北部の証言収集はそれほど行われてこなかったためである。幸い筆者は、北部の名護《なご》市史の調査員の一人として「収容所」での住民体験を聞きとる機会を得た。北部住民の「慰安所」関連証言は、主に名護市史の協力で得たものである。本章は、これらの資料に基づくものである。(第7章・第8章)

沖縄は米軍の地上戦があった唯一の戦場として知られるが、実際、米軍が上陸してはいないものの、飢餓や孤立によって言語を絶するほどの被害を受けた地域も存在する。これらの島々の多くにも「慰安所」が存在した。第9章は、全く異なる状況の沖縄戦に注目する。「慰安所」が置かれ、しかも戦後も「収容所」がおかれることなく、島全体が孤立していた宮古《みやこ》島の事例を通し、米軍が上陸していない「異質な沖縄戦」での「慰安所」とは何であったのか、住民との関係がどのように変化していったのかを分析する。第9章で使う主な史料は、著者が中心となった宮古島の調査での証言が主となっている。

第3部では主に、沖縄市町村史を対象とするが、「慰安所」の箇所について再確認を行っている。既に『陣中日誌』の分析を行い、住民の戦中・戦後生活をまとめている各市町村の史料編纂室の担当者からの情報を収集（二〇〇六年古賀徳子との共同調査）[12]、九二年の「慰安所マップ作成」の調査やまとめに深くかかわった嘉数かつ子や、現地状況に詳しい山城紀子（元沖縄タイムス記者）などの協力により、現地地理を把握するために主な「慰安所」の跡地の現地調査を行っている（二〇〇五年～二〇一〇年）。また、西原《にしはら》の証言に関しては、西原出身の人権運動家、新川美千代、読谷の証言に関しては、「島クトゥバで語る戦世《いくさゆ》」という沖縄の島クトゥバで証言をまとめる作業を進めた村山友江、比嘉豊光の協力により、九七年から二〇〇三年まで調査した編集記録を多く見る機会が与えられたことが、「集団自決」などの問題を深く考えるきっかけとなった。特に、村山友江は、一〇年間に及ぶ読谷村『字楚辺誌』（一九九二年）の聴き取り調査の重要メンバーで、村山の証言収集に関する様々な助言がその後の、渡嘉敷《とかしき》・座間味《ざまみ》での現地調査（二〇〇七年、二〇〇八年）に大きな助けとなった。「集団自決」に関する証言と沖縄における「慰安所」に関する証言は、こうした証言調査経験のある学者や、活動家により構成されたものである。特に第9章は、宮古島における証言調査は、著者の宮古島と韓国の調査記録（二〇〇七年）と、中原道子・尹貞玉・高里鈴代を共同代表とする「日韓共同『日本軍慰安所』宮古島調査団」の一員として調査した二〇〇八年から二年に及ぶ調査記録をもとにしている。またこの調査をきっかけに宮古島では二〇〇八年、「慰安婦」を見た証言者の提案による「慰安婦」のための碑が建立された。証言の発掘からその後の運動までの一連の過程は、日韓共同の取り組みを企画した研究者、地元の上里清美、清水早子などの市民グループとの共同作業であったことを付記しておく。

このような手法で進めた第2部・第3部の「慰安所」の分析で焦点を当てたのは、第一、沖縄戦が、全島要塞化や住民総動員の総力戦であったという点、第二、日常生活と軍事施設はもちろん、戦闘員と非戦闘員の区分も極めて困難な状況であった点、第三、住民と軍が雑居する状況の中で存在した「慰安所」や目撃された「慰安婦」は、民間人とどのような接触を行っていたのかという点である。これらの三点に注目しつつ、全島要塞化と「慰安所」はどういった関連を持って展開されていったのかを、日常生活の軍事化を経験した多くの住民の「慰安所」に対する証言を通して再構成する。

沖縄に関する具体的な研究が登場したのは、韓国で歴史学・民族学が発展して「日韓関係史」がようやく研究されはじめた九〇年代以降だった。いわゆる「日韓関係」の研究で、沖縄についての「知」が提示されることが、どのような社会的・歴史的な意味を持つことになるのか。

補章の「韓国における『沖縄学』の系譜」では、韓国におけるこれらの歴史学・民族学の分野で、沖縄がどのように描かれてきたのかを、一九六〇年代（一期）、一九七〇年代（二期）、一九八〇年～九〇年代（三期）、九〇年中代半ばから現在（四期）の四つの時期に分けて分析する。韓国民主化以前の、沖縄に関する研究は、主に日本に留学していた民俗学者によるものである。その研究の意味合いを、日本留学を経験した民俗学者のハングル発表論文を中心に、当時の韓国の新聞や学術動向に照らしながら分析を行った。

韓国に「日本研究」が登場した歴史はそれほど長くない。「日本研究」は、教科書問題を一つの契機として日本の歴史学に対する違和感が生まれ、社会的にも日本研究に対する要求が高まった時代的な背景の中で生まれた。しかし、九〇年代、沖縄地域史は、日本国の一つの県に過ぎないとみられたため、日韓関係史という分野のなかでは顧みられることはなかった。補章の第1章で提起した「朝鮮人にとっての琉球幻想」は、朝鮮の歴史を国史の観点から分析した歴史学者の努力によってようやく浮き彫りにされ、はるか昔の朝鮮人が抱いていた幻想の中の琉球を、韓国の歴史教科書に「ゆぅぐぅ（유구）」という琉球のハングル読みで記載するという成果を生んだ。しかし、「ゆぅぐぅ」として韓国の国定教科書に紹介された「琉球」の中には、沖縄戦の記憶は抜けていた。ここで使う主な資料は、韓国の国定教科書の琉球関連部分と、歴史学者が行った朝鮮と琉球関係史の先行研究である。何故、沖縄戦の記憶は取り入れられなかったのか、時代背景と共に歴史学の動向を分析する。

戦場の記憶は、近年、「りゅぅきゅぅ（류큐）」という現地読みに基づく呼称で、社会学・政治学などの分野から提起されるようになっているが、その場合にも、沖縄と「朝鮮人」の関係については研究されていない。その理由は何か。何故「戦場の記憶」が取り残されてしまうのか、その系譜を分析する。補章での分析を通して、過去に韓国で語られてきた「沖縄」に対する見方や、本書で指向する視座や研究史における位置づけを確定し、何故「沖縄戦」を含む沖縄の歴史を語る必要があるのかを、より明確に提起したい。

註

（1）ミシェル・フーコー「狂気と社会」『ミシェル・フーコー思想集成Ⅶ』小林康彦・石田英敬・松浦寿輝編、蓮實重彦・渡辺守章監修、筑摩書房、二〇〇〇年、六五頁。［Foucault, Michel. (1994). La folie et la société. *Dits et Écrits. Tome III (1976-1979)*, Paris: Éditions Gallimard.］

（2）ミシェル・フーコー『自己のテクノロジー—フーコー・セミナーの記録』田村俶・雲和子訳、岩波書店、一九九〇年、二三〇—二三一頁。［Foucault, Michel. (1988). The Political Technology of Individuals. In: Luther H. Martin, Huck Gutman, and Patrick H. Hutton, eds. *Technologies of the Self: A Seminar with Michel Foucault. Amherst:* University of Masschusetts Press, p. 160.］

（3）フーコーは、主体と外部世界の関係を「戦場（bataille）」と表現している。戦場とは、主体の実践的な努力が伴う場であるため、そこに権力の新たな戦略と戦術が共存する可能性の場である。［Foucault, Michel (1982). The Subject and Power. In: Hubert L. Dreyfus and Paul Rabinow, eds. *Michel Foucault: Beyond Structuralism and Hermeneutics*. Chicago: University of Chicago Press, pp. 208-226.］

（4）ミシェル・フーコー『性の歴史Ⅱ——快楽の活用』田村俶訳、新潮社、一九八六年、一二頁。［Foucault, Michel (1990). *The Use of Pleasure: Volume 2 of the History of Sexuality* (translated by Robert Hurley). New York: Vintage Books (Random House), p. 5.］

（5）韓国戦争記念館ホームページ（http://warmemo.co.kr）を参照。（二〇一七年六月五日）

（6）平和祈念公園に刻まれている朝鮮人の名前は、沖縄県が日本の旧厚生省などから入手した名簿で明らかになっている四五四名である。日本の旧厚生省の名簿が創氏改名により日本名で記載されていたため、韓国領事館や朝鮮総連沖縄支部を通じて、韓国名の実名を取り戻す作業をしなければならなかった。朝鮮総連沖縄支部の手で判明し、刻まれた朝鮮民主主義人民共和国出身者は八二名。（二〇〇三年一〇月一七日、沖縄県知事公室、平和推進課主幹、宮城智子のインタビューによる）。韓国の場合、県が九六年に韓国の明知大学・洪鐘佖教授に依頼し八年間続けられた。県がこれ以上は難しいと判断したため、洪教授と平和運動家などの反発にもかかわらず、洪教授への依頼は二〇〇四年に正式に中断された（二〇〇五年当時、大韓民国出身者は三四一名）、二〇二一年六月現在、朝鮮民主主義人民共和国八二名、大韓民国三八二名の名前が刻まれている。

(7) 無論、こうした「声なき人々」に対する研究は、社会学、政治学、文化人類学の分野で最も関心を持たれている部分でもあろう。コリン・エイマン、ミリアム・フェンディス・エルマンが適切に指摘しているように、歴史学者の関心は、「いわゆる歴史上の声なき人々への研究に移りつつある」のであり、「伝統的な歴史学は、フランスのアナール派から米国における新社会経済史、そしてマルクス主義歴史学にいたるまでさまざまな学派から挑戦」を受けているのも事実である。本論においてもアナール学派の方法論は参考となった。本書はこうした研究が日韓関係史においてそれほど行われていない点に着目しているといえる。(ミリアム・フェンディアス・エルマン編『国際関係学へのアプローチ――歴史学と政治学の対話』渡辺昭夫監訳、東京大学出版会、二〇〇三年参照)

(8) 野村浩也「日本人へのこだわり」『インパクション』インパクト出版会、一九九七年、第一〇三号、四〇頁。

(9) ミリアム・フェンディアス・エルマン編『国際関係学へのアプローチ――歴史学と政治学の対話』、前掲書、一―二頁。

(10) ヨハン・ガルトゥング『構造的暴力と平和』高柳先男・塩屋保・酒井由美子訳、中央大学出版部、二〇〇二年参考。

(11) そもそも防衛庁戦史室蔵(一九七〇年代当時)の沖縄戦に関する史料等の公文書は、一九七五年当時の沖縄県の「史料編集所」と我部政男らが共同作業でマイクロ化したものである。それまで沖縄戦研究で防衛研究所図書館に保管されていた一次史料を分析した沖縄戦研究は限られていた。我部政男は沖縄戦関連文献をマイクロ化し、宮里政玄と共に『CD-Room版　写真記録・沖縄戦全資料』(日本図書センター、一九九九年)として監修・発刊した。関連史料は今や沖縄戦史料閲覧室などでも見ることができる。沖縄戦研究にとって、防衛省の戦史室所蔵の沖縄戦に関する文書はもちろん、アメリカのナショナル・アーカイブス所蔵の沖縄戦関連写真史料を収集などの史料を収集し、一般公開へ向け働きかけてきた我部政男の功績は大きい。我部政男『日本近代史のなかの沖縄』(不二出版、二〇二一年)は、長年にわたる研究成果の集大成であるが、本書が未来世代の研究者に史料収集の方法論をも含んでいる点は重要である。なお、本書は日本の中の沖縄を超える視点として、「沖縄戦」という語ではなく、「沖縄戦争」という語で沖縄戦が語られている点を特記しておきたい。

(12) 共同調査後、古賀徳子は、修士論文「沖縄における日本軍「慰安婦」制度の展開」(沖縄国際大学二〇〇七年度)

を、著者は、博士論文「沖縄戦下の朝鮮人と『性／生』のポリティクス――記憶の場としての『慰安所』」（早稲田大学二〇一二年度）をまとめている。本書は筆者の博士論文を書き直したものである。とりわけ、古賀と著者の論文は共に沖縄戦の「証言」が重要な位置を占めている。言いかえれば、沖縄で「沖縄戦」を想起する動きや「沖縄戦と慰安婦」を考える「運動」と密接なかかわりを持つものである。

第1部

資本と「慰安所」

第1章　プランテーションの島の「慰安所」——大東諸島

一で　いも喰って　　二で　逃げて
三で　さがして　　四で　知れて
五で　ご免と謝って　　六で　ろう屋に入れられて
七で　しばられ　　八で　はられ
九で　首つって　　十で　とうとう死んじゃった

「まりつき歌」（戦時中、島の子どもたちが歌った歌）

1．「ニライカナイ」の島

沖縄本島から遥か東の海の彼方にある大東諸島は、沖縄県の島尻郡《しまじり》に属する南大東島《みなみだいとう》・北大東島《きただいとう》・沖大東島《おきだいとう》（以下：ラサ島）の三島からなる。那覇《なは》から三九人乗の小型飛行機RAC便に乗り三九〇キロ、ただ広い太平洋を窓から一時間ほど眺めていると、水平線上に一の字を書いたような平坦な島が目に入ってくる。日本でも珍しい隆起珊瑚礁の島、南大東島である。大洋に発達する環状の珊瑚礁（環礁）が、数回にわたって隆起したサンゴ礁からなりたつ島で、島の周囲が環状丘陵地を形成しており、海に接する部分はほぼ断崖絶壁となっている。また、島の中央部は窪んで盆地状となり、まるで火山島のような形をしている。この面積三〇・七四平方キロメートルの短楕円形の南大東島が、大東諸島で最も大きな島である。この島を中心に、北東方八キロを隔てて北大東島があり、南大東島と同じく中心部が凹んだ地形となっている。南・北大東島とも川はなく、島の盆地に池が散在している。地理的に隣接している南北の大東島は環境が類似している点が多く、両島ともサトウキビを重要な農業資源としていた。北大東島は後述のラサ島と同様に燐鉱資源も含んでおり、南大東島の南方からさらに一六〇キロメートルも離れたところに位置している。ラサ島は、三つの島の中で最も小さな周囲約四・五キロメートルの二等辺三角形の島で、南・北大東島と同じく珊瑚礁に囲まれた断崖絶壁の島ではあるが、海鳥の糞（グアノ）が多く分布しており、燐鉱資源は最も多い島であった。那覇からおよそ四〇八キロメートル離れている。(1)

こうした南大東島・北大東島・ラサ島からなる大東諸島は、沖縄県の島尻郡に属しているといっても、周りは限りなく広がる海のみ。船では、那覇から広い太平洋を東へ東へと進むこと一三時間以上はかかる。台風や海の荒れた日には渡ることができない。ラサ島は一九五六年（昭和三一）から米軍の射撃訓練場として使われ、現在は立ち入ることすらできない。(2) 隆起珊瑚礁である南大東島と北大東島も、島の周辺はすべて断崖絶壁で船が接近できず、絶壁の近くで、人は鉄格子の小さなコンテナに乗

写真1　崖から船に降ろされる琉米関係者、1966年3月30日の様子〔米国政府撮影写真／USCAR広報局1／沖縄公文書館提供〕

せられ、小型漁船はクレーンで陸地まで吊り上げられてようやく陸地につく。前述したように、南・北大東島には川はない。島の内部に多くの池沼があるが、飲み水は天水と井戸水を利用しなければならない。井戸を掘ると場所によっては水が出てきて徐々にたまる所があるが、この水はやや塩分を含んでおり、飲料水として利用できるものは少ない。飲料水の状況が悪く、それに伴う病気を防ぐことと、洗髪や入浴、洗濯などに使う生活用水をいかに確保するのかが、大東諸島の悩みであった。(3) 同じく珊瑚礁の島であるラサ島も淡水を得ることができず、海水は全て蒸溜して使用する他ない。(4)

三島とも断崖絶壁で水が少なく、人間が住むのは容易ではない自然環境であった。そのためこの島々は、南・北大東島は一八八五年(明治一八)、ラサ島は一九〇〇年(明治三三)まで漂流、漂着した人々による、島の豊かな森や植物の言い伝えだけが残る無人島であった。沖縄には「ニライカナイ」という、人が死亡した時その魂が辿りつくとされるいわゆる「他界概念」があり、春になると遥か遠い東の彼方の「ニライカナイ」から神がやってきて豊穣をもたらし、年末にまた帰るとされる。海の底、地の底にあるとされる異界。本島からはるか東のこの島々は、まさにこの「ニライカナイ」の概念に相当する島であった。

実際、沖縄では人間が住んでいないこの島々を、ウフ(大きい)とアガリ(東)の合成語の「ウフアガリジマ」と呼んでいた。古くからこの島の存在を知っていた知念《ちねん》や、佐敷《さしき》方面の人々の中では、この遥か東の大きな島を、「ニライカナイ」の神の国とし信仰祈願した者もいた。(5)

しかし、この「ニライカナイ」の島の開拓は、かつて人間の住まなかったこの島に沖縄人だけではなく、朝鮮人をも運ぶこととなる。一八七六年(明治九)、朝鮮と「朝日修好條約(江華島条約)」を結んだ日本政府は、朝鮮の「開化」を迫る一方で、一八七九年(明治一二)琉球処分を行い、日本の一県として廃藩置県を断行した。清との間で朝鮮や琉球をめぐる統治や支配に対する主導権や領土権を掌握し始めた明治政府は、琉球を「日本国の南門」、対馬を「西門」とする国防の重要性を認識し、その過程で、大東島にも注目していく。琉球諸島が国防上重要視され始めると、この遥か東に位置し、未だ帰属不明であった大東島においても、早急に調査が進められた。日本の領土であることを明確にしておく必要が生じたのであった[6]。既に、一八〇九年にフランスのフレガット型艦隊カノニエル号が沖大東島を視察し、その位置を測定した上、ラサ（Rasa）と命名しており、その後、英国の海軍水路誌や欧米製諸地図には、南・北大東島はボロジノ諸島（Borodino Island）、沖大東島はラサまたはケンドリック島（Kendrick Island）と掲載されており、大東島諸島は世界によく知られていた。前者の南・北大東島を指すボロジノ諸島という名は、英国によるものではなく、一八二〇年頃南北大東諸島を発見したロシアの海軍佐官ボナフィディンの名や、彼の指揮した艦名ボロジノに因んで命名された[7]。沖大東島を指すケンドリックという名は、早くも一七八八年に北アメリカの西海岸を探査したキャプテン・ケンドリックに因むとされている。特に沖大東島に関しては一五四三年にスペイン人、その後はオランダ人に発見された痕跡があり、一六七〇年にイギリスの最古の海図帳の一つとされるＪ・セラーの『東インド最東部の図』に、オランダ人が命名した「Amsterdam」とも記載されていた[8]。

アジアに関心を持ち始め、領土拡張を含む「海の道」への調査を行ったスペイン、オランダ、フランス、ロシアなどの探検家や海軍などは、日本より早く大東諸島の存在に気付いており、明治政府は、「未だ所属不明」であったこの三つの島を日本の領土として宣言する必要性に迫られていたといえよう。南・北大東島は一八八五年（明治一八）に日本の領土となり、さらに、一八九二年（明治二五）には艦隊の「海門号」が、英国で出版した海図に「Rasa or Kendrick Island」と記された地図上の「ラサ島」を探検し、一九〇〇年（明治三三）に「沖大東島」と命名し、日本の領土であることを公式に表明し、沖縄県島尻郡の大東島の区域に編入させた。[9]

公式に「沖大東島」と称され、一般には「ラサ島」という通称で呼ばれている理由は、語源からフランスの艦隊の命名まで辿り着かなければならないのだが、先に帝国の拡張を進めた西洋の道を踏襲した日本海軍の歴史に由来する。大東諸島の領土宣言、それに続く有人島化は、帝国の領土拡張そのものであり、以降、この島は「皇国の領土」としての歴史を歩み始める。

「皇国の領土」大東諸島は、絶壁に囲まれた「開拓」の困難な島々であった。そのため、次々と「開拓」に失敗し、南大東島は、一九〇〇年八丈島出身の玉置半右衛門により、北大東島はその三年後、やはり玉置によって、彼が創業した「玉置商会」という会社により、サトウキビ栽培による製糖業のプランテーションの島として開発される。その後、北大東島は同会社により、燐鉱と糖業という二本柱での資源開発が進められた。[10]

一方、ラサ島は、一九一一年に「ラサ島燐鉱合資会社」(ラサ工業株式会社の前身)が設立され、本格的なプランテーションとして開発され始めた。燐鉱の開発だけが唯一の産業であった。[11]後述するが、以降、市町村は設置されず、全てが出稼ぎ労働者により構成されたこの島々は、行政自体がすべて会社に任せられ、選挙権すら持たない労働者の島となった。

とりわけ近代国家日本の「皇国の領土」として発見され、プランテーションとして「開発」されていったこの三つの島は、戦局悪化の中、一九四四年(昭和一九)から急速な軍事化が進んだ。大本営は一九四四年三月二四日、第85兵站警備隊を第32軍に編入し、すみやかな大東島の防備を命じたのである。[12]次々と陸軍が送られ、約四〇〇〇名という決して少なくない軍隊が断崖絶壁で船の接近さえままならない島に上陸した。南大東島に歩兵第36連隊の連隊本部、第1、第3大隊、大東島支隊が、北大東島に歩

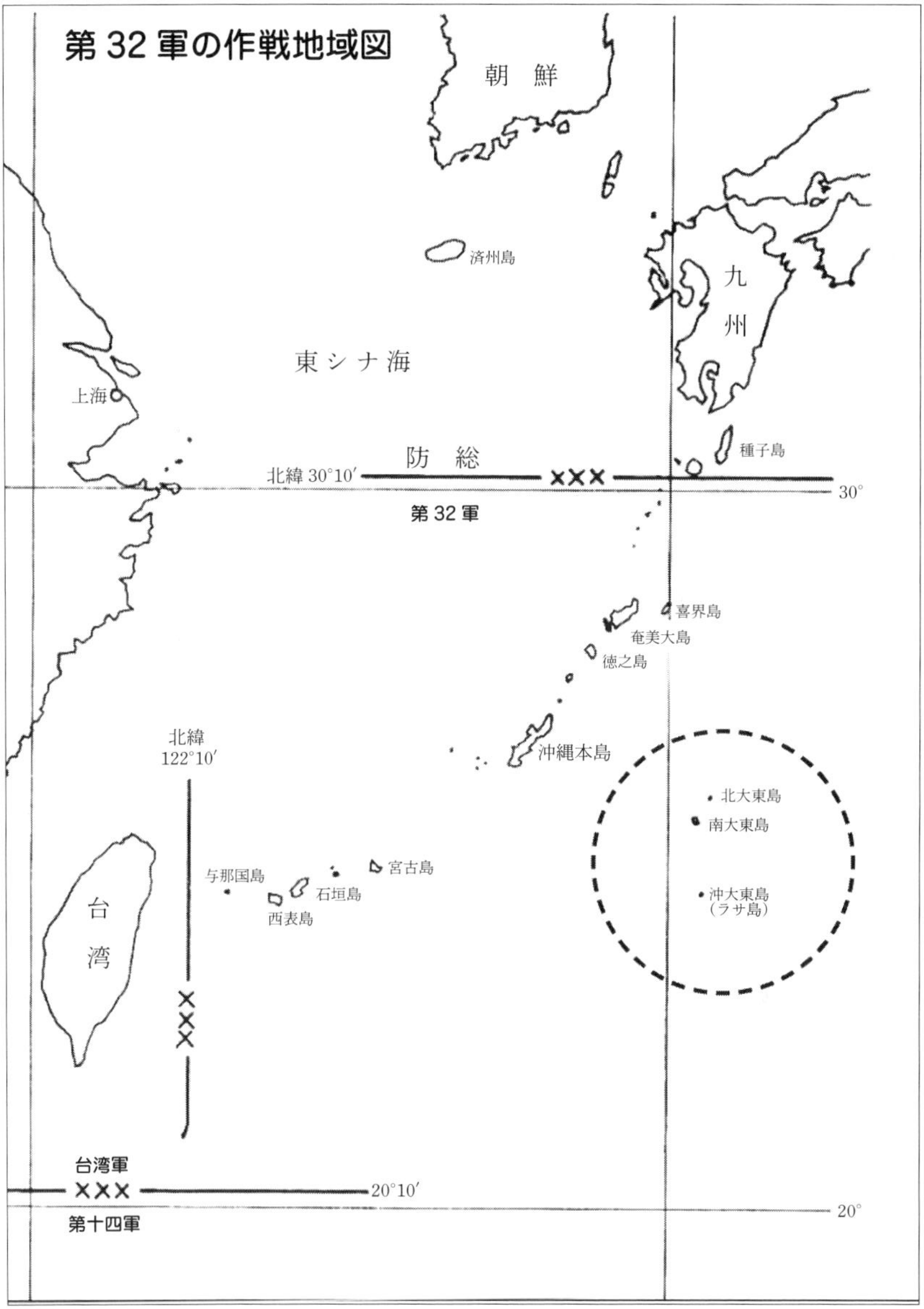

図Ⅰ:「第 32 軍の作戦地域図」の大東諸島の位置　出典:『沖縄方面陸軍作戦』22 頁より作成。

兵第36連隊第2大隊が、ラサ島に一個中隊が、配置された。

「軍は海軍と協同し北緯三〇度一〇分から東経一二二度三〇分にわたる南西諸島の防衛に任じつつ作戦準備を強化促進する。

作戦準備の重点は航空作戦準備とする」(13)

こうして第32軍は、北緯三〇度一〇分以南、東経一二二度三〇分以東と、奄美大島を含む沖縄本島を中心とする南西諸島に、「航空基地」作戦を最優先するとの方針を立てた。アジア太平洋戦争期に突入していく沖縄県の「国民の歴史」において、大東島はもはや「ニライカナイ」の観念の島ではありえなかった。

南・北大東島とラサ島は、これら第32軍の作戦地図の東の境界線に位置づけられた軍の拠点でもあった(図1)。そして、沖縄における「慰安所」は、陸海軍共に注目した水平線上に浮かぶ「一の字」を書いたような平坦な島、大東諸島の中で唯一、航空基地が建てられた南大東島から始まっている。

2.沖縄における「慰安所」第一号、南大東島

南大東島に「慰安所」が設置されたのは、一九四一年(昭和一六)であった。これが沖縄における「慰安所」、第一号である。

南・北大東島の場合は一九〇〇年(明治三三)、玉置半右衛門が開拓団として島に上陸して以来、サトウキビの製糖業のプランテーションの島として発展した歴史を持つ。市町村制は敷かれず、島は「玉置

商会」という会社の管理・統制のもとで開発だけが進んでいった。玉置が八丈島《はちじょう》出身であったこともあり、開拓以来、南・北大東島の出稼ぎ労働者の多くは八丈島出身者が多かった。(14) しかし、住民は島で住民登録はできず、住民票や戸籍は八丈島や沖縄本島などに残したままであった。結婚や出生、死亡届などは、玉置商会に託して八丈島などの役場に届け出なければならず、紙幣さえも、すべて島内だけに通用する金券で支払われていた。住民に納税の義務はあるものの選挙権はなかった。食糧品やその他の雑貨類のほとんどは「大日本製糖株式会社」の直営売店で販売され、農家は必要物資をまとめて購入し、代金は来期の原料代から差し引かれた。会社の従業員には、通い帳に記帳し、後に給料から差し引き清算するという手法が取られた。(15)

そしてこのプランテーションの歴史は、玉置半右衛門の死後には、東洋製糖へ（一九一六年）、さらに大日本製糖に吸収合併（一九二七年）されて受け継がれていき、本格的に一企業による支配システムが強化されていったのである。(16) 日本軍が上陸した当時の南大東島は、大日本製糖のもとで、製糖業が国策として進められていた。このサトウキビ畑の島に、大東諸島の中で唯一飛行場が置かれ、海軍の航空基地になった。

海軍は、一九三三年から三四年にかけて、喜界島《きかい》（鹿児島県大島郡）、石垣島《いしがき》、小禄《おろく》（沖縄本島）と共に大東諸島を、南西諸島を管轄する海軍佐世保鎮守府の沿岸警備と緊急避難時の拠点として注目し、不時着用の簡易飛行場設営を進めた。(17) 南大東島には、すでに一九三一年、佐世保海軍特設航空隊訓練のために滑走路（面積約七〇〇〇坪）のみの小型機の飛行場が丸山北東部に建設され、住民が初めて目にした「友軍」の飛行機は海軍戦闘機であった。翌年には、沖縄本土でも見ることが出来ない巨大戦艦「陸奥」が来航するなど、南大東島は海軍が注目する地域であることを住民に実感させた。(18)

一九三四年（昭和九）になると、島の中央部（現在の飛行場）に面積二六町歩の飛行場が新設され、東西の滑走路が設置された。さらに、一九四一年（昭和一六）一二月八日、アジア太平洋戦争が始まると間もなく、飛行場拡張工事のために佐世保から三池組が、次いで海軍警戒隊などが来島し、島にも軍隊の姿が見られるようになり、一九四三年には、既存の東西滑走路に加え三池組によって南北に向けても新滑走路が建設され始めた。西側は完成、東側は未完成のまま終戦を迎えた。[19] ちなみに、南大東島で飛行場の拡張工事がすすめられた一九四三年、海軍は、やはり離島の平坦な島、沖縄の宮古《みやこ》島にも、海軍飛行場建設を始めている。

一方、陸軍は、陸軍航空本部が南西諸島の航空基地建設に取り組む一九四三年（昭和一八）夏まで、一つの飛行場も設営していなかった。そのため航空主力の戦争であったアジア太平洋戦争時、第32軍の陸軍は、従来海軍が建設していた飛行場を利用しつつ、住民を動員して急速に飛行場建設に取り組むようになった。その飛行場建設初期は、地元の民間土木業者にゆだねられ、地域経済を活性化するかに見える勢いを以て進められたことを看過してはいけない。とりわけ、不時着用程度のものに過ぎなかったとはいえ、海軍による飛行場の設置が、沖縄に本格的に飛行場が設置される一〇年以上も前に、海軍が大東諸島に注目していたのは重要である。それは、まさに沖縄における航空時代の始まりであった。[20]

大東諸島の中でも、南大東島は天気予報で有名だ。台風の時に島に打ち寄せる波によって島全体が震え、気象台の地震計がその波を捉えることで知られる島である。しかし、大東諸島に置かれた南大東島気象観測所の新設に、軍事的な要因があったことはそれほど知られていない。これまでサトウキビ栽培のみに専念していた島の気象観測所は、会社の鉄塔上に風向計を設置する程度だった。ところが、海軍水路部の移動観測班によって気象観測が行われた一九三五年九月から一九三八年四月までの期間を契機に、その重要性が認識され、一九三八年になって、南大東島とラサ島の二カ所に気象観測所の新設が認められた。[21] このように気象観測所自体、海軍により航空施設が建設される過程で、軍事的な必要から拡充された施設であった。

そして、一九三九年になると、「国民徴用令」実施に伴い、南大東島の飛行場建設のために、島内はもちろん、北大東島や沖縄本土からも人々が動員されたが、朝鮮人の労働者も作業のために動員された。[22] 島では、海軍の飛行場を建築するに際して、作業人夫として多くの朝鮮人が南大東島で労働させられたが、数ははっきりしていない。ただ一九四一年（昭和一六）頃、海軍と共に朝鮮人「慰安婦」が六人ぐらい来島したことが証言され、そのほかに沖縄本島から来た女性たちもいたことが記憶されている。

「この島に部隊が来たのは、最初は昭和一六年ごろで、海軍の飛行場を建築したわけです。作業人夫として朝鮮人がたくさん来島しました。慰安所もあり、慰安婦が六人ぐらいいました。毎日トウガラシを取りにきたので覚えています。慰安婦は朝鮮人のほかに沖縄本島から来た人もいました。

工事は、海軍の警備隊のほかに、軍属の土木関係の人たちもきていて、警備隊が朝鮮人労務者を指揮して働かせていました。こちらの青年団も動員されて、そのほかにもだいぶ多くの人たちが飛行場設営に出ています。[23]」（傍点は引用者による）

上記の証言は、飛行場の設営隊の防衛隊員だった沖山淳一郎（当時三〇歳）の証言である。沖山は一九四四年には第85兵站警備隊（球部隊）のための壕を掘る作業に動員された。会社の長屋や社宅で空き家になっているところはこわして建築材として使った。民家を兵隊が「占領」して、住民は洞窟で生活していたという。[24]

一九四四年四月二四日に球部隊が、続く七月一八日には歩兵第36連隊（豊部隊）が、九月七日には海軍部隊が相次いで上陸していた。[25]第36連隊の場合、歩兵三個大隊が来島し、そのうち一個大隊は北大東島に、残る二個大隊が南大東島に配属され、大東諸島の連隊本部がここ南大東島に配置されていた。

いち早く「慰安婦」関連の聴き取り調査を行った福地曠昭によると、陸軍部隊の配置に伴い早くも六月からは、朝鮮人「慰安婦」が目撃されている。当時南大東島で小学校教員であった西浜良修は、沖縄本島から朝鮮人の「慰安婦」たちが林というリーダーに引率されて南大東島に来たことを記憶している。字在所の池ノ上の「モチ丸屋敷」というかやぶきの酒屋跡に「慰安所」が設置されており、西浜良修の自宅とは竹垣が境となっていたため、よく「慰安婦」たちを目撃していたという。この「モチ丸屋敷」は広大で、戦後その半分を利用して学校を建てた程である。球部隊の後は陸軍第36連隊からなる豊部隊が駐屯するようになり、連隊本部が置かれていた。日本軍兵士に殴られて「アイゴー」という悲鳴をあげて泣く朝鮮人の「慰安婦」たちが多くの人たちに目撃され、そこには朝鮮人「慰安婦」の他にも沖縄の女性が「慰安婦」として働かされていたという。空襲が激しくなってからは、反対側の集落である新東《しんとう》へ移動していたという。[26]

沖縄で初めて見つかった「慰安婦」被害者、裵奉奇《ぺぽんぎ》の場合、一九四四年10・10空襲以降、空襲で焼け野原となった無残な那覇を目のあたりにし、そこから渡嘉敷《とかしき》に配属された。裵奉奇を含む五一人の女性たちの中で、一〇人は大東諸島に送られている。慶良間《けらま》の三つの島、渡嘉敷島、座間味《ざまみ》島、阿嘉《あか》島には七人ずつ、那覇に約二〇人、残り約一〇人が大東島に配分されていた。ただ、裵奉奇の証言では、この大東島に送られた女性たちが、南大東島に送られたのか、北大東島か、それとも沖大東島（ラサ島）だったのか、行き先ははっきりしていないとされている。[27]

南大東島の伊佐キヌは、一〇人の朝鮮人「慰安婦」らが、南大東島の北東部に動員されてきたのを目撃した。この一〇人の女性たちが、10・10空襲以降、大東諸島へ送られていった一〇人の女性たちであったのだろうか。名簿は残っておらず確認はできない。ただ、伊佐の証言によると、当時第36連隊の豊部隊約三〇〇〇人が駐屯しており、当時、女子青年団六人が大隊の軍服を「補修」するために徴用され、ミシンを使っていた。これらの女子青年団員の一人であった伊佐は、「慰安婦」たちが、第36連隊第3大隊の相手をしていたという。伊佐は、「慰安所」が南大東島の北東部の集落新東の沖山峯松の家にあり、かつ小部屋に仕切られていたことや、毎週日曜日には長い列ができていたこと、彼女たちの日常などを詳しく証言している。そこに起居していた女性一〇人のうち二人は特に美人の「慰安婦」であり、田村連隊長の「専従」をさせられ、沖山峯松の家から連隊長の住宅まで通っていた。田村連隊長はとび抜けて美人の「慰安婦」の絵を、ある美術学校出の二等兵に描かせたという。後に、「慰安所」として使われた沖山峯松の家は全焼し、米軍の空襲が激しくなった頃には、「慰安婦」たちも避難壕での生活をするようになった。しかし、洞窟の中にも立派な連隊長の部屋が作られており、「慰安婦」たちは炊事の手伝いをもしていた。空襲が続く中でも、朝鮮風の長いスカートをはき、風呂敷包みを持って二、三人ずつ民家を訪ね唐辛子を求めていたことが目撃されている。[28]

これらの証言を総合してみると、南大東島における「慰安所」第一号は、海軍の航空基地が本格的に拡張・建設されていた一九四一年につくられ、その後、第32軍の編成や陸軍の配置に伴い、酒屋の跡地や民家などを接収する形で「慰安所」が建設され、軍の移動と共に移動させられ、空襲が激しくなってからは移動、もしくは洞窟での生活をさせられていたとみられる。

南大東島は、島の人々が「慰安婦」を見た確率が最も高い島である。日本軍上陸以降、この島の人々にとって最も大変だったことは、住まいと食糧の問題であった。軍は最初は主に社宅を利用したが、その後、配置が決まると多くの民家を接収していた。陣地が畑の中に作られる場合もあった。そのため、軍に家を接収された多くの住民が、空襲を受ける前から自然洞窟に避難小屋を建てて生活したケースが多い。しかも、全ての物資が途絶えてからは、畑作業に慣れていた住民が中心になり、自活作戦に挑んだと証言している。本格的な空襲が始まった一九四五年三月以降は工場は焼け、製糖業ができない状況となった。島に残った男たちは自活班として軍の「自活」に協力し、女たちは炊事、洗濯など、手伝いのできる全ての島民が、軍に協力していた。(29) こういう環境の中で、朝鮮人の「慰安婦」は、民家や洞窟に居住し、炊事の手伝いなどをさせられており、住民によって目撃されていた可能性は高い。

朝鮮人労働者の「徴用」に関する資料はそれほど多くはなく、明らかにされてない点が多い。これまで一般的には、朝鮮から日本への徴用は、一九四四年八月八日付の「半島人労務者の移入に関する件」とする内閣の決定により、九月から行われたとされてきた。しかし、樋口雄一の研究によると、朝鮮人が動員されたのはアジア太平洋戦争開始後の一九四一年度末からであり、それは軍要員（軍属）としての動員で、主に南方の海軍占領地の土木作業などに従事したとされる。日本の国内からも朝鮮人が動員された。彼らは主に海軍の徴用者であった。樋口雄一は、海軍占領地までをも視野に入れると、日本への徴用だけに限らない、「朝鮮の徴用動員体制の全体像」が最も明らかになると指摘する。(30) その点で、南大東島での住民証言は、一九四一年の朝鮮人の徴用、海軍の関与、さらに、朝鮮人「慰安婦」がこの島に存在していたことを示す重要な事例となる。

同時に、この島がプランテーションであった点も重要である。プランテーションの島において「官」

はすなわち「企業」であった。「軍・官・民」一体の協力関係において「官」の代わりに存在した「企業」が、軍隊とどのように結びついていたのか。また、その中で「慰安所」はどのような在り方を持ったのか。重要な論点を提起するものと考える。

しかし残念ながら沖縄における「慰安所」第一号、南大東島の場合、一九四一年に海軍が南大東島に連れてきたとされる朝鮮人「慰安婦」、また、一九四五年まで目撃されたサトウキビ畑をさまよう朝鮮人「慰安婦」に関する証言は、それほど多くはない。南大東島の戦時体験談は、「慰安婦」を見たという事実の証言はともかく、島での生活や避難、軍との関係についても、数の面で限られている。戦況が悪化すると、日本軍は孤立した島から戦争協力ができない子どもや老人を強制疎開させ、軍隊より住民が少なくなったからである。また島の住民は全て出稼ぎ労働者で、戦後、島に戻った人が少なかった事情がある。

こうしたプランテーションの島における状況をより明確に見せているのは、一般にラサ島として知られる沖大東島の「ラサ工業株式会社」（日本軍上陸当時社名：鯛生《たいお》産業株式会社）と、ラサ島守備隊との関係である。この島が戦略的に重要な位置づけをされたことで、駐屯し始めた陸軍の『陣中日誌』が残されているからである。以下、ラサ島の事例を詳しく検討する。

3．「開拓」という名の支配

南大東島と同様、ラサ島でも大東諸島の軍事化に伴い、自然観測が始まった。早くも一九四〇年（昭和一五）から中央気象台ラサ測候所が設置された。二年後の一九四二年八月からは海軍の望楼が建設され、海軍軍人八人、観測要員九人が駐屯し始めた。(31) 一九四四年一一月に一三ミリ機銃六艇ほか弾薬が届き、それと共に見張要員二九人と他の要員二一人が来て、海軍関係の兵力は指揮官以下四一人と増えていった。(32)

三月末から中部太平洋の各地の戦況が悪化し、日本軍が防衛強化をおこなっていたパラオ及びトラック方面では、米軍の空襲が益々激しくなっていく最中であった。[33] 沖縄の南大東諸島方面でも、四月頃からは、米潜水艦の活動が相当に活発となり、北大東島や南大東島へ向かっていた派遣船舶も次々と沈没していた時期である。[34] そして、一九四四年四月には、鳥の糞で出来た「燐鉱資源の島」に、陸軍二二〇人からなる球9760部隊が派兵された。それが、「ラサ守備隊」である。(ルビは原文による)

「ラサ島守備隊ハ、三三高地ノ西端、東北角《かく》岬、火薬庫付近、燐鉱会社揚陸付近ニ海岸監視部隊ヲ配置、マタ、三三高地及ビ二七高地ニハ対空部隊ヲ配置ス。三三高地、燐鉱会社西側海岸及ビ二七高地ノ東北角ノ海岸ニハ、拠点式ニ堅固ナル陣地ヲ占領シ、敵ノ上陸ヲ水際《すいさい》ニ撃滅ス、状況真ニ止ムヲ得ザルモ、三三高地及ビ燐鉱資源ノ要部ヲ死守シ、軍ノ反抗ノ拠点タラシム[35]」

この命令の下、「ラサ守備隊長」という肩書を持つようになった森田芳雄は、門司港、鹿児島港、古仁屋港を経て、南大東島で一泊をした後、一九四四年四月二六日にラサ島に上陸した。海軍部隊と共同で、南大東島の防衛に任ずべしとの命令に基づき、第85兵站警備隊(特設部隊第211中隊、軍無線一個分隊所属)の主力が南大東島に、その一部が北大東島とラサ島に配置されたのである。ラサ島には、歩兵第4中隊のほかに、機関銃が一個小隊(一個分隊欠)、軍無線が一個分隊、それに補給衛生隊の一部が配属された。ラサ守備隊長森田芳雄は『ラサ島守備隊記』の中で、命令を受けた当時の心境を「〝期待〟と〝絶望〟という二つの矛盾した感情が、激しく波打っていた」と書く。命令と共に配布された作戦地図を見る限り、ラサ島とは、紙面の一パーセントくらいを占めるに過ぎない絶海の孤島であって、地形以外はほとんど空白、二、三棟の構築物などがわずかに無人島ではないことを示すだけであった。まもなく本部付きの下士官から配られた地図をみると、「文字通り絶海の島」は、「大きな地図の広さに比べて、なんと小さい島」であり「鉛筆の先端ほどもない」、島であった。しかし、この小さい島はすぐ目に入ってきた。ラサ島の地点はまさに「ゾッとする地点」であった。「死守」という命令から、「次々と玉砕していった太平洋の島々の運命が、今やわが身の現実として訪れようとしている」ことを痛感した。「広い空白の中の小さい二等辺三角形の地形」は、「命令文の中の〝死守〟ということばとそれが結びついて、しきりと胸さわぎがしてならない」状況として受け止められたのである。(36)

沖縄戦研究においても、米軍の上陸がなく、かつ、戦後は無人島化したラサ島に関してはそれほど言及されていない。しかし、大東諸島及びラサ島は、沖縄攻防戦の緒戦が行われる可能性が高い地域と予測され、まさに、「全員玉砕を覚悟」しなければならないとされた地域でもあった。

そしてラサ島において「玉砕をも覚悟した」日本軍の全貌は、森田が書き残した『ラサ島守備隊記』を通して知ることができる。本書は、当時、島の燐鉱開発を行っていた「ラサ工業株式会社」の前身、「鯛生産業株式会社」の協力の下に行われた陣地構築や、島の中の状況、軍隊の作戦動向などを『陣中日誌』をもとに伝えている。森田は『陣中日誌』一八冊を戦後も焼却せず保管した。そして生前、これらの資料を全て、沖縄県公文書館に寄贈した。ラサ島における『陣中日誌』は、「慰安婦」に関する記述が数多く綴られている貴重な資料でもある。ここでは主に『ラサ守備隊記』と『陣中日誌』を分析対象とする。

まず注目したいのは、ラサ島を含む大東諸島の三島が、全てプランテーションであったことだ。『陣中日誌』における、プランテーションの島の特徴の記述と、「慰安所」の設置に関する部分を同時に検討することで、限られた証言では住民と「慰安婦」との関係の分析が難しい南大東島と北大東島における状況を、推察することができる。『陣中日誌』は、南大東島に置かれた本部から通達を受け、それを踏まえて記されており、命令体系と分離して考えることができないからである。

まずは、「慰安所」が設置される以前の状況、つまり、軍に協力した「ラサ工業株式会社」の社歴から検討してみたい。それは森田守備隊長に胸さわぎを覚えさせた、この小さい島をめぐる「死守」の背景である。

「燐鉱資源ノ要部ヲ死守シ」――この「燐鉱資源」こそが、ラサ守備隊が他の部隊とは本質的に異なる「死守」へのもう一つの課題でもあったのだ。大東諸島の中でも最も規模の小さい島であるラサ島は、戦時体制の中で食糧増産が叫ばれ、肥料の原料となる燐鉱が重要視された時代に、農林省から燐鉱増産の要請を受けていた「資源の島」であった。(37) そしてその「資源の島」を管理・統制していたのは、現在の「ラサ工業株式会社」であった。

「ラサ工業株式会社」は、ラサ島の燐鉱を発見、開拓のために一九一一年(明治四四)に「ラサ島燐鉱合資会社」として設立された。それまで南・北大東島の開発をしていた玉置商会は、ラサ島も開発する意欲を示しており、既に明治三九年に一五年間のラサ島無償開懇許可を得ていた。しかし、北大東島の本格的な開拓にも着手しておらず、ラサ島の開拓にまでは手が回らない状況であった。(38) 他にも島の開発に挑み、借用願を出した者も数人いたが失敗していた。既に開墾許可を得た者とラサの所属問題が起こったが、「ラサ島燐鉱合資会社」はその所属問題を解決し、ラサ島における燐鉱開発に乗り出した。そして日清・日露戦争を契機に、経済界の好景気と農産物の好況という追い風を受け、過燐酸肥料の飛躍的な増産を果たした。本格的な増産に挑んだのは大正・昭和期で、一九一三年(大正二)に社名を「ラサ島燐鉱株式会社」と改め、順調な成長を見せていた。(39)

一九一七年(大正六)には、多量の燐鉱石を積出しするため、コンクリートの大桟橋を構築したが、この桟橋は当時としては「世界に例の少ない施設で、一日積込能力一八〇〇トンというすごいもの」であった。この施設によって、一九一八年（大正七）には二〇万トンに近い積出しを行っている。[40]このように多量の燐鉱を積出しながら、ラサ島の燐鉱石は有限な資源でもあったことを意識した「ラサ島燐鉱株式会社」は、一九一八年からは、かつてラサ島の開発でそうであったように海軍の情報などをもとに、無人島ながら資源を有する新南群島の開発を探求。日本領土であることを宣言した後、燐鉱開発を力を入れて行った。「新南諸島」と命名した一九二一年長島（イツアバー島）の開発がそれである。会社は無人島を発見すると、「大日本帝国東京府ラサ島燐鉱株式会社西暦一九一七年」などと、日本の領土権と発見者としての会社の名を明らかにし、発見の経緯等を海軍省、外務省、拓務省などの関係官庁に報告、公式役場において会社の権利を明記する手続きを行った。新南諸島の領土宣言を公式に行えば、国際間の物議を醸し、諸外国が反対することが予想されるため、会社が事業を行って既成事実をつくることが最良の策、とするのが、当時の日本政府の意向でもあった。そのため、会社は、長島に燐鉱石採掘出張所を設置し、無主物先占の既成事実を作った。[41]企業が中心となり領土の確保を主張し、外務省、拓務省が調査を行ってから日本の潜在主権を宣言する、といったこれらのやり方は、領土の拡張と資源の確保に企業が「官」を演じる「国策」として見ることができよう。

「国策」と会社との関係はアジア太平洋戦争期にも続き、陸海軍が東南アジアなどの南方諸国を占領したのに伴い、軍は民間の有力会社に対して、資源開発のため、海外現地での事業を委託していた。そして、「ラサ島燐鉱株式会社」は、クリスマス島の燐鉱鉱業や、フィリピン群島の中央部、ルソン島の南、ビサヤ諸島にあり、南北に長い島であるセブ島の燐鉱開発など、政府の委託を受けて協力していたのである。[42]

「ラサ島燐鉱株式会社」の創立からアジア太平洋戦争期までの長い間における社歴を見ると、まさに「ラサ島」は、「資源を持つ島」をめぐる帝国日本の侵略の道のりの第一歩をしるすものであったといえよう。この島における開発を、植民地でのプランテーションの試行錯誤の、最初の場所として位置付けることもできる。

とりわけ、アジア太平洋戦争期、ラサ島における帝国日本と「ラサ島燐鉱株式会社」との密接な関係がもっともはっきり見られるのが、満州事変以降の歩みである。

ラサ島のラサ燐鉱業所は、一九二八年（昭和三）に在島の職員以下全従業員を引き揚げ、休眠状態であったが、四年間の休眠を終え操業再開が行われたのは、一九三一年（昭和六）で、満州事変の影響により国際状況が険悪となり、外国燐鉱石の輸入が不安定となった時期であった。会社は、再び操業準備を行い、一九三四年（昭和九）には月産二〇〇〇トン以上の採鉱を行える体制を整え、所長や職員（六人）、所員家族（四人）、鉱夫（二八〇人）、鉱婦（一七八人）、子ども（六一人）、医師（一人）や巡視（一人）などと、会社の管理下に置かれた人々は合計五三一人に及んだ。ラサ島には発電設備、坑道及び内軌道などの運搬設備、預鉱場、倉庫、荷揚げ用艀船などの設備が次々と新設、増設され、旧施設は修理されていった。(43)

設備の新設と増設などを含めたラサ島の変化は、一見、「資源の確保」の延長線のように見える。しかし、日中戦争以降の日本は、抑制力を失った外務省に代わり海軍主導の下、軍事的なねらいを持って南方の島々に進出していったという背景に注目する必要がある。後藤乾一は、外務省が作成した報告書の「新南諸島問題」などの分析から、日中戦争以後、外務省の慎重論が「海軍を主体とする『積極南進論』に引きずられ」ていったことを指摘している。(44)そうした状況の中で、ラサ島の意味づけは、「資源の確保」にとどまらず、軍事的にも大きくなっていったのである。

一九三〇年代以降の日本の「南進」の意味を問いつつ、それがアジアの国際情勢にもたらした「衝撃」

や「遺産」と共に考える後藤乾一の研究は、「絶対国防圏」の航空中継基地として沖縄に置かれた陸・海軍の基地の変遷を考える上で示唆に富んでいる。最初は燐鉱資源の「資源の確保」として経済的な側面から発見されたラサ島は、「資源の島」にとどまらず、軍事的な意味も大きくなっていったのである。そこに航空中継基地としての沖縄の歴史が重なってくる。

ラサ工業は、一九三五年（昭和一〇）からは鉱山の開発にも意欲を示すようになった。一九三八年には朝鮮の大栄金山を買収している。また、この頃から沖縄の座間味から約四キロメートルのところに位置している慶良間の「屋嘉比島《やかび》」の慶良鉱山に興味を示し、慶良鉱山の経営に参加するため、関係者の共同出資で資本金五〇万円の「南洋鉱業株式会社」を設立。その本社を東京海上ビル新館のラサ工業東京支店内においた。その社名は「将来は南洋方面へ発展しようという構想」をもって命名された。一九三六年のことである。「南洋鉱業株式会社」はその後、慶良鉱山における開発資金を調達するため「ラサ工業株式会社」に売却された。それによって、同鉱山も「ラサ島燐鉱株式会社」により運営され、鉱山の開発がなければ無人島に等しい屋嘉比島にも、敗戦直前まで沖縄の人を中心とする坑夫関連労働者が、二〇〇名近く働いていたのである。(45)一九四〇年（昭和一五）以降、「ラサ工業株式会社」は本格的な炭坑開発のために、当時有力な金鉱業会社であった「鯛生《たいお》産業」と合併し「鯛生産業株式会社」となった。森田芳雄の「ラサ守備隊」がラサ島に上陸した一九四四年（昭和一九）五月には、社名を「東亜鉱工株式会社」と改めた。しかし、会社そのものは、ラサ島を開発した明治以降成長を続けてきた「ラサ島燐鉱株式会社」に他ならない。そもそも「東亜鉱工株式会社」という社名も、「片仮名の社名が誤解を招く恐れ」があったためでもあり、戦後の一九四九年（昭和二四）、社名を元の「ラサ」を使って現在の「ラサ工業株式会社」に改めているからである。(46)

この「ラサ工業株式会社」（「鯛生産業株式会社」）が管理するラサ島で、上陸した軍隊はどのような日々を送ったのだろうか。また「慰安所」はどういう状況で設置されたのか。「ラサ守備隊長」であった森田芳雄が書き残した『ラサ島守備隊記』は当時を詳しく伝えている。まず、一九四四年（昭和一九）四月二六日、「ラサ守備隊」二二〇人が燐鉱の島、ラサ島に上陸した時には、眼の前に丘陵、岩石、バラックの軒並み、観測所の舎屋、海軍の望楼などが見え、草木一本も見当たらなかった。ただ、暗灰色の岩また岩の間に櫛の歯のような長屋が点在している奇抜な風景が目に入ってきた。(47) 発見当時には、「珊瑚礁に囲まれ、濃い緑の密林に覆われていた無人島」(48) であり、緑の草木鬱蒼たる島で、気温高く地味肥えて、農業にも適していたように見えたラサ島は、燐鉱開発により掘りつづけられ、緑の見当たらない「白石峨々という感じ」となっていた。(49) 島の草木を切り払い、燐鉱石を掘ってはまた掘り、表層部の目ぼしいところはほとんど掘りつくしたため、鉱石ではない部分が凸凹に残っており、さらに、暗灰色の岩の表面が、雨霧にさらされ白っぽくなっていたためか、上陸に際して眺めたその姿は、死守を掲げてこの島を訪ねた守備隊長の目にさえ、まさに「ぞっとする姿」であったのである。(50)

そして上陸した当日から、「ラサ守備隊」と「ラサ株式会社」との協力関係が始まる。いや、鹿児島出港時、「鯛生産業株式会社ラサ島鉱業所」の主任であった梶本佳吉との出会いからそれは始まっていたと言っても過言ではないだろう。軍の五万分の一の地図から得た位置情報以外は白紙状態であった森田ラサ守備隊長は、梶本佳吉に出会って初めて具体的な島の状況を聞くことができた。(51) そして、いよいよラサ島に上陸した守備隊が初めて行ったことは、「ラサ株式会社」（当時の社名「鯛生産業株式会社」）の鉱業所員に対する聴き取りであった。『陣中日誌』（一九四四年四月二六日）によると、聞き取り調査結果に記された上陸当時の人口は、「島民五九〇人」である。小さい島では、上陸した二二〇人と六〇〇人近い人々の自活は無理であった。翌日、「ラサ守備隊」は、在留していた人々のうち従業員やその家族二五七人（男性三九人、女性六八人、子ども一五〇人）を「希望退島」という形で、軍隊を運んできた漁船団に分乗させ那覇に向かわせている。(52)上陸して初めて、森田ラサ守備隊は、ラサ島燐鉱会社の業務がどういうものだったのかを理解できた。「ラサ島は燐鉱会社の工場あるいは鉱山と称すべきもので、鉱山は所長、事務長の下に採鉱、船舶、土木、機械、経理、医局が置かれた」、まさにプランテーションそのものであったのだ。(53)森田ラサ守備隊は、ラサ島の情報を提供し信頼を寄せるようになった梶本佳吉が、この島でいかに重要な位置にいたのかをすぐに察知した。「民家」とはすべてこの鉱業所であり、梶本はこの「民家」を代表しており、この島の現地事務所の全権を握る管理職であった。(54)上陸翌日から、軍隊の荷役作業に「六二人の勤労奉仕員」(55)を会社側から出して以来、「軍・官・民」一体の陣地構築、防空壕の建設が始まった。湿気の高さに加え、暑さが続く五、六月、島では水も不足しており、生野菜はほとんど手に入れることができない。こういう状況の中で、そもそもダイナマイト一本も持たないままこの島に入った部隊に、会社は壕掘りのためのダイナマイトをはじめ、医務室、集会所などの施設を提供し、空いている社宅の提供、魚などの食糧の無料提供、そして肝心な労働力を提供した。当時、飛行場建設が行われていた南大東島には特設部隊が配置されていたが、ラサ島には特設部隊は配置されず、守備隊長をはじめ職業軍人は一人もいなかった。こういう状況のなか、抗道の建設などを経験した技術者からなる会社の労働力提供は何より重要な助けとなったといえよう。ラサ島における「官」とはまさに、「ラサ工業株式会社」に他ならなかった。そして、森田ラサ守備隊長は、鉱業所全員に感謝状授与も考えていたが、実行できなかった。一九四四年末、鉱業所の全員が退島したからである。

実は、戦況の悪化により、会社から来る便船が同年三月二九日から途絶えてしまい、日に日に日常生活が困難な状況に陥っており、住民の退島を「ラサ守備隊」が求めたのである。便船が来ない日が長引くと、会社の協力に恩を感じていた森田ラサ守備隊長は、それを見兼ねた七月には、本部が置かれていた南大東島宛てに救援の打電をしている。しかし、補給の手助けは行われなかった。孤立した島内で食糧問題は大きな問題であり、住民全員の疎開を実行させるため、森田ラサ守備隊長からの度重なる説得が始まった。便船が来ないために倉庫が満積されていることや、現従業員が全て他県からの出稼人であること、燐鉱が少ない点などが訴えられた。「目下会社本店と交渉中」とある通り、会社への説得も必要であった。[56] しかし、司令部はその説得を受け入れなかった。その理由は、やはり「資源」であった。

「燐鉱の採掘は帝国農商省の方針であるから変えるわけにはいかない、ただ鉱石輸送についてはすべてが軍優先であることから今すぐ郵送するわけにいかない、したがって当分は従業員も作戦準備に協力してほしい。[57]」

軍は繰り返し「観測所の人員の引き揚げ不可」と返事をしてきたが、森田の説得の末、ようやく海軍やその他の便船などを利用して、五次にわたる引揚げが行われた。最終的に、「当分の間の作戦準備」協力を求められた残留社員九三人が引き揚げたのは、一九四五年（昭和二〇）一月二二日であった。日本列島唯一の燐鉱採取作業所の採掘現場は、この日を以て閉じられた。上陸から九ヶ月間、この島の「官」に他ならなかった「ラサ工業株式会社」の下で軍作業に動員された男女は述べ五一三四人。無償提供で使ったダイナマイトは二万三五一五発と驚くべき数字であった。[58] そして、一九四四年末、鉱業所全員が退島していく最中の一一月、もはや軍隊だけが残るこの島に、「慰安婦」が送り込まれたのであった。

4．ラサ島、軍隊だけの絶海の島の「慰安所」

「一一月の便船で、突然やっかいなシロモノがやって来た」[59]

「慰安婦」の派遣について森田ラサ守備隊長は、自伝で、ラサ島に送られてきた七人の朝鮮人の女たちについての短い回想を残した。森田は既に、「内地を出発するときに、部隊本部でも話しが出た」が「不潔だから島には寄こさないでほしい、といい残してあった」し、携行してきたコンドームも、時計や他金属類の湿気よけなどに使われていたという。この島を訪れた「慰安婦」たちを、彼は「やっかいなシロモノ」と書いている。[60]もともとラサ島は「女禁止」の島であった歴史を持つ。その歴史を遡っていくと『琉球新報』一九一五年（大正四）七月三〇日付の沖縄県庁内海理事官の視察談の中に、「女禁止」により「女は一人もいない島」との記述がみられる。また、この「女禁止」令は水不足に原因があったようで、一九一四年（大正三）四月一八日付の記事には、「何一つ慰安の道がないから、毎日一人一合の酒が楽しみ」と書かれている。さらに同記事によると、「ある時ラサ島の幹部が集まって女がいないと諸事不便であるから女を輸入したらどうかと相談した」が、「ただでさえ水不足になやまされているのに女が入って来ると余計に水を消費するから」と、反対が多かったという。[61]この時期、同じプランテーションでも南大東島には一応、農業を中心とした集落が形成されたのに対し、ラサ島は、社員の家族が住み始める前は、完全に燐鉱業のために集められた出稼ぎ労働者の男たちの島であった。こういう歴史のある島に、社員の家族や出稼ぎ労働者が完全に去っていく最中、遠く朝鮮から七人の「慰安婦」がまるで「輸入」された物のように運ばれてきたのは、皮肉としか言いようがない。
森田ラサ守備隊長の「やっかいなシロモノ」たち。それが朝鮮から連れてこられた七人の朝鮮人女性たちであった。『陣中日誌』にはこの女性七人の名前と出身地、連れてきた業者の名を報告してほしいとの通信記録とその内容が残っている。

「陸軍上等兵ニ命ズ（昭和一九年十二月一日附）
（中略）六．守備隊電第五〇七號（受信〇九・四〇）
慰安婦ニ関シ左記調査報告スベシ
イ 経営責任者ノ住所氏名
ロ 慰安婦ノ本籍　氏名　藝名　年齢、旧楼名、開業、年月日」
（『大東島支隊第四中隊 陣中日誌』昭和一九年一二月一日）

一二月四日『大東諸島支隊第四中隊　陣中日誌』には「沖守備隊電第二一一號」と称された電報に、「六沖守備隊電第二一一號　貴電第五〇七號ノ件左記ノ通リ報告ス」としながら、次のような七人の朝鮮人「慰安婦」に関して報告した記録が残っている（表1・原資料①参照）。今のところ沖縄で発見された『陣中日誌』の史料の中では、唯一名前まで明記された史料である。
上記の史料では、経営責任者の「住所」と氏名を記した上、前述の「六守備隊電第五〇七号」でその報告を命じられた女性たちの本籍、氏名、藝名、旧楼名を書きしるしている。七人の女性たちの年齢は、二一歳（三人）、二五歳（二人）で、未成年者の一九歳も二人おり、一九歳の女性二人は「旧楼名」が書かれていない。七人のうち二人は朝鮮名で記入され、他の五人は創氏名であった。また、六人が朝鮮半島の釜山府、京城府、馬山府、晋州府、達城郡、南居昌郡となっており、現在の釜山、ソウル、慶尚南道（馬山、南居昌、晋州）慶尚北道（達城）一帯から連れてこられた女性たちであったことが分かる。一人の本籍（老神府）は判読できず特定できなかったが、この女性は朝鮮名で登録されており、やはり、朝鮮人であったことがわかる。七人の女性は全て朝鮮人であっ

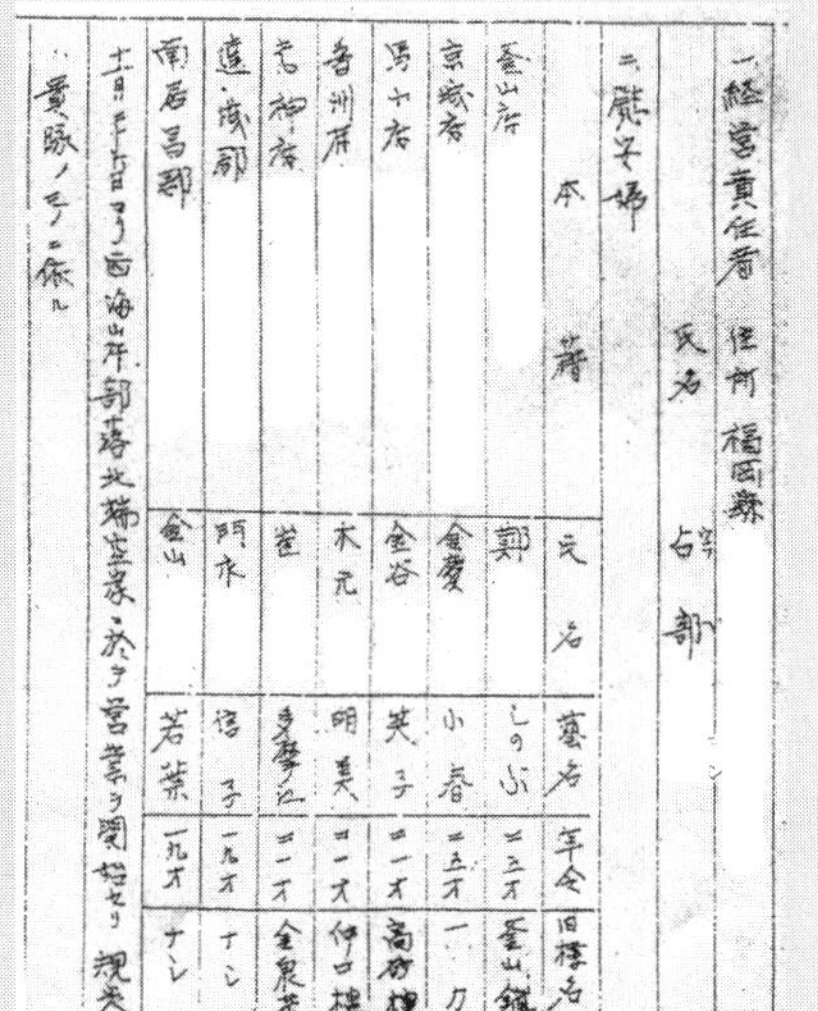

原資料①　表１参照

一　経営責任者 住所　福岡縣○○○○○○○○○○○
　　氏名　占部○
二　慰安婦

本籍	氏名	藝名	年齢	旧樓名
釜山府○○○○○	鄭○○〔朝鮮の名前〕	しのぶ	二五才	釜山鎮鎮
京城府○○○○○	金慶○○	小春	二五才	一力
馬山府○○○○○	金谷○○	笑子	二一才	高砂楼
晋州府○○○○○	木元○○	明美	二一才	伊口楼
老神府〔特定不可〕	崔○○〔朝鮮の名前〕	多摩江	二一才	金泉屋
達城郡○○○○○	門水○○	信子	十九才	ナシ
南居昌郡○○○○	金山○○	若葉	十九才	ナシ

十一月二十六日ヨリ西海岸部落北端空家ニ於テ営業ヲ開始セリ規定ハ貴隊ノモノニ依ル

表１　ラサ島における「慰安婦」名簿　出典：『大東島支隊第四中隊　陣中日誌』（1944 年 12 月 4 日）『沖縄県史　資料編 23　沖縄日本軍史料沖縄戦 6』2012 年、798 ～ 799 頁
〔　〕は著者による

出典：『大東島支隊第四中隊　陣中日誌』（1944 年 12 月 4 日）、『沖縄県史　資料編 23　沖縄日本軍史料沖縄戦 6』2012 年、798 ～ 799 頁（日本）、「日本軍性奴隷制問題解決のための正義記憶連帯（Korean Council for Justice and Remembrance on Issue of Military Sexual Slavery by Japan）」（韓国）を提供してもらい改めて作成した。

た。[62] なお、上記資料に「規定ハ貴隊ノモノニ依ル」とあるように、一九四四年一二月四日時点で、大東諸島駐屯部隊に、すでに「慰安所」を管理する規定が存在したことは明らかである。

森田ラサ守備隊長も「番頭の卜部《うらべ》某という者」としており、前述の『陣中日誌』の占部《うらべ》○氏と一致している。森田ラサ守備隊長によると彼女たちは、まずは沖縄まで来て、そこで「三二軍のある参謀から、ラサ島は緑の天国、あたかも別天地のようだ」といわれたという。「こんなゴツゴツした岩ばかりの島ならば来るのではなかった、だが、いまさら逃げ出すわけにもいかない」と、嘆いたという。森田ラサ守備隊長は、彼女たちを「西海岸の最北端にあった職員長屋の空家に押し込むことにした」と書いている。森田ラサ守備隊長は、陸海軍とも補給がないこの島で、二ヶ月ほどで「開店休業」となり、逃げるにも船がないこの島での一行を、「死なば軍ともろとも、貧乏くじを引いた運の悪い一行」と語る。[63]

現地の責任者であった森田守備隊長の要望でなければ、朝鮮の女性たちはどういう経路で沖縄からもはるばる遠いラサ島まで来られたのだろうか。誰がその派遣を決めたのか。また、彼女たちはラサ島で一体どういう体験をしたのか。二六七ページに及ぶ森田ラサ守備隊長の回想録『ラサ島守備隊記』で、「軍慰安所」という項目のページはわずか三ページ程度である。しかし、ラサ島の『陣中日誌』を重ね読むと、軍と共に生死を共にした女性たちの日常がどういうものであったのかが浮かんでくる。

一九四五年二月一〇日「沖大東島地区隊作命第九號」には、アメリカ軍の攻撃がますます本格化される状況の中、二月二〇日までには戦闘準備を完了することや、各隊が二月一四日までには洞窟分散所における給水準備や、被服の援護備を強化、弾薬の携帯増加指導、測候所の強化、督励指導など陸軍の軍備強化に関する項目が命じられている。それに加え、海軍機銃隊との協力や、重火器の指導など海軍との緊密な連携を細かく指示され、アメリカの攻撃が本格化された二月以降、海軍との連携を強めていく様子がうかがえる。命令文は合計一三項目にわたり、全て二月二〇日までには戦闘準備を完了するよう命じられた。そのうち「慰安所」に関する次のような項目である。

「四　海軍部隊ニ於テモ是ニ連繫スル計画ナリ慰安所員ハ軍ノ作業ニ奉仕ス（中略）
一一　寶田軍曹ハ慰安所員ヲ指導シ給養ノ圓滑ヲ期スベシ
一二　軍醫ハ業間ヲ利用シ慰安所員ニ衛生法救急法教育ヲ實施スベシ
一三　慰安所ハ當分ノ間第二號兵舎ニ起居スベシ」
（傍点は引用者による）
（「沖地区隊作命第九號」『大東島支隊第四中隊　陣中日誌』昭和二〇年二月一〇日）

大東島支隊第4中隊『陣中日誌』一九四五年（昭和二〇）二月一〇日「沖地区隊作命第九號」では、軍は「慰安婦」を「慰安所員」と称し、第四項目で見られるように海軍部隊との連結のもとに、「慰安所員」を軍作業に「奉仕」させることを明記している。彼女たちに衣服などを供給（給養）する役割は軍曹に任された。特に軍医に「衛生法救急法教育」の実施が命じられていることに注目しなければならない。ラサ島における「衛生法救急法教育」は、まだ会社の引揚げが行われる前の一九四四年七月には、すでに森田ラサ守備隊長本人により会社の女性工員一〇人に実施されていた。「何時も準備すべきことは徹底しておくべきだと思い、女子工員の看護婦代用教育を、七月二六日から実日数二週間の予定ではじめた」[64]ものであった。もちろん、その中には社員であった沖縄出身者の女性たちも含まれていた[65]。新たに軍の作業に「奉仕」することになった朝鮮からの女性たちは、「性」に関する「慰安」以外にも、この教育訓練を受け、その任務に当てられていた。命令文には、「慰安所」の位置もはっきりと示された。この命令により「慰安婦」

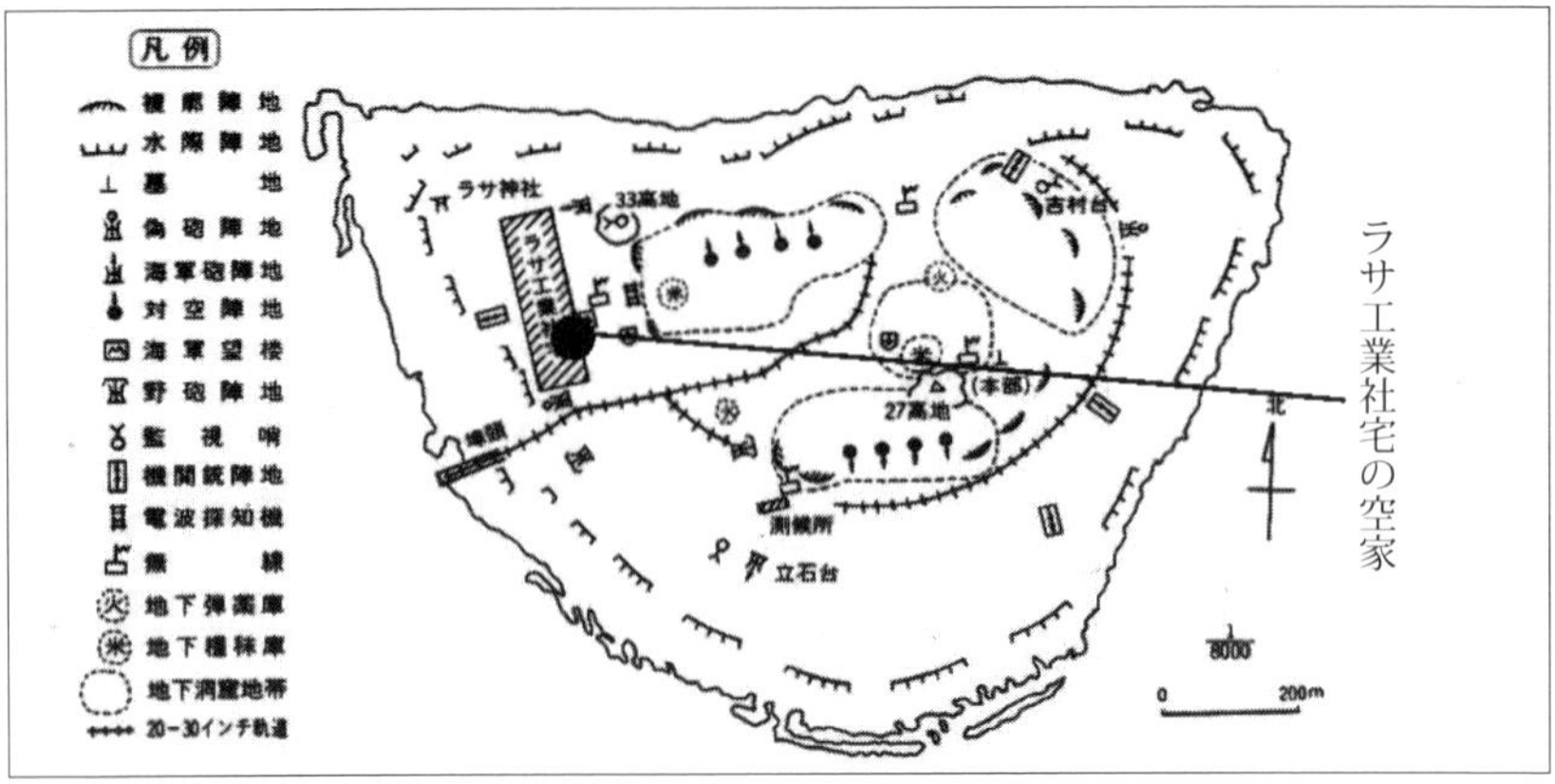

図 II　ラサ島の日本軍『慰安所』マップ

地図出典：森田芳雄『ラサ島守備隊記』河出書房新社、1995 年

●『慰安所』の場所　「慰安所」位置作成：洪玧伸

たちは二月一〇日の命令から二〇日までの一〇日間、軍医による教育を受けたのである。かつて森田ラサ守備隊長は「遠路はるばる来た者を、追い返すわけにもいかない。とりあえず、西海岸の最北端にあった職員の長屋の空き家に押し込むことにした」と説明した。(66)『陣中日誌』を通して読み返すと、女性たちの派遣は軍の明確な方針によって決められており、当時から看護婦としての「衛生法救急法教育」を受けさせられ、ただの「起居」の場ではない、臨時「慰安所」にとして「第二號兵舎」が使用されたのであった。その場所は、小さい島で唯一ラサ工業の社宅が位置していた西海岸であり、〔図II〕で大まかな場所を推測することができる。

このような「慰安所」の設置は、大東諸島の中でも唯一飛行場があった南大東島に米軍の集中攻撃が始まり、大東諸島では全員が洞窟に起居し警戒を強めた時期に行われたものである。また、「慰安所」設置や戦闘準備への本格化を命じた二月一〇日の命令文から一週間後の一七日には、硫黄《いおう》島への米軍最初の上陸の試みが行われているから、その一週間前の出来事ということになる。ラサ上陸以来、米軍の最初の占領地となるのが、「硫黄島かラサ島か」との危機感にさらされていた森田ラサ守備隊は、「硫黄島の将兵に申し訳ないが」、「まず、硫黄島へ向かったことは、私をしばしほっとさせた」と当時の心境を率直に書きしるしている。[67] ラサ島での「慰安婦」のように、同時期に硫黄島にも「慰安婦」が送られたのなら、彼女たちは日本軍と共に全滅したであろう。しかし、硫黄島への「慰安婦」派遣の有無に関しては、今のところ調べる手立てが見つからない。

とりわけ軍隊だけ残されたラサ島にも、物資が途絶える時期が訪れた。ラサ島における最後の便船は一九四五年三月一一日未明の海軍漁船団三隻の入港であった。小麦粉一一〇〇キロ、食用油八五キロ、晒若布《さらしわかめ》七四〇キロ、梅干四二〇キロ、茶一六〇キロ、ビタミンB補充食五〇キロ、醤油一二リットル、小豆三二〇キロ、煙草七万本、スルメ二四キロ、数の子一八キロ、救急食二四〇キロ、モチ米（送状ありて現品なし）、防暑襦袢《じゅばん》一五、巻脚絆《きゃはん》一二〇組、水筒三〇個、保革油一万二七五〇キロ、甲縫糸一二五〇キロ、靴半張革二〇〇組、同踵革一〇組と、『ラサ島守備隊記』は当時何が入ってきたのかを詳しく書き残している。[68] しかし、一つ抜けているものがある。それは、荷役作業をする陸軍に通達された「慰安所日用品」であった。「通信連絡五、沖地区隊情電第七八號」には、「来ル十一日〇五・〇〇海軍船團ノ入港ノ通報アリ　貴地寄港ナレバ左記ノモノ特ニ補給方御考慮ヲ乞フ」とした上、上記で森田ラサ守備隊長の記した項目を含めたもう一つの項目、つまり「(7) 慰安所日用品」の項目の荷役作業の依頼が記されている。[69] そして三月一一日の便船後、米軍との本格的な対空戦闘が始まった。空襲は、飛行場があった南大東島に集中していたが、三月二三日、ラサ島にも全島での対空戦闘があった。[70]

「慰安所」が位置していた西海岸は、ラサ島での集中攻撃の対象になった。既に述べたように、大東諸島の島々の周辺は全て船が接近できないほどの断崖絶壁が多いが、絶壁には自然洞窟も豊富であった。

日本軍の上陸以来、南・北・ラサ島ともに、これらの自然洞窟を利用した防空壕の設備が急がれたのは共通している。南大東島の下士官だった与那嶺昌吉の証言によると、南大東島にも自然洞窟が多数あったため、壕内にトタン葺きの家を建て、そこへ避難して終戦まで一年余をそこで生活していた。[71]

しかし飛行場が多く集中攻撃を受けている南大東島に比べ、ラサ島では、ラサ工業株式会社の社員や物資を総動員した作業によって、かなりの数の自然洞窟を確保していたし、被害も比較的少ない。そして、三月二八日『陣中日誌』では、「沖地区隊作命第二十三號」と称した命令文を通し、軍隊の自然洞窟への移動が命じられたことが分かる。やや長い引用となるが、軍隊が民間人の数を遥かに上回り、かつ、洞窟を持ったラサ島の当時の状況を紹介しておきたい。なお「沖地区隊作命第二十三號」は軍事用語が多いため、ここでは森田ラサ守備隊長本人が軍事用語を和語に変えただけの『ラサ守備隊記』(河出書房新社、一九九五年、一八九―一九〇頁)を用いた。

「一、本日、一六時一五分、南大東島一八〇度、空母三、特設空母二、戦艦一、巡洋艦七、駆逐艦一〇、油槽船二ヲ含ム三〇数隻侵入中ナリ。大東列島、特ニ南大東島ニ対スル敵上陸ノ算アリ。

二、地区隊ハ至厳ナル警戒ヲ実施シ、敵ノ野望ニ対シ、沖大東島ヲ確保セントス。

三、各隊ハ戦闘準備ヲ完了シ、洞窟待機所ニ於テ出撃ヲ準備シアルベシ。

四、第一、第二、第三小隊ハ、各々長以下七名ノ監視兵ヲ所要ノ位置ニ増加配置スベシ。徹収ノ時期ハ明五時トス。

五、砲兵分隊ハ第四陣地ニ於テ、特ニ東海岸ニ対スル射撃ヲ準備スベシ。

六、機関銃小隊ハ水際側防火力発揮ニ遺憾ナキヤウ準備スベシ。

七、児玉兵曹長ハ現有兵力ヲ以テ、対海上射撃ヲ準備スベシ。
八、近藤少尉ハ電球、望楼ヲ併セ指導シ地上戦闘ヲ準備スベシ。本多兵曹長ハ対空戦闘ノ外、地上戦闘準備ヲ完了スベシ。南機銃隊ニ於テハ、夜間ノ待機ハ指揮班長ト連絡スベシ。
九、通信分隊ハ器材ノ掩護ト連結ノ確保ニ遺憾ナキヲ期スベシ。
一〇、観測所長ハ立石少尉ト連絡シ、待避並ビニ自衛ヲ強化スベシ。
一一、軍慰安所ハ第五洞窟内ニ在ルベシ。
一二、軍医ハ援護設備ヲ完了スベシ。
一三、明朝食ハ携帯口糧乙ヲ使用スベシ。
一四、合言葉ハ「和親」「団結」トス。
一五、余ハ第一洞窟待機所ニ在リ。」

この命令文により、「慰安所」が第五洞窟に置かれていることが分かる。幸いラサ島はそれほど攻撃を受けずにすんだ。しかし、米軍はそのまま南大東島に向かって集中攻撃を行った後、沖縄本島へ向かった。既にこの頃になると米軍は、三月二六日、阿嘉《あか》島、慶留間《けるま》、座間味、外地《ふかじ》島、屋嘉比島の四つの島に上陸し、制圧していた。また三月二七日には久場《くば》島を占領し、慶良間の最大の島、渡嘉敷島に上陸した。二九日までには慶良間列島全てを占領したと宣言している。さらに四月一日には、読谷に五万人もの米軍が上陸している。[72]

運よく米軍の上陸を逃れたラサ島には、無線を通して沖縄本島への米軍上陸が伝えられ、四月二日以降、本格的に「自活作戦」が展開されている。[73]

5. 戦中の「自活作戦」

ラサ島守備隊による「自活作戦」の『陣中日誌』は存在しない。森田ラサ守備隊長によるとそれは、「当時は、こういうことを記録すること自体、忌わしくもあり、煩わしくもあった」ために記録を残さなかったという。森田ラサ守備隊長にとって「討議の末得た自活策」とは、「あくまでも沖縄の敗北を前提としたものであったから、具体的に『陣中日誌』に記載できる内容ではなかった」のである。[74] しかし、「自活」のための作戦はラサ島だけが直面した問題ではなかった。大東諸島の命令体系を全て担当していた南大東島本部の大東島守備隊長、陸軍大佐田村権一による『現地自活（大東島）』という資料が残されている。[75] 大東諸島を象徴するとも言えるダイトウビロウ[76]の木が表紙に描かれている〔原史料②〕。そこに見える畑仕事をする兵士たちの真剣さは、昭和二〇年七月から二一年までの細かい「虫害ニ対スル品種及適期ノ選別表」〔原史料③〕などからもうかがうことができる。

原史料②　陸軍大佐田村権一『現地自活（大東島）』　防衛省防衛研究所所蔵

武器を持って戦うより、主食であったイモの収穫時期や栽培に悩む日本兵の姿〔原史料④〕は、沖縄本島における米軍の上陸後、孤立した島々に共通するものであったろう。

第3部でくわしく述べるが、米軍の上陸を免れた宮古島にも「自活作戦」が展開されており、この離島では、生き延びるための食事制限に加え開墾なども行っていた。沖縄軍司令部の壊滅後には、このような「自活作戦」を担った宮古島の第28師団長納見敏郎陸軍中将に、武装解除や軍の正式降伏などが任されている〔第9章参照〕。「自活作戦」は、ただラサ島に限定されるものではなかったのである。

三月二二日の引揚げ船を最後に、終戦に至るまでの間、島外との交通は全く途絶え、南・北大東島は既に孤立状態にあった。[77] 米軍の占領が遅れたことで、南大東島はかえって食糧不足に追い込まれていた。島には軍民合わせて五五〇〇人（島民一四〇〇人）いた。[78] そしてその「自活作戦」が行われた島々には、離島から逃げることのできなかった「慰安婦」の存在があった。

とりわけ、かつて「ラサ工業株式会社」のプランテーションで物資の全てを会社からの便船に依存し

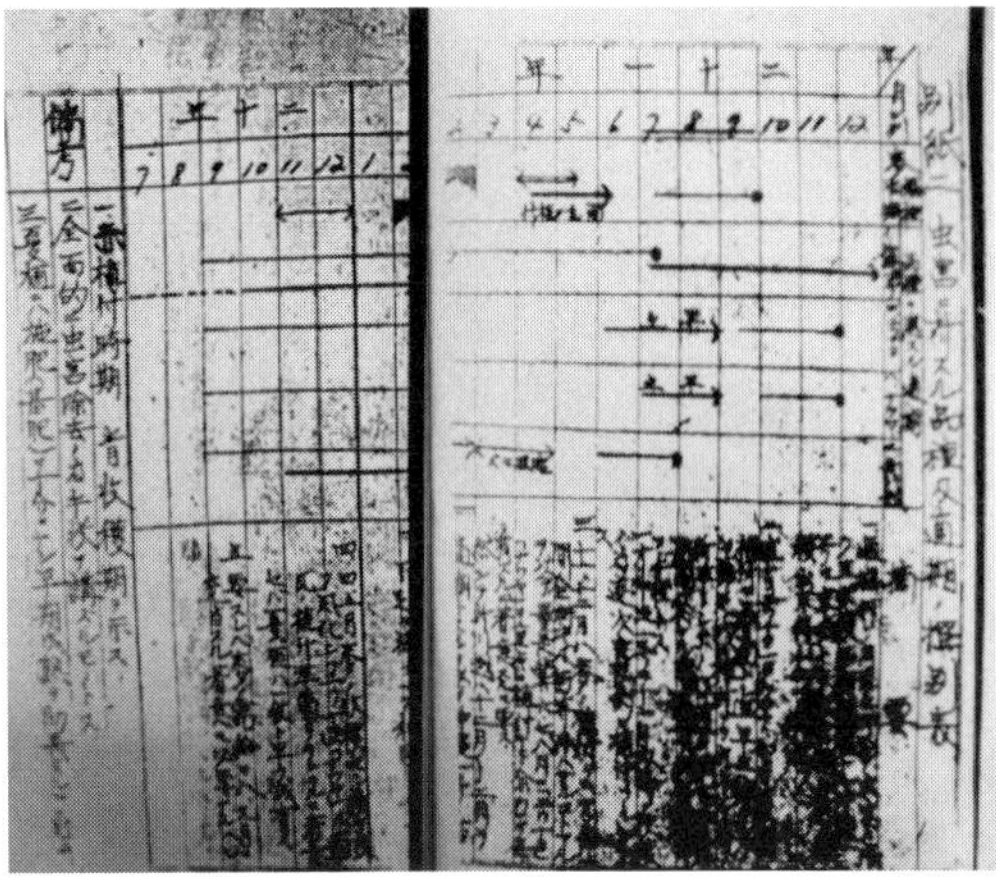

原史料③　陸軍大佐田村権一『現地自活（大東島）』防衛省防衛研究所所蔵料

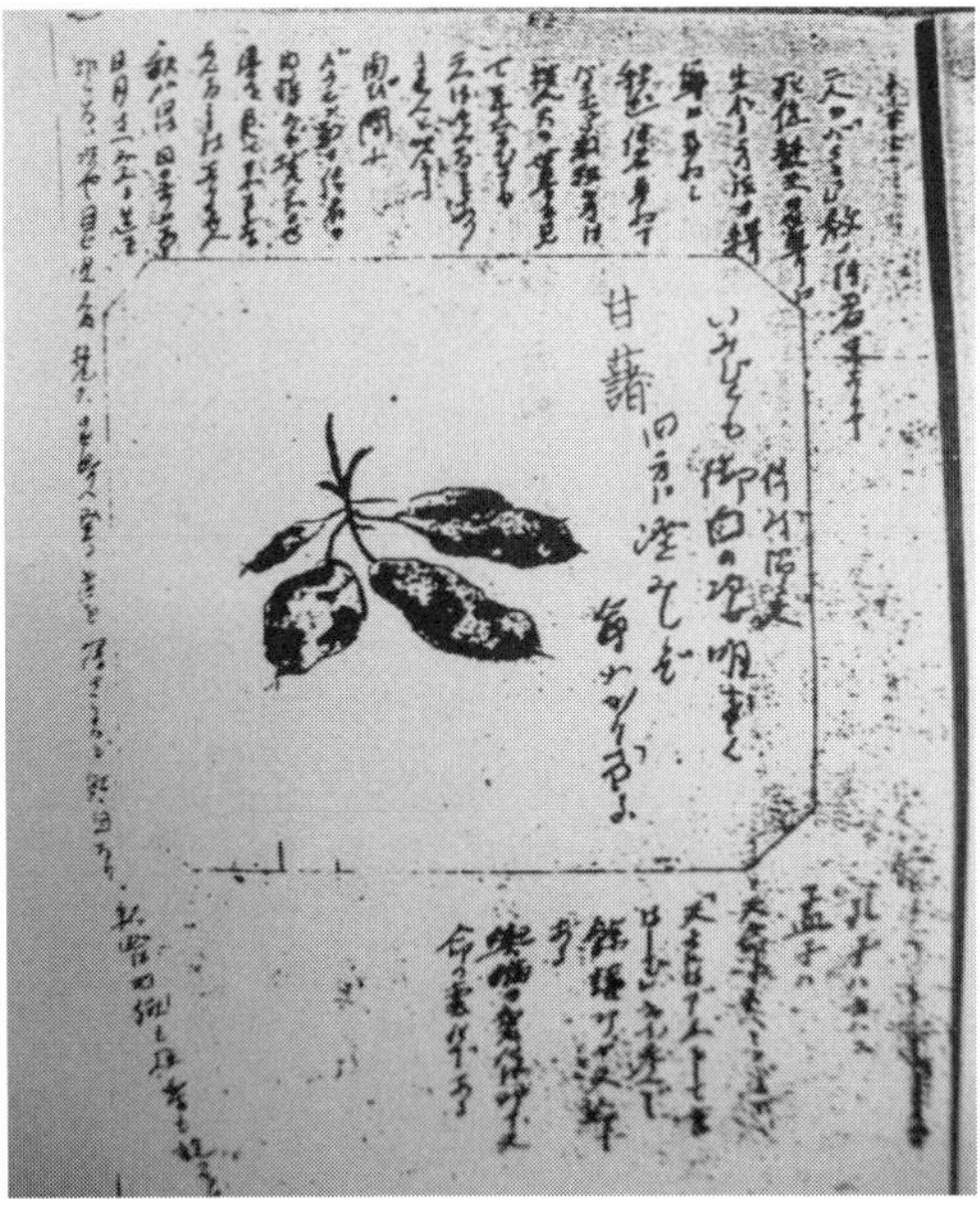

原史料④　陸軍大佐田村権一『現地自活（大東島）』防衛省防衛研究所所蔵

ていた島では、初めて完全自活が試みられた。

　森田守備隊長は『陣中日誌』には残さなかったが、自分の「自活作戦」への命令や、それに対する陸海軍共同の生きるための取り組みに対する「記憶」を、『ラサ島守備隊記』で詳しく綴っている。そこでは農漁村出身軍曹の経験が生かされ、イモの収穫時期が検討され、また、漁業にも力を入れることとなった。[79] 軍医も、イモと魚があれば自活できる、と栄養上の意見を出した。激しい空襲の「おかげで」、島に残っていた多くの不発弾を集めて海に処理し、魚をつかむいわゆる「トルーマン給与」ができ、酒を作ることまでもが試みられた。[80] 開墾地は陸軍合わせて一万坪をこえ、サツマイモの作付面積も約二二〇〇坪に及んでいたという。[81]

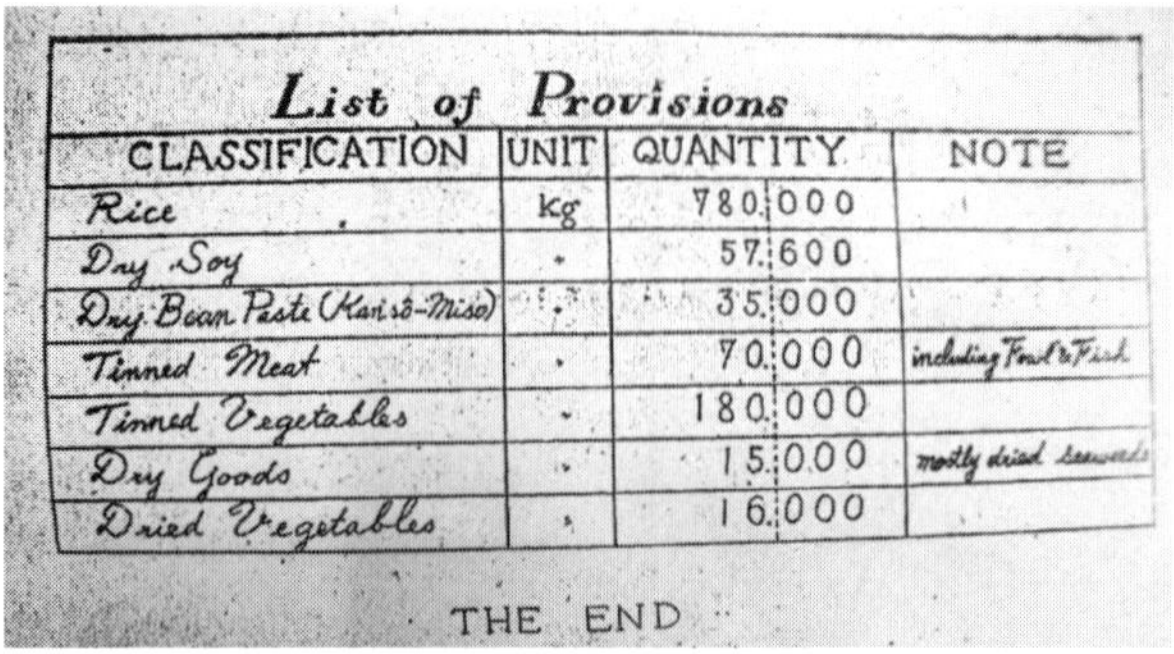

List of Provisions

CLASSIFICATION	UNIT	QUANTITY	NOTE
Rice	kg	780.000	
Dry Soy	〃	57.600	
Dry Bean Paste (Kari-sō-Miso)	〃	35.000	
Tinned Meat	〃	70.000	including Fowl & Fish
Tinned Vegetables	〃	180.000	
Dry Goods	〃	15.000	mostly dried seaweeds
Dried Vegetables	〃	16.000	

THE END

原史料⑤　List Ordnance, Ammunition & Munition Oki-Dai-To Island Naval Detachment、防衛省防衛研究所所蔵

　こうしたラサ島の「自活作戦」は相当の成果を上げていたようである。武装解除を命じられたラサ守備隊は、すぐに残された物資を目録化したようで、『陣中日誌』(一九四五年八月三一日)の「引揚目録(兵器、軍需品)」には、兵器弾薬軍需五八品目、測候所二三品目が記されている。この目録はそのまま「List Ordnance, Ammunition & Munition Oki-Dai-To Island Naval Detachment」として訳され、米軍に引き渡されている。特に米軍の資料には、これらの部隊全員が引揚げる際に島に残った食糧の目録があり、この島で「自活作戦」がいかに成功していたのかを物語る。「List of Provisions(糧秣リスト)」には、七八〇キログラムの米をはじめ、五七・六キログラムの乾燥豆、三五キログ

ラムの乾燥味噌、七〇キログラムの肉の缶詰（魚肉も含める）、一八〇キログラムの野菜の缶詰や、一五キログラムの乾燥食品（主として昆布、わかめ）、一六キログラムの乾燥野菜が主に魚や肉や野菜が缶詰や保管されていた。(82)〔原史料⑤〕

沖縄の軍司令部壊滅後に、沖大東島地区隊は宮古島の第28師団師団長納見敏郎陸軍中将の指揮下に入った。そして、八月一五日の敗戦はラジオを通して知り、二五日、正式な降伏命令が大東島守備隊長田村大佐から下された。そして、三日後の八月二八日、武装解除に関する伝達が通電されている。米軍は終戦から二ヶ月も過ぎようとした一〇月一二日になって、ようやくスミス隊長が通訳と共に来島している。(83)同時期南大東島でも、ラーソン大佐以下米軍及び第28師団杉本参謀などが来島（一一日）、一二日より兵器、装備、弾薬などの処理状況を視察し、北大東島へ向かっている。(84)

引揚げ船はまず南大東島に着いた。海防艦第一九八号が南大東島で海軍部隊（北大東島の海岸部隊も乗船）を乗船させ、午後五時半頃にはラサ島に着いている。ラサ島ではこの船で、三二〇人（森田隊二一七人の他、測候所員、慰安婦等）全員を沖縄本島に引揚げさせた。(85)同船は、翌日の一五日のうちに、再び南大東島に寄り、小数の海軍部隊を乗船させて出航。以降三回にわたって、海防船だけの輸送による復員が行われたが、一一月二五日までに大東島支隊（球部隊）全員の引揚げが完了、佐世保に送られた。残る主力歩兵第36連隊に関しては、一二月一二日、指名された少尉などが屋嘉収容所へと送られた。こうして一九四五年内に大東諸島にいた全ての陸海軍が引揚げを完了した。(86)

限定的とは言え、『南大東村誌』や福地曠昭の調査により、南大東島における「慰安婦」に関する証言が残されている。『南大東村誌』によると、南大東島にいた女性たちに対しては、一〇月二五日午後、米軍機が飛来、女性（朝鮮人慰安婦ほか）全員を沖縄へ引揚げさせた。(87)しかし、一部の女性はそのまま南大東島に住み着いていたとの証言もある。
当時青年団員であった伊佐キヌによると、「慰安婦」は一九四五年一〇月から一一月にかけて日本軍の部隊と共に那覇へ送られた。米軍の飛行機に乗った朝鮮人女性の中に妊婦がいたという。那覇に引揚げて行った女性の中で、そのまま那覇に住んでいる女性がいて、戦後、偶然にも壺屋で出会ったこともあるという。その話によると、その多くは希望を新たにして朝鮮に帰還したようであるが、そのまま、那覇に一、二人の女性が住んでいたようである。一方、沖縄の女性たちは、学校の山の裏にある民間人を相手とする「慰安所」で生活していた。(88)

一九四五年に米軍による日本軍の引揚げが実施された後、強制疎開により軍隊の数が民間人を上回っていた南大東島・北大東島は、静かな島に戻った。そして、北大東島の燐鉱は、ブルドーザーやパワーシャベルで運んで来るように機械化したところ、土やサンゴのかけらが燐鉱石と混じってしまい、品質が低下して売れなくなり、採掘は衰退してしまった。一方、皮肉にもプランテーションの時代に土地を所有できなかった島の人々に土地を戻し、一企業の支配から解放したのは米軍政だった。またラサ島は、「自活作戦」を掲げて畑仕事に専念した日本の軍隊が去ると同時に、無人島となった。そして米軍による燐鉱採掘が試みられた後、米軍の射撃訓練場となり、今は立ち入ることもできない。

ちなみにラサ工業燐鉱会社が運営していたもう一つのプランテーション、慶良間諸島「屋嘉比島《やかび》」の慶良間鉱山は、米軍上陸の地となった。大東諸島の三島を通り抜けた米軍は、慶良間諸島に上陸した。G2報告書によると、三月二六日上陸用船が向かった慶良間の四つの島、(阿嘉島、座間味、慶留間、外地)での上陸が早い段階で成功したため、同日の昼一時四一分、第2大隊が屋嘉比島に上陸したとある。二、三人の日本軍兵士を殺害し、午後四時、制圧を宣言。少量の日本軍物資を押収、とのみ報告されている。(89)

しかし、屋嘉比島では米軍上陸という噂に脅かされた従業員やその家族の「集団自決」が起きている。従業員は米軍上陸前日、二つのグループに分かれ第七号坑と第一二号坑に避難した。米軍上陸後、第七号坑避難者たちは「玉砕者名簿」を作って、ダイナマイトによる「自決」を決意した。しかし、全員が一緒の方が良いとのことで、ラサ慶良鉱業所の運輸係長を務めていた宮里光禄と職員の一人が、第一二号坑に呼びかけに行く。第一二号坑は既に米軍の捕虜となった後であった。宮里光禄たちは直ちに第七号坑の救出に向かった。米軍の命令により第七号抗の状況を確認しに来た従業員がおり、懸命な救出作業が行われた。しかし、阿嘉島出身の金城次郎一家をはじめ、既にダイナマイトや睡眠剤による自決をはかった人々など、従業員の家族四〇人余りが犠牲となっていた。救出された人々も「米軍の捕虜になると、耳を削がれ、手足をもぎ取られ、婦女は自由にされ、そして最後に虐殺される」と教育されていたため、だれもが不安であった。米兵はコンビーフなどの食糧を与えた後、夕方には屋嘉比島から退去した。一週間後に再び一隻の上陸用船舶に乗って島を訪れたが、その時もやはり食糧品を持ってきたという。[90]

しかし、島の女性たちにとって食糧を運ぶ米兵の上陸用船舶は、何より不安を覚えさせるものであった。事実、大山千代子は、食糧難より米兵が女性を捕まえにくるのが怖かった、と証言している。そして実際、米兵に連れていかれた三人の女性が強かんされたことを証言する。一人は妊娠した。一人は夫の目の前で強かんされた。以降、男たちが見張りを立て、船舶が向かってくると、ドラム缶をならし、それを聞いた女性たちは一斉に山奥に逃げていくことになったという。大山自身、マラリアにかかった時も、ドラム缶の音を聞いた妹や母に連れられ、ひっぱられるかのように逃げたことを記憶している。[91]

屋嘉比島における米軍の「占領」は、一日で終わった。米軍が上陸した三月二六日である。同日に米軍が退去した後、島に残された生存者たちは、長いバラックを建てて共同生活を行った。米などは焼き捨てられていたため、食べ物はなく、海岸に出て、流れてきたメリケン粉や缶詰、果物などを拾って生活し、前述したとおり一週間後からは定期的に米軍による配給品が届くようになった。慶良間の沖縄戦が続くなか神風の特攻機とそれを防ぐための米艦隊の黒い煙に濁った空を屋嘉比島から眺めながら、「戦中」と「戦後」がまじりあう共同生活が続いた。

屋嘉比島の住民のうち、県内出身者は八月に出身地である阿嘉島や座間味島に帰還し、他道府県出身者は、翌年一月に屋嘉比島から石川《いしかわ》市の収容所に移された後、本土へ帰還している。日本でも有数の銅鉱山であり、沖縄のもっとも豊かな銅の宝庫であり、最盛期には人口が一〇〇〇人余りにも達したこの島は、現在、無人島である。(92)

註

(1) 奥平一『大東島の歩みと暮らし――北大東島を中心に』ニライ社、二〇〇三年、一六頁、北大東村誌編集委員会『北大東村誌』北大東村役場、一九八六年、一―四頁、南大東村誌編集委員会『南大東村誌』[改訂] 南大東村役場、一九九〇年、三一―一三頁参照。
(2) 『北大東村誌』前掲書、六五九頁。
(3) 『北大東村誌』前掲書、二七〇頁、六二二頁参照。
(4) 『北大東村誌』前掲書、六七六頁。
(5) 『北大東村誌』前掲書、六三頁。
(6) 『南大東村誌』前掲書、一九九〇年、七〇頁。
(7) 『南大東村誌』前掲書、六四―六五頁。
(8) ラサ工業株式会社社史編纂『ラサ工業80年史』ラサ工業株式会社、一九九三年、一九頁。

(9)『ラサ工業80年史』前掲書、一七頁参照。
(10)『北大東村誌』前掲書、三八七頁。
(11)『北大東村誌』前掲書、六六五—六六六頁。
(12)防衛庁防衛研修所戦史室『沖縄方面陸軍作戦』朝雲新聞社、一九六八年、三七頁。
(13)『沖縄方面陸軍作戦』前掲書、四四—四五頁。
(14)一九一六年（大正五）「玉置商会」から東洋製糖に経営権が移ったが、当時南大東島の居住者は出身地別に沖縄一四四一人、鹿児島八四人、東京（八丈島含む）一三四七人、静岡五三人、その他六二人の計二九八七人であった。（琉球新報社「プランテーションの歴史・大東島」『沖縄20世紀の光芒』琉球新報社編、二〇〇〇年、一〇九頁）
(15)『南大東村誌』前掲書、三六七—三七一頁。
(16)「プランテーションの歴史・大東島」『沖縄20世紀光芒』前掲書、一〇八—一一〇頁参照。
(17)『沖縄方面陸軍作戦』前掲書、三八頁、大城将保「第32軍の沖縄配置と全島要塞化」『沖縄戦研究II』沖縄県文化振興会公文書館管理部、一九九九年、九七頁。
(18)『南大東村誌』前掲書、三七九—三八〇頁。
(19)『南大東村誌』前掲書、三五七—三八一頁。
(20)『沖縄方面陸軍作戦』前掲書、三八頁。
(21)『南大東村誌』前掲書、一四頁。
(22)『南大東村誌』前掲書、三八二—三八三頁。
(23)『沖縄県史第10巻（各論編9）—沖縄戦記録2』沖縄教育委員会、一九七四年、九四四頁。
(24)同前。
(25)『南大東村誌』前掲書、四一四頁。
(26)福地曠昭『オキナワ戦の女たち——朝鮮人従軍慰安婦』海風社、一九九二年、一六〇—一六一頁。
(27)川田文子『赤瓦の家——朝鮮から来た従軍慰安婦』筑摩書房、一九八七年、五三—五四頁。
(28)福地曠昭『オキナワ戦の女たち——朝鮮人従軍慰安婦』前掲書、一六一—一六二頁。

(29)「南大東島の戦時状況」『沖縄県史第10巻(各論編9)―沖縄戦記録2』前掲書、一九七四年、九四〇―九四四頁参照。
(30)樋口雄一「朝鮮人徴用動員と動員体制――一九四四年を中心に」『季刊戦争責任研究』日本の戦争責任資料センター、第五一号(二〇〇六年春季号)、二〇〇六年、四八―五四頁。
(31)『ラサ工業80年史』前掲書、一二五頁。
(32)森田芳雄『ラサ島守備隊記』文研出版、一九六八年、一五六頁。
(33)『沖縄方面陸軍作戦』前掲書、四七頁。
(34)『沖縄方面陸軍作戦』前掲書、四三―四四頁参考。
(35)森田芳雄『ラサ島守備隊記』前掲書、二一頁。
(36)森田芳雄『ラサ島守備隊記』前掲書、二一―二二頁。
(37)農林省から燐鉱増産の要請は、昭和一四年であった。(南大東村『南大東村誌』前掲書、三九七頁)
(38)『北大東村誌』前掲書、六六五―六六六頁。
(39)『ラサ工業80年史』前掲書、三一頁。
(40)『北大東村誌』前掲書、六七〇頁。
(41)『ラサ工業80年史』前掲書、四〇―四八頁。
(42)『ラサ工業80年史』前掲書、一一三―一一七頁。
(43)『ラサ工業80年史』前掲書、六九―七一頁。
(44)後藤乾一『〈東〉ティモール国際関係史1900―1945』みすず書房、一九九九年、三八―五六頁参照。帝国日本がどのように沖縄を認識し、それがまたどのようなアジア観と繋がっているのかについては、後藤乾一の最近の考察『近代日本の「南進」と沖縄』(岩波現代全書55、岩波書店、二〇一五年)がある。特に、沖縄、南洋群島、植民地朝鮮の連動を経済的な側面だけでなく、海軍の「南洋群島の要塞化」との関連性で論じる「南洋群島と沖縄」(同書、一三二―一四一頁)は重要である。
(45)『ラサ工業80年史』前掲書、八四―八八頁。
(46)『ラサ工業80年史』前掲書、一二三頁。

(47)森田芳雄『ラサ島守備隊記』前掲書、六二頁。
(48)『ラサ工業80年史』前掲書、一七頁。
(49)森田芳雄『ラサ島守備隊記』前掲書、七四—七五頁。
(50)森田芳雄『ラサ島守備隊記』前掲書、七五頁。
(51)梶本との出会いを森田ラサ守備隊長は「地獄でホトケに会ったようなものだった」と叙述している。(森田芳雄『ラサ島守備隊記』前掲書、三四頁)
(52)森田芳雄『ラサ島守備隊記』前掲書、六七—六八頁。
(53)『北大東村誌』前掲書、六八三頁。
(54)森田芳雄『ラサ島守備隊記』前掲書、七〇頁。
(55)森田芳雄『ラサ島守備隊記』前掲書、六七頁。
(56)森田芳雄『ラサ島守備隊記』前掲書、一六一頁。
(57)森田芳雄『ラサ島守備隊記』前掲書、一六〇頁、『北大東村誌』前掲書、六九三頁。
(58)森田芳雄『ラサ島守備隊記』前掲書、一六二頁。
(59)森田芳雄『ラサ島守備隊記』前掲書、二三四頁。
(60)同前。
(61)『北大東村誌』前掲書、六八三—六八四頁から再引用。
(62)本書の二〇一六年度刊行版には、沖縄県史の資料をもとに七人のうち二人が日本から連れていかれた可能性があるとした。当時は日本国内では個人情報保護のために非公開となっており、『沖縄県史　資料編23　沖縄日本軍史料沖縄戦6』(二〇一二年、七九八—七九九頁)が実名と住所の詳細を伏せた形での編集資料で掲載しているものを参照した。しかし、その後、原史料を韓国の「日本軍性奴隷制問題解決のための正義記憶連帯(Korean Council for Justice and Remembrance on Issue of Military Sexual Slavery by Japan)」により提供され確認した結果、全員が朝鮮人でありそのうち二人は朝鮮名で登録されていることを確認できた。二〇二〇年に刊行した本書の英語版からは、出身地域と朝鮮人の名前であることが分かるような形で再作成している。

(63)森田芳雄『ラサ島守備隊記』[復刊] 河出出版研究所、一九九五年、二一六―二一七頁。
(64)森田芳雄『ラサ島守備隊記』文研出版、一九六八年、一二三頁。
(65)森田芳雄『ラサ島守備隊記』前掲書、一二四頁。
(66)森田芳雄『ラサ島守備隊記』前掲書、一三四頁。
(67)森田芳雄『ラサ島守備隊記』[復刊] 前掲書、一六一―一六二頁。
(68)森田芳雄『ラサ島守備隊記』[復刊] 前掲書、一八三頁。
(69)「通信連絡 五、沖地区隊情電第七八號」『大東島支隊第四中隊 陣中日誌』昭和二〇年三月九日
(70)森田芳雄『ラサ島守備隊記』[復刊] 前掲書、一八五頁。
(71)「南大東島での戦時体験(与那嶺昌吉)」『西原町史 第三巻(資料編2) 西原の戦時記録』西原町史編纂委員会一九八七年、五一五―五一八頁。
(72)上原正稔訳編『沖縄戦アメリカ軍戦時記録――第10軍G2㊙レポートより』三一書房、一九八六年、二〇―三四頁。
(73)沖縄本島への米軍上陸以降の「自活作戦」は、ラサ島をはじめとする大東諸島と、米軍上陸が行われなかった宮古島などで共通に見られたものである。このことに関しては第3部でくわしく述べることとする。
(74)森田芳雄『ラサ島守備隊記』前掲書、二一五頁。
(75)陸軍大佐田村権一『現地自活(大東島)』防衛庁研修戦史室、一九六〇年七月二〇日複製資料。
(76)ヤシ科の高木で、かつて島が無人島であった頃は島のほとんど(約七〇%)が本種で覆われていたと言われている。戦前までは家屋や畜舎の材木として多く使用されていた。(奥土晴天『南大東島の自然』、ニライ社、二〇〇〇年、一九頁参照)この木はまっすぐであったため陣地構築用材として最も使用しやすかったので、かなりの量が伐採されたのである。(南大東村『南大東村誌』前掲書、四一一頁参照)
(77)『南大東村誌』前掲書、二四五頁。
(78)『南大東村誌』前掲書、四四八頁。
(79)森田芳雄『ラサ島守備隊記』前掲書、二一三―二一五頁。
(80)森田芳雄『ラサ島守備隊記』前掲書、二四二頁。

(81) 森田芳雄『ラサ島守備隊記』前掲書、二五一頁。
(82) List Ordnance, Ammunition & Munition Oki-Dai-To Island Naval Detachment、防衛省防衛研究所所蔵。
(83) 森田芳雄『ラサ島守備隊記』前掲書、二五〇―二五九頁。
(84)『南大東村誌』前掲書、四五四頁。
(85)『南大東村誌』前掲書、四五五―四五六頁、森田芳雄『ラサ島守備隊記』前掲書、二六四頁。
(86) 森田芳雄『ラサ島守備隊記』前掲書、二六四―二六六頁。
(87)『南大東村誌』前掲書、四五四頁。
(88) 福地曠昭『オキナワ戦の女たち――朝鮮人従軍慰安婦』前掲書、一六三頁。
(89)『沖縄戦アメリカ軍戦時記録―第10軍Ｇ２㊙レポートより』前掲書、一七頁。
(90)「銅坑からの救出――屋嘉比島での戦争体験（宮里光禄）」『座間味村史（下）』座間味村役場、座間味村史編集委員会、一九八九年、一七〇―一七八頁。
(91)「屋嘉比島からの生還（大山千代子）」『座間味村史（下）』、前掲書、一八三頁。
(92)『座間味村史（下）』、前掲書、一七〇頁。

沖縄県管内図（1916 年）

※市町村区分は 1940 年 12 月現在

第2部

沖縄戦・村に入った慰安所

第2章　二つの占領と「慰安所」

沖縄に「慰安所」が投入された時期、いかなる騒動が村に起こったのかを考えてみたい。それに先立ち、アジア太平洋戦争における日本軍による植民地出身の女性への暴力は、奪われた「主権」の問題としてとらえられ、「女の体」は即ち「民族の体」として表象されたことを想起しなければならない。この「民族の体」にまつわる感情に触れないようにするためにこそ、「慰安所」設置が正当化されたからである。「慰安所」とは、「民族の体」からは疎外される存在を前提にした装置であった。

1．風紀論争、「朝鮮ピー」が来るということ

「強烈ナル反日意識ヲ激成セシメシ原因ハ各地ニ於ケル日本軍人ノ強姦事件カ傳播シ実ニ豫想外ノ深刻ナル反日感情ヲ醸成セルニ在リト謂フ」

（『歩兵第四一聯隊 陣中日誌』昭和一三年七月）

周知のように、日本軍が「慰安所」システムを考え出したのは、中国戦線からであった。食料の収奪はもちろん、若い女性を拉致しての集団暴行と虐殺事件が繰り返された中国では、激しい反日感情が爆発し、日本軍にとってそれは「想像外」の激しいものであった。そのため中国戦線での作戦変更まで強いられた日本軍は、一九三八年（昭和一三）反日感情の原因が「強かん」事件であることを認めざるを得

なかった。

そして、「軍人個人ノ行為ヲ厳重取締」るとともに、強かんを隠蔽する装置として、「速ニ性的慰安ノ施設」設置に至ることとなった[1]。組織的に「慰安所」が増強されるにつれ、朝鮮では「処女供出」「処女狩り」と呼ばれた未婚女性の強制連行が進められた。南京大虐殺直後から本格的に強制連行が始まり、一九四三年から四五年にかけて戦場が拡大すると、井戸端で、田畑で、道で、工場で、そして家の中まで軍靴のまま乱入し、一四歳から二〇歳までの女たちを暴力的に連れ去った[2]。こうして強制動員された朝鮮の女性たちは、アジア太平洋戦争の間、日本軍が占領した各地に設置された「慰安所」で「性奴隷」としての生活を強制され、敗戦に近づくと、現地で捨てられたり、置き去りにされたり、連合軍の空爆があるとだまされて壕の中で爆殺された。植民地朝鮮の女たちは、天皇が日本軍に与えた慈悲の「贈り物」であり「性病」予防にふさわしい存在にすぎなかったのである。

第32軍は、中国戦線での虐殺の延長線上で、アジア蔑視の経験と女性の体をもの扱いする「慰安所」を持ったまま沖縄にやってきた[3]。前述したように「慰安婦」が最初に送られてきたのは一九四一年（昭和一六）で、南大東島での飛行場設営のための人夫と「慰安婦」七人が連行されてきた。そして「慰安婦」の多くが連行されたのは、主力部隊が沖縄に配置される一九四四年（昭和一九）であった[4]。アジア太平洋地域で残虐行為を引き起こした軍隊が沖縄に送りこまれてきたことが、「スパイ戦」と呼ばれる「友軍」による住民虐殺事件の悲劇の引き金になったことは、改めてここで指摘するまでもない。

ここでは、「近代」に参入する際に、沖縄の人々が、まず琉球人から日本人にならなければならなかったこと、しかも、軍民一体の総力戦下の沖縄では、上陸当時の日本軍は、あくまでも自分たちを守る「友軍」として歓迎されていたことを見逃してはならない。沖縄における「慰安所」は、軍が直接建設した場合もあったが、多くの場合、民家を接収する形で置かれ、植民地から連れてこられた「慰安婦」と「辻遊郭」の女性が、軍のための相手や愛人となっていた。しかし、こうした「慰安所」をめぐって、県と日本軍との間に葛藤が起こる。

「ここは満州や南方ではない。少なくとも皇土の一部である。皇地の中に、そのような施設をつくることはできない。県はこの件については協力できかねる。[5]」（傍点は引用者による）

当時の泉守紀知事は、「皇土の一部」である沖縄に「慰安所」などを設置することは「風紀の紊乱」であると反対していた。「兵隊という奴、実に驚くほど軍規を乱し、風紀を紊《みだ》す。皇軍としての誇りはどこにあるか[6]」。住民が反対の立場に立った理由は、建前としては、あくまでも地域社会の「風紀を紊《みだ》す」存在だという認識からであった。しかし、それは同時に、「準外地」とされることに対する反発、つまり、「遅れた社会」と見られることに対する反発でもあった。日本本土の軍隊にならありえないはずの「慰安所」が、沖縄においては海外戦線なみに配置され、「準外地」扱いされることへの反発である。

例えば、中国戦線から八月三日に来沖した第62師団（通称：石部隊）の『石兵團會報』を見ると、九月一四日には「慰安所」の料金および使用時間などが決められている。三日後の一七日には、司令部のある浦添《うらそえ》の字仲間《なかま》に、「後方施設」として九月二〇日から見晴亭、観月亭、軍人会館の三カ所の開業が決められていた。しかし、住民は九月末から「風紀上」の問題で反対の申し出をしていた。一二月二一日の『石兵團會報』には「国場（那覇市）付近ノ地方人ハ慰安所ノ施設ヲ嫌ヒアリテ種々苦情ヲ申込アリ」と、地元住民が、「慰安所」施設に反対していたことが記述されている。[7]渡嘉敷《とかしき》島のように「風紀の紊乱」を理由に地元の女性青年団が、「朝鮮ピー」が島に入ることを強硬に反対した例も見られる。「渡嘉敷島には辻に売られて女郎になった人は一人もいない」「そういう人たちを入れると風紀が紊乱してたいへん」、「渡嘉敷島の女性たちが内地から来た兵隊にそのような女と間違われると困る」というのが、地元女性青年団の反対理由であった(8)。

総力戦の沖縄で住民の協力を得なければならなかった日本軍は、「沖縄人ということばは使ってはいけない。沖縄には過去いろいろな歴史があったが、現在は三府四三県のひとつ、沖縄県であり、彼らは日本人である(9)」、「成るべく兵と一般民衆とは同一場所に働くことを避けしむこと(10)」など注意を払った。詳しくは第６章で述べるが、軍の住民に対するこのような見方は、後にスパイ視への過程で重要な問題となる。

また、軍は沖縄住民の間に存在する「準外地」扱いされることに対する不満を懸念し、日本軍と住民の間で起こり得るトラブルを防ごうとした。一方、「慰安所」については、「だいたい戦地は慰安所をおいている。『慰安婦』たちは、あなた方の身を守るためだ(11)」として住民を説得した。このことが「慰安所」を設置するための名目とされた。

特に、軍は植民地からの女性たちで構成した「慰安所」を、沖縄の女性を守るためという論理で説得しつつも、「軍事機密」扱いとして、住民の目を避けた形を取り、山、原野、村はずれに設置した。しかしながら多くの「慰安所」の設置が民家を接収する形をとったために、本質的に住民の目を避けることは不可能であった。

それでも、戦後の「慰安婦」として最初の証言者となった裵奉奇《ぺぽんぎ》の証言によると、当時の日本軍がどれだけ「慰安婦」と民間人との接触に注意をはらったかが分かる。

「軍といるときは民間入れないんですよ、軍ばっかし。民間はいない。（じゃ、三月二十八日に渡嘉敷島の人たち四〇〇人近く死んだのは、まったく知らないわけですか。）死んだと話は聞きました。（「集団自決」したというのは、後で聞きましたか。）話は聞いたんですよ。（まったく軍は人を入れなかったわけですね。）ああ、民間は絶対だめ。(12)」

住民と「慰安所」を徹底的に分断した軍の方針により、「朝鮮ピー」として戦争で生き延びるために、女たちは軍に依存せざるを得なかった。二重、三重に取り巻き、順番を待っている兵士たちの相手をする「慰安婦」たちは、「友軍」のための特別な軍属として扱われた。独立攻城重砲兵第2大隊第2中隊の『陣中日誌』（一九三八年三月三日）によると、「支那人一円、朝鮮人一円五〇銭、日本人二円」とされ、同年三月一六日の独立攻城重砲兵第2大隊の「常州駐屯間内務規定」には、朝鮮人「慰安婦」は「半島人」として「一円五〇銭」と表記されている。「慰安婦」は、軍隊の一組織として管理されつつも、アジアに対する蔑視にさらされていた。「朝鮮の言葉、しかも大きな声でおしゃべりするので『寝られない(13)』」と、疲れきったひめゆりの学徒からいわれる程、違う種類の軍属とみなされた。いたずらする子どもや、風紀紊乱としてみる沖縄住民に対し「天皇ひとつ、パカするな(14)」と抵抗した朝鮮人「慰安婦」の姿は、多くの戦記でみられる。(15)しかし、「朝鮮ピー」という差別的な言葉で呼ばれた女たちは、体を提供することで、「あなたは身をもって皇軍に協力したから感謝状を(16)」と、欺瞞的な感謝状を戦場で渡された。

一方、第32軍が増強されるにつれて一〇万人近い軍隊が駐屯するに至った四四年夏、軍は県に対し、「慰安所」設置のための協力を求めざるを得なくなった。(17)知事の協力拒否のためかどうかははっきりしていないが、軍は那覇警察署に協力を求める。しかし、「辻には事務所がある」と、那覇警察署は直接介入することを避け、その代わり、辻遊郭までの案内を副官に命じた。結局、軍は辻に行って「兵隊の士気を鼓舞するように」と演説し、女性たちを狩り出した。そのことは、案内役を指示された山川泰邦によって証言されている。[18] しかし既に、植民地からの「慰安婦」たちが一日に何人もの兵士を相手にしなければならない酷い状況であることが知られていたため、演説は逆効果となり、那覇警察署の保安係のもとに廃娼願いが殺到した。軍は、「病気、結婚その他やむを得ざる理由のほか、廃業まかりならぬ」という、廃業を防止する通達を那覇警察署に出した。[19] こうして辻遊郭の女性は、沖縄防衛のために来た軍であるという大儀名分のもとで、朝鮮人「慰安婦」と共に沖縄戦場に組み込まれることとなった。

「近代日本」において、警察や軍隊という暴力を統制すべき理性的機関が、むしろ特定の人たちを暴力にさらす機関であったという自己矛盾がここに生じている。大越愛子が指摘するように、この自己矛盾は、「暴力もまた『公的』『私的』という近代的二元論の枠組みで思考されなければならないという、『近代お得意のトリックで隠蔽』されてきた」とも言える。[20] 端的にいえば、始めから「満州でも南方でもない沖縄」に住んでいた遊郭の女性が軍の風紀を担当するのには、「良家の子女を守るための防波堤」としてであり、それが公娼制度によって正当化されていたのである。また、このように女たちの「性」という私的領域が、公娼制度と軍隊により「公的」な領域に置き換えられる瞬間に注目すると、女たちが、常に「国民の領域」で役割を果たしたにもかかわらず、救済されるべき法によって保護されるはずの「国民」から外された、ということとは無視できない。

「かゝる者と列を同ふするを恥づ[21]」

同じふうにするのは恥ずかしい、辻のアンマー（抱え親）たちは「お国のために」と言いながら、「愛国婦人会」に参加しようと法律上の権利を主張したが、入会さえできなかったという被差別の経験を持っていた。辻の女たちと同列にされることを恥として退会した「一般女性」がいたためであった。[22]辻遊郭の女性たちは「愛国」という領域に立ち入ることのできない「名前のない」存在であったのである。「辻の村屋」と呼ばれる女性たちの集会事務所ができたのは、税金に関する手続きや保健衛生管理など、官公庁へ提出する書類作成処理などの必要性からであった。[23]つまり、日本国に始まり県、そして警察の要求した「法」を守ることや、「友軍」のための性病検査という「愛国」とされる義務を果たすためであった。辻遊郭の女たちは日本軍への「性」の提供を公式に受け入れて初めて、皮肉にも「お国のため」になることができたのである。

鶴見俊輔は、アジア太平洋戦争における、「勅語の要所を占める言葉」すなわち、「カギ言葉を使うことに習熟すると、天皇に対して忠誠な臣民であることの定期券を見せる役割を果たすことになる」という。[24]しかし、日本軍とともに「超境」することを強いられた植民地からの「慰安婦」と辻遊郭の女たちにとっての「忠誠な臣民であることの定期券」とは、性奴隷として、「近代お得意のトリックで隠蔽」される時に限って与えられるものであったと言える。

このように、アジアに対する蔑視観を持ったまま中国戦線から沖縄に上陸した日本軍は、沖縄に住んでいる人々の中から辻遊郭の女たちを分断して、「慰安所」という性統治システムの下に結集させた。「国民を守るために」沖縄にきた〈友軍〉は、「慰安所」を「一般女性を守るために」不可避な装置であるように認識させ、それは同時に、軍隊が持つ暴力性を隠蔽した。

軍に性を提供する女は、沖縄に住んでいた住民の多くに、いわゆる「民族の体」として受け取られてはいなかった。むしろ、植民地朝鮮の女性を「朝鮮ピー（性器）」として人種化し、辻遊郭の女性という沖縄社会における公娼を「民族の体」から分断し、かつ「名前のない」ものとして表象していくポリティクスが展開されていった。

このように、沖縄での「慰安所」設置をめぐる騒動は、「民族の体」として受け入れられなかった朝鮮人と辻遊郭の女性たちを他者化しながら、「皇土である沖縄」に、「不純な」組織を持ち込むことに対する反発に起因したものであった。そして、皮肉にも、「民族の体」となり得る「乱れた女性」ではない「一般女性」たちを守る防波堤として、こうした性暴力システムを受け入れることを許可させていったのである。ところが、後述するように、こうした「乱れた女性」の体の苦痛は、朝鮮人「慰安婦」たちや身売りされて「辻」に辿りつき、戦時体制では日本軍に「慰安婦」と同様の仕事を強制された女性たちだけの問題ではなかった。問題は「慰安所」という空間が、住民の日常生活に襲いかかる軍事「占領」と深くかかわっていたことにある。

2．航空要塞としての沖縄と「慰安所」

沖縄の「慰安所」は、日本軍の航空基地が建立された四一年から見られるようになり、飛行場建設が加速された一九四四年に増えている。アジア太平洋戦争における沖縄の地政学的な位置付けが変化し、飛行場が建設されたことは、「空」の占領を意味するものであった。「空」の占領は、その場に住んでいた住民にとっては、家の接収と飛行場建設のための土地の接収という「土地」の占領、すなわち日常生活の変化を意味した。戦場における「慰安所」の形成と拡散過程を検討するためには、「日常」から出発し考えることが欠かせない。

住民にとっての「日常」という視点を重視するならば、「慰安所」を捉える際には、朝鮮人「慰安婦」たちが来て「慰安所」が設置されたことを目撃した人々の体験、つまり、彼女たちと直接言葉を交わしたりはしなかったものの、「慰安所」が設置された地域に住み、軍隊の「占領下」に置かれた人々の体験をこそ、聞くべきであろう。その点でまず、沖縄における住民の日常において、「占領」とは何であったのかということから考える必要がある。

一般に沖縄戦といえば、一九四四年三月二二日の第32軍の創設後、急速に沖縄が要塞化され、それにより住民を巻き込む形で展開された一九四五年三月から六月にかけての地上戦について語られる場合が多い。第32軍による全島要塞化が進む前まで、「沖縄県には軍馬一頭（聯隊指令官用）」といわれたほど、防衛に関する施設がほとんど置かれていなかった。[25]

実は、沖縄における航空基地建設の始まりは第32軍によるものではなく、海軍によるものであった。海軍は一九三三年から三四年にかけて、南西諸島を管轄していた海軍佐世保鎮守府に、沿岸警備と緊急避難の拠点として喜界《きかい》島（鹿児島県大島郡）、小禄《おろく》（沖縄本島）、石垣《いしがき》島、南大東《みなみだいとう》島に簡易飛行場を建設させていた。また、アジア太平洋戦争の勃発と共に南西諸島の戦略上の位置づけが重要となると、海軍は一九四一年から本格的な海軍飛行場建設に挑み、この時期から、南大東島に海軍相手の「慰安所」が建てられた。[26]また海軍は、沖縄の離島宮古島には一九四三年五月から四四年五月まで、海軍宮古《みやこ》島飛行場（平良）、西飛行場（下地）、中飛行場（上野）の三つの飛行場の建設を進めた。これらの海軍飛行場は後に創設された第32軍の沖縄配備にともなって、五月以降は陸海軍飛行場として拡大されていった。もちろん、宮古島にも海軍飛行場が建設された時点で「慰安所」が建てられている。沖縄戦を語る際、南大東島や宮古島のような米軍との地上戦が行われていない島は看過されがちであるが、沖縄における要塞化の始まりは、こうした離島における海軍飛行場であったことを忘れてはならない。

第32軍の創設当初、沖縄における要塞化の目的は地上戦ではなかった。一九四二年八月、連合軍の反攻が開始されソロモン方面攻防が激化するとともに、日本軍の船舶の損失量はにわかに増大し、船舶護衛が必須となった。連合軍の反攻がますます強力に進められる中、一九四三年九月三〇日、「絶対国防圏」が閣議決定された。閣議は「帝国戦争遂行上太平洋及印度洋方面ニ於テ絶対確保スヘキ要域ヲ千島、小笠原、内南洋（中西部）及西部『ニューギニア』『スンダ』『ビルマ』ヲ含ム圏域トス」とし、絶対確保する領域を決めた。これらの「絶対国防圏」の設定により、千島列島、マリアナ諸島、トラック諸島、西部ニューギニア、スンダ列島、ビルマなどを架空の線で結んだ長大な防衛線を守り抜こうとした。米軍の反撃からこれらの防衛線を守り抜き、「戦争の終始」とそのために資源を確保するという目標を掲げたのである。[27] 沖縄に戦闘部隊が送り込まれたのは、サイパンでの日本軍全滅が報じられ、「絶対防衛圏」のマリアナ線が崩壊した一九四四年七月以降である。それまで、沖縄における地上戦を想定した作戦は考慮されていない。むしろ緊急に行われたのが、マリアナ諸島（サイパン、テニアン、グアム）の航空基地に展開した航空部隊を支援するための中継基地として、航空飛行場を建設することであった。このように「絶対国防圏」が強調される中で、沖縄における航空作戦が日本の侵略戦争を支える後方基地として設定され、沖縄の要塞化が加速化していった。そして、陸軍航空本部は一九四三年夏から沖縄の南西諸島に多数の飛行場を設置する計画を立て、実行に移していた。[28]

一九四四年三月に創設された第32軍が、創設と同時に真っ先に取り組んだのも、「航空要塞」の建設であった。

「本作戦準備ハ航空作戦準備ヲ最重点トシ爾他ノ事項ハ之ニ従属ス」[29]

この作戦は「十号作戦」として実施され、一本の滑走路が爆撃されても、他の滑走路の利用によって航空基地全体の機能を喪失しないことを主眼としていた。[30] 真珠湾攻撃やマレー沖海戦において勝利をあげた日本軍であったが、一九四二年六月のミッドウェー海戦以降、一貫して米軍の航空母艦の攻撃にさらされ惨敗を繰り返していた。度重なる海戦で航空母艦を失った日本海軍は、航空戦力の早急なる再建・強化をはかったが、物資不足や労働力の不足の中、航空母艦隊の損傷を補うには絶望的な状況であった。そこで、地上基地に飛行場を設け、そこから航空作戦を展開する「不沈空母」構想で、後方基地の「航空要塞」として注目されたのが、沖縄であった。沖縄はいわば、「大艦巨砲主義から航空主力主義へ転換」していたアジア太平洋戦争期、日本が設定していた「不沈空母」構想の要塞として注目されたのである。[31] また、米軍のサイパン上陸以降も、沖縄における「航空作戦」の重要度は増していった。米軍の攻撃に対し、一斉に特攻機を出撃させる通称「捷号作戦」が打ち出されたためであった。[32] 艦砲射撃にも耐えられるほどの堅固な地下陣地が必要になり、全民挙げての陣地構築のために労働力が動員された。沖縄本島だけで計七カ所の飛行場建設が同時並行で進められ、農業中心の沖縄の日常はあちこちで行われる工事への労働力提供ですっかり変わっていく。

特攻作戦を実行するための航空基地を一〇月までに完成するよう命じた大本営の指示に従い、戦闘部隊までもが工事現場に投入されていった。「捷号作戦」は、海軍と陸軍が共に取り組んだ沖縄の「航空作戦」であった。[33] サイパン陥落により、絶対国防圏を維持できなくなった大本営は、緊急対策として、南西諸島での地上戦を想定した要塞化を急ぐことになった。沖縄本島を含む南西諸島は、日本本土防衛のための「防波堤」となった。新方針の展開に際して参謀本部が真っ先に研究し始めたのが、防衛兵力量と住民疎開の研究であった。地上戦を想定した「要塞化」に伴い、戦闘に参加できない老人や子供を、事前に疎開させる作戦が七月から始まった。(34) 労働力と関係のない住民を九州や沖縄の北部に移動させながら、軍民一体の飛行場建設作業が進められ、九月からは戦闘部隊まで投入された。その結果九月末までに、伊江《いえ》島の飛行場、読谷《よみたん》北飛行場、嘉手納《かでな》中飛行場、そして沖縄の南飛行場（南西飛行場）がほぼ完成している。

このように「航空戦略」を重視した大本営は、当初は沖縄の地上戦を念頭においておらず、レイテ決戦のために、沖縄に配置されていた第９師団（武部隊）を台湾に転出させた。レイテ決戦に勝てば沖縄における決戦の必要もなくなると判断したのである。それにより、これまで「航空戦略」の大本営方針に従いながらも、地上戦を念頭において両方の戦術を図っていた第32軍の戦略は大きな打撃を受けることとなった。(35) 藤原彰が指摘しているように、こうした大本営の判断から見ても、沖縄戦は当初、〈空が主、陸が従〉の作戦であったといえる。(36)

とりわけ一九四四年末、第９師団の転出により、重要飛行場を確保しつつ地上戦に備えるという第32軍の作戦計画は完全に崩れ去ったのである。戦況は悪化し、友軍に使用される見込みはほとんどない状況になると、米軍に使用されることを憂慮した第32軍司令部は、自らの手で沖縄に設置した全飛行場の破壊を検討した。北（読谷飛行場）、中（嘉手納飛行場）の飛行場の破壊も大本営及び第10方面軍に委ねたが、第32軍の情勢把握とは異なり、航空戦略を重視していた大本営は当初、伊江島飛行場のみの破壊許可を下した。大本営の破壊命令が下されたのは一九四五年三月一〇日であった。伊江島の飛行場破壊は、主な設営隊であった第50飛行場大隊の主導で、伊江島守備隊との協力のもと、一三日から開始された。(37) こうして、これまで東洋一の飛行場を目指し軍・民一体となって取り組み、完成を目前としていた伊江島の飛行場は軍によって破壊された。そして戦況の悪化により三月三〇日、読谷北飛行場と嘉手納の中飛行場も、軍自らの判断で破壊が実施された。必ず勝つという信念の下で軍が推進した飛行場を軍が自らの手で破壊した戦況が、住民に及ぼした心理的な衝撃や動揺は想像を超えるものがある。

そして、これらの主な飛行場破壊を決定した軍は、一九四四年一一月から秘密で進めていた首里秘密飛行場の「緊速設定（緊急建設）」に力を入れる。沖縄主力部隊は、首里の第32軍司令部の地下壕を中心に、地上戦を前提として陣地構築を本格化していったのである。(38) 飛行場建設を中心に進められた沖縄戦の前夜は、戦況の悪化の中で大本営と第32軍の方針の食い違い、台湾への主力部隊の移動とそれに伴う作戦変化など、大きな困難を招きながら「時間稼ぎのための持久戦」へと帰着するようになった。

沖縄における飛行場の建設が、「航空要塞」としての沖縄の戦略的位置の重視と重なっていたと考えると、飛行場の破壊は、その戦略的な位置の中でも最も「持久戦」に適した地域のみを選抜し、他の地域の「守備」を放棄した、いわば「捨石作戦」の第一歩であった。戦力の不足に陥った日本軍が、北部の守備を放棄し、自ら重要な航空飛行場を破壊し、中南部に「持久戦」を準備するための陣地構築に挑んだからである。問題は、いかに中南部で「持久戦」を保ち、日本本土への米軍上陸に備えるために時間を稼ぐかであった。

これまでの沖縄戦の研究を通して一般にも広く知られているように、陣地構築のための主力部隊が集中した首里一帯や、最後まで地上戦がくり広げられた南部は、沖縄の中でも最も人口密度の高い所であった上に、第32軍の司令部が崩壊し、日本軍の組織的な抵抗が不可能であった六月以降も戦闘が続いたため、多くの犠牲者を生んだ。また、一九四四年七月以降、北部（国頭地区）へ「避難」させられた人々は、食糧不足に苦しみ、栄養失調を原因とするマラリアによる死へと追いやられる。

日本軍が自らの手で飛行場を破棄し、その保護を断念した読谷は、日本軍の抵抗なしで米軍の上陸地となった。

「海兵隊の歴戦の勇士たちは、緑に覆われた島に上陸し、白砂や堤防の上でピクニック気分でくつろいだ[39]」

慶良間の占領を果たした米軍は一九四五年四月一日、「ピクニック気分」で既に日本軍のほとんどが移動した読谷、嘉手納の海岸を越え、その日のうちに読谷北飛行場と嘉手納中飛行場を占領した。米軍が無血上陸を果たした読谷は、後に「集団自決」の地として名を知られることになる。東洋最大の飛行場を目指した伊江島は四月一六日に占領され、嘉手納中飛行場は九月七日に降伏調印式が正式に行われて以降、現在まで沖縄における米軍の基地の象徴となっている。つまり、飛行場建設の場とは、「軍・官・民」一体の象徴であったと同時に、米軍の基地へと変貌していった沖縄を最も具体的に象徴する場といえよう。そして、軍隊が集中した飛行場設置地域は、多くの「慰安所」が設置された場所でもある。

序章で紹介したように、沖縄女性史研究グループは「慰安所」マップ通して沖縄における一三〇カ所の「慰安所」の存在を明らかにした。それは、地上戦に備えて陣地構築が行われた沖縄南部に、多くの「慰安所」が分布していたことを証明するものであった。これらの「慰安所」の位置を、沖縄に散在している飛行場の配置と共に表したのが、〔図Ⅰ〕である。日本本土では類例をみないほど多くの「慰安所」が

図Ⅰ　日本軍による飛行場建設と「慰安所」マップ

●「慰安所」の場所　「慰安所」位置作成：洪玧伸
92年女性史研究グループの「慰安所」マップを参考に作成。
資料参照：沖縄戦関係資料閲覧室
［離島を含む地図は第8章参照］

表1　日本軍による飛行場建設

沖縄における陸海軍の「飛行場」（括弧は別称）
1. 伊江島飛行場（伊江島東・中・西飛行場一括）
2. 陸軍沖縄北飛行場（読谷飛行場・楚辺飛行場）
3. 陸軍沖縄中飛行場（嘉手納飛行場・屋良飛行場）
4. 陸軍沖縄南飛行場（仲西飛行場・城間飛行場）
5. 陸軍沖縄東飛行場（西原飛行場・小那覇飛行場）
6. 陸軍首里秘密飛行場（石嶺秘密飛行場）
7. 海軍小禄飛行場（海軍那覇飛行場）
8. 海軍糸満秘密飛行場（与根秘密飛行場）
9. 海軍南大東島飛行場
10. 海軍宮古島飛行場（海軍飛行場）
11. 陸軍宮古島中飛行場（陸軍中飛行場）
12. 陸軍宮古島西飛行場（陸軍西飛行場）
13. 海軍石垣島南飛行場（平得飛行場・大浜飛行場）
14. 海軍石垣島北飛行場（平喜名飛行場・ヘーギナ飛行場）
15. 陸軍石垣島東飛行場（白保飛行場）

設置されていたのかが分かる。

沖縄に設置された飛行場は、「沖縄県には軍馬一頭」と呼ばれた沖縄の非軍備の歴史の終息を意味する空間でもあり、日本軍と住民の全ての労働力が注がれた「軍民一体」の象徴であった。さらに、沖縄が「捨石」とされて行く過程を象徴し、アメリカ基地の現在を語る場でもある。そして、このような「飛行場」が置かれ、移っていった村々に、「慰安所」は設置された。

では、住民の生活と「慰安所」との関係はどのようなものだったのだろうか。朝鮮からきた女たちは、住民の生活と密接に関わる村の中でいかにして居場所を得、また移動して行ったのだろうか。「慰安所」が設置されていった過程を、飛行場建設周辺の村々から読み取ることができるだろう。

沖縄戦当時、日本陸海軍が沖縄に建設を進めていた飛行場は、一五カ所に及ぶ〔表1参照〕。その中で、主な海軍・陸軍の飛行場建設地域に注目してみよう。これらの飛行場建設をめぐって日本軍がいかなる作戦に取り組んだのかを検討する過程で、飛行場建設地域はもちろん、その労働力が動員された周辺地域の住民の証言に注目し、これらの住民の体験から、「慰安所」の発生と消滅を追っていくことにする。

註

（1）『歩兵第四一聯隊 陣中日誌』昭和一三年七月。

（2）尹貞玉『平和を希求して――「慰安婦」被害者の尊厳回復へのあゆみ』鈴木裕子編・解説、白澤社、二〇〇三年、一〇二頁。

こうした暴力的な連行過程については「国家責任ではなく業者の責任」という言説が未だに存在するが、被害者本人の証言、加害軍人の証言、『陣中日誌』などの一次資料集の編纂の他にも、植民地朝鮮における公娼制と「慰安婦」制度との関連について（宋連玉、鈴木裕子、尹明淑）の研究や、教育・就学の格差など朝鮮の女性たちが置かれた植民地朝鮮の構造的問題を分析した研究（金富子）、日本人「慰安婦」問題を含めた研究（小野沢あかね、VAWW・RAC）など、様々な角度から問題提起されてきた。特に、公娼制と「慰安婦」問題が、植民地朝鮮によってどのように展開されたのかについての分析は、何故、大半の「慰安婦」が、朝鮮から連行された女性たちであったのかを理解するために不可欠であり、日常生活における構造的な暴力を考える上でも重要である。

日本政府も一九九二年一二月から「慰安婦」関連調査を実施し、一九九三年八月、その結果を踏まえた「河野談話」の発表に踏み込んだ。関連調査と研究状況を踏まえて発表されたこの談話をめぐっての日本社会内の批判や見直しの動きが二〇一五年現在にも存在すること自体、植民地朝鮮に対する理解度の欠落はさて置くとしても、公娼制など「女性を金で買う」ということ自体が持つ暴力性について鈍感な日本社会内の認識と無縁ではないと考える。ここに、あえて河野談話の関連部分を紹介する。

「慰安所は、当時の軍当局の要請により設営されたものであり、慰安所の設置、管理及び慰安婦の移送については、旧日本軍が直接あるいは間接にこれに関与した。慰安婦の募集については、軍の要請を受けた業者が主としてこれに当たったが、その場合も、甘言、強圧による等、本人たちの意思に反して集められた事例が数多くあり、更に、官憲等が直接これに加担したこともあったことが明らかになった。また、慰安所における生活は、強制的な状況の下での痛ましいものであった。

なお、戦地に移送された慰安婦の出身地については、日本を別とすれば、朝鮮半島が大きな比重を占めていたが、当時の朝鮮半島は我が国の統治下にあり、その募集、移送、管理等も、甘言、強圧による等、総じて本人たちの意思に反して行われた。」（「慰安婦」関係調査結果発表に関する河野内閣官房長官談話、一九九三年八月四日）
（3）一九四四年三月七日、種村佐孝『大本営機密日誌』は、「琉球列島防衛のため、一軍を西部軍隷下に臨時編成する」ことになるとしている。沖縄第32軍は、隷下師団のうち第９師団（武）は満州から七月一一日に上陸し、第24師団（山）は八月五日に満州東安から、第62師団（石）は北支から八月三日に来沖した。また、宮古島の第28師団（豊）は八月二日チチハルから到着、九州の習志野編成の第44独立混成旅団（球）は五月三日より六月二六日、独立混成第45旅団（球）は大阪と溝の口編成が一二月一五日の来沖をのぞき、おおよそ九月に出そろっていた。（山田盟子『慰安婦たちの太平洋戦争――沖縄編』光人社、一九九二年、八―九頁）
（4）福地曠昭『オキナワ戦の女たち――朝鮮人従軍慰安婦』海風社、一九九二年、一九頁。
（5）野里洋『汚名 第二十六代沖縄県知事 泉守紀』講談社、一九九三年、九〇―九一頁。
（6）野里洋『汚名 第二十六代沖縄県知事 泉守紀』前掲書、九四頁。
（7）『石兵團會報』に関しては本論文の「第６章」で詳しく分析するが、八月から一二月の設置に関する動きに関しては以下の資料集も参考になる。（吉見義明編・解説『従軍慰安婦資料集』大月書店、一九九二年、四〇九―四一〇頁）
（8）川田文子『赤瓦の家――朝鮮から来た従軍慰安婦』筑摩書房、一九九四年、五八―五九頁。
（9）渡辺憲央『逃げる兵――サンゴ礁の碑』マルジュ社、一九七九年、二二頁。
（10）大城将保「第32軍の沖縄配備と全島要塞化」『沖縄戦研究Ⅱ』沖縄県文化振興会公文書館管理部、一九九九年、九二―九三頁。
（11）福地曠昭『オキナワ戦の女たち――朝鮮人従軍慰安婦』前掲書、二六五頁。
（12）山谷哲夫『沖縄のハルモニ〈大日本売春史〉』晩聲社、一九七九年、四八頁。
（13）「流れた戦没者――朝鮮人たちの沖縄戦」『琉球新報』一九八九年六月二二日。
（14）崎山多美の小説『月や、あらん』（インパクト出版会、二〇二〇年）は、「天皇一つ、バカするな」と抵抗していた朝鮮人「慰安婦」をみた母親の記憶に出会ったことをきっかけに書かれた。崎山多美の母は宮古島で強い朝鮮語のなまりを持つこの言葉を、病状でも忘れることができなかったという。『月や、あらん』は、朝鮮人と沖縄の住民とのかかわりを記録するとは何かについて、新たな語りの可能性を切り開いていたものである。崎山がこの作品を書いた背景については、李静和『つぶやきの政治思想』（岩波書店、二〇二〇年年、一三四—一五四頁）に詳細に書かれている。

(15) 福地曠昭『オキナワ戦の女たち——朝鮮人従軍慰安婦』前掲書、四五頁。山谷哲夫『沖縄のハルモニ〈大日本売春史〉』前掲書、一二二頁、一五四頁。高里鈴代「強制従軍『慰安婦』」『那覇女性史（近代編）——なは・女のあしあと』那覇市総務部女性室那覇女性史編集委員会編、ドメス出版、一九九八年、四五六頁。「少年は見た沖縄戦の慰安婦——たくさんの朝鮮人女性がいた」『朝日新聞』一九九一年七月一〇日。

(16) 山谷哲夫『沖縄のハルモニ〈大日本売春史〉』前掲書、二七頁。

(17) 全国女性史研究会交流のつどい実行委員会『第５回全国女性史研究会交流のつどい報告集』「報告集」編集委員会編、一九九四年、一一一—一五頁参照。

(18) 「慰安隊員の動員」（山川泰邦、一九〇八年生、那覇警察署長）『沖縄タイムス』一九八七年五月三〇日。

(19) 高里鈴代「強制従軍『慰安婦』」『那覇女性史（近代編）——なは・女のあしあと』前掲書、四五七—四五八頁。林博史『沖縄戦と民衆』大月書店、二〇〇一年、六二—六三頁、浦崎成子「沖縄戦と軍『慰安婦』」『「慰安婦」・戦時性暴力の実態１（日本・台湾・朝鮮編）』金富子・宋連玉編、緑風出版、二〇〇〇年、九六—九七頁参照。

(20) 大越愛子「従軍と『女性』」『従軍のポリティクス』青弓社、二〇〇四年、一七一頁。

(21) 『那覇女性史（近代編）——なは・女のあしあと』、前掲書、四〇六頁。

(22) 愛国婦人会に加入できなかった辻遊郭の女たちは、日中戦争勃発から数日後で国防婦人会の会員として加わっている。『那覇女性史（近代編）——なは・女のあしあと』、前掲書、四一三—四一四頁。

(23) 上原栄子『辻の華』時事通信社、一九七六年、七頁。上原栄子は、辻の運営はすべて女によって行われていたが、明治末頃から大正の初めにかけて、税金に関する手続き、保健衛生管理など官公庁へ提出する書類の作成処理などの必要性により「辻の村屋」と呼ばれる女性たちの集会事務所に、四、五人の男性が普段働くこととなったという。

(24) 鶴見俊輔『戦時期日本の精神史１９３１—１９４５』岩波書店、一九八二年、四九—五一頁。

(25) 防衛庁防衛研修所戦史室『沖縄方面陸軍作戦』朝雲新聞社、一九六八年、一六頁。

(26)福地曠昭『オキナワ戦の女たち―朝鮮人従軍慰安婦』前掲書、一五八頁。
(27)「今後採ルヘキ戦争指導ノ大綱昭和一八年九月三〇日 閣議決定」『商工政策史』通商産業省、商工政策史刊行会、一三巻、一九七九年、六四七頁。
(28)大城将保「第32軍の沖縄配備と全島要基化」『沖縄戦研究Ⅱ』前掲書、九一頁参考。
(29)「十号作戦準備要綱」昭和十九年三月二十二日大本営陸軍部、『沖縄方面陸軍作戦』前掲書、沖縄県文化振興会公文書館管理部、一九九九年、二七頁。
(30)防衛庁防衛研修所戦史室「第二章十号戦備」『沖縄・臺灣・硫黄島方面陸軍航空作戦』朝雲新聞社、一九七〇年、三一―三二頁。
(31)大城将保「第32軍の沖縄配備と全島要基化」『沖縄戦研究Ⅱ』前掲書、九一―九三頁。
(32)八原博道『沖縄決戦――高級参謀の手記』中央文庫、二〇一五年、四四―五四頁参考。
(33)大城将保「第32軍の沖縄配備と全島要基化」『沖縄戦研究Ⅱ』前掲書、九四頁。
(34)保坂廣志「沖縄県民と疎開」『沖縄戦研究Ⅱ』前掲書、一三五―一四八頁参考。
(35)藤原彰編『沖縄戦――国土が戦場になったとき』青木書店、二〇〇一年、五八―六三頁。
(36)藤原彰編『沖縄戦――国土が戦場になったとき』前掲書、五八頁。
(37)『沖縄方面陸軍作戦』前掲書、一八九頁。
(38)「第32軍の作戦準備と航空基地問題」『沖縄方面陸軍作戦』前掲書、一八九頁。
(39)上原正稔訳・編『沖縄戦アメリカ軍戦時記録―第10軍Ｇ２㊙レポートより』三一書房、一九八六年、二五頁。

第3章　沖縄戦における飛行場建設と「慰安所」

戦争でわたしの一人むすこも戦死しました。現地徴集でまだ兵役の年齢にもならないのに兵隊にとられ、沖縄本島の浦添《うらそえ》のあたりで戦死しました。はっきりしたことはわかりません。妻はいまでも帰ってくるような気がするといって、あきらめずにいます。

むすこは八重山《やえやま》の農業学校を出て、伊江島中学校の農業の先生をしていました。わたしは良寛さんが好きで、自分の子どもは良寛さんみたいな人につくろうと努力しましたので、ほぼわたしの理想に近い青年になっておりましたが、とうとう帰らぬ人となってしまいました。それから義弟、それに妻の祖父母、弟妹、たくさんの兄弟が死んでおります。伊江島の一五〇〇戸のなかで、犠牲者の出ない家はほとんどありません。

どの家でも、戦争の話はしません。思い出すだけで気絶してしまうほどの苦しみでありました。

（阿波根昌鴻『米軍と農民――沖縄県伊江島』岩波書店、一九七三年、一六頁）

1. 沖縄戦の縮図と呼ばれる島

「沖縄戦の縮図」と呼ばれる島から始めよう。伊江島《いえ》は、飛行場の建設により島全体が労働力として動員されたので米軍の標的となり、10・10空襲以前から艦砲射撃などに見舞われ、10・10空襲では集中攻撃を浴び、米軍が上陸したため島に住んでいた住民が地上戦に巻き込まれた。日本軍による住民スパイ視の厳しい統制下にあって、捕虜となる道を選べず、「集団自決」が強いられた。さらに、米軍の収容所に入れられ、島に帰った時にはかつての村の姿は存在せず、米軍の基地と化し、土地が接収されるなど、沖縄戦の特徴が凝縮された島として知られる。

　面積二三平方キロ、東西八・七キロ、南北三キロの楕円形の伊江島は、中央の東寄りにこの島を象徴する標高一七二メートルの尖った岩の山、城山《ぐすくやま》[1]（通称：タッチュー）があるだけで、見渡す限り平坦な島である。島には川がなく、泉も少なく、井戸に頼ったため水田はない。井戸が枯れると、島の北西岸六〇メートルもある断崖の下にあるワジー（湧井）が水源となった。村内から三キロも離れたところであったが、伊江島の人々にとっては貴重な水源地で、戦後の米軍統治期に、島では拝所でもあったこのワジーを開発し、水道管が村内に敷設されていった。それまで、伊江島は水だけは恵まれていない島であった。[2]しかし、それでも甘藷を主食に、麦、粟、黍などの穀類や豆類が豊富に穫れ、食糧には困らなかった。一五世紀後半に伝わったとされる野生の蘇鉄が広く繁殖しており、自由に採取することができた。[3]蘇鉄は、処理を間違えると中毒になる場合もあったが、調理法に気をつければ食糧不足の戦時体制の中では重要な蛋白源となった常緑低木である。戦前の伊江島は、「水田こそなかったが、農家一戸当たり一町歩の畑を持ち、沖縄の中ではかなり豊かな農村」であった。[4]

　これらの島の風景が変わり始めたのは、一九四三年の日本軍による飛行場が計画されてからである。山といっても標高一七二メートルしかない城山の頂上に立つと、そこから平坦な島の西部に広がる巨大な三本の滑走路を眺めることができる。今も、そのうち一本は米軍によって使われているが、これらの滑走路こそ、アジア太平洋戦争当時、西、中、東飛行場と命名された三本の滑走路であり、日本軍の目指した「東洋一の飛行場」の名残りでもある。伊江島は当初、沖縄戦における大本営や第32軍の作戦では、航空戦略が〈主〉で、地上戦の準備は〈従〉であった「典型的な」場所である。

一面に広がる平野は、飛行場建設には最適の条件を備えており、一九四三年から陸軍航空本部と国場組による飛行場建設が始まっていた。沖縄には、本格的な軍隊の駐屯の前に飛行場建設のために沖縄の土建業者の国場組と請負契約を結び建設に着工した地域があるが、読谷《よみたん》と伊江島がそれであった。一九四三年国場組と陸軍本部との請負金額は約二八〇万円で、当時としては大規模な工事である(5)。

さらに一九四四年三月、沖縄守備軍第32軍が新設されると、四月一五日に渡辺司令官は、第19航空地区司令部青柳中佐に沖縄島及び伊江島に航空基地の設定（以下、設定とは建設を意味し『陣中日誌』の引用の際には用語のまま建設＝設定とし、本文では建設または設営とする）を命じた。伊江島では第19航空地区司令部隷下の第50飛行場大隊（通称：田村隊）が飛行場の建設を担当、四月二五日には本部《もとぶ》半島経由で先発隊が、二八日には大隊本部が到着している。この部隊は、一部を割いて嘉手納派遣隊（隊長・安田中尉）を編成、北谷《ちゃたん》村嘉手納で着工される陸軍沖縄中飛行場の新設工事に派遣した。

一九四四年『第五十飛行場大隊陣中日誌』「伊江島飛行場設定隊編成表」（一九四四年五月一四日）によると、伊江島飛行場設定隊約四七〇人は、東と中飛行場作業隊と、警備隊、救護隊、指導班で編成されていた。

西飛行場に関しては、一九四三年から伊江島の飛行場

写真1　1945年4月4日、米軍が撮影した空中写真。平坦な島に、伊江島の象徴、城山が見える。
（写真提供：沖縄県公文書館）

工事を行っていた国場組が引き続き、西飛行場の新設工事を担当した。土地の接収は国場組による西飛行場建設の開始と共に始まっていたが、第50飛行場大隊（田村隊）の来島によって一九四四年四月二〇日、西江上《にしえうえ》の全住民、西江前《にしえまえ》集落の一部住民は集落から立退き命令を受けることとなり、土地の接収が始まっていた。[6] 那覇市委託調査『旧軍那覇飛行場等の用地問題事業可能性調査 報告書』（二〇〇七年三月）によると、こうした四三年の飛行場工事開始と共に始まった旧日本軍に接収された土地の調査対象地域は、飛行場用地及び兵舎跡で、筆数四二八筆、坪数二二万二〇六二坪、地主の人数二〇六人であった。[7] 城山の頂上から眺められるほとんどの平地が、飛行場建設のために日本軍に接収された土地であったと言っても過言ではない。

これらの「土地の占領」はただ伊江島の風景を変えただけではない。城山からは、肉眼でも沖縄本島の北部、本部半島が見えるが、戦時中、その本部半島から多くの人々が徴用され伊江島に渡って飛行場建設に動員されていった。伊江島はまさに、「人海戦術」で飛行場工事のために労働力が総動員された「徴用の島」となったのである。

そして沖縄周辺の離島伊江島に送られた最大の「徴用」の波に、もう一つの見えない「徴用」が潜んでいた。それは、「慰安所」の設置にともなう、辻遊郭の女性たちや朝鮮人「慰安婦」といった『陣中日誌』に残された「名のない」人々であった。

「第19航空地区司令部」が、伊江島の住民が集落からの立退きを命令されたのと同じ二〇日に出した「飛行場ノ設定ニ有リ軍司令部ノ要望事項」には、住民の徴用と「名のない」女性たちの存在が、決して無縁ではないことを示す次のような文言が残る。

二、地方民衆ヲ使用シ又之ト協同作業スルヲ以テ特ニ森厳ナル軍紀ヲ保持シ活模《ママ》範ヲ示スコト之ガ為

1、幹部ハ必ス確実ニ部下ヲ掌握シ部下ヲシテ一人タリトモ監視圏外ニ勝手ナル行動ヲナサシメサルコト

2、兵ノ疲労ニ誤レル同情ヲ行ヒ非違アルモ之ヲ見逃スカ如キ軟弱ナル統率ヲ厳ニ戒シムルコト

3、地方民衆ニ對シ暴行ナル振舞特ニ強姦掠奪ノ所為ハ断シテナササルコト

4、火災予防　民家ヲ借上　後始末ヲ十分に行フコト

5、成ルヘク兵ト一般民衆トハ同一場所ニ働ク事ヲ避ケシムルコト

6、疲労ニ對スル慰安方法ヲ工夫スルコト

（『第19航空地区司令部陣中日誌』昭和一九年四月二〇日）

「第19航空地区司令部」隷下の第50飛行場大隊（田村隊）は、上記の命令に従って、早速、兵隊「疲労ニ對スル慰安方法」として「慰安所」を建て始めた。

2. 徴用の島の三角兵舎と「慰安所」

そもそも満州で編成された第32軍第50飛行場大隊は、一九四四年四月、朝鮮半島を経由して沖縄に着任した。主に大工仕事ができる者だけで飛行場建設のために結成された要塞築第6中隊、後に台湾への移動命令が決定され伊江島の戦闘には関わることのなかった第158飛行場大隊、戦闘部隊として伊江島の飛行場建設にかかわった独立混成第44旅団第2歩兵部隊第1大隊（通称：井川隊）で構成されていた。

唯一の戦闘部隊、井川隊が編成されたのは、一九四四年九月五日になってからである。井川隊を除く他の二部隊は、いずれも戦闘訓練を充分受けず、その装備武器は、小銃なども不足していたため、手榴弾と急造箱爆雷、それに竹槍であった(8)。

伊江島の飛行場建設のために上陸したこれらの部隊員がまず目にしたのは裸足で、きわめて粗末な衣服をまとった貧しい暮らしの人々だった。

第158飛行場大隊員であった高村吉雄は、伊江島の証言集『証言資料集成伊江島の戦中・戦後体験記録――イーハッチャー魂で苦難を越えて』(一九九八年)の中で上陸当時の様子をこのように証言している。

「やがて目的地の伊江島が見えてきた。中央に尖った山のある小さな島である。島の中央部に飛行場があるということである。島の上空に旅客機らしいものが見えた。

島に近付いてくると、丘の上に白い建物が望まれた。官庁か学校か、遠くからの印象はいい。海水も澄んでいてキレイである。

人の顔が見える頃になってくると、遠くから見た印象とは違い、何となく空虚な感じのところであり、地質も悪そうだし、家も小さな粗末な家ばかりのようである。蘇鉄が一面にあって何となく南国的である。

島の人々は裸足で、極めて粗末な衣服しか着ていない。他の部隊(田村部隊)の歩哨が立っている。

荷揚げ作業となり、本船から大発で荷物が運ばれてくる。設営隊は自動車で駐屯地である山山(集落名)の三角兵舎に向かう(9)。」

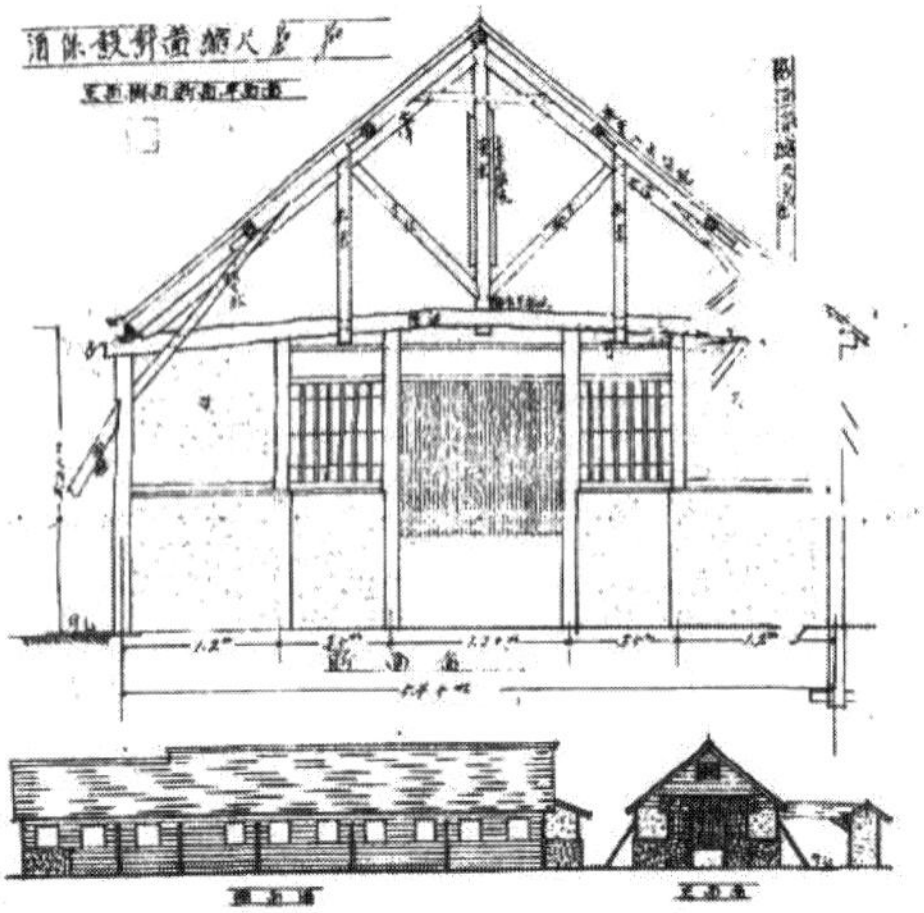

原史料①　飛行場の緊急建設のために兵士や徴用労働者が集中した５月、「三角兵舎」と呼ばれた宿舎の建築が急がれていた。（出典『要塞建築勤務第六中隊日誌』（1944 年５月）

「慰安所」の設置はまさに当時「三角兵舎」と呼ばれていた兵舎の建築と同時進行で行われた。これらの「三角兵舎」の設置と共に「慰安所」の建設が同時進行で行われた点を、徴用された住民の戦場動員と共に考える必要がある。六月から七月にかけて、日本軍が中心となった急速な飛行場建設工事が進められると、伊江島の住民だけでなく、本部半島国頭《くにがみ》地区の住民が運天港《うんてん》から海を隔てた伊江島に向った。そしてこの徴用は徐々に、沖縄全島に拡張されていく。

徴用は「労務者取扱ニ關スル規定」（一九四四年五月一日）に定められた規定に基づき、「一〇日及一カ月」の徴用期間に「遂次交代」することになっていた。沖縄内で各々の町村に割り当てられ伊江島に集合した住民は、徴用期間内は「部隊内務規定」に基づき管理され、事情による帰郷などは「国頭動員所長」や「各町村の証明」を得なければならなかった。「一次徴用労務者」は、五月五日から九日までに集合を完了しており、一五日から順次期間満了を迎えた。『第五十飛行場大隊陣中日誌』によると、今帰仁《なきじん》村三九五人、羽地《はねじ》村三四八人、久志《くし》村一一四人、伊是名《いぜな》村一九九人、大宜味《おおぎみ》村二五〇人、本部《もとぶ》村四八八人、東《ひがし》村一四五人、恩納《おんな》村一八六人、金武《きん》村一四〇人、国頭村八八一人が、この期間中に伊江島に到着している。徴用された伊江村住民三八〇人を合わせると、およそ三五二六人が飛行場建設作業に動員された。五月九日の『陣中日誌』には、「本九日ヲ以テ勤労奉仕隊（三五二九名）動員集結完了ス」と記されている。(10)

第50飛行場大隊の田村眞三郎隊長は、五月七日、東飛行場で将校以下兵士全員を集めて起工式を行った。この起工式で田村隊長は、軍紀、作業中の危害、重労働の継続による疫病や事故、防諜などに対する注意を促す全一〇項目にわたる訓示を行っているが、その第九項目に次のような記述がある。

「九、徳操ノ堅持ニ努ムベシ
本事項ハ既ニ那覇上陸第一歩ニ注意シ爾後再言シタルモ今回ハ特ニ勤労者ノ中ニ一部婦女子アリテ直接之ト接シ作業ヲ實施スルコト多キヲ以テ更ニ一層徳操ヲ堅メ断ジテ疚シキ行為アルベカラズ
重ネテ率直ニ云フ一時ノ性慾ニ駆レテ一般婦女子ト性交ヲ交ヘ或ハ之ニ性交ヲ迫ルト許サズ断然嚴重ニ處断スルヲ以テ本職ノ設備スル特殊慰安婦ノ外嚴ニ之ヲ慎ムベシ
即チ姦奪程軍隊ノ威信ヲ害シ民心ヲ離反セシムルモノナク百ノ善行モ一瞬ニシテ水泡ニ皈スルヲ以テナリ宜シク上下相戒メテ断ジテ之ナキヲ期スベシ[11]」（傍点は引用者による）

「東洋一の飛行場」のためには、三〇〇〇人を超える一次徴用者の力が絶対的に必要であった田村部隊にとって、最も警戒すべきことは、やはり兵士たちの性欲による過ちであったのであり、「一般婦女子」に対する性行為、性欲は、「断然嚴重ニ処断」すべき行為であった。そして、中国戦線で「強姦を防止するため」という名目で「慰安所」設置が正当化されたと同様に、満州で編成され沖縄に送られてきた第50飛行場大隊は、伊江島でも「一般婦女子」を保護すること、「民心ヲ離反」させることを防ぐため「特設慰安所」の設置が急がれたのである。

しかし、島の外からの徴用者にとっては、宿泊施設の確保すら容易い問題ではなかった。

徴用者用の宿舎で最も大きかったのは「つばさ飯場」で、多い時には一〇〇〇人以上の人夫が寝泊まりしていた。飯場の仕事は徴用人夫の食事づくりで、炊事場を中心に東棟、西には松材で簡単に組み立てられた五棟の二階建の茅葺の建物があった。(12) このような「暴風雨でも来たら一挙に吹き飛んでしまいそうな仮小屋」の二階建ての家が宿泊所とされ、「六畳位に仕切られた部屋には、うすぎたないむしろと木の枕が置いてあり、そこに一〇数名の人々が雑居寝」をしていた。「玄米ご飯」に「野菜が塩水にうかんでいる状態」の汁が提供され、枯葉で仕切られた「露天の大便所」には、「簡単な踏み台がドラム缶の上に置いてあり」、「葉の上にいっぱい銀蝿がたかっている」状態であった。(13) 学校や集落の中で比較的に大きな民家はほとんど全部兵舎として使われていたが、それ以外にも徴用者用の宿舎として墓までが活用された。沖縄の墓は屋根型をした破風墓と亀甲墓がある。墓は堅固な石で造られ、小さい墓でも畳四枚は入るぐらいの広さがあり、広い墓は一〇畳半程度で石室になっている。人が死ぬとそのまま石棺に入れ、一年後に泡盛で洗骨して厨子瓶《ずしがめ》に納める風習があるからだ。これらの墓地の使用について、『沖縄方面陸軍作戦』は、次のように述べている。

「沖縄県人は一般に祖先崇拝の念が強くその墳墓は壮大なものが多く、海岸や丘陵に山石と称する石灰岩などを積み上げて美術的に築かれてある。近代のものは破風墓《はふばか》及び亀の甲墓と称され、その特徴は入口を漆喰《しっくい》で固めその前面を石垣で囲んだ庭を有する点である。これらの墓地は作戦にあたり陣地の一部としてきわめて有効に利用された(14)」

実際、墓の利用は伊江島に限らず、日本軍が駐屯した沖縄の各地で行われた。徴用者が多かった伊江島では、陣地の一部としての使用の他にも、石灰岩で作られた墓は全て軍隊の保存庫や宿泊場所として使われ「あの墓もこの墓も徴用できた人々でいっぱい」となった。とりわけ、七月になると軍はさらに、島にある全墓所を軍にあけ渡せとの命令を出し、住民は七月一二日からは各自の墓所整理をさせられ、盆行事すらできない状況であった。(15)『第五十飛行場大隊陣中日誌』によると八月三一日まで飛行場作業などのための徴用動員として伊江島に到着した数は三万七八四〇人。林博史は、『陣中日誌』を詳しく分析した上、当初、徴用者は原則として一〇日間働くことになっていたので、「四か月間の徴用数は短期間の勤労奉仕隊を除いて計三万七八四〇名にのぼる。一人あたり一〇日間働いたとすれば、述べ人数は三七万八四〇〇名となる」としている。(16)

「墓には死んでから入る。生きている間は絶対に入りません。ここに座っておくから(17)」

当時一六歳で、高等科二年の途中で伊江島に徴用された崎浜良子は、こう言い張り、「三〇人ぐらいがぎゅうぎゅうずめ」の小屋で寝泊まりすることになった。「大きな虫」が入った麦ご飯、トイレと言っても穴を掘って板を二本渡してあるだけでハエが飛んでくる。彼女がやったのは、モッコに大きな棒を通して石をのせ、飛行場に運ぶことであったという。(18) 飛行場作業に徴用された湧川幸子は、空気の悪い墓の中で一晩をじっとしておられず、深夜になるまで海辺などで語りすごし、寝不足のまま「兵隊たちと一緒にトロッコを押したり、モッコで土を運んだり」した。「いつも素足で作業」をし、「水不足で顔もろくに洗えなかった」状況のため、作業後は海に行って汗を拭いていた。「食事はもはやまともな芋すらなく、殆ど麦ご飯ばかり」で、「多くの人が下痢で苦しんだ」という。徴用当時彼女は一六歳だった。[19] 徴用されて伊江島に渡った女性たちの中では、苛酷な労働条件により生理が止まったと語る女性たちもいる。[20]

「東洋一の飛行場」工事のために進められた作業に、宿泊施設はもちろん、「近代的な土木機械はほとんどなく、ツルハシ、ショベル、モッコを用いての人海戦術」が行われた。[21] 平坦な島の各地で、モッコやザルで土石を運搬する男女の行列が見られ、各地からにわかに動員されてきた徴用者たちは部隊将校の監視のもとで空腹にたえながら一週間から一〇日間の重労働に従事した。[22] こういう状況の中、「三角兵舎」と共に「慰安所」が建てられたのである。そして、「慰安所」建設に対する詳細な記述が、『陣中日誌』に残されている。

3. 要塞建築勤務第6中隊と「慰安所」

第50飛行場大隊の命令を受けて実際の建築作業に当たったのは、要塞建築勤務第6中隊であった。軍の指導の下、建築材料を調達し、五月下旬から本格的な「慰安所」の設置が始まった。要塞建築勤務第6中隊は、「大工や左官、鍛冶などによって構成された部隊で中隊長以下三三九名、装備は小銃がわずか二四丁、銃剣三二七しかなく文字どおりの建築専門の部隊」であった。[23] 当時要塞建築第6中隊は、真謝《まじゃ》集落の「翼が丘」付近に勤労者のための宿舎の増築に取り組んでいた。[24] これまで兵舎建築のための伐採、兵寮や将校宿舎の建築に従事してきた橋元分隊が、「慰安所建築」作業に当たることになった。

第50飛行場大隊の『陣中日誌』五月二四日「第五〇飛大作命第四三號」には、「一、建築中隊長ハ明二十五日ヨリ建築中ノ兵寮ヲ物品販賣所ニ改築シ新ニ慰安所ノ建築作業ヲ實施スベシ細部ニ関シテハ現地ニ於テ指示ス」と書きしるされている〔原史料②〕。

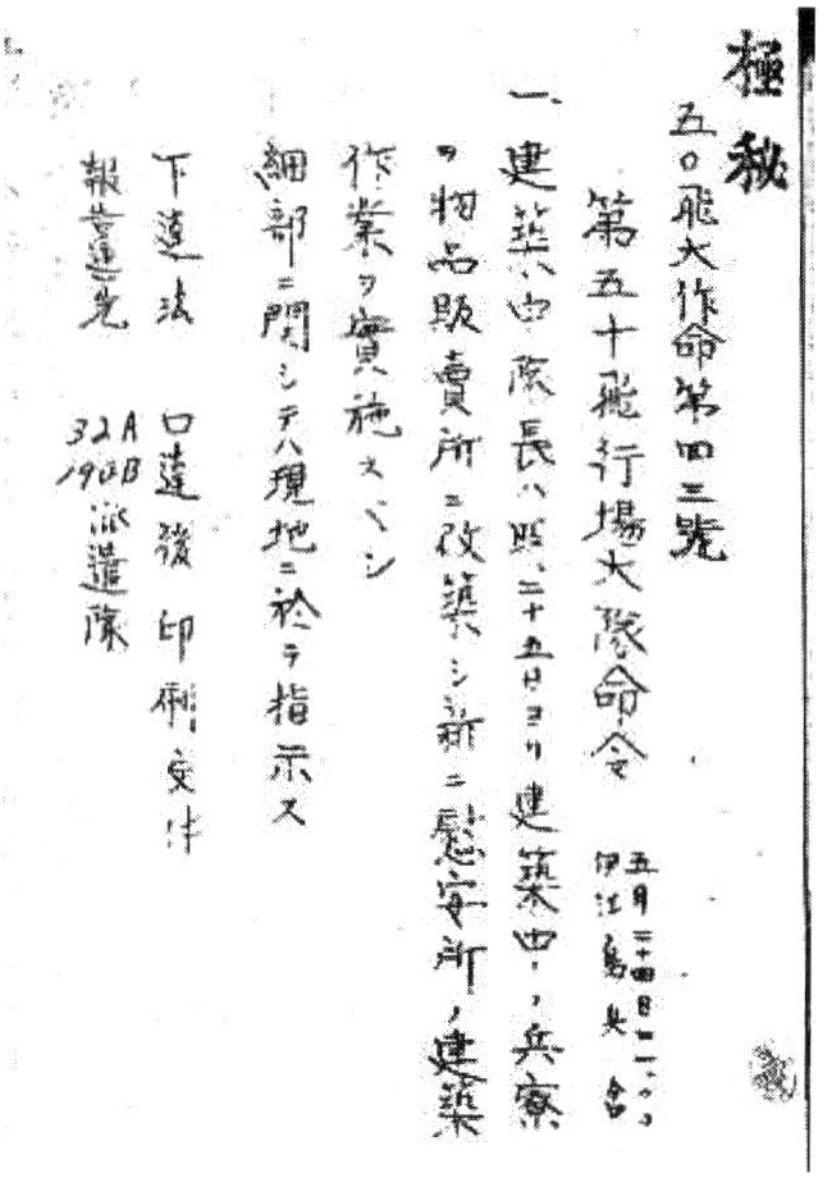
極秘
五〇飛大作命第四三號
第五十飛行場大隊命令　五月二十四日一一〇〇 伊江島
一、建築中隊長ハ明二十五日ヨリ建築中ノ兵寮ヲ物品販賣所ニ改築シ新ニ慰安所ノ建築作業ヲ實施スヘシ
細部ニ関シテハ現地ニ於テ指示ス
下達法　口達後印刷交付
報告通報先　32A 19OB 派遣隊

原史料②「五〇飛大作命第四三號」(『第五十飛行場大隊　陣中日誌』1944年5月24日)

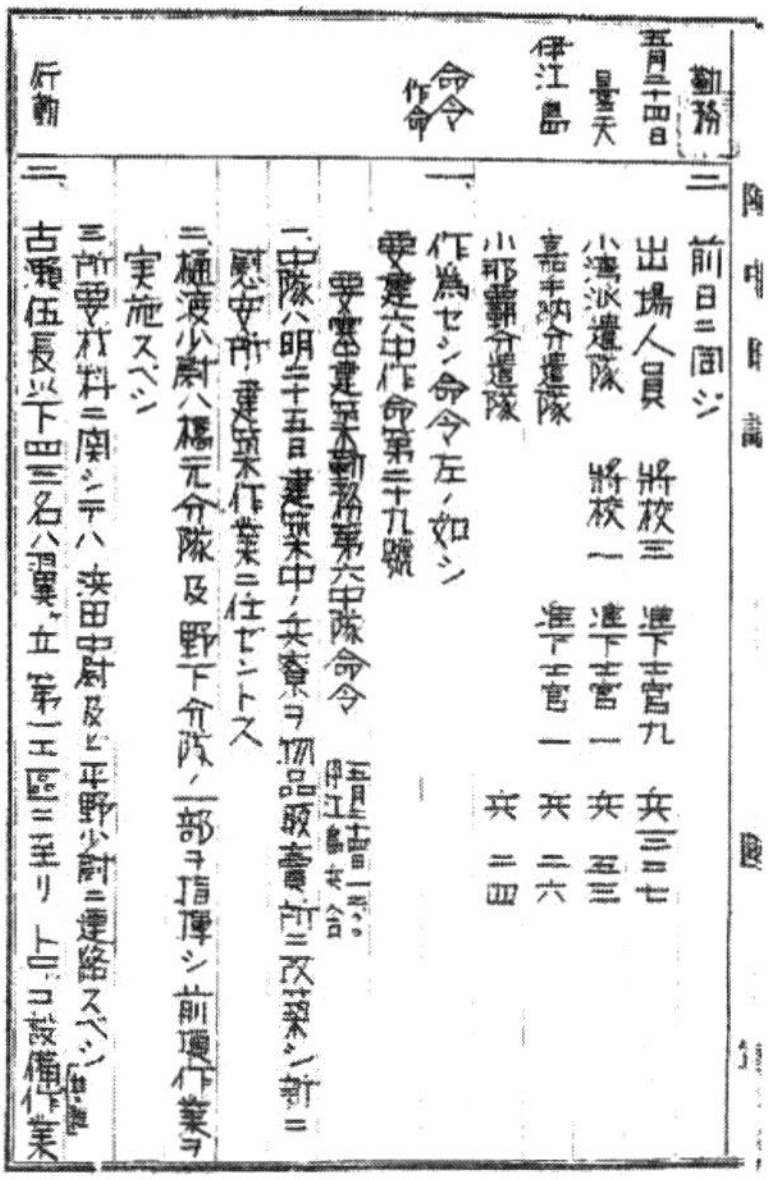
勤務　五月二十四日　曇天　伊江島
三、前日ニ同ジ
出場人員　将校三　準下士官九　兵三三七
小湾派遣隊　将校一　準下士官一　兵五三
嘉手納分遣隊　準下士官一　兵二六
小那覇分遣隊　兵二四
命令　作命
一、作為セシ命令左ノ如シ
要建六中作命第三十九號
要塞建築勤務第六中隊命令　五月二十四日一〇〇〇　伊江島支台
二、中隊ハ明二十五日建築中ノ兵寮ヲ物品販賣所ニ改築シ新ニ慰安所ノ建築作業ニ任ゼントス
三、樋渡少尉ハ橋元分隊及野下分隊ノ一部ヲ指揮シ前項作業ヲ実施スベシ
三、所要材料ニ関シテハ浜田中尉及ビ平野少尉ニ連絡スベシ
所動
二、古賀伍長以下四三名ハ第一工区ニ至リ設備作業

原史料③　要塞建築勤務第六中隊に命じられている「慰安所」建築命令(『要塞建築勤務第六中隊日誌』1944年5月24日)

実際「慰安所」の建築が開始された五月二五日の「第五十飛行場大隊日々命令」には、「三、建築中隊長ヲシテ慰安所ノ新築作業ヲ實施ス」と記されている[25]。

要塞建築勤務第6中隊は五月二四日当日「要塞建築勤務第六中隊命令」を出しており、その中に「一、中隊ハ明二十五日建築中ノ兵寮ヲ物品販賣所ニ改築シ新ニ慰安所ノ建築作業ニ任ゼントス

二、樋渡少尉ハ橋元分隊及野下分隊ノ一部ヲ指揮シ前項作業ヲ実施スベシ

三、所要材料ニ関シテハ浜田中尉及ビ平野少尉ニ連絡スベシ」と書かれている〔原史料③〕。

五月二五日橋元伍長以下四七人による「既設兵寮ノ酒保改築」[26]に引き続き、二六日には橋元伍長以下五二人により「慰安所」建築のための用材伐採・運搬並に敷地「経始」が命じられ、柱材・梁材その他一六七

本が伐採、手挽車輌一〇台により建築敷地に運ばれてきた。作業時間はおよそ八時間に及んだ。(27) しかし、それでも作業は終わらなかった。

二七日には、橋元伍長以下およそ八七人が、「慰安所建築敷地ノ整備ニ従事」した。『陣中日誌』にはこれらの作業と共に敷地の積土及び埋め立て敷地への道路一〇〇米補修を三時間三〇分実施したと詳しく報告されている。二七日からは「五〇飛大日命第三七號」により、勤務に支障のないものは外出が許された。(28) この命令に従い要塞建築勤務第6中隊も、二七日当日、一二時から一八時まで休務を実施し、外出を許可している。しかし、「慰安所」建築に取り組んだ橋元隊は、むしろ八七人と普段の二倍近くの兵士を動員し、「慰安所」設置に力を入れていることが分かる。(29) 三一日には五三人の橋元隊員により、「慰安所」の建築が行われた記述が『陣中日誌』に残っている。(30)

伊江島は水の貴重な島である。徴用者は各班に一週間分の生活用水としてドラム缶一本分の水が配給され、それだけでは顔や身体を洗うことができず、夜になると海に行って身体を洗い、洗濯をしなければならなかった。(31) 水不足は部隊の中でも同様であった。七五人の部隊で、一日に飲める水は一升と決められている場合もあったと言われる。(32)

兵隊でも食糧は甘藷が主で、厠は蝿で埋まった。伝染病の予防も問題であり、衛生管理のための身体検査が定期的に行われていた。「要建［＝要塞建築］第6中隊作業間教育実施予定表（五月分）」項目には「衛生訓話」の項目に「一般及風土病、花柳病、害虫」という項目があり、性病管理などにも注意を払っていたことが分かる。(33) 「慰安所」設置が行われて間もない二八日には、兵士たちの月例身体検査（五月二五日、二六日実施）の際に行われた「花柳病」に対する性病検査結果も報告された。(34) 第50飛行場大隊は、これら五月の月例身体検査結果に対し、伝染病や花柳病が発生していないことを評価しつつも、「島内ハ頗ル蝿、蚤、蚊等ノ発生多キヲ以テ之ガ駆除ニハ尚一層努力ヲ要スルモノト認ム」[35]とした。伝染病や花柳病をはじめ、軍が「衛生」に特別に気を配らなければならない亜熱帯の夏が始まっていた。

4．仮「慰安所」と、ある「衛生方針」

「五〇飛大作命第　號外　口達
　第五〇飛行場大隊命令
　　六月四日　二〇　〇〇
　　　伊江島兵舎
一、建築中隊長ハ所要ノ人員ヲ以テ可成速ニ假慰安所ノ設備ヲ実施スベシ」

ところで、五月の「慰安所」設置に力を入れた橋元伍長以下の兵士たちは、六月になると民家を利用した仮「慰安所」の設置も新たに急がせている。六月四日付「五〇飛大作命令　號外　口達」には、「第五〇飛行場大隊命令」と記した上、上記の「可成速ニ假慰安所ノ設備」条項と共に、「二、所要資材ニ関シテハ目下建築中ノ兵寮用材料ヲ一時轉用スルノ外副官ニ連結スベシ」「三、副官ハ建築中隊長ト協定シ前項作業ノ區署及資材ヲ準備スベシ」との命令を受けたことを書き残している。[36]同命令を受け、要塞建築勤務第6中隊は、同内容を「要建六中作命第三一號」として伝えた。[37]

翌日六月五日になると、「慰安所」建設作業中であった「橋元伍長以下八七名」が動員され、建築中の兵寮用材を運搬、部屋の仕切りなど、仮「慰安所」の設備作業に従事、「進度 兵寮屋根葺人員六三名 茅及竹ノ運搬、屋根茅葺約五分通リ進捗、假慰安所設備二四名 天幕及ビ『蓙』ニテ間仕切 炊事場便所設備全完了」と、その「橋元伍長以下八七名」による新たな仮「慰安所」の進度を記している。八七名を総動員した作業の実働時間はおよそ「九時間三〇分」にも及んだ。[38] なお、同要塞建築勤務第6中隊の六月九日の『陣中日誌』によると「六月五日急設ノ假慰安所ノ施設」は、「橋元伍長以下五八名」によって九日には撤去されている。[39]

たった三日だけの使用で撤去する仮「慰安所」を、軍は何故設置しなければならなかったのだろうか。林博史は同『陣中日誌』の記録を、橋元伍長以下の兵士たちが五月に設置に取り組んだ「慰安所」が正式に完成したのが六月一六日であることから、「慰安所」の建設中に「慰安婦」が送られてきたため、急いで仮「慰安所」を設け利用したと解釈している。[40]

仮「慰安所」が至急建てられた要因は、「慰安婦」の来島であった可能性は否めない。しかし、もし、兵士のストレス解消を目的とする名目で建てられたのであれば、仮「慰安所」が建てられたこの時期、伊江島における状況はかなり厳しさを増していたことも、看過できない。六月一日、第32軍参謀長が、伊江島飛行場の建設状況を確認するための視察に続き「伊江島飛行場設定作業続行」を督励した。[41]

ところが、翌日「徴傭勤労者精神ニ異状ヲ来タシ自殺発見」[42]という事件が発生し、自殺現場の検屍が行われた。以降、各部隊は、以前にも増して労務者用糧抹提供促進のために次々と本部並びに名護《なご》、恩納など本部半島への出張が頻繁に行われるようになった。[43] さらに、兵隊に関しては、中でも結核患者やその可能性の高い者を（甲種）、心臓や脚気、慢性胃腸病、筋骨などの疾病を持っている患者（乙種）、精神病患者（丙種）に区分し、「鍛練兵」と称しながら、その取扱方針を六月一〇日から実行することとしている。そのうち丙種に区分された精神病関連は次のようなものである。[44]

「三、丙種
（イ）神經衰弱（精神薄弱者）癲癇夜尿病等ノ疑アル者
（ロ）精神病ノ遺傳ヲ有スル者及變質者」

（「球第一六六五〇部隊鍛練兵取扱規定」一九四四年六月一〇日）

物理的に感染や、過重な肉体労働が不可能なものを区分する他の分類とは異なり、「丙種」の区分はかなり曖昧なものである。しかし、この「鍛練兵取扱規定」は、「軍衛生方針」の範疇に組み込まれ、「鍛練兵」という名の下で「保護」し、「発病の防止」を図ることを目的とした。無論、建築要塞第６中隊にもこれらの規定は適用された。

この「鍛練兵取扱規定」収録『第五十飛行場大隊陣中日誌』には、「五〇飛大日命第四八號」が綴られている。同命令は、本部や各隊は六日から七日までの二日間「半減休養」を実施した。同命令には、「四、陸軍技手、中谷政一、六月五日着隊ス　依テ翼ケ丘作業隊勤務ヲ命ズ」となっている。(45)

そして、「半減休養」を取らず、六月五日から作業を命じられた「翼ケ丘作業隊」が取り組んだ作業が、他ならない仮「慰安所」の緊急設置で、前述の六月四日「可成速ニ假慰安所ノ設備」の命令であった。(46) 軍が「慰安所」建設に力を入れたのは、確かに、前述のように「労働力」であった「一般住民」と軍隊との間で性にまつわるトラブルを減らすという「暴行予防」の名目が大きい。しかし他方、伝染病や衛生に関して軍が示した敏感な反応も、「慰安所」設置を急いだことに関連する見逃すことのできない大きな理由であった。そしてその「衛生」とは、性病だけではない。毎月月例身体検査の他に、新たに「鍛練兵特別身体検査」が実施されることになった。早速、鍛練兵九名が「鍛錬兵取扱規定」により選定され、陸軍衛生兵長が入院患者を一五日「護送」するための出張が、命じられている。[47]

六月になると、衛生管理の中でもう一つの項目、「精神病」を含むいわゆる兵士の分類や管理が、当面課題の一つとなっていた。三日間のみ使うために建てられた仮「慰安所」は、緊迫していた兵士のストレス解消の一つとして投入されたと言えるであろう。

伊江島駐屯部隊の『陣中日誌』に、彼女たちの名簿などは見当らない。「慰安所」設置を促す命令と、仮「慰安所」の設置・退去の日が記載されているのみである。『陣中日誌』の記録だけで見る彼女たちは、存在はするが「名前のない者」であった。

5．島を去る人と残る人、そして「慰安婦」

このような形で設置された「慰安所」や仮「慰安所」での女たちを記憶している人々がいる。伊江島にいた朝鮮人「慰安婦」についての証言はそれほど多くないが、九二年女性史研究グループの聞き取り調査に応じた知念威彦は次のように語る。

「初代村長で、当時郵便局長をしていた大湾忠之進さんの家がそうでした。私の母が忠之進さんのいとこでしたので、わかっていました。当時、伊江小学校と疎開した民家に、兵隊が住んでいました。お金持ちはほとんど本土や今帰仁へ疎開して、残っている人は少なかったですよ。戦争で死んだり、もう今では知っている人はいないと思いますよ。

息子の武雄さんは軍医で戦死しました。もう屋敷もなにもないですよ。

兵隊たちが『朝鮮ピー』といっていたので朝鮮人だったと思いますよ。軍隊と一緒に行動していた

ので、みんな死んだのではないですか。[48]」（傍点は引用者による）

知念威彦は、兵隊に「朝鮮ピー」と呼ばれた女たちが、住民疎開によって島に残っている人々が少ない時期に、そこに存在したことを証言する。知念威彦のいう、伊江島で日本本土や今帰仁への疎開が始まるのは、一九四四年末であった。沖縄の県外疎開は、同年七月、政府の閣議決定にもとづき、南西諸島から約一〇万人の老幼婦女子と学童を本土・台湾に疎開させたことに始まる。[49]七月七日はサイパン島が米軍に占領された。

一九四四年六月一五日の米軍はサイパン島に上陸、七月七日その占領を完了する。以降、絶対国防圏を維持できなくなった日本軍は、地上戦を前提とした南西諸島の「要塞化」を打ち出し、「六〇歳以上一五歳未満の者、婦女患者、婦女の転出は、老幼者の世話をなす必要ある者及び軍その他において在住の必要なしと認む者[50]」といった、戦闘に直接参加できない労働力に対する疎開を実施し始めたのだ。伊江島からは八月に熊本、宮城へと二六〇余人を無事に疎開させたが、米軍の潜水艦による撃沈が多発するなど、相次ぐ戦況の悪化で、本土への疎開は一回きりで終わっている。[51]多くの住民が疎開できずにいる中、10・10空襲の際に飛行場を中心に米軍の集中攻撃に見舞われ、三〇〇余人の犠牲者を出した。住民疎開が本格化されたのは10・10空襲以降で、伊江島住民は今帰仁村の集落平敷《へしき》から西側の集落に割り当てられ、疎開することとなった。かつてそこから多くの徴用者が伊江島に渡った本部半島が、今度は伊江島の人々の疎開地となった。戦前の伊江島の人口は約七〇〇〇人であったが、10・10空襲以来、軍用の舟艇及び刳舟で本部今帰仁への往来が頻繁となり、一九四五年三月までで推定三〇〇〇人が疎開している。[52]しかし、まだ約四〇〇〇人の住民が島に残っていた。

石川芳子はまさに、10・10空襲以降にも島に残った一人である。

「(「慰安所」は─引用者)『船頭主』の屋敷のそばで、通学路だったので子供達が見に行っていたりしてみんな良く知っています。兵隊が並んでいるのを見ました。10・10空襲のあとです。バラック建てでした[53]」(石川芳子の証言)

民家を借りた仮「慰安所」と、バラックの「慰安所」は、両方とも小学校とそれほど離れていない駐屯陣地近くにあり、人目につく場所であった。住民の疎開時期などとも考えあわせると、仮「慰安所」や「慰安所」が、住民の本格的な疎開が始まった時期に、民家を借りた形、あるいは、バラックを建てる形で伊江島に存在し、それを、まだ島に残っていた住民が目撃したとみてよい。

また、伊江島に徴用された、主に沖縄の北部の人々や、集団疎開で島を離れていた伊江島の人々は、北部の山々や、収容地区となった空間で「朝鮮ピー」と呼ばれた女性たちと遭遇している〔第7章参照〕。

西江前《にしえまえ》集落の謝花ハルさんは、自分の家の後に軍が二棟の建物を建て、「慰安所」として使ったと語る。

「家の後ろに兵隊が長屋みたいな家を建てて、そこがジュリヌヤー(慰安所)だった。うちのアタイ(自家菜園)で作った野菜をそこの女の人にあげたこともある。たしか沖縄の女の人が4~5人いた[54]」

謝花ハルさんの畑からは戦後、女性用の櫛や小間物が出てきたという。では、航空要塞化に続き、戦闘部隊による地上戦の準備がピークに達していたこのころ、「慰安婦」としてこの島に連れてこられた女性たちは、どのような生活をしていたのだろうか。地上戦に巻き込まれた伊江島で、島を去ることの出来なかった彼女たちは、どのように生きたのだろうか。

6．「木の上の兵士」と女子看護婦の記憶

唯一の戦闘部隊、井川隊（独立混成第44旅団第2歩兵隊第1大隊、部隊長は井川正陸軍少佐）が編成されたのは、一九四四年（昭和一九）九月五日になってからである。井川隊は、沖縄本土北部の名護で編成され、伊江島を含む名護地区以北の防衛を任されていた。九月と一〇月には飛行場「緊急設定」工事に加わるために派遣され名護に戻り北部における陣地構築を行っている。その後、一二月からは伊江島の地上戦に備え、駐屯することになる。井川正部隊長は満州事変参戦歴を持ち、副官の緒方文雄はノモハン戦の戦歴を持つ中隊長であった。(55) 井川隊は九州出身の将兵約三五〇人に、現地召集兵約三〇〇人で構成された歩兵第2第1大隊が中核の部隊である。これに独立速射砲一個中隊と独立機関銃一個中隊の約二〇〇人が井川隊の指揮下にあった。井川隊の駐屯により、既存の第50飛行場大隊（田村飛行場大隊）、そして、防衛隊の「第502特設警備隊3部隊」が伊江島の守備隊となった。防衛隊は、不足する兵隊数の穴埋めのために、沖縄本土北部各地で召集された四五歳までの沖縄人男性で、その数は約八〇〇人であった。さらに、地元の住民と学生が、伊江島防衛隊、婦人協力隊、伊江島青年義勇隊、伊江島女子看護班として伊江島守備隊の戦力化に動員され、地上戦に備えた約二七〇〇人の総力戦体制が組織された。(56) 日本軍と最後までこの島に残り、戦闘に巻き込まれた「慰安婦」たちのことを考える上で、井川隊の一員であった佐次田秀順の証言は重要である。

宇土部隊（部隊本部は本部町伊豆味《いずみ》）所属の佐次田秀順が、伊江島に移動してきたのは、一一月であった。佐次田秀順はすでに地上戦準備に入っていた伊江島の井川隊の下で、伊江島で第3中隊として編成され、敵が上陸した時に備えて主要道路に家が入る位の大きな穴を掘り、棚をつくり、その上に草などを敷いて偽装し、戦車が来たらそこに落ちるように落とし穴のような「戦車壕」を作ったり、直径がドラム缶位の穴を掘り、肉弾戦の時に人が飛び込めるようなタコツボ等を作っていた。彼はまた、米軍の上陸間際の一九四四年末から上陸直前まで、「慰安所」が設置されていたことを証言している。

一九四五年三月当時、佐次田秀順は第3中隊中隊長の平良真太郎中尉の当番兵で、中隊長の身の回り全般を世話する立場であったが、『証言資料集成伊江島の戦中・戦後体験記録――イーハッチャー魂で苦難を越えて』に次のような証言が記されている。やや長くなるが、紹介する。

「伊江島では民家のアシャギ（離れ）とか、広い民家の一間を借りて、一個分隊づつあちこちに分宿しました。私は西江前の新里つとむさんの家のアシャギを借りていましたが、十六～七名もの兵隊でぎっしりでした。炊事の水は農家の天水タンクとマーガー（共同井戸）から汲んできました。その時の食べ物は玄米に粉醤油、供出された野菜などでしたが、葉野菜には虫も付いたまま料理されていて、虫が粉々に切られて入っているのをよけながら食べていました。（中略）ある日、牛肉を貰って来た時、中隊長が『今日はスキ焼きにしよう』と言うのですが、私はスキ焼きを作ったこともなくて困りました。ちょうど慰安所の女性のハルちゃんが遊びに来ていたので、『スキ焼きの作り方教えてくれないか』と言うとハルちゃんは大笑いして『この兵隊さんスキ焼き作ったことないと言って困ってるよ』と中隊長に言いました。ハルちゃんは糸満出身で辻の遊廓にいたのですが、徴用されてこちらに来ていた人です。それでは皆で作ろうということになり、火鉢で火を起こしてはじめてスキ焼きというものを作って食べました。中隊長が『今日はわしが用意してやるから酒も飲め』とすすめるのですが、私は酒は飲めませんでした。実際、出身の石川では青年団員が百名以上もいましたが、酔っぱらうほど飲む人は二、三名位しかいませんでした。そんな人には嫁に来る女性もいなかったようです。

伊江島の慰安所は民家を借りて作ってありましたが、ベットとベットの間に天幕を下げて仕切られていました。兵隊たちはここに何十人も並んで、順番を待っていましたが、横着な兵隊は後がつかえているからといって天幕あけて、いたずらするのもいました。でも皆が皆、慰安所に行くわけではなくて、あんな所には行かないという兵隊も沢山いました。慰安所の女性は五名いましたが、ほとんどが辻のジュリ（芸妓）あがりで、朝鮮の女性は伊江島にはいませんでした。慰安所は田村隊に一か所しかありませんでした。我々第三中隊の壕は元郵便局で、壕の前が慰安所になっていて、「慰安所の前の壕」と言えばみんなが知っていました。[57]」（傍点は引用者による）

「慰安所の前の壕」は第3中隊の陣地があった場所で、確定できる。一九四五年三月飛行場の破壊命令が下されるまで、伊江島の飛行場建設に動員された人々は、西飛行場の建設現場で国場組に雇用された人夫で、その数は約二五〇〇人と言われ、軍・民を合わせると約六〇〇〇人という大規模の人数が動員され、「緊急設定作業」に取り組んだ。[58]住民の疎開が始められた八月からも飛行場作業は続き、八月から九月までは戦闘部隊までをも投入した「急速設定」が行われ、一〇月から翌年の二月までは航空要塞化のための補強工事が絶え間なく行われるようになった。疎開が始まってからもこの島では、残る四〇〇〇人のうち、成年男性約一〇〇〇人が現地召集や防衛召集で部隊に編入されていき、残る約三〇〇〇人の一般住民が島に留まっていたのである。そして、この住民の多くが、最後の段階では守備隊とともに米軍の上陸による地上戦に参加させられた[59]。住民の疎開が始まり緊張感が増す陣地構築の状況の中にあっても、「慰安所」は軍の周りに設置され、やはり人目につくところに存在していたのである。そして、「慰安婦」にされた女性たちも島を挙げての動きに参加させられた。一九四四年八月二日、一〇時から一二時まで「特設慰安婦婦《ママ》一〇名ニ對シ、救急法ヲ教育ス」という記録が残る[60]。

一九四五年四月一六日には米軍が上陸し、激しい地上戦が展開された。この城山の頂上に米軍の星条旗が翻ったのは、一九四五年四月二一日。女子救護班として地上戦に参加させられた大城シゲ(当時一七歳)の証言によると、当時(一九四五年三月頃)、各々の集落から三、四名ずつ集められた女性たちが、東江前《ひがしえまえ》の村の養蚕所で児玉軍医、井川隊の衛生兵らから緊急看護の訓練を受けたという。米軍上陸後、大城シゲは斬り込みにも動員された。

「私たち女子青年たちは、米兵に捕まったら若い女性は強姦される、というような話を壕掘りなどの作業に出ている時にも兵隊たちからよく聞かされていました。だから米兵に捕まる前に死ねばいいのだけど、生き残ってしまった場合は大変なことになると思って、救護班の役目だけでなく、兵隊と同じように弾運びや斬り込みにも行きました[61]」。

「生き残ってしまったら大変なことになる」と思う女子救護班大城シゲに、日本兵は「伝令に行くように」と命じた。彼女は、二等兵の後についてあちこち伝令にも行くようになる。満州事変の際、「日本兵が中国人たちを強姦した話」を、伊江島出身の帰還兵から聞かされたことは、一層、「生き残ったら大変」

と思わせた。米軍兵に見つかったら強かんされるという恐怖は、「早く死なないといけない」と、彼女を戦場に追い立てた。(62) 一七歳から二五歳までの未婚女性で編成された女子救護班一六〇人の中、生き残ったのはわずか九人であった。(63) 伊江島で看護班として動員された女性たちはほとんど戦死している。「慰安婦」たちも戦闘に巻き込まれ、全滅した可能性が高い。

　沖縄戦で伊江島では、住民約一五〇〇人と日本兵約二〇〇〇人が戦死している。「全滅」と言って過言ではない程の被害を受けた。戦場に巻き込まれて逃げ場を失った住民に、「集団自決」が強いられた。一家全滅は九〇戸に上る。米軍は捕虜にした全ての住民を、伊江島の西南海岸にあるナーラ浜の「ナーラ収容所」に収容したのち、一九四五年五月より渡嘉敷《とかしき》、座間味《ざまみ》に移動させ、一九四六年七月まで約一年二ヶ月間の「収容所」生活を強いた。(64) 渡嘉敷ではまだ戦闘が続いていた。山に潜伏していた日本兵に、米軍の降伏勧告文を渡しに行かされた伊江島の住民が、日本軍に無残に殺される事件も発生している。

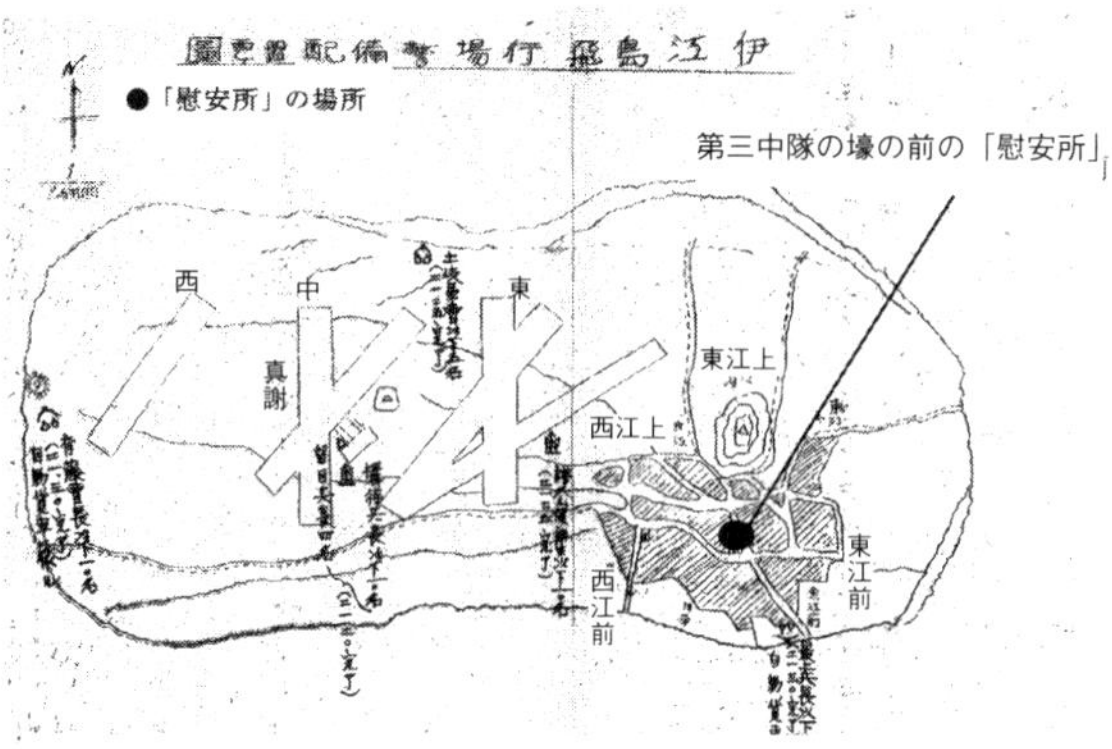

図Ⅰ　伊江島の日本軍「慰安所」マップ

地図出典『第五十飛行場大隊　陣中日誌』（1944年6月）『沖縄方面陸軍作戦』（防衛庁防衛研修所戦史室、朝雲新聞社、1968年）22頁を参照に作成。
●「慰安所」の場所　「慰安所」位置作成：洪玧伸

　既に沖縄本島本部《もとぶ》町の今帰仁《なきじん》に疎開した人々は、辺野古《へのこ》の大浦崎収容所に移動させられた。(65) 今度は、日本本土攻撃のために米軍が飛行場建設を始める必要上の移動で、戦場に巻き込まれた伊江島の生存者や、疎開した人々は伊江島に戻ることは許されなかった。その間、住民たちは、集団で収容されていた「久志村《くし》」の中に「伊江村」という名前の村をつくって「戦後」をスタートする。この「伊江村」は、行政的には「久志村」で、証言者の表現を借りれば「久志村の中に伊江島があるということは珍妙である」が、戦後になってもなお、米軍の基地建設のために島の住民全員が島に戻れないという、「戦後」とは言えない状況があったのである。伊江島の住民たちはこの状況を「諮詢会に陳情」して、「伊江村」という呼び名を獲得したのである。(66) 伊江島の人々が島に戻ったのは、一九四七年(昭和二二年)三月である。米軍の掃討作戦によって全てが焼き尽されていた島は、家一軒、木一本も残らない焼土と化していた。

米軍上陸の直前、「慰安所」として民家が使われたことや、前出の辻のジュリを目撃したことを証言した佐次田秀順は、焼け野原となった島で、ガジュマルの上に隠れ続け、二年間を過ごした。「木の上の兵士」として知られる彼は、米軍だけの島となった伊江島で、ガジュマルの木の上で何を思ったのだろうか。彼の稀有な体験は『伊江村史(下)』(一九八〇年)にも紹介され、伊江島の戦中・戦後を語る際、常に登場する逸話である。しかし、「慰安所」に関するエピソードが詳しく語られたのはその証言から一〇年近くたった『証言資料集成伊江島の戦中・戦後体験記録――イーハッチャー魂で苦難を越えて』(一九九九年)以降であった。

註

(1) 城山は、村外ではタッチューと呼ばれているが、村内では軽く聞こえるため、そういう風には呼ばずにグスクと呼ぶ。城山の山頂からの眺望は、かつて「琉球八景の一位」に選ばれるほどの絶景で、島で城山は聖地として

あがめられている。（伊江村史編集委員会『伊江村史（上）』伊江村役場、一九八〇年、三一頁、一三三頁参照）

（2）『伊江村史（上）』前掲書、一三五―一三六頁。

（3）『伊江村史（上）』前掲書、四八九頁。

（4）新崎盛暉「4.基地建設の拡大と反対運動（1）沖縄の戦中・戦後が凝縮された島」『証言資料集成伊江島の戦中・戦後体験記録――イーハッチャー魂で苦難を越えて』伊江村教育委員会、一九九九年、六一五頁。ちなみに「イーハッチャー魂」とは伊江島の住民の「何事にもくじけず物事をやり遂げる情熱」を意味する。

（5）大城将保「第32軍の沖縄配備と全島要塞化」『沖縄戦研究Ⅱ』前掲書、九九頁。

（6）伊江村史編集委員会『伊江村史（下）』伊江村役場、一九八〇年、四二二頁。

（7）本報告書は沖縄本島における八つの飛行場を対象にしているが、那覇市の委託業務として南西地域産業活性化センターが作成したもので、沖縄県が作成した『旧日本軍接収用地調査報告書』（一九七八年三月）に基づいて、海軍飛行場では新たに「海軍飛行場（平良）の追加調査が行われており示唆的である。本報告書は最新のものであるため、以下、その内容を紹介する。①伊江島飛行場　四二八筆　二二万二〇〇〇坪　二〇六人　②沖縄北飛行場（読谷村）一九五六筆　八〇六千坪　五四八人　③沖縄中飛行場（嘉手納町）二二四筆　一四万三〇〇〇坪　一二五人　④小禄飛行場（那覇市）八三一筆　二七万八〇〇〇坪　三五八人※1　⑤海軍飛行場（平良）一〇一七筆　五一万五二二〇坪　二三三人　⑥海軍兵舎跡地（平良）※2　一三筆　約八〇〇〇坪　一〇人　⑦平得飛行場（石垣市）三八二筆　二二万六〇〇〇坪　一二〇人　⑧白保飛行場（石垣市）一三五筆　一六万三〇〇〇坪　六九人

※1（大嶺二二八人　鏡水一一九人　當間五人　その他一七人　重複申請人あり）

※2　沖縄県の『旧日本軍接収用地調査報告書』（一九七八年三月）では海軍飛行場（平良）に含まれていたため、今回新たに追加修正した。（『旧軍那覇飛行場等の用地問題事業可能性調査　報告書』南西地域産業活性化センター、二〇〇七年三月、四頁）

（8）『第十九航空地区司令部陣中日誌』（昭和一九年四月）、「伊江島守備隊玉砕記――部隊長の『できれば戦闘状況を伝えよ』の言に生き抜いて綴った守備隊の最期（児玉俊介：当時井川部隊軍医・陸軍見習士官）」『証言資料集成伊江島の戦中・戦後体験記録――イーハッチャー魂で苦難を越えて』前掲書、二七六―二八〇頁参考。

（9）「伊江島点描（高村吉雄）」『証言資料集成伊江島の戦中・戦後体験記録――イーハッチャー魂で苦難を越えて』前掲書、八九頁。

（10）「労務者取扱ニ關スル規定」『第五十飛行場大隊陣中日誌』（昭和一九年五月一日―五月二九日）。ちなみに一次徴用労務者の徴用期間満期に際して一四日には、那覇から「勤労奉仕」と称して一〇〇人が、「受領徴用舟三隻」に分乗して運ばれ、一六日から一七日にかけて、一四九七人の男女（久志、今帰仁、羽地、大宜味、本部）が徴用労務者として伊江島に着いている。五月には総三次まで「遂次交代」しながら動員されている。一八日には四四五人（本部、恩納、金武、東）、二五日には三九八人（伊江村）、二六日には八九四人（久志、今帰仁、羽地）、五月二七日には七〇七人（本部、大宜味）五月二八日には四九三人（金武、東、恩納）、五月二九日六九六人（名護、国頭）が伊江島についている。「三次徴用労働者」の動員が完了した二九日の「伊江島飛行場設定隊命令」には、「本日二九日ヲ以テ徴傭勤労者三一四四名馬車四四台ノ動員終結完了ス」となっており、遂次交代しながらも一次と同様三〇〇〇人規模の労働力を、確保しようとしたことが分かる。

（11）『第五十飛行場大隊陣中日誌』昭和一九年五月七日。

（12）沖縄国際大学総合文化学部社会学科石原ゼミナール（実習）『二〇〇三年度平和学実習報告書定点観測船五号：『次代へ』二〇〇三年度号――伊江島平和ガイドブック・解説書』二〇〇四年二月二〇日、二二頁。

（13）「伊江島10・10空襲に遭った思い出――羽地青年学校教官として（新島俊夫・当時三三歳）」『証言資料集成伊江島の戦中・戦後体験記録――イーハッチャー魂で苦難を越えて』前掲書、五〇―五一頁。

（14）防衛庁防衛研修所戦史室『沖縄方面陸軍作戦』朝雲新聞社、一九六八年、一三―一四頁。

（15）『伊江村史（下）』前掲書、四二二頁。

（16）林博史『沖縄戦と民衆』、大月書店、二〇〇一年、二九頁。

（17）「みじめだったね――徴用ばかりの毎日――（崎浜良子・当時一六歳）」『語りつぐ戦争 市民の戦時・戦後体験記録』名護市教育委員会文化課市史編さん係、第二集、二〇一〇年、七九頁。

（18）同前、七八頁。

(19)「徴用の勤労奉仕（湧川幸子・当時一六歳）」『証言資料集成伊江島の戦中・戦後体験記録――イーハッチャー魂で苦難を越えて』前掲書、四四頁。
(20)二〇一二年九月七日、洪玧伸、名護での聞き取り調査による。
(21)「伊江島徴用（福地曠昭）」『証言資料集成伊江島の戦中・戦後体験記録――イーハッチャー魂で苦難を越えて』前掲書、四八頁。
(22)大城将保「第32軍の沖縄配備と全島要基化」『沖縄戦研究Ⅱ』前掲書、一〇二頁。
(23)林博史『沖縄戦と民衆』前掲書、二九頁。
(24)『要塞建築勤務第六中隊陣中日誌』昭和一九年五月二〇日。
(25)「第五十飛行場大隊日々命令」『第五十飛行場大隊陣中日誌』昭和一九年五月二五日。
(26)『要塞建築勤務第六中隊陣中日誌』昭和一九年五月二五日。
(27)『要塞建築勤務第六中隊陣中日誌』昭和一九年五月二六日。
(28)「第五十飛行場大隊日々命令」『第五十飛行場大隊陣中日誌』昭和一九年五月二六日。
(29)『要塞建築勤務第六中隊陣中日誌』昭和一九年五月二七日。
(30)『要塞建築勤務第六中隊陣中日誌』昭和一九年五月三一日。
(31)「伊江島徴用（阿波連初子・一九二五年生）」『証言資料集成伊江島の戦中・戦後体験記録――イーハッチャー魂で苦難を越えて』前掲書、五四頁。
(32)『二〇〇三年度平和学実習報告書定点観測船五号：「次代へ」二〇〇三年度号――伊江島平和ガイドブック・解説書』前掲書、二五頁。
(33)陸軍少尉原口八郎「要建第六中隊作業間教育実施予定表（五月分）」『要塞建築勤務第六中隊陣中日誌』。
(34)『要塞建築勤務第六中隊陣中日誌』、昭和一九年五月二八日。
(35)「衛生上綜合判決」『第五十飛行場大隊陣中日誌』昭和一九年五月別紙。
(36)「第五〇飛行場大隊命令」『要塞建築勤務第六中隊陣中日誌』昭和一九年六月四日。
(37)『要塞建築勤務第六中隊陣中日誌』昭和一九年六月四日。

(38)『要塞建築勤務第六中隊陣中日誌』昭和一九年六月五日。
(39)『要塞建築勤務第六中隊陣中日誌』昭和一九年六月九日。
(40)林博史『沖縄戦と民衆』前掲書、二八頁。
(41)『第五十飛行場大隊陣中日誌』昭和一九年六月一日。
(42)『第五十飛行場大隊陣中日誌』昭和一九年六月二日。
(43)『第五十飛行場大隊陣中日誌』昭和一九年六月二日(平野少尉勤務労働者糧抹供出促進のために本部並びに名護町に出張)、『第五十飛行場大隊陣中日誌』昭和一九年六月四日(加藤少尉名護町に野菜収集のために出張 玉置准尉供出野菜収集のため恩納に出張)
(44)「球第一六六五〇部隊鍛練兵取扱規定」『第五十飛行場大隊陣中日誌』昭和一九年六月一〇日。
(45)「五〇飛大日命第四八號」『第五十飛行場大隊陣中日誌』昭和一九年六月五日別紙。
(46)「第五十飛行場大隊命令」『要塞建築勤務第六中隊陣中日誌』昭和一九年六月四日。
(47)「五〇飛大日命第五一號」『第五十飛行場大隊陣中日誌』昭和一九年六月九日、「五〇飛大日命第五五號」『第五十飛行場大隊陣中日誌』昭和十九年六月一四日。
(48)「伊江島(知念威彦)」『第5回全国女性史研究交流のつどい報告集』全国女性史研究交流のつどい実行委員会、一九九四年、一八頁。
(49)『沖縄戦研究Ⅱ』前掲書、一二七頁。
(50)同前。
(51)『伊江村史(下)』前掲書、四〇四—四〇五頁。
(52)『伊江村史(下)』前掲書、四〇五頁。大城将保「伊江島の戦闘概要」『証言・資料集成 伊江島の戦中・戦後体験記録——イーハチャー魂で苦難を越えて』前掲書、三六頁参考。
(53)「伊江島(石川芳子・一九二六年生)」『第5回全国女性史研究交流のつどい報告集』全国女性史研究交流のつどい実行委員会、一九九四年、一八頁。
(54)アクティブ・ミュージアム女たちの戦争と平和資料館(WAM)『軍隊は女性を守らない——沖縄の日本軍慰安

所と米軍の性暴力』WAM、二〇一二年、二八頁。
(55)「伊江島守備隊玉砕記──部隊長の『できれば戦闘状況を伝えよ』の言に生き抜いて綴った守備隊の最期（児玉俊介：当時井川部隊軍医・陸軍見習士官）」『証言資料集成伊江島の戦中・戦後体験記録──イーハッチャー魂で苦難を越えて』前掲書、二七六─二八〇頁。
(56)大城将保「伊江島の戦闘概要」『証言資料集成伊江島の戦中・戦後体験記録──イーハッチャー魂で苦難を越えて』前掲書、二八頁。
(57)「米兵の目を逃れつつ二年間のガジュマル樹上生活（佐次田秀順・一九一七年生）」『証言資料集成伊江島の戦中・戦後体験記録──イーハッチャー魂で苦難を越えて』前掲書、八〇七─八〇九頁。
(58)大城将保「第32軍の沖縄配備と全島要基化」『沖縄戦研究Ⅱ』前掲書、一〇〇頁。
(59)大城将保「伊江島の戦闘概要」『証言・資料集成　伊江島の戦中・戦後体験記録──イーハチャー魂で苦難を越えて』前掲書、三六頁。
(60)『第五十飛行場大隊陣中日誌』昭和一九年八月二日。
(61)「女子救護班の生存者として（大城シゲ・一九二七年生）」『証言資料集成伊江島の戦中・戦後体験記録──イーハッチャー魂で苦難を越えて』前掲書、七五〇頁。
(62)同前。
(63)同前、一三三頁。
(64)「あいさつ（渡嘉敷）─（島袋清徳　伊江村長）」『証言資料集成伊江島の戦中・戦後体験記録──イーハッチャー魂で苦難を越えて』前掲書、五七八頁。
(65)同前、五七一頁。
(66)『伊江村史（下）』前掲書、五〇〇頁。

第4章　米軍上陸の拠点となった読谷「北飛行場」の「慰安所」

1. 農民と「慰安所」

「何時《いち》ぬ間《みー》が来《ちゃ》らー分からんしが、畑《はる》ぬ十字路《あじま》ぁ全部《むる》赤旗ぬ立っちゃん、赤旗。あんさーなかい、ハルサー達《た》ぁミーグルグル、ミーグルグルグル、『何《ぬ》ぐゎやー、何《ぬ》ぐゎやー』りち。又、家《やー》んかい来《ち》ん、『赤旗ぬ立っちょーんでー、赤旗ぬ立っちょーんでー』。又うぬ後《あとぅ》からなー皆《んな》っさー畑《はる》んかい行ちーにん手《てぃー》とーら立ちっしうんぐとぅし手《てぃー》とーら、立ちっしなー頭振《ちぶる》てぃ珍《ひる》まさ。あんし十字路《あじま》ぁ十字路《あじまー》んじ畑《はる》さがちーん集《あち》まてぃ話ぃしえー、煙草んちきてぃ話しぇーそーしが。あんさーなかい後《あとぅ》し、其処《うま》ぁ飛行場造《ちゅく》いんりぬ話しうにーから全部《むる》ドゥーマングティ!・なー字うてぃ集《あち》まいにん、祝所《すーじどぅくる》ん、スーコー所《とぅくる》ん全部《むる》赤旗ぬ話、赤旗。私《わ》ぁ物《むの》ぉ何処《まー》ぬ畑《はる》ぉ半分のー残《ぬく》とーん、私《わ》ぁ物《むの》ぉ免《ぬがー》とーん、私《わ》ぁ物《むの》ぉ免《ぬがー》とーんりち、なー免《ぬがー》いしイリキサ。あんさぐとぅ直ぐちゅーちゃい直ぐ飛行場造《ちゅく》いんでー。(省略)アベッ!女《ゐなぐ》、男《ゐきが》、全部《むる》、全部《むる》やるばーてー、あんさーなかいトロックぐゎー、トロックぐゎーりちん貴方《いったー》ぁ分かいがやー。トロックぐゎーんかい土《んちゃ》、載《うー》さー。又、女《ゐなぐ》ん達《ちゃー》ぁバーキぐゎーんかい担《かた》てぃ載《うー》さー。うりが一番むーとぅないしぇーよー、むーとぅないし恐《うとぅ》るしい事《くとぅ》や国民総動員法、あれー恐《うとぅ》るむんどー。童《わらび》、大人《うふっちゅ》、女《ゐなぐ》ん全部《むるん》出じてぃ戦りりぬ意味やるばーてー。総動員。あんしぇー私達《わった》ぁアンマー達《た》ん松《まーち》ぬ皮《か》ぁ剥じゃー、皮《か》ぁ剥じゃー(1)」

これは、戦前は読谷山《ゆんたんじゃ》と呼ばれた読谷《よみたん》のほぼ中央部に日本軍の飛行場設営のための「赤旗」が立てられた様子を証言したものである。

読谷村は、沖縄の中部の西海岸側に位置し、東シナ海に突き出した半島状の地形で、地質的には北部と中南部の境界に位置している。北は国頭郡の恩納《おんな》村、南は嘉手納《かでな》町、東は米軍弾薬庫地区を挟んで沖縄市と接している。北と西は東シナ海に面しているが、西北突端の残波《ざんぱ》岬の断崖絶壁の急斜面から南へ向かうほど、穏やかな斜面のサンゴ礁の海域が広がっている。読谷の東部は一八三メートルほどの読谷山岳を頂点とする丘陵地が、また中央部には標高一二七メートルの座喜味《ざきみ》城跡がある。しかし、東部の丘陵を除くと、海に向かって穏やかな傾斜をもつ独特の地形を持ち、石灰岩からなる広くて平坦な内陸の耕作地、残波岬に向けて北に延びる海岸平野からなる。村内をゆるやかに蛇行しながら南端を流れる比謝《ひじゃ》川が、嘉手納と読谷との境界で渓谷をつくりながら東シナ海に注ぎ、天然の良港、渡具知港に至る。海岸や村内には石灰岩でできた鍾乳洞（ガマ）が、散在している。戦前は、内陸の平坦な畑には砂糖キビを中心とする農業が営まれ、海岸平地には半農半漁の村が形成され、比謝川流域の南北の険しい地形では林業を営むなど、それぞれ独自性を持つ二二の字《あざ》で形成されていた。村の南北を貫く国道五八号（旧県道）をはさんで東側は山林、西側は座喜味城跡を中心に、山陵地帯とあり、これからのびるゆるい傾斜地帯と海岸沿いの平野が耕地の大部分であった。(2)

一九四三年（昭和一八）六月頃から読谷でも、飛行場工事が開始された。伊江島と同様に当初は、国場組の請負によるものであった。先に、読谷の大部分にあたる広い台地が日本軍の「北飛行場」として接収されていき、その過程で、農民が、「何《ぬ》ぐわやー、何《ぬ》ぐわやー（何だろう、何だろう）」と言っているうちに、突然、農地の境界に赤旗が立てられた。その時を境に農民を取り巻く状況が変わり始めた。

住民の証言によると、この奇妙な赤旗については「役場の係」さえも、旗立てをしていた作業員から初めて訳を聞いたという。作業員は「役場の係」に、「読谷山に飛行場を建設することは軍の極秘事項である。どんなことがあっても口外してはいけない……そのことはよく肝に銘じて面倒なことにならないようにして欲しい」と話した。そして、赤旗が立てられてから一週間後、「一部の家屋の立ち退き者や地主等」に対して説明会が開かれた。二人の軍人が次のように告げた(3)。


「飛行場予定地は土質といい広さからいっても最適地である。先祖代々から受け継いだ土地で愛着もあろうが、我が国がこの戦争に勝利するための国法に基づいた計画であるから二言はない。こういう次第であるから諸君の土地を国家に捧げてもらいたい(4)。」


こうして、先祖代々受け継いだ土地を国家に捧げなければならない戦時体制が始まった。

翌年の一九四四年、大本営は第32軍に「航空作戦準備ヲ最重点」に置くように命じた（「十号作戦準備要綱」一九四四年三月二二日）(5)。同年四月二五日、第32軍司令部は、北飛行場の建設を第19航空地区司令官の青柳中佐の指揮下に置き、従来の航空本部管轄の国場組請負事業と区域を分担し、軍・民、二本立てで進めることに決定した(6)。

このような「軍事化」の過程は、先に、平坦な畑や海岸平野地で農業を営んでいた人々の日常を変えていった。高志保《たかしほ》、波平《なみひら》、上地《うえち》、座喜味《ざきみ》、伊良皆《いらみな》のように、純農で生計を営む集落の平坦な土地が次々と接収され、座喜味《ざきみ》、喜名《きな》、伊良皆《いらみな》、楚辺《そべ》といった北飛行場の周辺地域に部隊が配置されていった。読谷のほぼ中央に位置した小さい集落であった上地の場合には、そのほとんどが飛行場として接収されたほどであった。北飛行場を取り囲むかのように飛行場建設作業が始まると、各学校や事務所、民家は宿舎として接収され、広場には日本軍のテントが張られた。渡具知《とぐち》のように半農半漁の港町でも、浜から北飛行場に通じる道路を作るために土地が接収されるケースがあるなど、読谷における農地の接収は広範囲にわたっている。また、天然の良港、渡具知港には、軍用物資の陸揚げや陣地構築に多くの朝鮮人軍夫（特設水上勤務第１０４中隊所属）が動員された。

北飛行場や、その周辺に建てられた兵舎のために接収された土地は沖縄の中でも最も多く、「用地は喜名、座喜味、伊良皆、楚辺、大木《おおき》、波平《なみひら》の六ケ字にまたがる三六〇町歩」であった。「同地にあった住家は強制立ち退きになったがその数は喜名四七戸、座喜味七戸、楚辺八戸、伊良皆三戸の計六五戸」であった[7]。読谷の北飛行場建設のために「一九五六筆八〇万六〇〇〇坪、五四八人の地主」が土地を手放さなければならなかった[8]。

さらに、一九四四年六月以降から次々と上陸した部隊により工事は本格的に進められ、九月には、「飛行場設営の促進命令」により戦闘部隊まで動員した急速な飛行場建設工事が行われた。九月末には建設目標をほぼ達成し、航空作戦基地として利用できる状況となっていた。サイパン陥落により、次は日本本土が攻撃されることが懸念されていく中、沖縄本土を含む南西諸島は、「本土防衛のための防波堤」としての重要性が増していった。戦闘部隊まで投入して強化されて行った北飛行場の工事には、特攻作戦（「沖縄本島捷号作戦計画」）を推進するために飛行機を秘匿する施設の強化や、遮蔽、掩体壕などの補強工事も図られた。飛行場を保護するために設置された高射砲関連部隊などの主な陣地が、飛行場周辺の集落や、飛行場を見渡せる読谷の東方の山岳地帯を中心に建てられる。九月には利用できる程度に完成された北飛行場は、10・10空襲による大きな被害にもかかわらず、すぐ補修され、一〇月一二日の台湾沖航空作戦に使われ、その後のフィリピン作戦では中継基地として使われた(9)。読谷の北飛行場は、軍の立場から考えると第32軍が取り組んだ「不沈空母」構想や、「中継基地」としての沖縄作戦の実現に寄与した少ない飛行場でもあったといえよう。

ところが一九四五年三月末、日本軍はこの北飛行場を自ら破壊し、一部の飛行場関係部隊や、戦闘能力の低い防衛隊員を集めて組織した特設第1連隊のみを残して、南部に移動した。部隊の多くは10・10空襲以降、飛行機を秘匿するために比謝川流域の林業地域にまで移動した。ほとんどの部隊が南への移動を完了するまで「北飛行場」を維持するための労働力や食糧などを住民に依存していた。しかし、日本軍は、米軍上陸の直前、この地域を切り捨てたのである。一九四五年四月一日、米軍が珊瑚礁で囲まれた緩やかな海岸線を乗り越え、読谷と嘉手納に至る海岸を合計一四〇〇隻に及ぶ艦艇で包囲し上陸した。逃げ場のない恐怖の中で、あの「チビチリガマ」での「集団自決」の悲劇が起こっている。一方、米軍は日本軍の抵抗を受けず「無血状態」で上陸し、読谷と嘉手納中飛行場を占拠。その日のうちに沖縄本島を南北に分断した。上陸二日後から、北飛行場は米軍の基地として使われた。

膨大な土地を接収し、軍民一体となった飛行場建設がほぼ目標を達成したにもかかわらず、米軍上陸の直前にはほとんどの軍隊が南部に移動し、読谷は日本軍の抵抗なしで「米軍の上陸地」となった。「軍事化」の始まりと共に、日本軍が村に入ってくると同時に設置されていった「慰安所」は、住民にとってどのような存在だったのか。読谷の各々の集落における日常の変化を、「慰安所」を切り口に考えてみよう。

2．読谷における「慰安所」の分布

一九九二年、沖縄の女性史研究グループは読谷二二の字のうち四つの字、喜名、伊良皆、高志保、比謝矼に合計一〇カ所の「慰安所」があったことを発表した。(10)その後、読谷村は村史のための聞き取り調査を通して、「慰安所」として使われた屋号の名前、様子、地図を詳しく確認している。また、小橋川清弘は『読谷村史　第五巻（資料編４）』の「女たちの戦争体験」の中で、「慰安所」やそれを目撃した住民の体験などを詳しくまとめており、喜名、伊良皆、高志保、比謝矼の四字の他に、簡易建築で長屋づくりの「慰安所」が、「比謝川沿い」にあったことを明記している。読谷村史の調査によって詳細が明らかとなった「慰安所」は、「比謝川沿い」を含む五つの地域の合計一一カ所である。(11)これらの先行調査、特に、読谷村が行った『読谷山村の各字戦時概況図及び屋号等一覧表』（二〇〇二年）は、読谷村における「慰安所」は、日本軍の宿舎と共に飛行場周辺の集落、東方の山岳地帯、飛行機の秘匿場所の近くの宿舎に設置されていったことを示している。と同時に、多数の民家が「慰安所」に使われていた状況を見せることによって、「慰安所」が住民の日常生活にまで与えた影響を浮かび上がらせた。これらの読谷村の詳しい調査結果を元に、日本軍の「陣地図」に「慰安所」を記したのが、〔図Ⅰ〕である。各部隊の出入りが激しかった読谷の戦時状況の中で、特に一九四五年一月の『陣中日誌』の中の「戦闘詳報要圖」を「慰安所マップ」に用いたのは、後述するが、読谷の北飛行場で「慰安所」の内部改築が完了したことがはっきりと示されている『陣中日誌』が、同月であるためである。

〔図Ⅰ〕で見るように、住民の記憶の中の「慰安所」は、高志保を除くと喜名、伊良皆、比謝矼へと、読谷の東方の山岳地帯を中心に分布していた。

これらの分布は読谷に駐屯した日本軍の分布などと照らし合わせて把握する必要があるが、読谷における日本軍の分布は、その出入りが激しかったためつかみにくく、「慰安所」がどの部隊に属して設置されていったのかは確定しにくい。ただ、最も多くの部隊が読谷に駐屯したのは一九四四年九月から一二月までの間で、読谷内の駐屯軍の数は増えていき、一九四五年二月から三月末まではほとんどの日本軍が南部に移動している。飛行場建設以外にも米軍の空襲に備えた飛行機隠匿作業、移動させるための「誘導路」作業、洞窟作業が加わっていた時期でもあり、飛行場周辺の集落以外の「慰安所」の設置が、この時点で行われていった可能性は高い。

玉城裕美子による、地域史の観点

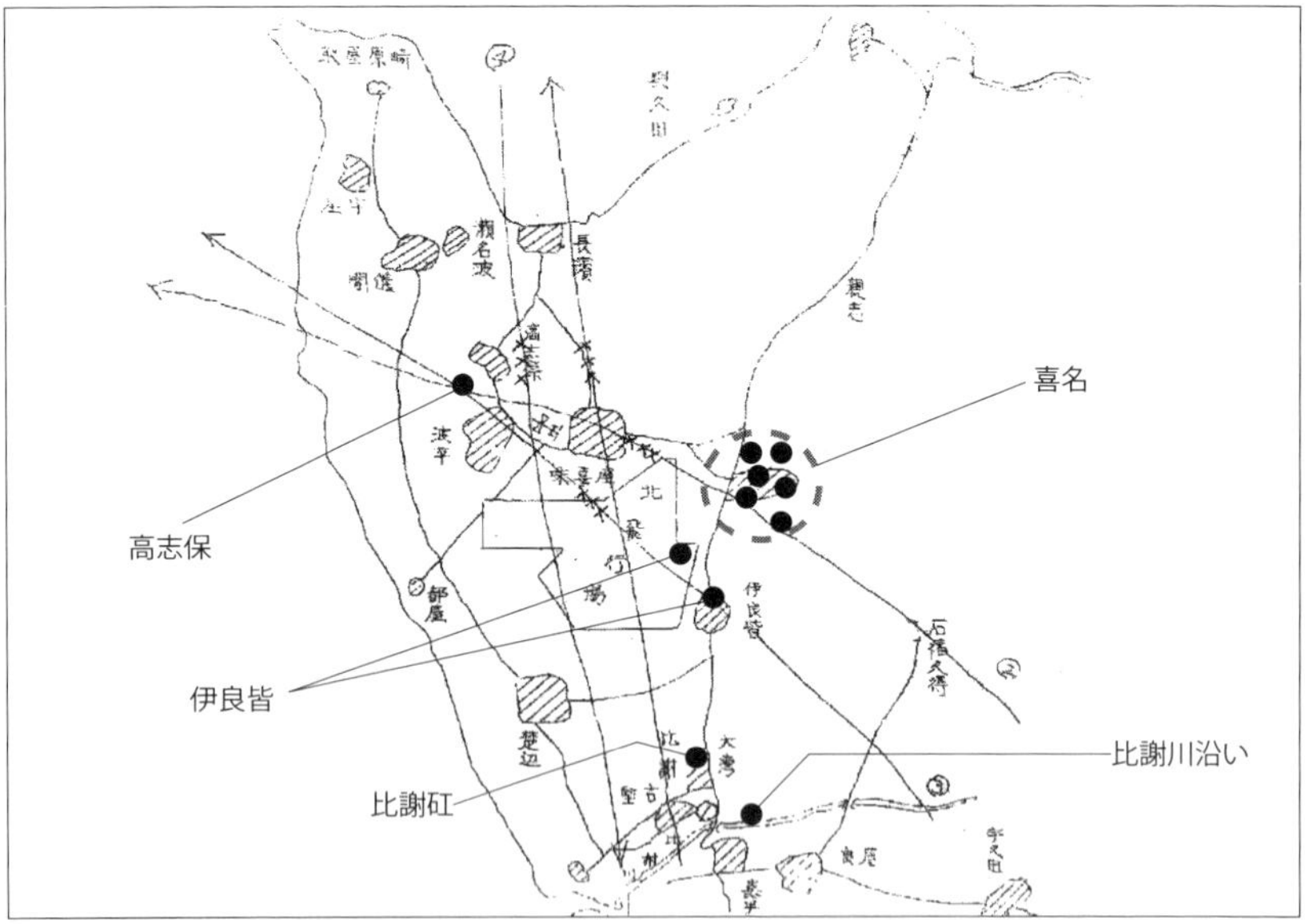

図Ⅰ　読谷の日本軍「慰安所」マップ

●「慰安所」の場所　「慰安所」位置作成：洪玧伸
地図出典「戦闘詳報要圖」『独立高射砲第二十七大隊第三中隊戦闘詳報』（1946年1月～4日）
『読谷山村の各字戦時概況図及び屋号等一覧表』（2002年）
『読谷村史 第五巻（史料集4）― 戦時記録（上巻）』（2002年）346頁を参照に作成。

から丁寧に軍隊の移動を分析した優れた研究（「読谷山村への日本軍部隊配置」『読谷村史　第五巻（資料編４）―戦時記録（下巻）』）がある。玉城は、北飛行場のための土地の接収や滑走路部分の工事が始められた一九四三年夏から、ほとんどの駐屯部隊が南部に移動した後に上陸した米軍が、読谷を制圧し北飛行場の使用を開始する一九四四年四月三日まで、どのように日本軍の部隊が配置・移動されたかを、六期に分けて詳しく分析している。

特に、航空地上勤務（飛行場関係）部隊、航空飛行部隊、駐屯の陸軍兵科、高射砲部隊、海軍部隊という五つのグループに分けて、移動の激しかった部隊の全貌を一目のもとに整理している。やや長くなるが、読谷にどれだけ多くの軍隊が出入りし、最終的には読谷の住民の「安全」を放棄して南部に移動して行ったのかを示すため、玉城が分析対象としている軍隊の数々を紹介しよう。

航空地上勤務（飛行場関係）部隊は、第３飛行場中隊（誠８３４９部隊）、要塞建築勤務第６中隊（球２７７４部隊）、第56飛行場大隊（球９１７３部隊）、第26対空無線隊（誠１６６２６部隊）、風部隊（中央航空路部、第５野戦航空修理廠第１支廠）、第19航空地区隊司令部（球２５６９部隊）、誠第１整備中隊、第21航空通信隊（誠１９１５９部隊）、西部軍情報隊城隊、第32軍航空情報隊安武隊（球１９５６４部隊）、第32軍防衛築城隊樋口隊（球１６１６部隊）、特設第１聯隊、第５０３特設警備工兵隊（球１８８１７部隊）である。

航空飛行部隊としては、第25飛行団司令部、飛行第３戦隊、飛行第20戦隊、独立飛行第23中隊、飛行第67戦隊が読谷に駐屯した。

駐屯の陸軍兵科としては、独立混成第15連隊（球部隊）、第24師団（山部隊）、暁部隊（第５海上挺進基地隊本部指揮下の各海上挺進基地大隊、第７野戦船舶廠第１支廠、船舶通信隊）、特設水上勤務第１０４中隊（球８８８７部隊、朝鮮人軍夫）、第62師団独立歩兵第12大隊第２中隊（石部隊賀谷支隊）が駐屯した。

高射砲部隊としては、独立高射砲第27大隊第3中隊（球12517部隊）、野戦高射砲第79大隊（球2172部隊）、野戦高射砲第81大隊（球12425部隊）、機関砲第105大隊（球12426部隊）、機関砲第103大隊（球2177部隊）、第21野戦高射砲司令部（球12545部隊）、野戦高射砲第80大隊第1中隊（球2173部隊）が駐屯した。

さらに海軍部隊としては、南西諸島航空隊読谷山飛行場派遣隊（巌部隊）、海軍中村防空隊、第226設営隊（山根部隊）が駐屯した。[12]

これらの部隊は、サイパン島の陥落後、沖縄本島の戦略的位置が高まった一九四四年八月上旬から一二月上旬までの時期、特に九月には、最も多くの数の部隊が駐屯した。玉城の表現を借りれば、この時期は「北飛行場には軍民がひしめき合っていた」[13]時期である。本格的な戦闘部隊である「第24師団（山部隊）」が読谷に配備され、既存の第32軍の「独立混成第44旅団（球部隊）」は北部へ移動している。

ところが一九四四年一二月、第9師団（武部隊）の台湾転出により、読谷の戦闘部隊は既存の第9師団の穴埋めのため南部に移動。それに伴い編成が大きく変更されていった。

読谷の北飛行場と嘉手納の中飛行場がほとんど破壊された形となった一九四五年二月から三月末までの時期、すべての高射砲関連部隊が南部に移動、海軍部隊までもが動いていった。

米軍上陸直前の一九四五年三月以降、読谷では、前記の様々な部隊はほとんど南部に移動。残ったのは飛行場関連部隊と賀谷支隊の二つの小隊のみであった。[14]

目まぐるしく読谷に出入りした日本軍を、住民は球部隊、山部隊、誠部隊、風部隊などの通称号で呼び、海軍の場合は山根部隊、巌部隊、それらの支隊の中隊や小隊の場合は中村隊、小堀隊、藤井隊、重信班などと、各中隊長、小隊長、班長の名前で記憶している。

『陣中日誌』の中で読谷に駐屯した軍隊の「慰安所」関連記述は、北飛行場建設のために動員された建築部隊、要塞建築勤務第６中隊のものが主である。要塞建築勤務第６中隊は、一九四四年七月から読谷の北飛行場に派遣されているが、第９師団の台湾転出により部隊が変動・移動する一九四四年一二月から一九四五年一月にかけて、「軍人倶楽部」と称した「慰安所」についての関連記述が残されている。飛行場設置に伴い入ってきた軍隊が、いかに「慰安所」を設置していったのかは、各々の集落の住民証言を通して考えられるが、ここではまず、読谷内の軍隊の変遷と『陣中日誌』に残されている10・10空襲以降の状況を考えてみよう。

嘉手納の中飛行場から派遣されてきた第56飛行場大隊が派遣した要塞建築勤務第６中隊第２小隊（重信班）の『陣中日誌』には、一九四四年（昭和一九）一二月二四日から一月にかけて次のような記述がある。

「十二月二十四日　出場人員　下士官一　兵三八　晴天　北飛行場

行動

一、作業隊長ノ命ニ依リ重信伍長ハ兵三一名ヲ區署シ左ノ各作業ヲ實施セリ

（イ）宮田上等兵ハ兵九名ヲ指揮シ洞窟施設作業ヲ續行セリ

進度　洞窟枠嵌込ミ七ヶ所完了

（ロ）荒武上等兵ハ兵二〇名ヲ指揮シ軍人倶樂部改築及木工雜作業ニ従事セリ

進度　軍人倶樂部内部改造三分通リ迠　トロッコ枠箱修理二二台完了

實働時間　各班共九時間

衛生

一、入院三　入室二」

（『要塞建築勤務第六中隊北飛行場五六飛大派遣重信班　陣中日誌』昭和一九年一二月二四日）

（傍点は引用者による）

「十二月二十五日　出場人員　下士官一　兵三八　曇天　北飛行場

行動

一、作業隊長ノ命ニ依リ重信伍長ハ兵三一名ヲ區署シ左ノ各作業ヲ實施セリ

（イ）宮田上等兵ハ兵九名ヲ指揮シ洞窟施設作業ヲ續行セリ

進度　洞窟枠嵌込ミ六ヶ所完了

（ロ）荒武上等兵ハ兵二〇名ヲ指揮シ軍人倶樂部改築及鍛工場設置竝ニ木工雜作業ニ従事セリ

進度　軍人倶樂部内部改造五分通リ迠　鍛工場設置八分通リ迠　松立木伐採一〇石

　トロッコ枠箱修理一一台完了

衛生

一、入院三　入室二」

（『要塞建築勤務第六中隊北飛行場五六飛大派遣重信班　陣中日誌』昭和一九年一二月二五日）

（傍点は引用者による）

「十二月二十六日　出場人員　下士官一　兵三九　曇天　北飛行場

行動

一、作業隊長ノ命ニ依リ重信伍長ハ作業班區署作業指示後本隊ニ出張鍛工器材ノ受領及事務連絡ニ従事シ即日歸隊セリ

各班ノ實施セル作業成果左ノ如シ

（イ）宮田上等兵ハ兵九名ヲ指揮シ洞窟施設作業ニ従事セリ

進度　洞窟枠嵌込ミ六ヶ所完了

（ロ）荒武上等兵ハ兵二〇名ヲ指揮シ第四二七部隊軍人倶樂部改築及鍛工場設置作業ニ従事セリ

進度　軍人倶樂部内部改造　八分通リ迠　鍛工場設置完了

實働時間　各班共九時間

二、要建六中日命第一三四号ニ基キ門脇一等兵ハ當分ノ間重信分隊ニ於テ勤務ヲ命ゼラレ一八・〇〇着隊セリ

衛生

一、入院三　入室一」

（傍点は引用者による）

（『要塞建築勤務第六中隊北飛行場五六飛大派遣重信班　陣中日誌』昭和一九年一二月二六日）

「軍人倶楽部内部改造」を「八分通り」終わらせた同派遣隊は、一二月二七日は松立木伐採作業や鍛工場の火入式、器材修理作業に従事した。[15] そして、二八日、次のような「軍人倶楽部」の改造や模様替え作業に取り掛かった。

「十二月二十八日　出場人員　下士官一　兵三十九　曇天　北飛行場

行動

一、作業隊長ノ命ニ依リ　重信伍長ハ兵三二名ヲ區署シ　左ノ各作業ヲ實施セリ

（イ）宮田上等兵ハ兵一一名ヲ指揮シ軍人倶樂部内部改築作業ニ從事セリ
進度　五六飛大軍人倶樂部改築二分通リ迄　第四二七部隊軍人倶樂部改築模様替ヘ完了
（ロ）荒武上等兵ハ兵二〇名ヲ指揮シ建築材料伐採及鍛工作業ニ從事セリ
進度　松立木伐採一一・三二石　鍛工場器材修理
實働時間　九時間
衛生
一、入院三　入室二」

（傍点は引用者による）

（『要塞建築勤務第六中隊北飛行場五六飛大派遣重信班　陣中日誌』昭和一九年一二月二八日）

一二月二八日、第427部隊軍人倶楽部改築が完了した。そして二九日からは、爆弾送品や鍛工作業に従事した同部隊は、再び一二月三〇日には作業隊長の命令により作業を中止、午後演芸会を観覧しながら休養をとっている。(16)
再び「軍人倶楽部内部改築」の作業が始まったのは、演芸会の翌日の三一日であった。

「十二月三十一日　出場人員　下士官一　兵三九　曇天　北飛行場
行動
一、作業隊長ノ命ニ依リ　重信伍長ハ兵三二名ヲ區署シ左ノ各作業ヲ實施セリ
（イ）荒武上等兵ハ兵一三名ヲ指揮シ軍人倶樂部内部改築作業ニ從事セリ
進度　内部改築完了（別紙略圖ノ通リ）

（ロ）　宮田上等兵ハ兵一七名ヲ指揮シ伐採及鍛工作業ニ従事セリ
進度　伐採松丸太八・二四石　鍛工作業工具製作　五分通リ迠
實働時間　各班共九時間
衛生
一、入院三　入室二」
（『要塞建築勤務第六中隊北飛行場五六飛大派遣重信班　陣中日誌』昭和一九年一二月三一日）
（傍点は引用者による）

こうして、「軍人倶楽部内部改築」が完了した翌日、一九四五年一月一日には北飛行場の遥拝式が行われ、全員休養し、翌日からは鍛工作業、弾薬箱製作、北飛行場付近の字である伊良皆の「誘導路」作業が行われ、また、山に囲まれた盆地、大木におわれた山村集落である親志《おやし》では洞窟作業などが続いた。(17)

再び残りの「第56飛行場大隊軍人倶楽部」の内部改築作業を開始したのは同年一月一二日で、宮田上等兵の指揮下で八人から九人が鍛工作業と並行して一五日まで作業を続けた。(18)

親志は、県道より東の集落内に、約四〇カ所ほどの横穴式壕が掘られ、車両や弾薬を隠していた。また、陸・海軍が多くの壕を作り、そのための道の拡張が行われた。「土帝君《とぅーてぃーくー》」(19)の畑で特攻艇部隊が艇の整備や修理を行っており、そこは、敵に見つからないように草や木の枝で偽装し、夜になるとトラックで北谷の海岸に運んでいたとされ、その作業現場には住民を寄せ付けなかったという。海軍が掘った壕には、弾薬や「桜花」と呼ばれた特攻機が保管される。(20)沖縄戦当時、親志は世帯数五八戸、人口二二九人の小さい字で、10・10空襲の時に大きな被害はなかったものの、住民が避難した防空壕からは、伊江島から那覇《なは》方面に低空で飛んでいく米軍機や、空襲で燃え始める北飛行場や喜名の姿が見えた。住民は米軍爆撃の恐ろしさを感じ、早くも一一月からは避難が始まった。一九四五年の年明けに字に滞在していたのは集落の役員や軍属の一部のみであった。[21]

一月一二日から再び作業に取りかかり、同じく宮田上等兵指揮の兵八人から九人が毎日九時間ほどの作業を続けた。[22] その結果、一六日、「軍人倶楽部改築」を完成した。以下のような記録が残っている。

「一月一六日　出場人員　下士官一　兵三九　曇天　北飛行場

行動

一、作業隊長ノ命ニ依リ　重信伍長ハ兵三六名ヲ區署シ左ノ各作業ヲ實施セリ

（イ）小山田上等兵ハ兵一〇名ヲ指揮シ親志洞窟施設作業ニ従事セリ

進度　洞窟枠嵌込ミ長サ一六米完了

（ロ）宮田上等兵ハ兵一〇名ヲ指揮シ第五十六飛行場大隊軍人倶樂部改築及鍛工作業ニ従事セリ

進度　山部改築完成 十字鍬十二挺修理完了

（ハ）山本一等兵ハ兵九名ヲ指揮シ伊良皆誘導路 支障木伐採作業ニ従事セリ

進度　巾一〇・〇〇　長一三・〇〇米間ノ支障木伐採完了

（ニ）荒武上等兵以下三名ハ本隊ニ至リ事務連絡ニ従事歸隊セリ

實働時間　各班共九時間

衛生

一、入院二」

（傍点は引用者による）

（『要塞建築勤務第六中隊北飛行場五六飛大派遣重信班　陣中日誌』昭和二〇年一月一六日）

こうして一九四四年一二月二八日には「第427部隊軍人倶楽部」が、一九四五年一月一六日には「第56飛行場大隊軍人倶楽部」が、「要塞建築勤務第6中隊第2小隊（重信班）」によって建てられた。また既存の「慰安所」の「改造」であったことから、これらの「慰安所」の記述以前にも「慰安所」が既に設置されていたこと、また別紙に備えられた地図から、これらの時期、改築が進められた「慰安所」が、部屋を改造して既存の「慰安所」より、部屋数を二倍近くに増やしていることが判明する〔原史料①〕。

これらの記述は軍作業と同時に軍人倶楽部（「慰安所」）の改築や模様替えなどの進展を詳しく伝える貴重な資料である。と同時に『読谷村史』の取り組みにより明らかとなった「慰安所」の場所や住民証言と照らし合わせると、一九四四年10・10空襲後、「慰安所」設置が行われたことが分かる。

さらに、興味を引くのは「要塞建築勤務第6中隊」の任務である。繰り返しになるが、本部隊は、「伊江島の飛行場」を論じた前章でもふれたように、伊江島における「慰安所」設置にも深くかかわっている部隊で、大工や左官、鍛冶などによって構成された「要塞建築勤務第6中隊」である。一九四四年四月、伊江島に着任した「第50飛行場大隊は、その一部を割いて嘉手納飛行場派遣隊（部長：安田中尉）一二四人を編成、北谷村嘉手納で着工される陸軍沖縄中飛行場の新設工事に派遣」しており、伊江島、読谷、嘉手納の飛行場建設は連動していた[23]。

実際、伊江島の「要塞建築勤務第6中隊」の本部からは、伊江島での仮「慰安所」や「慰安所」の建設が本格的に行われた五月、六月頃にも、要塞建築の派遣隊を嘉手納中飛行場などに送っており、派遣隊は嘉手納や小禄《おろく》飛行場などを行き来していた[24]。

さらに嘉手納中飛行場からは、北飛行場への派遣が行われた。「慰安所の改築」を行ったのは「要塞

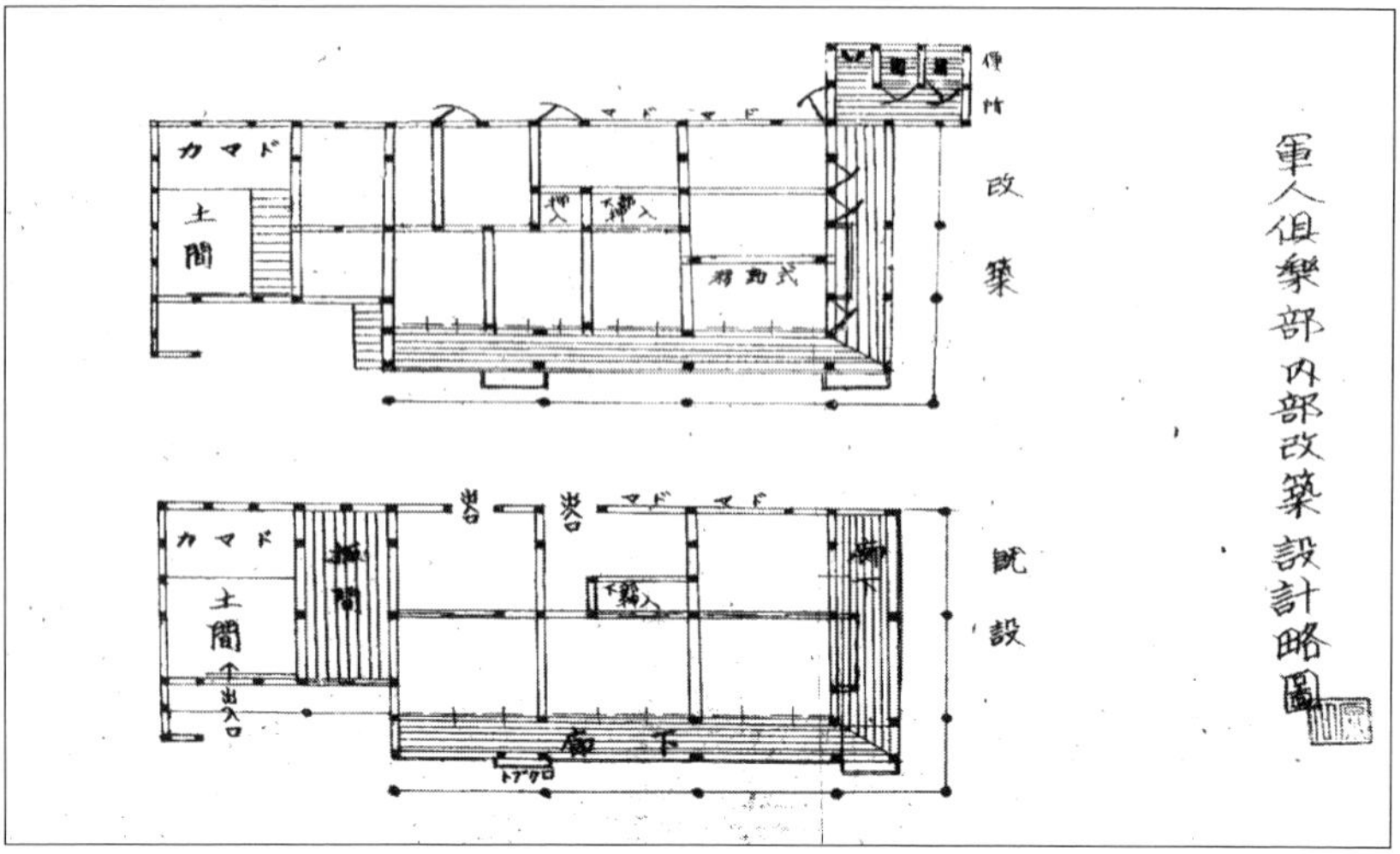

原史料①　軍人倶樂部内部改築設計略圖

出典『要塞建築勤務第六中隊　北飛行場五六飛大派遣重信班 陣中日誌』（1944年12月分）

建築勤務第6中隊第2小隊（重信班）」の部隊以前に読谷に派遣された「要塞建築勤務第6中隊読谷山・美里《みさと》分遣（金丸班）」であったが、やはり嘉手納の中飛行場からの派遣隊だ。次々と飛行場建設のために軍隊が上陸したのは一九四四年六月からである。本部隊も嘉手納中飛行場設営隊の建築小隊で、七月三日「第19航空飛行地区司令部命令」を受け、四日から北飛行場の荒野大尉の指揮下に入った。七月一六日に金丸伍長指揮下の二七〇名が到着するまでの間、荒野大尉の指揮下の井上兵長が中心となって休憩所と仮眠所の建設に力を入れた記録が残っている。

井上兵長は、七月五日には「休憩所五棟切込迠」、六日には「休憩所茅葺二棟完了」、七日には「休憩所及指揮所共ニ仕組迠」完了する。仕組みを終え、一二日には建築作業に入っていた。七月の段階で仕込みや建設が行われていたこれらの「休憩所」というものの一部に、「慰安所」が入っていた可能性も否めないが、「慰安所」という表現はなく詳細は不明である。[25]

「要塞建築勤務第6中隊読谷山・美里分

遣（金丸班）」は、七月二五日から美里村、越来村《ごえく》への派遣が命じられ、読谷を離れることとなった。(26)
この「要塞建築勤務第6中隊読谷山・美里分遣（金丸班）」の次に派遣されたのが、前記の資料で読谷の「軍人倶楽部」の改造及び模様替えを行った「第2小隊（重信班）」であり、「要塞建築勤務隊第6中隊」の中でも嘉手納の中飛行場の指揮下にあった部隊であった。一九四四年（昭和一九）九月二六日の「要塞六中作命第五〇号號」により、翌日から第56飛行場大隊長の指揮下に入り、北飛行場に出張することとなった。(27)本部隊が一二月の「改造」の前から「慰安所」建築に携わった可能性が高い。なぜなら、同時期は、北飛行場建設のために、地上戦闘部隊の兵力を飛行場工事に投入し、短期集中的に飛行場の完成をめざした時期だったためである。

「要塞六中作命第五〇号號」とは、北飛行場の作業を急速促進するため、嘉手納の中飛行場など他の飛行場作業にかかっていた部隊の兵員を派遣、協力することを命じたものである。(28)集中的な作業の末、北飛行場は九月末には航空基地として利用できる状態にまで工事が進んだ。この時点で、飛行場を取り囲むように駐屯していた日本軍の陣地周辺に、「要塞建築勤務第6中隊第2小隊（重信班）」による「慰安所」（軍人倶樂部）が設置された可能性が高い。

なお、近年、『陣中日誌』のなかで「慰安所」関連記述を収めた『沖縄県史資料編23　沖縄戦日本軍資料』により、この「要塞建築勤務第6中隊」が、伊江島以外にも、読谷、嘉手納、浦添《うらそえ》などの飛行場に「人員を派遣し、慰安所を含む飛行場施設の工事を担当し、史料で判明しているだけで、七カ所の慰安所の工事を行った」ことが明らかにされており、「要塞建築勤務第6中隊」の任務を通して、飛行場建設だけではなく、「慰安所」の設置までが各々の飛行場の建設過程で、連動していることが明らかになっている。(29)

では、残されている史料では、一二月から一月にかけて「慰安所」の改築が行われており、かつ規模が大きくなっていることを、どのように見るべきなのか。10・10空襲以降、北飛行場は集中攻撃の対象となり、破壊された。しかし、大きな損害にもかかわらず、昼夜兼行での補修工事により、二日後には台湾沖航空戦の中継基地として利用された飛行場でもある。10・10空襲以前から、沖縄諸島に特攻機を張り付けておき、米軍来攻の際に一斉に攻撃させる、いわゆる「捷号作戦」が展開され、そのために艦砲射撃にも耐える堅固な地下陣地が築かれた。「慰安所」は、10・10空襲以降には、既存の村外れで、陣地構築に容易な場所、または、それらの特攻機を隠しながら修理するための遮蔽地、洞窟などに移動、設置されて行ったのである。

『陣中日誌』で見られるように「要塞建築勤務第6中隊第2小隊（重信班）」は、洞窟施設作業や誘導路作業を兼ねながら、「慰安所」設置にかかっている。なお、まったく同じ一二月、嘉手納中飛行場の北谷《ちゃたん》村（沖縄県中頭郡）でも「要塞建築勤務第6中隊」が、第44飛行場大隊のための「附属施設」として、「軍人倶楽部」の修理作業にかかっていた。一二月一日から三一日までの間、「慰安所」関連指示が記されている日にちは一八日にも及ぶ。『陣中日誌』によれば、軍人倶楽部の修理、改築などの作業が、洞窟掘り作業と共に進められているのである。

そして、重視すべき問題はやはり、これらを見ていた住民にとって、既存の飛行場建設だけではなく、再編成されていく軍隊、移動する軍隊がなお「慰安所」を持つという事実が、一体、どのようなものであったのかである。

沖縄本島の住民に米軍の恐ろしさを最初に知らしめたのが、10・10空襲であり、住民の証言の時間区分は、ほとんどこの10・10空襲を基準にする場合が多い。読谷では、北飛行場を中心に集中攻撃を受けた。以下、字ごとに詳しく見ていくが、この空襲で「慰安所」とされた宿舎なども攻撃目標とされたことや、それを逃れようと、住民の壕に逃げ込んだ朝鮮人「慰安婦」のこと、全焼した「慰安所」が軍の移動と共に別の字に移動したことなどが証言で明らかにされている。では具体的に、飛行場周辺の字の街なかや、山岳地帯に分布していた「慰安所」は、その場に住んでいた住民にとってどのような存在だったのだろうか。

読谷では、九二年の沖縄の女性史研究グループの調査と、読谷村の調査などの結果がまとめられており、大部分が一致している。読谷村の取り組みは、「慰安所」と住民の生活を同時に考える大きな手掛かりとなる画期的なもので、場所や屋号までも確認された。読谷は、沖縄本島の中でも朝鮮人と住民の関係を各「字」ごとに最も多面的に検討できる。次に、九二年女性史研究グループの調査と、読谷村史の屋号で確定された「慰安所」を表で示しながら、詳細な村の変遷を考えることとする。また、図に関しては、小橋川清弘作成の「読谷山村内の慰安所一覧」（『読谷村史　第五巻（資料編４）――戦時記録（上巻）』二〇〇二年三四五頁）が、読谷村の直接の聞き取り調査を基にしているため、その資料を中心に作成し、九二年沖縄の女性史研究グループが発表した「慰安所分布表」（『第５回全国女性史研究会交流のつどい報告集』一九九四年二六頁）の関連部分を取り入れる形とした。

さらに読谷村の協力の下、『読谷山村の各字戦時概況図及び屋号等一覧表』で確認しながら、当時の集落の様子を記した屋号地図を用いて「慰安所」マップとして作成、「説明」項目を加えた。本章の作成において筆者の現地調査では、読谷村の調査以上の結果を得られなかった。マップ作製及び住民証言収集の状況などについて実際、聞き取り調査を行った小橋川清弘氏、読谷村史編集室の豊田純志氏の助言を得た事、また、住民は、駐屯部隊を球部隊や誠部隊などの通称名で記憶している場合が多いため、日本軍の部隊名と通称名を加えることにしたことを付記しておきたい。

3．「慰安所」が設置された集落の「日常」

(1) 高志保――中国戦線からきた「朝鮮ピー」

満州から配属された山部隊の太田隊が、一九四四年夏に高志保《たかしほ》に上陸している。高志保はその地形上、陣地構築の最適条件を備えていた。太田隊は東原《あがりばる》や與比原《ゆびばる》一帯の松林の間に茅葺きの兵舎を建て駐屯し始めた。「慰安所」とされたのは、屋号が森奥原《むいうくばる》という民家だったが、『読谷山村の各字戦時概況図及び屋号等一覧表』で確認すると、日本軍のテント張り宿舎と山部隊のトーチカ（重機関銃座）が多く作られた東の山稜地域の間に位置していた民家が「慰安所」として使われている(30)〔図Ⅱ〕。地域住民の証言によると朝鮮人の女性二、三人が太田隊の「慰安婦」にされていたといわれ、中国戦線に「慰安婦」として連れていった朝鮮人女性を、沖縄まで連れてきたと思われる。

満州から入ってきた日本軍が「慰安婦」を連れてきたことに対して、村内に表だった反発が起きることはなかった。沖縄全体に戦雲が漂ったのは、一九三七年盧溝橋事件で日中戦争が勃発してからである。高志保からも一次四人、二次六人計一〇人が応召し出征して以来、次々と多くの男たちが出征していった。字事務所（ムラヤー）前に兵隊と字の住民を集め、区長が激励の挨拶をした後、日の丸の旗を先頭に、太鼓を打ち鳴らして軍歌を歌い嘉手納駅まで行進して見送っていた(31)。読谷では、この戦争で亡くなった人々は「英霊」と呼ばれ村葬された。村葬は、村長を始め役場吏員、村会議員、各字の区長、婦人会長、在郷軍人会長など、多くの村民が出席して盛大に行われた。高志保出身の戦死者たちも例外ではなかった。一九三九年から一九四〇年頃になると、村の勧めにより靖国神社へ参拝に行く遺族もあるなど、日中戦争以降、「国民」としての意識を植え付けられていった沖縄の他の地域と同様、沖縄戦当初は、日本軍に友好的な字であった[32]。10・10空襲の際には、飛行場周辺の集落が集中攻撃の対象となった。10・10空襲後、「慰安所」まで備えていた山部隊のほとんどは南部に移動し、「慰安所」もほとんどの軍隊が移動した一一月にはその機能を停止したと見られる。住民は無防備状態で自ら避難場所を探さなければならなかった。しかし、高志保集落の中には沖縄戦当時、空襲や米軍の上陸を避けて多くの住民が避難した鍾乳洞（ガマ）がなかった。そのため、住民は近くの波平や長浜《ながはま》のガマに避難した。

特に、波平周辺にはシムクガマ、アガリシムクガマ、キジムナーガマなどの鍾乳洞があり、集落から海岸へ向かう途中にチビチリガマやイングェーガマがあり、空襲の際の避難壕となっていた[33]。集落の南を北飛行場と隣接していた波平は、米軍の集中空襲で、民家のほとんどが吹き飛ばされた〔写真1〕。そして一九四五年四月、あの「チビチリガマ」での「集団自決」の惨事に追い込まれていったのである。しかし、読谷は上陸地となったにもかかわらず、米軍

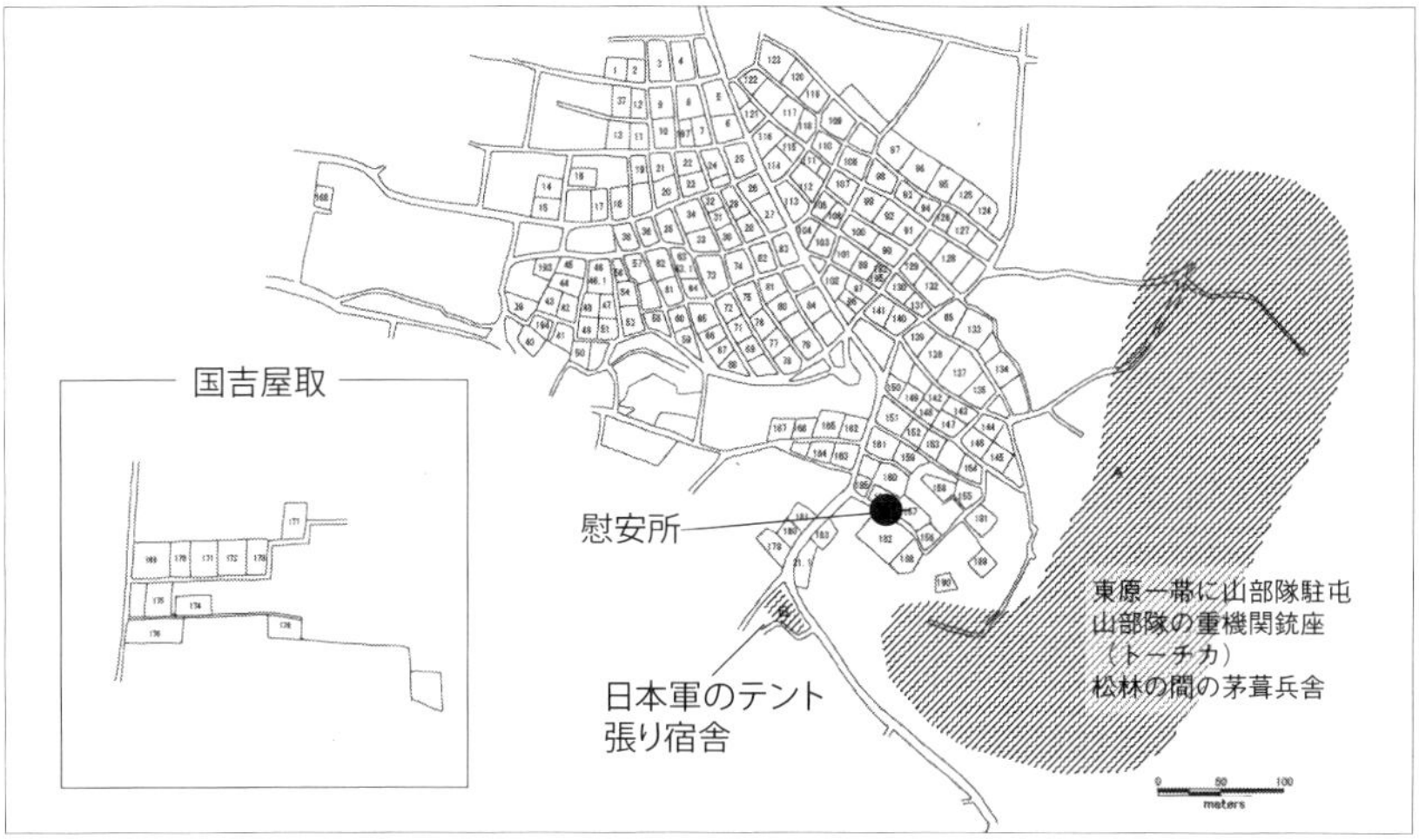

図Ⅱ　高志保の日本軍「慰安所』マップ
●「慰安所」の場所　「慰安所」位置作成：洪玧伸
屋号地図・戦時状況：読谷村提供

が上陸する直前にはほとんどの日本軍がすでに南へ移動していた。米軍の攻撃対象であった日本軍と雑居していなかったために、村内の戦死者の数だけは、軍民雑居の中南部よりは比較的少なかった。

写真１　米軍の集中攻撃を受け屋敷囲だけが残った波平（写真提供：読谷村）

　米軍は村を占領するといったん住民を一カ所に集め、保護した。飛行場や基地がある村や、まだ戦闘が続いている地域の場合、住民は移動させられ、「収容所」に一時的に収容されていた。一九四五年八月、日本の無条件降伏によって、沖縄の中部や北部の収容所にいた人々は、それぞれ自分の村に復帰を始める。しかし、読谷の場合、飛行場をはじめとする米軍の施設が多かったため、住民の復帰は許されなかった。

　戦後、米軍の基地に使われた主な基地だけあげても、残波岬《ざんぱみさき》のボーロー・ポイント（米軍が設置した飛行場）にはミサイル基地、座喜味城がナイキ基地、城下にはホーク基地、ハンザ通信隊、楚辺《そべ》のトリイ・ステーション、渡具知のスターカム通信隊。喜名《きな》・伊良皆《いらみな》の東側の山岳地帯には４００ＭＭＳ弾薬部隊、旧親志の東西は弾薬集積所、牧原《まきばる》には特警隊など、読谷の全村が基地にとりまかれた形となっていった。[34]

　読谷で住民の居住が許可された地域は、米軍が最初に上陸した高志保と、家のほとんどが燃え尽きた波平《なみひら》の一部に限られた。高志保、波平の一部への居住許可も、終戦からほぼ一年が過ぎた一九四六年八月六日に決まっている。以降、一九四六年一一月二〇日一次受け入れ（高志保以北の住民は高志保へ、波平以南の住民は波平へ、を原則とした）、一九四七年二月二一日二次受け入れ、同年五月一日三次受け入れ、八月一四日第四次受け入れ、一一月九日第五次受け入れと中部や北部の収容所に収容されていた人々の帰村が実施されたが、その後も、軍事施設の設置状況に従い、一部移動許可、退去命令、全面移住許可などが繰り返されている。楚辺、親志、牧原、長田《ながた》の住民には、旧部落が開放されず、新たに居住地を求めて移住しなければならなかった(35)。また、村内の南部の字の人々が規格住宅に住むようになっていた波平で最後まで残っていた都屋《とや》の住民の場合、自分たちの字に戻ったのは一九五〇年であった(36)。

このように米軍の軍事施設によって旧集落に帰ることを拒否されたため、一九四六年、わずかに帰村が許された高志保と波平は、読谷の「戦後」への歩みがスタートした場所となった。九五％の土地が米軍により立ち入り禁止区域となったため、読谷の住民は、わずか五％に相当する地で戦後を始めなければならなかった。それは、日本軍から米軍の基地と化した状況の中で、「戦後」が「復興」という言葉にはつながらない人々の、本来の村に戻れない他の集落の住民たちと共に切ったスタートでもあった。

(2) 軍隊の宿泊地となった字の「慰安所」──喜名・伊良皆

現在、喜名は沖縄の本島を南北に走る国道五八号から県道一二号線への分岐点に位置しているが、沖縄戦当時の喜名は、国道の東側の集落であった。戦後、米軍軍用地に接収されたため、国道と飛行場用地に狭まれた狭い地域に移り、密集した住宅地を形成することとなったのである。西には座喜味《ざきみ》が、南には伊良皆がある。飛行場周辺の字であった喜名、座喜味、伊良皆では、一九四三年の夏から国場組による飛行場建設が始まり、徴用人夫などのための宿泊施設として次々と民家が使用されるようになった。その中に「慰安所」が建てられたことが確認されたのが、喜名と伊良皆である。喜名は、琉球王朝時代から首里（北山）から国頭を結ぶ幹線道路「国頭道路」が通る行政の中心地であった。伊良皆もまた、二代目国王尚巴志《しょうはし》の墓がある豊かな農業地域であった。

まず、喜名の元の位置は読谷の東部で、東はヤグラ岳と読谷山陵が南北に走り、山林地帯と水田が広がりを見せ、西は平坦地でサトウキビと甘藷を主とする畑地であった。住民はサトウキビ、甘藷の他、大豆を主要な作物とし、サトウキビに次ぐ換金作物として百合根の栽培を行い、女性たちは、帽子編みを行うことで、収入源を得ていた。(37)

一八五三年に来沖したペリー探検隊の一行も、喜名の道を通っていき、広くてよく踏みならされた道、松の並木が作る木陰、突然現れる峡谷と、大きな川、アーチからなる一つの大石橋など、喜名から比謝《ひじゃ》橋までの道中の絶景を「絵のような美しさ」といった表現で詳しく描写し、喜名番所前街道の景色は隊員の画家ハイネによるスケッチが残されている。(38)

何より喜名には喜名番所《きなばんじょ》（読谷山役場《ゆんたんじゃ》）があり、そこは那覇から山原《やんばる》と呼ばれる北部国頭地区まで歩いて行く人々の宿泊のために使われていた。首里と国頭《くにがみ》を結ぶ中継地であり、琉球からの古い文化の息吹が残るところであったと言える。また、戦前の喜名には、一九三二年頃から、那覇—国頭間を結ぶバスも通り、バス停留所の周辺は、雑貨店、理髪店、銭湯、そば屋、馬車宿、自転車屋などで賑わっていた。(39)

字の風景が変わり始めたのは、国場組の請負により日本軍の飛行場工事が始められた一九四三年夏からである。喜名の場合、飛行場建設が始まると直ちに飛行場関連地域の立ち退きが命じられた。喜名西原《いりばる》屋取には五五戸の家があったが、そのうち四七戸が立ち退きさせられ、それと入れ替わるように建設工事に参加する徴用人夫が入ってきた。(40)

憲兵将校、喜名の有志や区長、組長などが集められて北飛行場建設に伴う西原の土地提供が命令された際、当初は、ほとんどが「農業で生活していたため、土地を取り上げられたら食べていけないと反対した住民もいた」。しかし、「飛行場は秘密裏に造ろうとしている。反対する人はスパイだ」などと言われ、「戦争を勝ち抜くため」という大義名分にそむくことは出来なかった。そのうえ「『自分たちの子どもや兄や親も、今は他国で戦争しているのだから』と思うと反対を押し通すことはできなかった」と証言している。(41)

とはいえ、国場組による飛行場建設事業は、当初から必ずしも「否定的」なものとして受け止められたわけではない。

国場組の読谷北飛行場の建設工事責任者であった国場幸吉によると、当初、読谷北飛行場の「請負額は一千三百万円」で、「当時の沖縄での建設工事の受注額はすべて百万以下」であったことを考えると「超破格な額」であった。(42) 民家や店などが集まった喜名は、飛行場労働者のための宿泊施設や兵舎が目立つようになり、むしろ経済は賑わっているように見えた。急速な飛行場建設のためには、徴用だけでは間に合わないため、国場組はたくさんの人を雇用した。全島各地から出稼ぎに来ていた人たちに間貸しする民家が増え、喜名から座喜味の学校に通じる道のそばには、労働者収容の茅葺の四棟の宿舎が並ぶようになった。(43)

日常生活に影響が出始めたのは山部隊、球部隊、石部隊、山根部隊（海軍）、巌部隊（海軍）風部隊、誠部隊、それらの支隊である中村隊、小堀隊、藤井隊など隊長の名前がつけられた部隊が、一九四四年六月以降次々上陸し、周辺の山には何処に行っても日本軍がいる状況となってからである。喜名は、ヤグラ岳と読谷山陵から、北飛行場や米軍上陸地点となった西海岸が一望できる地理的な特徴を持つ。このような戦略的に好位置にあった喜名周辺にはたくさんの守備隊の陣地や壕が掘られ、集落内の家々は弾薬庫と化した。校舎は既に日本軍の兵舎となり、字事務所で授業を行った。高学年生は壕の枠に使う松材の皮をはぐ作業のために駆り出され、一五歳から一六歳までの少年は軍隊のために畑作業をする「農兵隊」として組織された。成人の男たちは飛行場建設のための労働力として伊江島、八重山《やえやま》[44]などに徴用された。一定量以上の農産物の生産ができる農家は、いわゆる「農業生産要員」として供出を条件に、徴用を免れる場合もあった。[45]

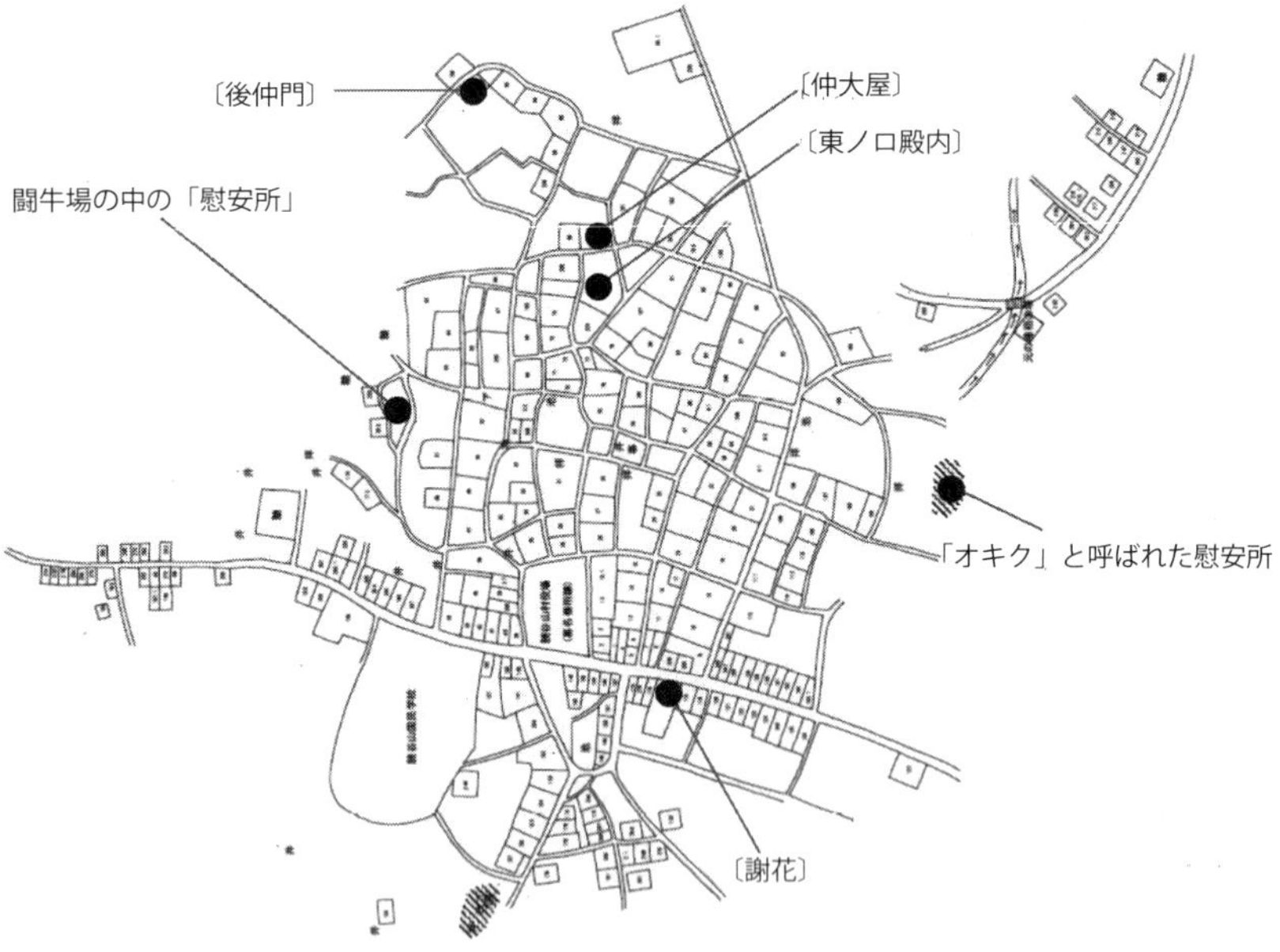

図III　喜名の日本軍「慰安所」マップ

●「慰安所」の場所　「慰安所」位置作成　洪玧伸
〔　〕は屋号　屋号地図・戦時状況：読谷村提供

守備隊が多く配備された喜名は、読谷で最も多い六カ所の「慰安所」の存在が明らかにされている。そのうち「慰安所」として使われた民家は、「屋号：謝花 ジャハナ」、「屋号：東ノロ殿内 アガリヌンドゥンチ」、「屋号：仲大屋 ナカウフヤ」、「屋号：後仲門：クシナカジョー」の四軒であった。『読谷山村の各字戦時概況図及び屋号等一覧表』を見る限り、大きな屋敷が「慰安所」として接収されていた〔図Ⅲ〕。

こうした屋敷の周辺は全て民家の密集地で、人目を避けるのはほとんど不可能な場所に位置している。また、「大通りの謝花には四名の朝鮮人「慰安婦」がいて、休日になると昼から兵隊が例を作って並び、村の人は目をそむけるほどであった」といわれる。(46)

花城景孝は、朝鮮人の女性たちのいる「慰安所」として使われた民家「謝花のニーケーヤー（二階屋）」が、10・10空襲の際に「まっ先にやられた」ことを目撃している。「謝花の家の隣の松の大木が、ボウボウと燃えさかるのを見たときは、まったくこの世の終わりだという感じ」がしたと証言する。(47)

民家以外にも、通称「オキク」と呼ばれた赤瓦屋根のL字型の建物が「慰安所」として使われた。読谷村の調査によると、この「慰安所」には一般兵は入ることが許されず、特攻隊員が軍歌を歌ったりしていたと言われる。

『喜名誌』の編集委員の一人、宮平良秀（一九二七年生）は、自らの戦争体験と住民証言をたくさんの絵として書き残したが、その中に、「慰安所」として使われた「オキク」を描いたものがある。（絵）宮平良秀は絵の中に、次のような言葉を残している。

「特攻兵の宿泊所

喜名前原のサーターヤーの近くに赤瓦葺きの料亭風のオキクと呼ばれた航空兵の宿舎がありました。明日の生命はない航空兵の歌と哀調をおびた軍歌が毎晩のように聞こえていました」

絵1　宮平良秀の描いた「慰安所」として使われたオキクの様子
（資料提供：読谷村）

宮平良秀の絵でも表現されているように、「オキク」は村から離れた畑の中に建てられていた。そして、民家の木材までを提供させて立派に建てた料亭風のオキクは、米軍の攻撃目標とされ、建てて二カ月ほどの10・10空襲の際、全焼した。[48]

この絵をめぐる状況は、すでに小橋川清弘が『読谷村史　第五巻（資料編4）——戦時記録（上巻）』（二〇〇二年）における「女性たちの戦争体験」編で、読谷村全般の「慰安所」の状況と共に紹介している。小橋川清弘によると、戦後、「オキク」の周辺を耕したら大量のサックが出てきたとの証言が残っているという。[49]

「オキク」の他に「慰安所」の中で最も注意をはらうべきは、民家（屋号：東ノロ殿内　アガリヌンドゥンチ）と闘牛場の中に建てられた「慰安所」である。

沖縄の古来の村は、「ヌンドゥンチ」と称する祠や建物があって「火ヌ神《ひぬかん》」が祀られている。殿内というのは、身分のある人の舎宅を意味し、従ってノロ殿内《どぅんち》とは神職のノロの舎宅であった。[50] また、闘牛を「ハチナー」、闘牛場を「ウシナー」と呼び、いつでも闘牛ができるようになっており、読谷では戦前は旧暦の四月から九月頃にかけて闘牛が行われていた。喜名では、六月一四日になると綱引きが行われた。各家から藁を持ちより綱を作ったり、子どもから青壮年までもが集まり賑わっていた。特に、喜名・伊良皆・楚辺の三字対抗で行われるなど、闘牛場は農村における重要な娯楽の場でもあった。[51] こうした闘牛場の中にも三角兵舎が建てられ、「慰安所」として使われた。戦時体制下で、日常は変わっていった。「東ノロ殿内」のような祈りの場であれ、闘牛場のような娯楽の場であれ、「慰安所」の設置は、軍にとっては、沖縄の文化や日常生活とは全く関係のない単なるスペース確保の問題であったといえよう。

なお読谷では、初期段階では徴用者が読谷の地元の人々や近隣町村からの人員であったことも見逃せない。大城将保の研究によると動員署から町村に割り当てられた被徴用者だけでは手が足りず、婦人会、男女中等学校、青年学校などからの労働奉仕隊も交代制で百人単位で送り込まれてきた。村内や隣村の労務者は自宅から勤務したが、遠距離からの徴用労務者は一〇日から一カ月の間、寄宿舎に泊りこんでの労務生活だった。労働者のほか荷馬車も動員された。町村に割り当てられた動員台数は一日二〇〇〇台を越えていた。[52] このように近隣の村々から集められた労働者に、日常馴れ親しんでいる闘牛場のような空間に建てられた「慰安所」の存在は、隠すすべも出来なかった。

実際、「オキク」を描いた宮平良秀（一九二七年生）の実家は、「慰安所」に接収された「東ノロ殿内」の隣であった。彼は戦後、喜名に存在した他の「慰安所」についての証言も調査するが、自分自身が、休日には昼から朝鮮人「慰安婦」のいた「慰安所」に兵隊が並んだ様子、そして「朝鮮ピー」という四人の女性たちが、昼でも井戸から水を汲んで水浴びをしていた様子などを記憶している。[53] そして、米軍の空襲から逃れるために「東ノロ殿内」の朝鮮の女たちが逃げ込んだ壕でも一緒になった。10・10空襲当時の朝鮮人の女性たちの様子を、宮平は次のように証言している。

「空襲のさなか、隣の慰安所の朝鮮人慰安婦三人が赤いふとんをかぶって飛び込んできた。空襲が始まっても気づかずに寝ていたのだろう。この女達は、すでに一杯になっている壕に無理やりに割り込んできた。敵機が飛び交う中を赤いふとんをかぶって飛び込んできた女性達は我々にとって実に不快であった。その赤いふとんを目標にしたかのように、爆弾の炸裂音が一層激しくなった。『きっと赤いフトンが敵の目についたのだ』と、非難の目が女達に向けられたが、そしらぬ顔で居座っていた。弾の降る中を壕を探して右往左往したと見えて恐怖に顔色はなく、ふるえで歯がカチカチと鳴っていた。[54]」

10・10空襲で朝鮮人「慰安婦」と一緒だった宮平たちの壕は無事であったが、「東ノロ殿内」の近くにあった別の壕に米軍の砲弾が炸裂した。そこに避難していた民間人家族と徴用人夫七人は、崩れた土砂で生き埋めになった後、救出されている。[55]

家々が弾薬庫と化していた喜名は、10・10空襲により大通り周辺の民家はもちろん、村の四分の一は全焼したと言われるほどの被害にあった。日本軍が駐屯する大きなスペースの建物は、直ちに空襲の標的となった。そして、住民にとって空襲の目標となる「慰安所」は、「不快」な場所となっていく。

10・10空襲後、「多くの守備隊が次々南部に移動するのと入れ替わるように、南から北部の山原に避難する住民」が相次いだ。かつて北部地区まで歩いていく旅人の安らぐ場所であった喜名番所は、10・10空襲により焼け野原となった那覇から北へ向かう人々をはじめ、北部に移動して行く避難民の群れと、餓死するよりは自分の村へ戻った方が良いと再び南部に移動する人々が交差する場所となっていった。宮平良秀は、避難民は「男は軍隊や防衛隊にとられ、避難するのは年寄りや女や子どもだけ」で、軍から強制避難命令が出た日には、その惨めな人の数に、「目を丸く興奮させる程」であった。また「喜名東の山は何処を歩いても山の斜面には、気を付けないと気づかないような掘立て小屋」が建てられていたと証言する。[56]

一九四四年末から、南から北部の山原に避難する住民の行列と入れ替わるように、読谷からは多くの守備隊が南に向かった。ところが、読谷に駐屯したほとんどの戦闘部隊が南部に移動していく中、米軍の上陸を目前にして編成された部隊がある。第19航空地区司令官青柳時香中佐を長として一九四五年三月二三日に結成された「特設第1連隊」である。[57]

一九四五年四月一日米軍上陸時、上陸正面には、編成されたばかりの「特設第1連隊と独立歩兵第12大隊（賀谷支隊と称す）が駐屯」する程度であった。賀谷支隊はこの時点ではわずかの戦力しか持たなかった。第19航空地区司令官青柳時香中佐を長とした基幹部隊は、第56飛行場大隊（第1大隊、北飛行場地区）、第44飛行場大隊（第2大隊、中飛行場地区）という地上戦の能力の低い飛行場大隊であった。飛行場大隊以外には、沖縄各地から防衛招集で寄せ集めた約八〇〇人の防衛隊員が、それぞれ二個大隊に編成された。読谷では、第1大隊長の黒澤巌少佐の指揮下で、第56飛行場大隊（約三七〇人）と防衛隊で編成された「第503特設警備工兵隊（球18817部隊）」が編成されている。三月三〇日軍司令部が、読谷の北飛行場と、嘉手納の中飛行場の使用不要を命じたために、各隊で飛行場を破壊した後、三〇日の夜にようやく陣地配備についている。米軍上陸の二日前のことであった。『沖縄方面陸軍作戦』にも、「軍としてはこれらの部隊に大きな抵抗を望んでおらず」と記述されている。[58]

こうした状況の中、上陸地点で迎え撃つ作戦は行われていない。特設第1連隊は四月一日の猛烈な砲弾撃下で米軍の上陸を迎えたが、砲兵もなく、夜間を待って斬り込みを実施する以外に打つ手がない状態で、米軍の上陸の日に、連隊本部と各部隊の連結は切断され、各々の部隊は孤立していった。[59]

喜名の東の山丘地帯では、黒澤巌少佐の率いる一個大隊であった球9173部隊が全滅している。大隊は、警備中隊と補給を任務とする中隊に分れ、それに石兵団派遣の一個小隊約三〇〇と、本田主計大尉を長とする一〇〇の他、住民で編成された防衛隊三〇〇余りが加わって編成された部隊である。読谷の北飛行場や嘉手納の中飛行場を米軍の手に渡る前に爆破し、米軍の飛行場使用を妨害することを任務としていた。[60]

北・中飛行場は三月三〇日には破壊命令が下されたものの、上陸前のすさまじい空襲と艦砲射撃で、攻撃どころか閉じ込められた状態となり、山と山の間が狭隘で平地に比べて比較的安全に作戦を展開しやすい喜名の東の壕に逃げ込んだ。[61]「南部に移動した海軍が破棄した壕で、山をぶち抜くように掘られた奥行きの長い壕」であった。[62]しかし、すぐに見つかり、米軍上陸の翌日の四月二日、全滅している。完全に閉じ込められた状態となった壕から出る斬り込み隊が、入口で銃を構えて待つ米軍に打たれるというみじめな戦いで、隊長以下ほぼ全員が壕から突撃し全滅している。沖縄戦で初めての組織化された部隊の壊滅であった。[63]

当時、数えで一五歳だった伊波興盛は、球9173部隊の数少ない生存者の一人である。伊波興盛は、当時の壕の中での様子を以下のように語る。

「この様に敵に包囲されている状況ですからね。敵の投げ込む手榴弾や迫撃砲で次々と死者ができるので、この死んだものは横穴に引きづり込むのです。ですからもうその頃からは、兵隊たちも生きられないと諦めていました。酒が開けられ、ラッパ飲みであちらこちらでも回し飲みをする兵や低い声で歌を歌う兵隊もいました。故郷の歌を歌っているようでした。（中略）切《ママ》り込み隊ですか？　何度も何度も出ていきましたよ。当然だが行ったきりです。出ると同時に銃声がけたたましくがなり立てすぐに静かになるのです。ですから出て行った切り込み隊が全滅したことは壕の中でも分かりました。暗い壕の中は死が刻々と迫ってくる、まさに追い詰められた地獄でした。切り込み隊は『もう鉄兜は必要ない』と鉄兜を放り投げて鉢巻きを締めるのがおり、将校の中には『もう鞘は必要ない』と鞘を放り投げるのもいました。私は壕の奥の方にいました。一人の兵隊が寄ってきて『君は子供だから或いは助かるかもしれない、やるよ』とお金の入った財布をくれて立ち去っていきました。もうみんな生きられないと知っていたのです。壕は馬乗りの状態でしたからね。夜になったら脱出しようと思っても照明弾が昼のように壕の外を照らし、砲音も銃音も夜になっても全然途絶える気配はありませんでした。耐えられなくなってただ死にに行くだけの切り込み隊が次々と壕を飛び出していきました[64]」

伊波興盛は、徴用の年齢一六歳に満たない年齢であったが「用務員」という形で軍にやとわれていた。米軍に発見された壕内で死の恐怖が高まる中、同じく「用務員」として壕中にいた沖縄出身の三人の少年たちと共に手を握って一列になって壕を飛び出し、九死に一生を得た。

球９１７３部隊の壕に「慰安婦」がいた証言は見当たらない。しかし、喜名東の山丘地帯には、米軍の空襲と艦砲射撃を避け山に避難した住民の避難壕や、山と山との狭隘な谷間に日本軍の各部隊が掘った壕がいくつも存在しており、部隊とはぐれた日本兵と「慰安婦」が住民の避難壕に入ってきたとの証言が残っている。

空襲の激しい三月末、日本兵と朝鮮人「慰安婦」合わせて六人が、喜名東の住民が避難していたナガサク（喜名東の山岳地の地名）の壕に逃げ込んでいたのが目撃されている。この女性たちは、喜名の集落の中にあった闘牛場の「慰安所」にいた朝鮮人「慰安婦」たちであった。

「お前達は兵隊のくせして、ここは民間人の壕なのに、ここでいちゃいちゃしたら、私たちはどうなるんだ。戦《いくさ》しているんだぞ」(65)

ナガサク壕に避難した新垣正市（一九二三年生）は、喜名の住民八〇人くらいが避難していた壕内に鉄兜をかぶった兵隊が、なべを被った「慰安婦」たちと共に駆け込んだ際に発せられた年配の人たちの怒りの声を覚えている。新垣の家は「慰安所」となっていた民家「後仲門《くしなかじょー》」の近くにあった。また、闘牛場にあった朝鮮人「慰安婦」たちの「慰安所」の存在も既に知っていた。新垣は年配の人たちの怒りが、「普段は酒を飲んだりして遊んでいる人達なのだと思ったから」であるという。結局、「慰安婦」と共に逃げ込んできた兵士たちは、「兵隊なんだから、ここに潜んでいないで、戦争しに行って来い」と皆に追い出されたという。(66)

米軍上陸後、圧倒的な兵力に抵抗らしい抵抗も出来ず、「壕から出ると死」が待っているような状況の中、喜名東の山岳地の日本軍はほとんど全滅、住民は米軍上陸とほぼ同時に収容されていった。山岳地で保護された住民は漢那《かんな》、中川《なかがわ》、宜野座《ぎのざ》に収容されたケースが多く、また北部などに避難した住民は保護された地域によって、保護先の最寄りの収容所にと、沖縄の一二の民間人収容所に分散して収容された。(67)

米軍基地化された国道の東の元の集落には、学校や役場はもちろん三〇〇余りあった民家も一軒も残されていなかった。読谷の村民が読谷山への移動を許可されたのは一九四六年からであるが、前述のように波平、高志保に限られたものであった。喜名の住民もまずは、波平と高志保で戦後を迎え、終戦から三年が経った一九四八年一二月に、元の集落ではなく、現在の国道五八号以西に移動し、ようやく戦後のスタートをしている。(68) 翌年の五月、住民は、戦後処理の初めての仕事として、東側の山地に散乱する球9173部隊の兵士たちなど、ほとんど名前がわからなかった遺骨を収集し、近くの洞窟に安置、「梯梧《でいご》の塔」と命名した。(69) 青年会が主体となって遺骨収集にあたり、青年会による収集が終わってからも個人による収集が何年も続いた。当初は山での遺骨収集は容易で、「山の中に鉄かぶとをかぶり、銃を抱いたままの白骨」が発見され、山の近くの田圃で「木の根だと思っていたが、取り上げてみると骨だった」ことなどがあり、鎌や土のう用のカマスをもって山の中での収集にあたった青年会員に収集された。戦没者の骨を収める「梯梧《でいご》の塔」には、畑から出た戦没者の骨をカマスに入れても、わざわざ持ってくる座喜味など周辺字の人々もいた。しかし国道の東が米軍の弾薬集積所として立ち入り禁止区域となったため、一九五六年（昭和三一）、現在の土地に移転している。そして今も、毎年慰霊祭が行われている。(70)

一方、伊良皆は、畑の接収により当初から日常に影響が出始めた字である。伊良皆は、一戸当たり一町歩前後の畑地をもつ読谷の中でも裕福な農作地域であった。戦前の伊良皆は、県道（現在の国道五八号）を挟んで平坦な海岸台地上に集落を形成していた。那覇まで続く県道の比謝―伊良皆の間には綺麗な琉球松の並木があった。比謝矼《ひじゃばし》集落の両側には琉球松の大木が立ち並んでおり、伊良皆集落の入口には伊良皆共同製糖工場があった。村屋（ムラヤ、字事務所）の前には、一五〇〇坪ほどの大きな広場があり、樹齢三〇〇年くらいのガジュマル二本が植えられ木陰を作っていた。そのガジュマルの近くに、東西に対をなして一里塚があり、そこから遠く那覇港を望むことができた。また、ここから、那覇の崎原岬《さきばるざき》の断崖の上に建つ、琉球八社の一つであった波上宮《なみのうえぐう》がうっすらと見え、港を出入りする船を眺めることが出来た。見晴らしのよい木陰は道を行き来する人々の憩いの場となっていた。東方の山手には第一尚氏王統二代目国王で、海外諸外国との交易を盛んにし、繁栄の礎を築いた尚巴志《しょうはし》の墓がある。伊良皆は、東側には豊かなイーヌカー（湧泉）による水田と山林地帯があり、西側には農地が広がっていた。(71)

一九四三年夏から国場組の飛行場工事が始まると、農地、畑、住宅などが接収されたが、突然「赤旗」が立てられ、土地の接収を知らされた地主たちは、親戚友人などに土地を分けて貰い、どうにか字内に留まる人が多かった。やがて、重要作物の甘藷も作れなくなり、製糖工場も閉鎖されることになった。飛行場工事が思うように進まなかった。徴用人夫と兵隊が集落の中に入り込み、伊良皆の民家が飛行場工事の作業人夫の住み込み場となり、飲料水も不足するほど、日常生活に支障が出始めた。(72)

沖縄では、現地自活を掲げた日本軍がやがて食糧を各字からの供出に依存するようになった。こうした供出の負担により住民が深刻な食糧問題にさらされたケースも少なくない。読谷の場合、親志の例があげられる。主に林業を営む字であった親志の場合、ほんの少しの畑での作業すら飛行場建設などの徴用で困難になり、その上、食糧供出がかさなり、深刻な食糧難にさらされた。親志の場合、10・10空襲の大きな被害はなかったものの、こうした生活上の困難、特に食糧供出のために高まった「物心両面からの生活不安」により、一九四四年一一月頃からは避難に踏み切った住民が多い。(73)

飛行場用地の接収以外にも、伊良皆の広大な農地は、農兵隊の作業畑となった。農兵隊とは、徴用とは別に一五歳から一六歳の少年を集めて農作業をさせるものであり、これに志願する少年たちもかなりいたが、戦況が激しくなると、志願者以外の少年たちも軍の畑作業に駆り出された。(74)

『読谷山村の各字戦時概況図及び屋号等一覧表』からその状況を、「屋号（フリガナ・使用目的）」順に並べると、伊良皆でどれくらい民家が軍に使用されていたのかが読み取れる。新屋仲嶺（ミーヤーナカンミ・陸軍医務室）、前仲嶺（メーナカンミ・高射砲隊宿舎）、呉屋（グヤー・兵士四人の宿舎）、仲吉（ナカユシ・球部隊高射砲隊の経理事務所五名）、三良伊波（サンラーイファ・衣類、食糧倉庫、高射砲隊の炊事場）、後呉屋（クシグヤー・事務所、10・10空襲は倉庫、さらに機体待避場）、門口（ジョーグチ・機体待避場）、後仲宗根（クシナカジュニ・機体待避場）、佐敷上地（サシチイーチ・飛行場徴用人夫一五名の宿舎）、翁長（ウナガ・高射砲隊宿舎、食糧倉庫）、根人（ニッチュ・高射砲隊宿舎）、前仲吉（メーナカユシ・高射砲隊の本部一〇名）、前百次（メームンナン・高射砲隊の隊長宿舎、炊事場）、仲牧志新屋（ナカマチシミーヤー・高射砲隊経理部一〇名）、西新城新屋（イリアラグシクミーヤー・高射砲隊の医

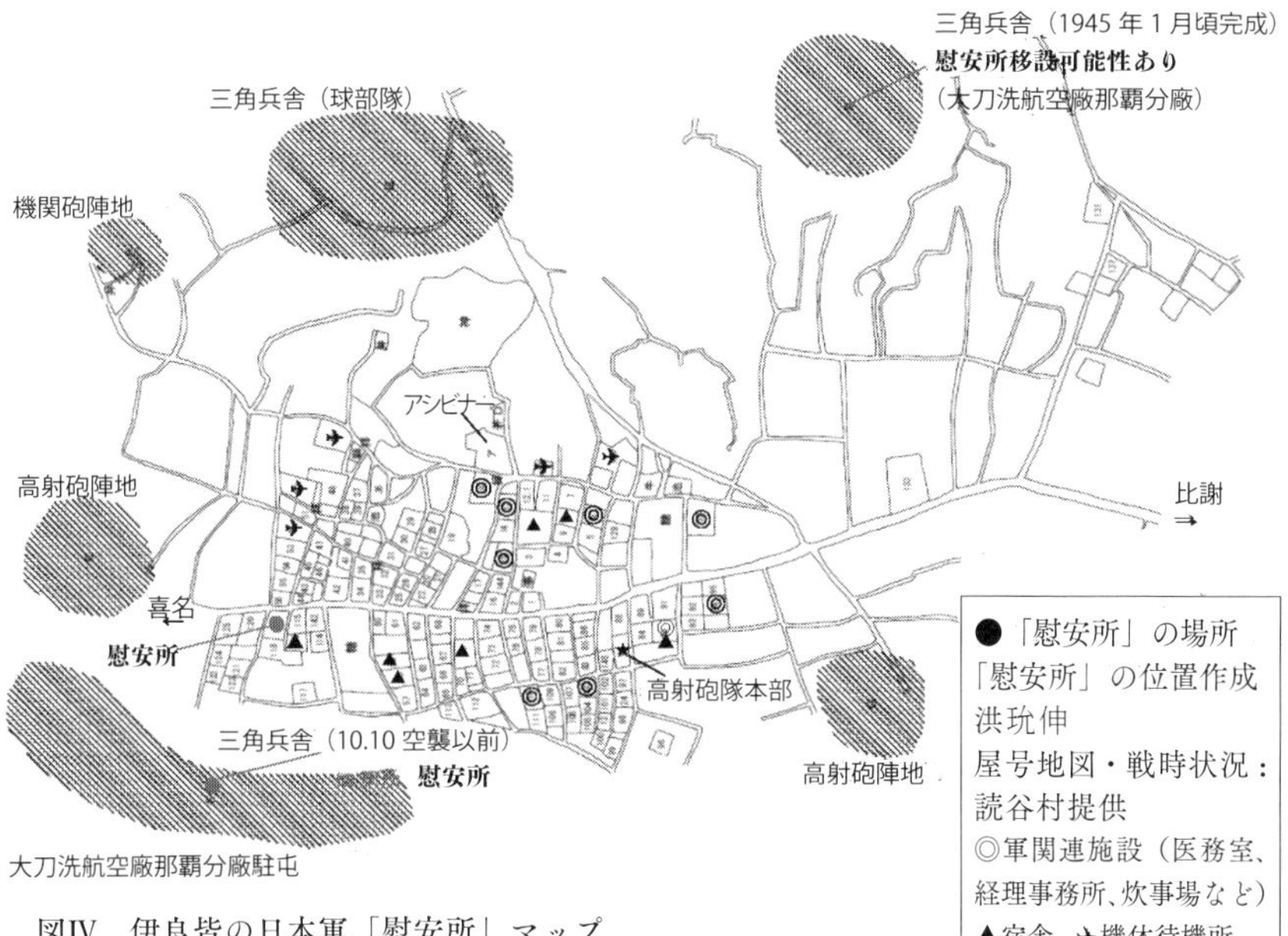

図IV　伊良皆の日本軍「慰安所」マップ

務室）、西徳本（イリトゥクムトゥ・高射砲隊の炊事場八名）、虎伊波新屋（トゥラーイファミーヤ・高射砲隊一二名の宿舎）、呉屋筑登小（グェーチュクルングワー・機体待避場）、東仲嶺（アガリナカンミ・機体待避場）、牧志（マキシ・高射砲隊の食糧倉庫）、松伊波（マチーイファ・慰安所）である。これらの民家利用の他、ムラアシビナーに速射砲隊のテントが張られている。[75]

「アシビー」とは七月から一〇月の農閑期に複数回にわたって行われる棒術、狂言、史劇・端踊・歌劇・組踊、獅子舞等の舞台・芸術・娯楽であり、その広場が「アシビナー」であった。伊良皆の村の行事「アシビー」は、毎年八月一五日（旧暦）に行われ、また一〇月までの間に、五、六回行われた。アシビーを通して農業を営む他部落との交流も行われ、「部落内のアシビー」に要する経費は一五歳から三五歳までの青年から徴収、他部落との時には一五歳から四四、四五歳までを対象に徴収するきまりであった。[76]

民家の接収、娯楽場に張られた軍のテント、兵舎、民家を壊して作っていった飛行機の隠れ場（遮蔽地）があり、一九四四年のアシビーの時期は、まさに軍と民が、ぎっしり詰め込まれたように村に入っていた状況であったといえる。

そういう状況の中で、伊良皆で目撃されている「慰安所」は二軒である〔図Ⅳ〕。

まず民家松伊波は、道沿いに位置していて人目を避けられなかったことが、字の地図・調査結果で明らかである。伊良皆には辻の女性たちが三、四人「慰安婦」とされていた。[77] 民家（屋号は松伊波：マチーイファ）に那覇市辻から来た辻遊郭の女性で、炊事係のおばさんも一緒だったという。夕方になると兵隊たちが並び、「慰安婦」の一人は過労と栄養失調で重病だったといわれる。[78]

また、「北飛行場内の伊良皆」と、「慰安所」の最も多かった村である喜名との境界には三角兵舎があり、その一部が「慰安所」として使われ、三〇名余りの朝鮮人女性がいた〔図Ⅰ〕。この「慰安所」に関しては、九二年沖縄女性グループの調査では見つからなかったが、その後読谷村の証言調査により明らかにされた。北飛行場の三角兵舎の一部だったこの「慰安所」は、10・10空襲以降、読谷村の最も南部に位置し、嘉手納飛行場との境界である比謝の東に移ったとされる。また、伊良皆の中では、一九四五年一月頃には、北飛行場と最も近い伊良皆の前原に三角兵舎が完成し、大刀洗航空廠那覇分廠が伊良皆の西側から移動してきた。前述したように『陣中日誌』でみた10・10空襲以降の「慰安所」の改築は、伊良皆に駐屯した軍隊の兵舎改築と、その後の移動と密接な関連を持つと考えられる。

では、南下していく軍隊と共に「比謝の東」へ移ったとされる「慰安所」は、どのように証言されているのだろうか。比謝川の下流に存在する字に注目してみよう。

(3)　静かな緑の街比謝と活気溢れた商業の街比謝矼の変化

住民の証言と日本軍の『陣中日誌』を参考に、伊良皆から「比謝の東」へと「慰安所」が移った後の、集落における状況の変化を見てみよう。

比謝《ひじゃ》は、北は伊良皆に隣接し、土地の平坦な静かな字であった。戦前の比謝は、蓬莱竹と雑木が植えられ、集落全体が緑で囲まれていた。『読谷村史』によると、一九四三年当時、比謝の世帯数は四九戸、人口は二五〇人ほどで、住宅はほとんど茅葺き。瓦葺きの家は五棟しかなかった。屋敷きの周辺にはガジュマルや雑木などが植え付けられ、緑に囲まれていたという[79]。南にはやはり静かな字、大湾《おおわん》があった。大湾は、読谷村の南端に位置し、嘉手納と比謝川を隔てて接している字である。たくさんの商店が立ち並ぶ比謝矼を通って大湾に至る。大湾に至ると、賑わう商店街とは対照的な静かなたたずまいが広がった。大湾の道は「緑のトンネル」と言えるほどガジュマルなどの大木の枝に覆われ、屋敷は石垣と緑に囲まれていた。屋敷も広く、隣接する嘉手納にある沖縄県立農林学校の教師や学生などが下宿していたという。[80]

これらの集落もやはり、飛行場建設により大きな変貌を遂げた。緑で覆われていた比謝、大湾の集落内は、上空から見ると見えにくく、北飛行場の戦闘機の遮蔽地と位置付けられたのである。[81] そして、「慰安所」が設置されていった。

「伊良皆の北側の北飛行場内の三角兵舎は10・10空襲でほとんど破壊された。そこには那覇分廠もあったが、破壊されて比謝の東（亀地橋＝ときわ橋付近）に日本軍と共に移ってきた。同時に長屋式茅葺の慰安所も引っ越してきた。場所は、現在は国道比謝交差点から北東に約五〇〇メートルほど行ったところの大湾亀地原の窪地にあった。そこには三〇名ほどの朝鮮人慰安婦がいた。比謝の字事務所に駐屯した通信兵たちもときたま『今日は慰安の日』といって、身支度をして出かけていた」（比謝の東は、証言者によっては伊良皆東ともいう──引用者）。[82]

ここでいう那覇分廠とは、大刀洗航空廠那覇分廠として那覇の小禄飛行場に設置されていた部隊で、一九四四年九月頃北飛行場に移動してきた。飛行場の保安・輸送を任務としている通称「風部隊」と呼ばれる風18918部隊が共に、飛行場の東端（現国道五八号）近くに木造、茅葺屋根の建物を本部としていた。しかし、10・10空襲により全焼し、その後、比謝の東の亀地橋や比謝の深迫原《ふかさくばる》に既にあった三角兵舎を利用し、防空壕を増築し、本部も移動してきた。米軍軍用地の中には当時の防空壕が残っている。[83]

伊良皆や比謝の周辺は樹木の枝で緑のトンネルのようになっており、一〇月末から日本軍は、それを利用して空から見えないように戦闘機を隠した。誘導路や引込壕をながく延ばして「特攻隊を安全地帯に格納」したり、「弾薬庫、通信施設等を偽装したり、滑走路の上には模造機（オトリ飛行機）をならべて敵機をあざむく工作」をほどこした。[84] 10・10空襲後は、伊良皆から移ってきた大刀洗航空廠那覇分廠が比謝の東側の山に陣地構築を始め、比謝の住民は壕掘り作業に駆り出されて行った。[85]

そして破壊された飛行場の補強と共に、嘉手納飛行場との境目である比謝周辺の地域に多くの兵隊が移動してきたのが、一九四五年一月であった。『陣中日誌』の一月三一日には、次のような記録が残っている。

「十九航北作命甲第百八號
第十九航空地區司令部命令
一月三十一日　二・〇〇　大湾
一、航空地區司令部ハ航空基地第二次整備要綱ニ基キ管理飛行場ノ附屬設備ヲ増強セントス
二、各飛行場大隊長ハ航空地區司令部「航空基地第二次整備要綱ニ基ク指示」ニ據リ増補作業ヲ依然續行スベシ
細部ハ現地ニ於テ指示ス
三、航空通信聯隊第六中隊長及第二十六對空無線隊長並ニ第六要塞建築中隊長ハ成ル可ク多クノ人員器材ヲ北飛行場ニ差出シ第五十六飛行場大隊長ノ指揮ニ入ラシメ作業ニ協力セシムベシ
地區司令部附上田中尉ハ同大隊長ノ指揮ニ入リ合同通信所ノ建設ニ任ズベシ
四、誠第一整備中隊長ハ成ルベク多クノ人員器材ヲ比謝部落附近ニ差出シ第五十六飛行場大隊長ノ指揮ニ入ラシメ作業ニ協力セシムベシ」

『作命綴 球第二七七四部隊（要塞建築勤務第六中隊）』昭和二〇年一月三一日。（傍点は引用者による）

一方、活気に溢れていた商業の街、比謝矼《ひじゃばし》の変化は、前記の軍隊の移動前から既に起こっていた。一九四四年（昭和一九）七月から球部隊が駐屯し始め、「字の事務所」は一個分隊、約一〇名の宿舎として、また読谷山村産業組合も兵隊の宿舎として使用された。「ウガン」と呼ばれる御嶽は、集落の守り神として信仰された聖地であるが、比謝矼では「湾ウガン」として守られてきたところに三角兵舎が建てられ、技術将校や通信関係者、運転を任務とする兵隊等の宿舎となった[86]。

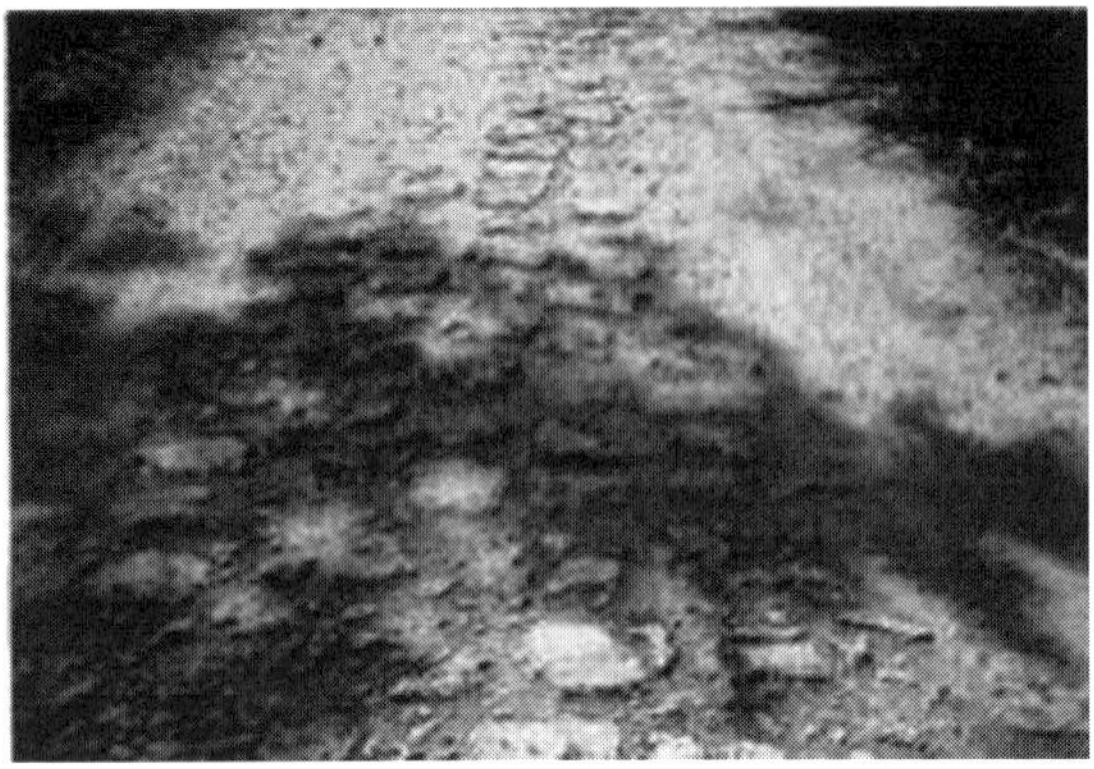

写真2　地盤が軟弱で、雨が降ると飛行機が動かせなかったため、「誘導路」には石畳を敷いた。今も伊良皆には、当時使われた石畳が残っている。（写真提供：読谷村）

そもそも比謝矼は、静かなたたずまいの比謝、大湾とは異なり、比謝川の港町として栄えていた。そこには、読谷と嘉手納の境になっている比謝橋がかかり、比謝橋のすぐそばまで山原船やポンポン船（発動機船）がやってきて横付けされた。国頭方面から運ばれてくる建築材や薪炭や竹類などが荷揚げされ、徳之島や沖永良部などからはポンポン船で牛などが運ばれてきた。比謝矼は、牛の陸揚げ場でもあり、沖縄各地から博労がやってくる牛市場がたつ賑やかな場所であった。牛馬の取引が盛んになり商店や飲食店などが繁盛した。また、戦前沖縄で最も重要な産業は、言うまでもなく製糖工業であったが、畜産業組合事務所の倉庫には村内の砂糖が集荷され、ここから荷馬車や船で那覇に運ばれていった。[87]大正初めに嘉手納砂糖工場が創設され、「那覇―嘉手納間の軽便鉄道」が敷かれると、それまで水路で運ばれていた農産物が陸路で輸送されるようになったが、家畜市場への仔牛類の運搬には従来通りに水路が使われていた。そのため、「県下の家畜（牛）の集散地」としての比謝矼の位置づけは変わらなかった。比謝矼は、牛市場・村産業組合や村営屠殺場はもちろん、雑貨店、材木屋、飲食店、馬車屋、菓子屋、金物屋、時計屋、染物屋、自転車屋、理髪屋、鍛冶屋、銭湯、医院などが並ぶ「商業地区」で、活気溢れる「読谷の表玄関」であった。[88]

ところが、既に一九四四年から一九四五年にかけて字内では、中学校在学生を除く若者の姿が見えなくなり、老人と女性ばかりになっていた。戦時体制で品不足の中、駐屯兵隊と商店街がそれぞれ支え合っているような関係が、比謝矼には形成されていた。風呂屋は昼は男女の入浴場全てを軍に提供し、民間は夜だけ解放したが、燃料は軍に助けてもらった。菓子は戦争中には贅沢品として見られていたが、菓子屋は軍に焼きまんじゅうなどを供給。染屋や洋裁屋なども、客はほとんど兵隊であった。[89]駐屯部隊が民家に宿泊することは北飛行場周辺の農業を営む字と変わりはないが、土地を持たず商業で生計を営む住民にとって、兵隊は日常生活を支える存在でもあり、また軍隊にとっても水と木に恵まれた環境で、字内の銭湯まで利用できるのは好条件であったといえる。比謝矼で目撃されている「慰安所」は、料亭のようなものであった。それは、たくさんの店が並ぶ大通りに位置していた〔図V〕。

比謝川付近に位置するこれら住民の生活空間における構造的な変化は、むしろ、全ての日本軍が読谷を去った後に起こっている。

「ウラムヒジャバシヤ、ナサケネンヒトヌ、ワンワタサトゥムティ、カキティウチュラ（恨む比謝橋や　情ないぬ人の　我身渡さともて　架けておきやら）」(90)

比謝橋は読谷と嘉手納の境を流れている比謝川にかかっている石橋で、中央部に三つの大アーチ、両端にそれぞれ小さいアーチがある五連続アーチ式の美しい橋であった。なお、この比謝橋は、かつて一七世紀琉球王朝時代の辻の女性で歌人の「吉屋チルー」が、那覇へ売られて行きながら歌った唄として有名である。吉屋チルーは、貧しさの故に七歳の時に遊郭に売られて行くが、その際、比謝橋を渡りながら、この歌を詠んだと言われる(91)。読谷に駐屯していた日本軍は、一九四五年二月以降は、飛行場関連部隊と賀谷支隊（独立歩兵第12大隊）第二中隊（機関銃1小隊属）のみが配置され、三月下旬には、すべての高射砲関係部隊は沖縄の南部に移動し、海軍部隊も同時期移動したとみられる(92)。「慰

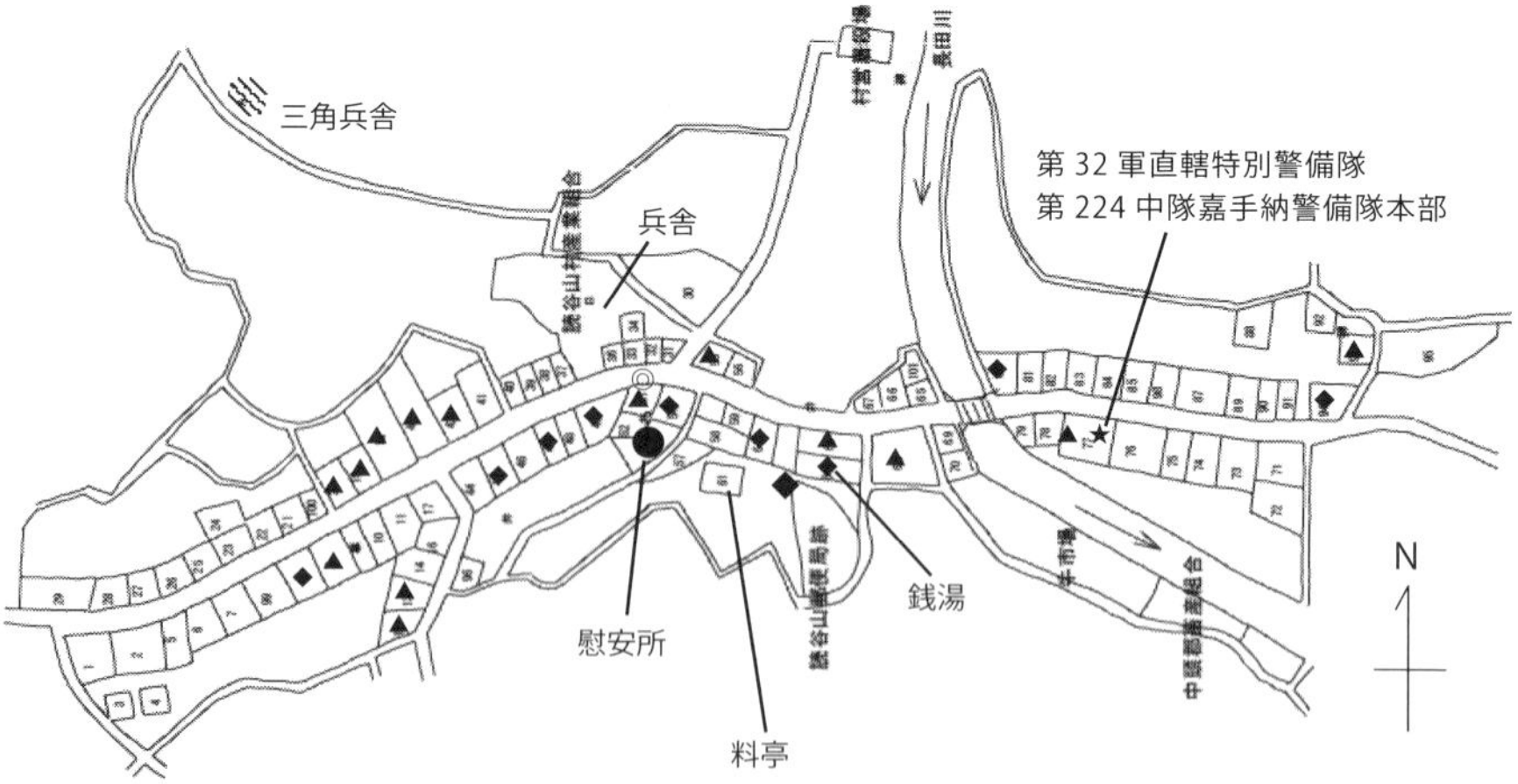

図Ｖ　比謝矼の日本軍「慰安所」マップ

●「慰安所」の場所　「慰安所」位置作成：洪玧伸
◎ 軍関連施設（医務室、経理事務所、炊事場など）　◆ 商店　▲宿舎
屋号地図・戦時状況：読谷村提供

安婦」もその時に日本軍と共に比謝橋を渡って南部へ移動した。

日本軍の遮蔽地だった比謝は、日本軍が去った後に村を占領した米軍により、東側は国道五八号を境に米軍の嘉手納飛行場のための弾薬庫地域として接収された。そのため住民は一部を除き他の地域に移住していった。また西側には牧原《まきばる》の人々が移り住んでいる。(93)

また比謝矼に住んでいた住民は、一九四六年に波平、一九四七年には大木《おおき》、楚辺と、読谷の中で居住が許可された他の字を転々としながら、米軍の処分所などから空きドラム缶を運び込み、切り開いて家の屋根に作り直したり、米軍の燃料補助タンクを運んで水入れにしたり、二つに割って木の枠を取り付けて船にしたりしながら旧地への復帰を待った。しかし再三にわってての陳情はかなえられず、結局、わずかに残った他の敷地を求めて移動し、生活基盤を固めるために集落を離れるしかなかった。住民は遂次大木に落ち着いた。一九五五年頃から旧比謝矼に移住する人もいたが、かつての「読谷の表玄関」として活気に溢れていた旧比謝矼は、その姿を失っていた。(94)

日本軍が移動した直後から米軍の上陸までの間、比謝川付近をはじめとするかつて「慰安所」があった地域の内部的な変化は、読谷に限らず、隣接の嘉手納の中飛行場の建設とあわせて考える必要がある。読谷に近接した嘉手納は、戦前から「嘉手納製糖工場」、また大山医院のような「近代化」された医療

写真3　戦前の比謝矼の様子。たくさんの店が並ぶ道沿いに「慰安所」が設置されていた。「慰安婦」たちは「性病検査」のため比謝橋を渡って嘉手納町にある大山医院まで行き来していた。

施設を持った地域であったため、読谷村の住民の生死にも深くかかわりを持っていた。特に、比謝川の「慰安婦」たちにとっても、性病検査などのために嘉手納の大山医院まで行き来するなど無関係な地域ではなかった。同時に、米軍の空襲から大型飛行機を保護するために、嘉手納近くの比謝など緑に囲まれた字に遮蔽地が設置された。次章では嘉手納の中飛行場の建設と共に変化してゆく住民の日常と「慰安所」について考えることにしよう。

さて、最後に住民の証言を通してみた「慰安所」が設置された集落の変容を念頭に、前述の『陣中日誌』の、「軍人倶楽部内部改築計画略図」を読み直そう。これまで述べたように、日本軍が南下していくなかでも「慰安所」は存在し続けた。

既存の研究では「慰安所」、特に朝鮮人の「慰安婦」が入れられた場所は山奥で人目を避ける形をとっていた点が、辻遊郭の女性たちを対象とする「慰安所」とは異なるという見方が強かった。私自身も長い間の「慰安所」調査の際、各々の字の文化を理解せず、こういう考え方、つまり、住民の目を意識したため朝鮮人「慰安婦」の「慰安所」が山奥に設置されたという従来の見方をそのまま受け入れたことがある。しかし、そうではない。

読谷において、当初、「慰安所」を設置する段階から、軍隊は住民のまなざしを意識していない。確かに朝鮮人「慰安婦」の「慰安所」は人目を避ける形で建てられた場合が多い。しかし、それは10・10空襲以降に宿舎が破壊されたことや、陣地構築が強化されて行く中で生じた軍の事情によるものであった。また、民家と離れてはいるものの、「慰安所」が建てられた場所は、村人の祈りの場や娯楽の場など、農業を営む住民の生活に最も密接な場所に設置されていた「慰安所」も存在しており、こうした空間は、たとえ村はずれに位置しているとしても、住民たちにとって最も重要な生活空間の一部であったことは見逃せない。

読谷の住民は軍民雑居の状況の中でこれらの「慰安所」が設置、拡大されてきた過程を見ていた。喜名や伊良皆の事例でみたように軍・民の雑居が進み、共同体の、文化と密接にかかわる場所、日常生活と密接にかかわる場所が「慰安所」になっていく。また、民家が「慰安所」として使われ、移動した軍隊の三角兵舎の中にも「慰安所」が設置されていく。さらに、緑豊かな比謝や商業の街比謝矼にも「慰安所」が存在した。特設第1連隊がほとんど全滅した山中でも、かつて自分たちの集落でみた「慰安婦」を、住民は見ている。10・10空襲以降、攻撃目標とされた「慰安所」や、「慰安婦」と共に住民の壕に逃げ込んだ兵士を追い出すという生々しい証言、こういう状況の中で、「慰安所」は依然として存在したのである。読谷の事例は、字における「慰安所」、特に民家を接収した形のものに関しては、そもそもどの場所がどのような生活空間であったのかを考える必要がある。

読谷駐屯部隊の『陣中日誌』によれば一九四四年一二月三一日の時点では、「慰安所」内部の部屋数は、二倍近くに増えている。それは何を意味しているのだろうか。

読谷の北飛行場は、一九四四年10・10空襲の被害にもかかわらず、台湾沖航空作戦に使われるほど補修されたが、一九四四年末には徐々に南部への移動が始まっている。住民証言と照らし合わせると、軍隊の数の増加によるものだったというよりも、むしろ、軍が南に向かう中で、既存の字の中でも設置していた形だけではなく、新たに三角兵舎や、米軍の空襲を避けた地域へ移動して設置。隣接する軍隊が複数利用した可能性の方が高いと考える。

既に述べてきたように、自らの手で日本軍が飛行場を破壊した三月以降は、ピーク時二万人を超えていた日本軍のほとんどは南部に移動しており、「慰安所」も同時に移動している。米軍上陸時には、戦闘能力をほとんど持たない防衛隊の多くを編成した特設第1連隊のみが読谷に残っていた。

「軍人倶楽部内部改築計画略図」の中の部屋数は、該当部隊が使用した「慰安所」の部屋数増加だけが強調されてはいけないだろう。むしろ、10・10空襲以降も「慰安所」が存在していた点、しかも、それらは既存の住民の生活空間と密接にかかわっていたために、住民側は好意的に見ていないにもかかわらず存在し続けていた点が重要である。

また、米軍上陸の直前に、「軍・官・民」一体の飛行場は破壊され、その時点で読谷地域の「保護」は放棄された。仮に住民の目を意識したために山奥に設置されたというのなら、それはむしろ住民に対する軍の意識が「慰安所の管理」とどのように結びついていたのかを問題視すべきではないだろうか。それは、さしあたり、戦闘が激しくなっていくにつれて変わっていく、住民たちの軍に対する批判的な視線の変化に対して、「慰安所」をはじめとする日本軍の設置した軍事施設に対する管理が強化されて行く、「防諜」との関連で考える必要がある。そこで、読谷から嘉手納近くに移動した「慰安所」や、嘉手納の飛行場設置過程で造られた「慰安所」を、軍がどのように管理しようとしたのかに注目することにする。

註

(1)「(琉球弧を記録する会による訳)「何時の間に来たのか分からないが、畑の十字路全部に赤旗が立てられた、赤旗。それで農民達はミーグルグル、ミーグルグルグル、「何だろう、何だろう」と。又、家に戻って来ても、『赤旗が立っているよ、赤旗が立っているよ』と。その後も皆畑に行っても手を組んだまま手ぶらで立って頭をひねりながら(何だろうと)考えていた。そして十字路の至る所でも農作業しながら皆集まっては話し合いをし、煙草も吸かしながら話をしていた。それから後になって、そこは飛行場を造るという話になってドゥーマングティ!(大騒動になった）もう字の集会、祝い所、法事の場所でも全部赤旗の話、赤旗。私の何処其処の畑は半分は残った、私の畑は免れた等と、もう免れたら大喜びだった。それから急激に飛行場建設が始まった。（省略）アベッ！女、男、全部、全部なんだよ、そうしてトロッコ、トロッコというのも貴方は分かるかな。トロッコに土を載せて（運ぶ物）。又、女性はバーキを担いで（それに）載せる仕事だった。それの一番の元は、恐ろしいのは国民総動員法、あれは恐ろしいことだよ。子供、大人、女性も全部出て戦いなさいという意味なんだよ、総動員。だって私達の妻達も松の皮を剥ぐ役目、それをさせられていたんだよ」（琉球弧を記録する会編『島クトゥバで語る戦世―一〇〇人の記憶』琉球弧を記録する会、二〇〇三年、一〇九―一一〇頁。）本書では、「島クトゥバ」により語られた証言に関しては、なるべく原文のまま引用し証言の訳を注に記すことにする。標準語政策がとられたといっても住民の日常で語られる会話すべてを禁じることはできなかった。沖縄戦の証言では、この禁忌視された言葉が、日本軍と米軍との間で行き場を失い、「絶命」の危機のなかで使われる場合が、しばしばある。当たり前のように使われて良いはずの言葉が禁じられ、また、「抵抗」の言葉として使われるこの構図は、「日本語」を強制された体験を持つ多くの人々と共有できる非常に重要な体験の一つであると考える。読者にとっては、不便であると考えるが、この「不便さ」が、むしろ、「島クトゥバ」を語る住民、特に、無学の年配の人にとってどのような意味であったのかを考えさせるものであると思う。

（２）読谷村役所『読谷村史』一九六九年、九五頁、角川日本地名大辞典編纂委員会『角川日本地名大辞典 47沖縄県』角川書店、一九八六年、一〇〇七―一〇〇八頁、『日本歴史地名大系第48巻　沖縄県の地名』平凡社地方資料センター、二〇〇二年、三七三頁参照。なお、自然描写に関しては読谷村史編集史室で小橋川清弘氏、豊田純志氏に長時間にわたる説明を頂いた。この場を借りて感謝を申上げたい。

（３）字楚辺誌編集委員会『字楚辺誌「戦争編」』字楚辺公民館、一九九二年、四九―五〇頁。

（４）『字楚辺誌「戦争編」』前掲書、五〇頁。

（５）防衛庁防衛研修所戦史室『沖縄方面陸軍作戦』朝雲新聞社、一九六八年、二六―二七頁。

（６）玉城裕美子「読谷山村への日本軍部隊配置」『読谷村史　第五巻（資料編４）―戦時記録（下巻）』読谷村役場、読谷村史編集委員会、二〇〇四年、二五頁。

(7) 喜名誌編集委員会『喜名誌』喜名公民館、一九九八年、三四二―三四三頁。

(8) 『旧軍那覇飛行場等の用地問題事業可能性調査　報告書』南西地域産業活性化センター、二〇〇七年三月、四頁。

(9) 大城将保「第32軍の沖縄配備と全島要基化」『沖縄戦研究Ⅱ』前掲書、一〇八―一〇九頁参照。

(10) 全国女性史研究会交流のつどい「報告集」編集委員会『第五回全国女性史研究会交流のつどい報告集』全国女性史研究会交流のつどい実行委員会、一九九四年、二六頁。本資料では、喜名と比謝矼を、喜納と比謝橋としているが地名間違いのため訂正して引用した。

(11) 小橋川清弘「女たちの戦争体験」『読谷村史　第五巻（資料編4）―戦時記録（上巻）』三四五頁。

(12) 玉城裕美子「読谷山村への日本軍部隊配置」『読谷村史　第五巻（資料編4）―戦時記録（下巻）』前掲書、二九―四二頁。

(13) 玉城裕美子「読谷山村への日本軍部隊配置」『読谷村史　第五巻（資料編4）―戦時記録（下巻）』前掲書、二七頁。

(14) 玉城裕美子「読谷山村への日本軍部隊配置」『読谷村史　第五巻（資料編4）―戦時記録（下巻）』前掲書、二八頁。

(15) 『要塞建築勤務第六中隊北飛行場五六飛大派遣重信班　陣中日誌』昭和一九年一二月二七日。

(16) 『要塞建築勤務第六中隊北飛行場五六飛大派遣重信班　陣中日誌』昭和一九年一二月三〇日。

(17) 『要塞建築勤務第六中隊北飛行場五六飛大派遣重信班　陣中日誌』昭和二〇年一月一日―一月一一日。

(18) 『要塞建築勤務第六中隊北飛行場五六飛大派遣重信班　陣中日誌』昭和二〇年一月一二日。

(19) 土帝君（とぅーてぃーくー）とは、土地神の一つで「部落」の陰陽両界の守り神とされる。親志では、田舎に下った首里士族が土帝君神を勧請して、拝んでいた。親志の旧集落は嘉手納弾薬庫地域として接収された。そのため土帝君は、戦後、元集落の小高い丘から、現在の公民館の北側の松林の中に移した後、一九八九年一〇月、元の場所に戻した。（『読谷村史　第四巻（資料編3）読谷の民俗―補遺及び索引』読谷村史編集委員会、一九九八年、九―一〇、二〇二頁参照）

(20) 「字親志」『読谷山村の各字戦時概況図及び屋号等一覧表』『読谷山村の各字戦時概況図及び屋号等一覧表』「読谷村史　第五巻（資料編4）―戦時記録（上巻）附録」、読谷村史編纂委員会、二〇〇二年、一五頁。

(21) 小橋川清弘「字概況―親志」『読谷村史　第五巻（資料編4）―戦時記録（上巻）』前掲書、一一三―一一五頁参照。

(22)『要塞建築勤務第六中隊北飛行場五六飛大派遣重信班　陣中日誌』昭和二〇年一月一二日―一五日。
(23)大城将保「第32軍の沖縄配備と全島要塞化」『沖縄戦研究Ⅱ』前掲書、九九頁。
(24)『要塞建築軍務第六中隊陣中日誌』昭和一九年六月一日―六月三〇日。
(25)『要塞建築勤務第六中隊読谷山・美里分遣金丸班　陣中日誌』昭和一九年七月分。
(26)『要塞建築勤務第六中隊読谷山・美里分遣金丸班　陣中日誌』昭和一九年七月二四日。
(27)『要塞建築勤務第六中隊北飛行場五六飛大派遣重信班　陣中日誌』昭和一九年九月二六―九月二七日。
(28)『要塞建築勤務第六中隊北飛行場五六飛大派遣重信班　陣中日誌』昭和一九年九月二六日。
(29)古賀徳子「第8節日本軍慰安所関連資料」『沖縄県史資料編23　沖縄戦日本軍資料　沖縄戦6』二〇一二年、七七五頁：この資料集は、従来、沖縄戦における住民の記憶の収集、米軍の沖縄戦関連資料の編さんに取り組んできた沖縄県が、日本軍側の『陣中日誌』の中から沖縄戦の状況を深く理解するための記述を収めたものである。筆者のように個人で、「防衛省研究資料」を探すのは何年もの時間と努力を要するものである。筆者自身、史料発掘だけでなく『陣中日誌』のなかの判読不可能な漢字などに悩まされてきた。本資料集は、既存の先行研究を踏まえたほとんどすべての「慰安所」関連部分が収録されており、本書で取り扱っていない史料も多数掲載し、しかも新漢字に直して掲載されている。今後の研究者にとっては欠かせない道案内になると考える。秘密戦や、防諜関連資料、ハンセン病関係史料など、沖縄戦の本質を理解するための重要な一次資料も紹介されている。参照されたい。
(30)「字高志保」『読谷山村の各字戦時概況図及び屋号等一覧表』前掲書、六三―六九頁。
(31)大城英三郎「字概況　高志保」『読谷村史　第五巻（資料編4）―戦時記録（上巻）』前掲書一五五頁。
(32)大城英三郎「字概況　高志保」『読谷村史　第五巻（資料編4）―戦時記録（上巻）』前掲書、一五五―一五六頁。
(33)小橋川清弘「字概況　波平」『読谷村史　第五巻（資料編4）―戦時記録（上巻）』前掲書、一三七頁。
(34)「第3章　政治行政」『読谷村史』前掲書、八六頁。
(35)『読谷村史　第五巻（資料編4）―戦時記録（上巻）』前掲書、九七―一〇一頁。
(36)『読谷村史　第五巻（資料編4）―戦時記録（上巻）』前掲書、一四五頁。

(37) 渡嘉敷兼保「各字概況　喜名」『読谷村史　第四巻（資料編3）―読谷の民俗（上巻）』前掲書、二五、二九頁。

(38) 渡久山朝章「第1節交通・運輸」『読谷村史　第四巻（資料編3）―読谷の民俗（上巻）』前掲書、五六九―五七〇頁。

(39) 渡久山朝敬「第5節商業：四・マチヤ（店）1・喜名」『読谷村史　第四巻（資料編3）―読谷の民俗（上巻）』、前掲書、五一四頁。

(40) 喜名誌編集委員会『喜名誌』喜名公民館、一九九八年、三四三頁。

(41)「終戦直前から直後までの記録（玉城辰雄、一九三三年生）」『読谷村史　第五巻（資料編4）―戦時記録（下巻）』前掲書、七八〇―七八一頁。

(42) 国場幸吉伝記刊行会『国場幸吉伝』若夏社、一九八六年、一〇三頁。

(43) 宮平良秀「字概況　喜名」『読谷村史　第五巻（資料編4）―戦時記録（上巻）』前掲書、一〇六頁。

(44) 本書では詳しく触れないが、八重山地区にも「慰安所」が存在した。石垣島《いしがき》には、海軍石垣島北飛行場（平喜名飛行場・ヘーギナ飛行場）陸軍石垣島飛行場（白保飛行場）、海軍石垣島南飛行場（平得飛行場）の建設が進められ、地元の住民はもちろん沖縄本土からの労働力や、朝鮮人軍夫たちの労働力動員が行われていた。「八重山列島防衛作戦」の狙いは、石垣島、竹富島を主力に石垣島のこれらの飛行場を防衛する傍ら、堅固な陣地に拠って長期持久戦を展開することにあった。八重山地区で飛行場建設が進められた石垣島には、六カ所の「慰安所」が大田静男などの努力によって明らかにされている。また、竹富に属する島、西表《いりおもて》島にも護郷隊本部が置かれた祖納《そない》や、憲兵隊事務所があった白浜《しろはま》に「慰安所」が存在した。同じく西表の一部である離島、内離《うちばなり》島にも二か所の「慰安所」があった。さらに、小浜《こはま》島にも部落の近くに二カ所の「慰安所」があり、住民から建築に必要な畳を収集し、学校の床板をはぎとって作ったと証言されている。詳しくは、大田静男の以下の書籍を参照されたい。（大田静男『シリーズ・八重山に立つ№1　八重山の戦争』南上舎、一九九六年）

(45) 宮平良秀「字概況　喜名」『読谷村史　第五巻（資料編4）―戦時記録（上巻）』前掲書、一〇四―一〇七頁。

(46)『喜名誌』前掲書、三四九頁。

(47)「座談会　読谷戦記―太平洋戦争のあとさき」『読谷村史』前掲書、二七三頁。

(48)『喜名誌』前掲書、三四八頁。
(49)小橋川清弘「女たちの戦争体験」『読谷村史　第五巻（資料編4）―戦時記録（上巻）』前掲書、三五一―三五二頁。
(50)宮城元信・泉川良彦「第1節　聖地：5・ノロ殿内」『読谷村史　第四巻（資料編3）―読谷の民俗（下巻）』読谷村史編集委員会、一九九五年、二五頁。
(51)野村正弘「第1節　競技」『読谷村史　第四巻（資料編3）―読谷の民俗（下巻）』前掲書、四四五―四四六頁、四五五―四五六頁参考。ちなみに喜名の闘牛も綱引きも、戦後は途絶えていった。（読谷村史編集委員会『読谷村史　第四巻（資料編3）―読谷の民俗（上巻）』前掲書、三〇頁）
(52)大城将保「第32軍の沖縄配備と全島要基化」『沖縄戦研究Ⅱ』前掲書、一〇七頁。
(53)宮平良秀『戦場の村』沖縄自分史センター、文進印刷株式会社、一九九一年、三六頁。
(54)『戦場の村』前掲書、一九九一年、四三頁。
(55)『戦場の村』前掲書、一九九一年、四六頁。
(56)『戦場の村』前掲書、一九九一年、五四―五七頁参照。
(57)比嘉陸「第1節　読谷山村における沖縄戦」『読谷村史　第五巻（資料編4）―戦時記録（上巻）』前掲書、八九頁。
(58)『沖縄方面陸軍作戦』前掲書、二六九―二七二頁。
(59)『沖縄方面陸軍作戦』前掲書、二七三頁。
(60)『喜名誌』前掲書、三五六頁。
(61)『喜名誌』前掲書、三五六―三五七頁。
(62)『喜名誌』前掲書、三七一頁。
(63)『喜名誌』前掲書、三五六―三五七頁。
(64)『喜名誌』前掲書、三七二―三七三頁。
(65)「八幡製鉄所でアメリカ人捕虜と（新垣正市・一九二三年生）」『読谷村史　第五巻（資料編4）―戦時記録（下巻）』前掲書、五一四頁。
(66)「八幡製鉄所でアメリカ人捕虜と（新垣正市・一九二三年生）」『読谷村史　第五巻（資料編4）―戦時記録（下巻）』

前掲書、五一三―五一六頁。そもそもナガサク壕は日本軍の通信施設になっていた壕が日本軍の退却後、民間人の避難壕となっていたものである。壕内には日本軍が置いて行った通信施設や食糧、日本刀などがあった。空襲で投げ込んだ兵隊と「慰安婦」を追い出した翌日、日本軍が再びナガサク壕に来て、壕を焼き払う。新垣正市らは、壕が焼き払われたため一晩を他のところに過ごし、それでもナガサク壕に戻った方が安全と思い戻った先で米軍に壕を見つけられている。追い詰められた住民の間に「集団自決」の話が出たが、新垣正市が八幡製鉄所でアメリカ人と仕事をした経験を通して住民を説得。無事に米兵に保護された。機関銃を持った四〇人の米兵の中に喜名出身の二世がいて、「ここは私の部落だから、ここの民間人は絶対に殺してはいけない」とアメリカ兵に言っていたという。

(67)『喜名誌』、前掲書、二七〇―二七一頁。

(68)『喜名誌』前掲書、二六七頁、『読谷村史 第五巻資料編4―戦時記録(上巻)』前掲書、一〇〇頁。

(69)『喜名誌』、前掲書、三五八―三五九頁。

(70)『戦場の村』前掲書、八四―八五頁。

(71)『読谷村史 第四巻(資料編3)―読谷の民俗(上巻)』前掲書、四二頁、『角川日本地名大辞典47―沖縄編』前掲書、五四六―五四七頁参照。

(72)伊波勇一「字概況 伊良皆」『読谷村史 第五巻(資料編4)―戦時記録(上巻)』前掲書、一二四頁。

(73)小橋川清弘「字概況 親志」『読谷村史 第五巻(資料編4)―戦時記録(上巻)』前掲書、一一三―一一五頁。

(74)読谷村史編集委員会『読谷村史 第五巻(資料編4)―戦時記録(上巻)』前掲書、一〇六頁。字楚辺編纂委員会『楚辺誌―「戦争編」』前掲書、四七―四八頁参照。

(75)読谷村史編纂委員会『読谷山村の各字戦時概況図及び屋号等一覧表』前掲書、三三―三九頁。

(76)上地正勝「第2節 娯楽―3・伊良皆」『読谷村史 第四巻(資料編3)―読谷の民俗(下巻)』前掲書、四七七頁。

(77)全国女性史研究会交流のつどい実行委員会『第5回全国女性史研究会交流のつどい報告集』前掲書、二六頁。

(78)伊波勇一「字概況 伊良皆」『読谷村史 第五巻(資料編4)―戦時記録(上巻)』前掲書、一二五頁。

(79) 小橋川清弘「字概況　比謝」『読谷村史　第五巻（資料編４）—戦時記録（上巻）』前掲書、二一二頁。
(80) 泉川良彦「各字概況　大湾」『読谷村史　第四巻（資料編３）—読谷の民俗（上巻）』前掲書、一〇三頁、宮城元信「字概況　大湾」『読谷村史　第五巻（資料編４）—戦時記録（上巻）』前掲書、二一七頁参照。
(81) 読谷村史編纂委員会『読谷村史　第五巻（資料編４）—戦時記録（上巻）』前掲書、二一三、二一八頁。
(82) 小橋川清弘「字概況　比謝」『読谷村史　第五巻（資料編４—戦時記録（上巻）』前掲書、二一五—二一六頁。
(83) 風部隊と那覇分廠の陣地跡、亀地橋や周辺の様子は以下の書籍で確認することが出来る。（読谷村役場『読谷村の戦跡めぐり』読谷村史編集室、二〇〇七年、八一—八二頁）
(84) 大城将保「第32軍の沖縄配備と全島要塞化」『沖縄戦研究Ⅱ』前掲書、一〇九頁。
(85) 「字比謝」『読谷山村の各字戦時概況図及び屋号等一覧表』前掲書、一三七頁。
(86) 「字比謝矼」『読谷山村の各字戦時概況図及び屋号等一覧表』前掲書、一六一頁。
(87) 宮城傳三郎「字概況　比謝矼」『読谷村史　第四巻（資料編３）—読谷の民俗（上巻）』前掲書、一一四—一一五頁、宮城傳三郎「字概況　比謝矼」『読谷村史　第四巻（資料編３）—読谷の民俗』前掲書、一〇七頁。
(88) 宮城傳三郎「字概況　比謝矼」『読谷村史　第五巻（資料編４）—戦時記録（上巻）』前掲書、二三六頁参考。
(89) 読谷村史編纂委員会『読谷村史　第五巻資料編４—戦時記録（上巻）』前掲書、二三九—二四〇頁。
(90) 「歌意：恨《うら》めしい比謝橋《ひじゃばし》は情《なさけ》ない人が、私を渡《わた》そうと思って架《か》けておいたのでしょうか、そうだ、きっとそうに違いない」（『読谷の先人たち』読谷村役場、二〇〇五年、七〇頁）。『読谷の先人たち』では和文の後に沖縄の「島クトゥバ」を括弧で記述し、歌意順に記述しているが、本書では「島クトゥバ」との順序を変えて引用、歌意は注に引用した。
(91) 嘉手納町史編纂委員会「第一部　社会と村落」『嘉手納町史（資料編２）—民俗』嘉手納町役場、一九九〇年、八四頁参照。
(92) 玉城裕美子「読谷山村への日本軍部隊配置」『読谷村史　第五巻（資料編４）—戦時記録（下巻）』前掲書、二〇—四三頁、大城将保「第32軍の沖縄配備と全島要塞化」『沖縄戦研究Ⅱ』前掲書、一〇六—一〇九頁参照。
(93) 石嶺伝夫「字概況　比謝」読谷村史編集委員会『読谷村史　第四巻（資料編３）—読谷の民俗（上）』前掲書、

九七頁。

(94) 宮城傳三郎「字概況　比謝矼」『読谷村史　第五巻（資料編4）―戦時記録（上巻）』前掲書、二四六頁。（比謝川もせきとめ清流も見られなくなった。比謝橋がかかった読谷と嘉手納の境を流れている比謝川の絶景は、「沖縄の耶馬渓」と呼ばれ「沖縄八景」の一つとされた。戦後まで残っていた比謝川にかかっていた名橋の比謝橋も、一九五三年、米軍の旧一号線（現在の国道五八号）の拡張工事の際に取り除かれコンクリート造橋となった。現在は、「吉屋チルー」の歌碑のみが残っている。宮城傳三郎「字概況　比謝矼」『読谷村史　第四巻（資料編3）―読谷の民俗（補遺及び索引）』前掲書、一〇八―一一〇頁参照）。なお旧字への復帰状況に関しては以下の史料参照。（『読谷村史　第五巻（資料編4）―戦時記録（上巻）』前掲書、一〇一頁）

第5章　日本軍の補助飛行場から「太平洋の要石」となった嘉手納

1．嘉手納「中飛行場建設」と住民

日本軍の中飛行場が設営された北谷《ちゃたん》村（現在の嘉手納町・北谷町）は、そもそも屋良《やら》、嘉手納《かでな》、野里《のさと》、野国《のぐち》、砂辺《すなべ》、浜川《はまがわ》、平安山《あんざん》、伊礼《いれい》、桑江《くわえ》、伝道《りんどう》、玉代勢《たまよせ》、北谷の一二の字で成立していた中頭郡の中心村であった。現在、嘉手納というと地域の八三％が米軍基地化され、住民は一七％の土地での生活を強いられている現状から、「米軍基地の町」を指す代名詞のようになっている。しかし、戦前の嘉手納は北谷村に存在した一二の大字の中の一つで、比謝《ひじゃ》川を境に読谷へ繋がる六〇世帯くらいの農業中心の集落であった[1]。また、近世後期、貧窮士族が首里を出て地方へ都落ちし、人里離れた地に小屋掛けして荒蕪地を開墾し農業を営んだ。その集落を屋取《やどうい》というが、北谷はこうした屋取が多い地域でもあった[2]。

北谷の変貌は一九四四年四月、陸軍沖縄中飛行場（以下、嘉手納中飛行場）の建設のために北谷の大字、屋良（現在嘉手納町、東を含む）、嘉手納、野里（現在の嘉手納町、国直《くになお》を含む）、野国、国直にまたがる約四七万三一七〇平方メートルが強制接収されたことから始まる。住民には嘉手納飛行場とも屋良飛行場とも呼ばれていた嘉手納中飛行場は、規模においては東洋一の飛行場を目指した伊江島の飛行場や、三本の滑走路を持つ読谷《よみたん》の北飛行場より小さく、一本の単線滑走路のみで、読谷飛行場の補助飛行場として位置付けられたものであった[3]。

伊江島《いえ》と読谷の飛行場が、第32軍の創設前から地元の土建会社国場組によって新設が始まり、第32軍の創設後に軍民一体の急速設定が展開されたのに対し、嘉手納の中飛行場は、第32軍の「十号作戦準備要綱」に基づいて行われた陸軍飛行場であった。従って、最初から軍民一体の労働力提供による建設作業が行われ、補助飛行場であった嘉手納の中飛行場は五月初旬に着工し、九月末には一応の完成をみている。地元の国場組には、これらの作業が開始された後、滑走路の重要部分を分担させる形を取っている。

前述したように10・10空襲以降は、読谷の北飛行場から多くの部隊が比謝や比謝川沿いに移動し、北飛行場の戦闘機の遮蔽地として位置づけられ、「誘導路」と呼ばれ、道の拡張が行われるなど、周辺は軍隊の密集する地域となっていた。同じく比謝川を渡って広がる嘉手納飛行場も、途中から補助飛行場として小型飛行機が離着するだけでなく、読谷の嘉手納基地の大型機を隠匿する駐機場としての役割を果たしている(4)。

そして一九四五年三月三〇日、読谷の北飛行場と共に日本軍自らの手で破壊、日本軍の飛行場としての役割を終えた。沖縄戦で米軍の上陸地点となった北谷の村内は破壊しつくされ、その上、村内の大部分の土地が米軍用地となり、米軍の嘉手納飛行場となっていった。米軍の嘉手納飛行場は村を二分するようにして建設され、村行政に支障をきたしたため、一九四八年、現在の嘉手納基地を中心に北側の野里の一部と野国・屋良・嘉手納が嘉手納村となり、嘉手納基地の南側は北谷村として分離、二分された。現在、「基地の町」として知られる嘉手納町の誕生には、こうした日本軍から米軍の基地へ変わった飛行場の歴史が横たわっている(5)。

これらの町の変動を「慰安所」を切り口にして考えるといかなる動きが見えるのだろうか。

一九四四年五月から始まった嘉手納の中飛行場の建設は、伊江島に本部を持つ田村飛行場大隊長が派遣された第50飛行場大隊の中飛行場「設定隊」（安田中尉以下一五〇人。以下、設営隊とする）と、要塞建築勤務隊第6中隊（一四〇人）の混成であった。七月中旬からは独立混成第44旅団主力、独立第15連隊主力が、九月には嘉手納飛行場と読谷飛行場を兼務で派遣されたのが第24師団の主力戦闘部隊が飛行場設定作業に加わった。(6)

「慰安所」の投入を切り口に考えると、そもそも第50飛行場大隊は、伊江島の起工式において繰り返し、「軍紀風紀」を強調した田村飛行場大隊長が「慰安所」建設を急ぎ、その建築を要塞建築勤務隊第6中隊が果たしてきた。そして、要塞建築勤務隊第6中隊は、この嘉手納飛行場から読谷の北飛行場に派遣され、「軍人倶楽部」の改築、拡大をした経歴を持つ。また、読谷の北飛行場におかれた「慰安所」に関する住民の証言と『陣中日誌』を照らしあわせて考えると、10・10空襲以前に、主力戦闘部隊の参入と共に読谷における「慰安所」建設が加速された可能性があることは、述べてきたとおりである。嘉手納における飛行場設営隊は、その編成自体が、このような「慰安所」建設を急いだ伊江島の派遣隊であり、その後駐屯した部隊は全て読谷の北飛行場設定と任務を兼務する部隊でもあった。

当然、嘉手納の中飛行場にも、設営工事と共に「慰安所」が建てられている。住民の証言や『陣中日誌』の記録から明らかになった、北谷に存在した「慰安所」は、嘉手納の二カ所と、下勢頭《しもせいど》に一カ所、桑江《くえー》ヌ前《ぬめー》に二カ所である。サイパン陥落後、八月になると中国戦線から地上戦部隊、第62師団（通称：石部隊）が沖縄に到着した。第62師団は第9師団と第24師団の中間地区に配置されて沖縄島南半分が強化された。(7)第62師団は師団司令部を浦添に置き、「石部隊」の歩兵第64旅団本部を普天間以北の美里小学校に、「石部隊」の歩兵第63旅団本部を普天間以南の浦添に置いた。この地上戦部隊まで加わり、浦添、北谷、読谷までに広がる航空基地の工事が加速化されたのである。「石部隊」の部隊が建てた「慰安所」は、嘉手納「中飛行場」、読谷「北飛行場」、浦添の「仲西飛行場」との連結地域に散在している。その点で、嘉手納中飛行場に置かれた飛行場と、これらの「慰安所」がいかに連動しているのかを視野に入れて考える必要がある。

ここではまず嘉手納大通りにおかれた朝鮮人「慰安所」の事例を通して、「慰安所」と住民の生活の変化を考えてみよう。また、浦添と嘉手納の中間に位置している北谷の集落桑江ヌ前《くえーぬめー》を中心に、嘉手納中飛行場におかれた「慰安所」の展開を、軍隊の移動と他地域との連携を中心に考えることにする。

2. 嘉手納大通りの「慰安所」と公然／秘密

読谷から比謝川を渡ると小さい農業の町、嘉手納に入る。嘉手納の村内《むらうち》は農業で生計をたてていた。また一九四四年当時、字嘉手納に属していた嘉手納大通りには、中頭郡を管轄する嘉手納警察署や、銀行、郵便局、登記所、嘉手納製糖工場、県立第二中学校、県立農林学校、農業協同組合、医院など主な公共施設が設置されていた。特に一九二二年の開通以来、県営鉄道嘉手納線の終点でもあったため、交通の要所として賑わいを見せていた。字嘉手納は、嘉手納大通りと共に中頭随一の都会として栄えたところであった。(8)

この街の賑わいに戦雲が漂ったのは、日中戦争勃発の直後にさかのぼる。嘉手納駅は、読谷の各字から召集された兵隊や見送りの人々であふれていた。「勝ってくるぞと勇ましく」「我が大君に召されたる」などの軍歌を歌いながら日の丸の小旗を持ち、太鼓を叩きながら行進する応召兵やそれを見送る人々の行列が、行進するうちに他の字の団体とも合流し、読谷から比謝橋を渡り嘉手納駅まで続いたのである。(9)

飛行場の設営が進む一九四四年になると、街には、北飛行場を飛び立つ日本軍飛行機の姿が目につくようになる。一九四四年、嘉手納中飛行場の建設のために日本軍が駐屯し始めると、嘉手納の県立農林学校には球部隊の司令部が置かれ、屋良国民学校には糧秣貯蔵庫、製糖工場には暁部隊が次々と駐屯し、多くの小型戦車がおかれるようになった。

嘉手納の小字水釜《みずがま》出身で、当時、首里の県立第一中等学校の生徒であった奥間偉功（一九二八年生）は当時、「頭上を飛び去る飛行機を見ては『あれは戦闘機の飛燕《ひえん》だ、ゼロ戦だ、疾風《はやて》だ』とか、『あれは爆撃機の一式陸攻だ、呑龍《どんりゅう》だ、飛竜《ひりゅう》だ』と言い合っては、その雄姿に一種の憧れと、日本人としての誇りを抱いたりもしていた」と語る。隣接する二つの飛行場（北、中飛行場）から飛行帽、飛行服に身をかためた凛々しい少年飛行兵の姿が目につくようになり、また嘉手納に駐屯する陸軍部隊（山部隊、球部隊、風部隊、暁部隊）の兵隊や、騎馬将校、将校専用車等が普段も行き交うようになった。これらの部隊は、屋良《やら》国民学校、県立農林学校、古堅《ふるげん》国民学校や栄橋周辺、比謝川両岸の仮設兵舎に駐留していた。こういう状況の中で「何しろ毎日頭上を飛び交う新鋭機を見て、子供心にも大空への夢を持ち、ある程度の知識も持っていた」のである。(10)

奥間は、日本兵と雑居状態となった嘉手納から首里まで汽車で通学したが、ほとんど勉強はできず、学徒動員されて那覇埠頭での軍需物資の荷揚げ作業や、軍用トラックで航空燃料のドラム缶、二百キロ爆弾を運ぶ作業に従事した。埠頭から、普天間を通り越来《ごえく》村字上地《うえち》の中飛行場寄りの松林にドラム缶を収めたり、知花《ちばな》集落の民家のアサギや家畜小屋に爆弾を収納したりしたという。奥間自身、軍隊の移駐に従って「慰安所」（現在のロータリーの中央辺りの北側）が設置されていたことも記憶している。壕掘りの重労働の中、通学の汽車の中は、学徒動員に疲れて寝込む場所ともなっていった。それでも、当時は、日本兵に対して強い反感をもっていなかった。

奥間の住む水釜集落に隣接する沖縄最大の沖縄製糖会社嘉手納工場は、船舶隊暁部隊の本部となり、離島や沖縄本島各地の軍事基地への軍需物資の輸送で、現在の漁港を中心に、比謝川河口が舟艇の往来でにぎやかになった。また、敵機来襲に備え、比謝川両岸には、舟艇の避難壕や土手が築かれ、海上特攻艇の避難壕が掘られた。民家の瓦葺きの大きな家が部隊の事務所や将校の宿舎として接収され、家庭では兵隊と雑居を余儀なくされ、家人は台所やアサギに追いやられてしまうということも起きた。日々、十分ではない食糧のため、芋や豆腐を求める兵隊は、上等兵に見つかると厳しい体罰を受けたが、住民はむしろ同情的であった。出征兵を送り迎える嘉手納の街は、こうした日本兵に対して「自分達の出征している親、兄弟を偲んで、涙ぐんだ」ほどであったのである。(11)

主な学校や施設が軍に接収され、大きな民家を軍が宿泊施設として利用する「雑居」の状況は、軍官民一体の飛行場建設が行われた地域に共通的に見られるものである。そして、これらの「雑居」状況に対する日本軍の注意項目の中で、数多く共通するのが「軍紀、風紀」に対する項目であった。

「作業ノ特性上地方人ト近接度拡大スルニ当タリ特ニ軍紀風紀ニ注意シ忌シキ汚名ヲ受ケザル様注意スルコト」(12)

第50飛行場大隊の中飛行場設定隊の責任者安田中尉は、伊江島に本部を持つ田村飛行場大隊長の命令によって嘉手納に派遣された。そして一九四四年五月七日、嘉手納飛行場の起工式において上記のように風紀問題に言及している。嘉手納の街内と嘉手納通りにいつから「慰安所」が設置されたのか、その日にちは明確ではない。しかし同じ日に、伊江島の安田中尉を嘉手納中飛行場に派遣した第50飛行場大隊の田村眞三郎隊長が、伊江島の東飛行場で起工式を行い、「一時ノ性欲ニ駆レテ一般婦女子ト性交ヲ交エ、或ハ之ニ性交ヲ迫ルコトヲ許サズ」[13]ということを強調し、その後、要塞建築勤務隊第6中隊による「慰安所」建設を急がせたことから考えると、嘉手納の中飛行場における「慰安所」建設も、伊江島と同様、飛行場建設作業に際して住民の絶対的な労働力や供出が必要な状況の中で、軍隊による「汚名」を回避する名目で建てられたと考えられる。

そして、出征兵士の行進の場であり、一般兵に対する同情心の強い字嘉手納と嘉手納大通り沿いに「慰安所」が置かれた。

福地曠昭が『哀号・朝鮮人の沖縄戦』（一九八六年）で述べる嘉手納地域の「慰安所」の聞き取り調査結果は、『嘉手納町史（資料編2）民俗資料』（一九九〇年）に見られる街の様子を描いた地図や、『嘉手納町史（資料編5）戦時資料』（二〇〇〇年）の証言と照らしても、相当部分が一致している。

「当時の嘉手納駅から県道三叉路の大通りの、大きなかわら葺きの民家を借りて、七～八人の朝鮮人慰安婦がいた。戦前、嘉手納は北谷村であった。そこには兵隊がいつも列をなして並んでおり、ここを通る屋良国民学校生らが、朝鮮ピーがいると好奇心をそそいでいた。彼女たちは、男手のない民家に、ときどき唐辛子をもらいにくるぐらいのもので、めったに外出しなかった。嘉手納駅のすぐ向いの十字路、現町役場東側（今は軍用地）にも慰安所があって、午後四時ごろ、生徒がちょうど学校帰りの時間に兵隊が並んで公然たるものであった。もうひとつは、現在の嘉手納七二番地の屋敷内に、軍が三十坪のバラック一棟を建てて慰安所としていた。十人の朝鮮人慰安婦がここにいた。部屋が五つに仕切られ、軍服姿で兵隊が屋敷内をはみだし、道にまであふれていた。とくに日曜日には二十～三十人の兵隊で賑わって異様な状況であった。この慰安所の前が銭湯のため、一般の村民は兵隊たちと顔を合せていた。料亭のように酒も飲ませており、夜遅くまで兵隊たちが三味線の音に合わせて歌っていた。未だ明るく、夜が訪れるころまでは、将校たちの出入りときまっていた。彼女らは決して外に出なかった。外からのぞかれないように高いブロック塀で慰安所のまわりを囲んでいた(14)」

このように福地は、県道三叉路の大通りに大きなかわら葺屋（七人〜八人）と、十字路付近の「民家」を借りる形で朝鮮人の「慰安婦」が入れられていた「慰安所」、また、七二番地の屋敷内に建てられた「バラック」に朝鮮人「慰安婦」（一〇人）が入れられたというこの調査内容は、民家であれバラックであれ、この地域におかれた朝鮮人「慰安婦」の「慰安所」が、兵隊にとっては「公然たるもの」であったことにもかかわらず、「慰安婦は決して外に出なかった」調査結果をまとめている。

上記の証言で福地のいう「嘉手納七二番地」は「嘉手納七一一番地」の誤字と見られる。『嘉手納町史（資料編2）―民俗資料』（一九九〇年）には、沖縄戦当時の嘉手納大通りの屋号が全て調査され配置図として掲載されている。上記の証言と嘉手納大通りの屋号、そして、現在の嘉手納の「番地数(15)」を照らしあわせると、福地のいう「嘉手納七二番地」は、「アサヒ湯」の手前にある「七一一番地」屋敷に間違いない。そして、『嘉手納町史（資料編2）―民俗資料』の「嘉手納大通りの図」は、当時、ここに設置された「慰安所」がいかに住民の生活空間に密接したもので、福地の表現は「公然たるもの」として「慰安所」の使用が行われたことを物語る。

このような嘉手納の状況に対し、古賀徳子は、九二年「慰安所マップ」の主張、つまり、「沖縄に慰安所を開設した日本軍は、人目につく集落内や繁華街の慰安所には沖縄の女性（辻のジュリや料亭、旅館など

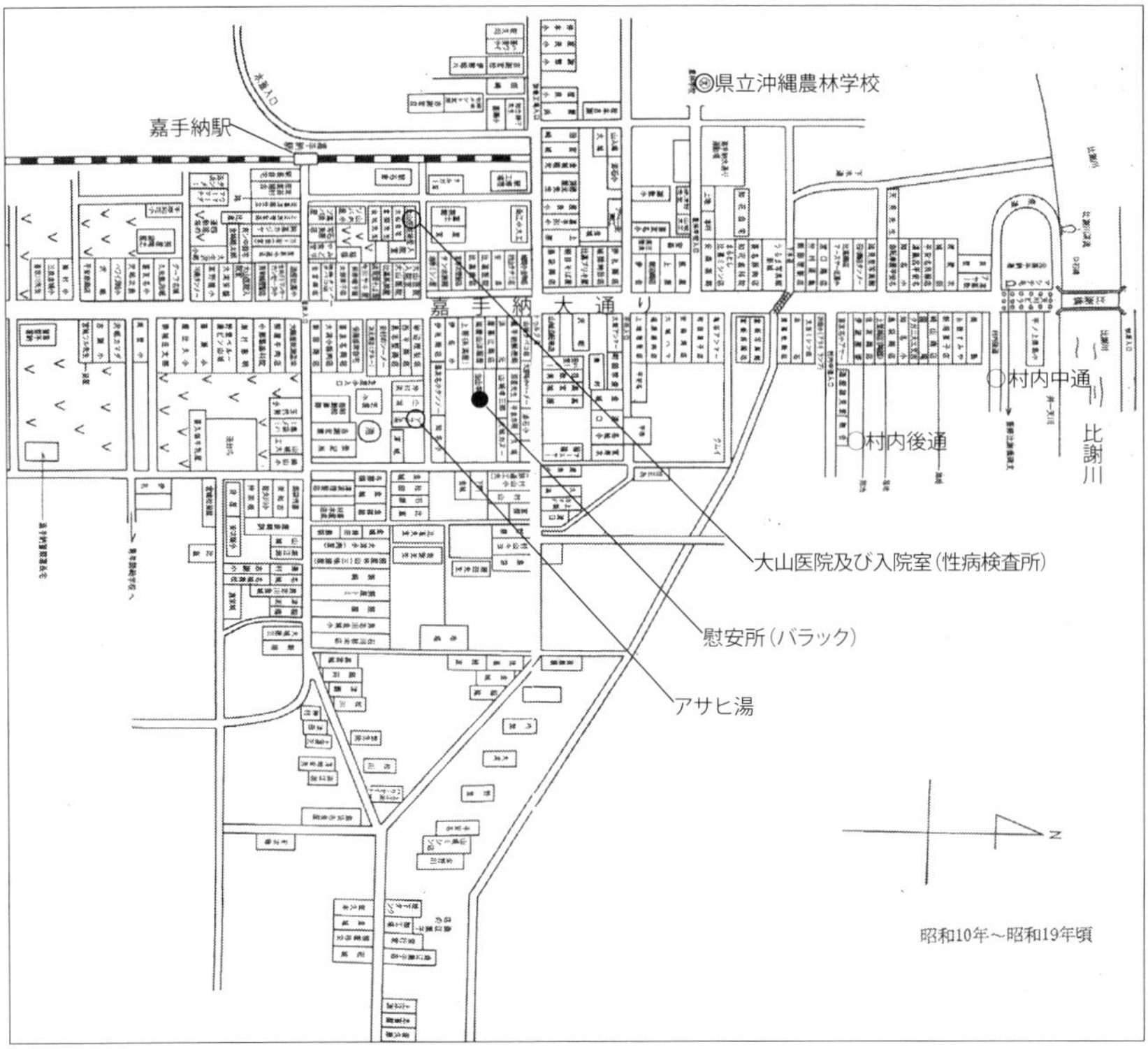

図Ⅰ　嘉手納大通りの朝鮮人慰安婦の「慰安所」と性病検査所
地図出典『嘉手納町史（資料編2）―― 民俗資料』嘉手納町史編纂委員会、1990年
●「慰安所」の場所　　「慰安所」位置作成：洪玧伸

で働いていた女性)、集落から離れた慰安所には朝鮮の女性を置く傾向がある」ことを引用し、「嘉手納大通りのような人通りの多い場所に朝鮮の女性を置いた例は他にない」としている。[16]

しかし、「慰安所」が大通り沿いに位置しているということを嘉手納だけの特殊な事例として捉えるより、むしろ、このような雑居状態の中にも朝鮮の女性たちが唐辛子を求めること以外には住民との接触はほとんどなく、「決して外に出なかった」状況に注意を払いたい。

既に読谷の事例で述べた

ように、たとえ村外れに位置していたとしても、その集落に住んでいた人々の文化的な側面を考えると、共同体の娯楽の場であったり、または祈りの場であったりと、生活空間に密接していた場所にも「慰安所」は存在するからだ。むしろ、生活空間の中にどのように「慰安所」が入りこんだのかに注目する必要があると考える。

その点において、仮に「嘉手納大通り」に存在したのが辻の女性たちであったとしても、問題の本質は変わらない。『陣中日誌』を通して詳しく後述するが、この時点で設置されたのは「遊郭」としてではなく、すでに軍の規範に基づいて管理され、一般人の立ち入りまでもが禁止された「慰安所」であった。また制度上の差異を強調するより、むしろ、宋連玉が注目しているように、「慰安婦」と公娼の境界に存在する「グレーゾーン」に生きる女性に注目することが必要であろう。宋連玉は、朝鮮半島の女性にとっての「平時」とは何か、という問いかけから、公娼制度が地域や時期によって異なっており、同一人物が、「公娼制度」下の経営者から、「慰安婦制度」に加担する「慰安所経営者」に、なお、「公娼制度」の被害者から「慰安婦制度」の被害者へと横断している点を含む様々な事例の論証を通して、「グレーゾーン」に生きた女性たちに注目し植民地主義の観点を踏まえつつ、「性」の「国家管理」の側面を問う(17)。

辻「遊郭」の女性や「慰安婦」の女性たちの「被害の軽重」を計るのは何の意味もない。そして、問題は「戦場であった」ということだけでなく、戦場化されていく「日常」にある。その日常において、住民にとって「異質な存在」でありながらも、「慰安所」という空間が、存在した。日本軍は女性たちを決して外に出そうとはしなかったが、「公然として」定期的に性病検査に通わせた。そこで、「大山医院」に注目しよう。なお、「嘉手納大通り」の朝鮮人「慰安婦」のように、住民との接触を禁じられ、軍によって管理された「桑江ヌ前」の辻遊郭女性たちの「慰安所」にも注目したい。

3. 朝鮮人「慰安婦」と大山医院

朝鮮人「慰安婦」が定期的に性病検査をさせられた場所が、大山医院であった。当時看護婦として働いた玉城スエ（一九二七生）、知念トキ（一九二七生）、福地喜美子（一九二五生）は、大山医院で性病検査を受けている朝鮮人「慰安婦」のことを覚えていた。玉城スエ、知念トキは大山医院で働いていた看護婦で、福地喜美子は、沖縄南部の与那原の病院で看護婦として働き10・10空襲後に、地元の読谷村牧原《まきばる》で球部隊の手伝いをしていた。

まず、大山医院で働いていた玉城スエは、往診の帰りに、嘉手納の村内《むらうち》の民家の前を、三〇人くらいの兵隊が並んでいるのを目撃した。「慰安所」として使われた民家はよく場所を変えており、みんなが並んで次々と入り、終わったらどんどん帰っていくその姿を、戦後になって考えると日本人って動物以下だと怒りが込み上げたという。(18) しかし、大山医院に来ていた「慰安婦」を戦争当時は、それほど気に止める余裕はなかった。それでも、性病検査のために大山医院に来た朝鮮人「慰安婦」のことを記憶している。

「大山医院には、朝鮮人慰安婦の人たちが定期的に性病検診のため連れてこられていました。一か月に一回から二週間に一回の割合で、一〇人から一五人ぐらいの女性たちが、憲兵に強制的に引っ立てられて来ました。その扱われ方といったら、まるで動物を追い立てるみたいなやり方でした。

朝鮮人慰安婦はみな美しい娘たちで、色白ですらりとした姿がとても印象的でした。どうやら年のころも十六、七歳と、私と同い年ぐらいに見えました。

今日でこそ、彼女たちは強制的に慰安婦にさせられたんだとわかりますが、当時は全く知りませんでした。憲兵は彼女たちのことを『自分で望んで朝鮮から商売に来ている』と私たちに説明しました。私はそれを聞いて『どうしてこんなに美しいお嬢さんたちが、沖縄のような遠いところで、こんな商売しなければならないんだろうか』と不思議でたまりませんでした。また、彼女たちの多くは暗い表情でうな垂れていたり、またある者はあからさまな反抗を示していました。それを見ると『自分で望んで来てる筈なのにどうしてなのだろうか』と何かしら腑に落ちない気がしていましたが、それほどには気にとめていないんですね。あの頃は戦時中で、人のことをゆっくり考えている余裕はなかったんです[19]。」

玉城スエは、こうした性病検査を「屈辱的な検診」であったと語っており、その結果、朝鮮人慰安婦の中に梅毒や淋病などの性病に感染している人が四、五人いることが判明したが、当時、六〇六号と呼ばれた薬を静脈から注入するなどの方法は、薬が高価であったため使えず、検診の結果を院長先生から憲兵に直接伝えていたという[20]。

一方、玉城スエと同じく大山医院で働いた知念トキにとっても、朝鮮人「慰安婦」の性病検査は忘れがたいものであった。知念は大山医院で検査を行う軍医の助手を務めていた。

「私は一七歳で看護学校を卒業してすぐ大山医院に入っていたのでまだ若かったです。医院は後（背後）から那覇まで線路が通っていて便利なところでした。大山医院は、嘉手納でもこの周囲の皆、子供でも大人でも、読谷にも当時は病院はないから、大山医院に来ていたんです。朝鮮の女性たちは、性病検査に来ていました。若かった。皆若くて奇麗な人ばかりで、色が奇麗、皮膚がきめ細かく、背が高く、奇麗だった。日本語を話せたので標準語上手だねと言ってあげたりしました。衣服は、ブラウスで着物ではなくブラウスにスカートを着ていました。他の日はモンペだったかどうか分からないけど、検査の日はスカートでした。たまに気晴らしに来ていた人もいるけど、外出禁止もありますからね。たまに来て、定期的に性病検査に来るだけで、付き合いはそこまでなかったけどね。検査の時に来て、何もなかったら喜んで、性病にかかった人もいましたが、特に薬もないからね。治療は医院に一、二回来て医院で薬を付けるくらいで。患部を、洗浄するくらいしかできなかった。

アリランも歌っていました。自分たちが歩きながら歌っていた。アリラン、アリアンって。その時は、悩みがあるようには見えなかったです。（朝鮮から）徴用で来たと思いました。朝鮮の男性も兵隊に徴用されてくるくらいですから、女性たちも同じく徴用で来ていると思ったんです。また沖縄のジュリも見えました。ジュリというか、慰安所が出来てからは近いところにあったのはジュリじゃなくてもう「慰安所」の女として働いていました。沖縄の女たちも見えて、沖縄の人たちもほとんどうちの医院で検査をしてました。ちゃんと順番にやったんじゃないかな。今日はこの部隊、明日はあの部隊と、順番でやったのではないかな。

昭和二〇年三月にはもう医院も解散され、私は島尻に行きました。あの時は戦争も負けるとも思わないからね。終わってから初めて苦しい思いをしたのかなと。あの時に、皆、何処に逃げたのかなと……」(21)

当時、最もエリートとされた看護学校を卒業したばかりで大山医院で働き始めた二人の若い看護婦にとって、遠く朝鮮から連れてこられた女性たちは、「商売に来ている」と説明されたり、植民地から「徴用」で来たと思われたりした。彼女たちに対して同情を覚えるのは、戦後になってからであった。しかしここでは、こうした価値判断より注目したいことがある。それは、歩いて数分の距離の「慰安所」と大山医院との距離にもかかわらず「慰安婦」を憲兵が連れてくる状況、外出禁止などの規律により管理されていたことである。しかも、当時の大山医院は住民にとって唯一の医療施設であった。にもかかわらず貸し切りで行われる性病検査で、住民と「慰安婦」の接触はなく、また朝鮮人「慰安婦」は、辻遊郭の女性たちとも顔を合わせることがなかった。

玉城スエの証言から考えると、「慰安婦」の中でも将校を相手にするジュリの場合は、性病検査を免れた。しかし一般兵のジュリは、知念トキの証言のように、朝鮮人「慰安婦」と同様に性病検査を受けていたのであり、朝鮮人「慰安婦」とは別々の日に、部隊ごとに決められた曜日に、組織的に「慰安婦」たちを検査させた可能性がある。大山医院は一九四五年三月解散された。

ところが、こうした性病検査は、北谷内に存在した「慰安所」に限るものではなかった。福地喜美子は、沖縄南部の与那原の病院で看護婦として働き、10・10空襲後に地元の読谷の牧原で球部隊の手伝いをしていた。牧原は嘉手納から比謝川を越えたところに存在する比謝川沿いの集落である。

「そんなある日、嘉手納の大通りにあった大山医院に行ったとき、部隊にあった慰安所の女性達が定期検診に来られていたのを見かけたことがありました。当時は事情も分からずに、川沿いに並ぶ部隊兵舎のうちの長屋の一つが『兵隊さんのおもてなしをする所なんだよ』と聞かされていました。それで、そういう事もあるんだねと思っていました。今でこそ、朝鮮の方も中国の方も居たと聞きますが、私

写真１　嘉手納の「慰安所」の「慰安婦」たちはもちろん、読谷の「慰安所」からも女性たちが性病検査のために行き来した大山医院。（写真提供：読谷村）

達から見たら、区別も付かないし日本人であるように思っていました。しかし、とくに会話を交わした事もなく、遠くから川辺を散歩するのを見かけるぐらいでした。[22]」

前述したように、読谷の比謝川沿いに日本軍が密集するようになったのは、米軍の空襲がはげしくなってからである。10・10空襲で移動してきた球部隊が「慰安所」と共に移動したケースもあり、この比謝川沿いにいた朝鮮人「慰安婦」たちが、比謝川橋を渡り、嘉手納大通りの大山医院までを行き来しいたことを、福地喜美子の証言を通して知ることができる。

玉城スエ、知念トキという、沖縄戦当時、看護婦として働き「性病検査」を行う地元の医院で朝鮮人「慰安婦」と出会った二人の証言は、そもそも読谷北飛行場の補助飛行場として造られた嘉手納の中飛行場と北飛行場との関係性が、「慰安所」の管理という側面からも繋がっていたことを物語る。また、軍民が雑居状況にあった嘉手納に引率されてきた朝鮮人「慰安婦」は、「憲兵の監視」、「外出禁止」、「軍の引率」といった管理のもと、一般住民との接触を避けられたことを知ることができる。

彼女たちは、看護婦としての仕事だけでなく、集落の中や大通り、川沿いのような日常の動きの中で、公然と兵隊の並ぶ「慰安所」を目撃した。これら軍民一体の飛行場建設や雑居状況の中でかなり軍と親密な関係を持ち、合意的な協力をしていた集落に置かれた「慰安所」は、どのように受け入れられたのだろうか。その価値判断を客観的に図るのは難しい。しかし、軍に「自分で望んで朝鮮から商売に来ている」「朝鮮人男性と同じく徴用で来ている」「兵隊さんのおもてなしをする所なんだ」などと説明されながら、「公然」と「慰安所」を行き来する日本兵とは裏腹に「慰安所」の女性たちが住民との接触を禁じられていたことは、証言を通してはっきり示されている。従って、距離的に日常生活と密接にかかわりを持つ場所であったにもかかわらず、いわゆる「一般の女性」とそうでない女たちの間に、一定の距離のある関係が形成されていった。朝鮮人「慰安婦」は、軍民一体の状況において、「朝鮮ピー」と呼ばれる、あくまでも他者であった。そして、以下に語られる証言は、「慰安婦」の存在に対する「過去の記憶」としてだけでなく、むしろ、過去の体験を持ちながら今を生きる「継続する記憶」であるからこそ重要である。

「今考えて一番可愛想だったのは朝鮮人ですヨ。私たちは朝鮮ピーと呼んでいましたがネ、いえば、慰安婦ですネ、何んでも、言葉巧みに連れて来られたということでした。若くてきれいな子ばかりでした。隊長の所には、沖縄のジュリが来ていましたがネ。一般兵の所には朝鮮人が来ていました。その人たちは、きれいなシナ服を着て、私たちから見ればとってもきれかっただ。だけど、兵隊相手だということを自分たちは子供ながらに分っていて、あれたちが通ると、朝鮮ピー、朝鮮ピーといって、何回もあれたちに追われました。

私の実家（下勢頭《しもせいど》・屋号花城）の近くに兵隊の宿舎がありましたが、そこに十名位ずつ朝鮮人が来て、一日中兵隊に遊ばれていましたヨ。わざわざ日本兵を相手に沢山朝鮮から連れて来られて、本当に可愛想でした。殆んど死んだんじゃないですかネ。[23]」

上記の証言は、独立歩兵第15大隊が駐屯した北谷の下勢頭に住んでいた浜元トヨ（一九二九年生）の証言である。嘉手納の町と同様、民家のすぐ近くに「慰安所」の兵舎があった。浜元トヨのいう「隊長のところのジュリ」は、嘉手納大通りの朝鮮人「慰安婦」と同様、一般住民との接触を避けるように管理されていた。

4．街中の辻の女たちの「慰安所」・桑江ヌ前

嘉手納中飛行場の周辺で10・10空襲以降、辻の女性たちが連れて来られたのが、北谷の桑江ヌ前《くぇーぬめー》である。桑江ヌ前は、嘉手納町域と宜野湾市域のちょうど真ん中に位置する桑江《くぇ》から、さらに東シナ海に接近した海岸低地に立地する屋取集落であった。一九三八年（昭和一三）に字桑江から行政字・桑江ヌ前として分離独立したが、戦前は、この地域は仲地家の先祖がこの集落の先住者との伝承から「仲地屋取」と称され、慣用的に桑江本字に対して桑江ヌ前《くぇーぬめー》、桑江ヌ中《くぇーぬなか》、桑江ヌ後《くぇーぬくし》の三集落を総称して桑江ヌ前と呼ぶことが多い。そして早くも一九一〇年（明治四三）には、集落を貫通する郡道が開通、一九一七年（大正六）には、県営鉄道嘉手納線の桑江駅が集落の西に設置されたことで、飲食店や材木商、

旅館などの商業地域として立地する賑わいを見せる字でもあった。(24) また、沖縄戦中、西表島や北大東島など沖縄内部の資源のある島や、川崎や大阪、神奈川、宮崎など日本本土への出稼ぎはもちろん、南洋、ポナペ、パラオ、テニアン、ペルー、サイパン、フィリピンなどへの出稼ぎや移民を多く出した字である。中にはサイパンで全滅した家族もあるなど、移民や出稼ぎ労働者が経験する沖縄戦のもう一つの側面を語る字でもある。(25)

桑江ヌ前における「慰安所」に関しては、自宅を接収された田場典仁本人が、接収までの過程とその後の軍隊による「慰安所」の管理について語っている。田場典仁の家、屋号《田場小《たばぐゎー》》は桑江で一番大きい家であった。そのため、《田場小》は次々と軍隊の宿舎や「慰安所」としての提供を強いられる。最初は「武部隊（第9師団の通称）」の宿舎として取り上げられ、武部隊が台湾に移動してからは「石部隊（第62師団の通称）」が「慰安所」の提供を要求してきた。(26) 当時の状況を田場典仁はこう語る。

「『この家を慰安所《いあんじょ》に使用するので、一刻も早く立ち退いてくれ』と、強制的に言ってきた。『急にそんなことを言われても、ほかに住む所もないし、困る』と言うと、『これは、軍の命令だ！』ということだった。

いろいろ考えた結果、幸い屋敷内に馬小屋と牛小屋があったので、そこの一角に住めるよう石部隊の隊長に長兄が交渉した。『よし、そこだったらいいだろう。ただし、慰安所の様子が見えないように完全に封鎖せよ』とのことで、やっとのことで許可されて、馬小屋に床を敷き、小屋の前を竹で囲って、僕らは住むことになった。

（中略）日本が戦争に勝つためだったらと思って軍に協力したんだが、家賃をもらっていたのかどうかはわからない。

門札には『慰安所』と『立入禁止』の看板が立てられ、絶対にはいることはできなかった。僕らも覗きもできなかったし、家の中にはいることもできなかった。[27]」

「立入禁止」とされた自宅に入ることができない。覗き見ることさえできない状況の中で、家主とジュリが話すことはほとんどなかった。「慰安婦」たちは隔離状態の中にあり、屋敷内に住んでいる人たちでさえ顔を合わせることができず、「慰安婦」の中に朝鮮人「慰安婦」がいるかどうかは分からなかった。ただ、島クトゥバ（方言）で話しているのが漏れ聞こえたことから、「慰安婦」の中に辻の女性がいたことを田場は知ったという。「慰安所」は最初は海上特攻艇の特攻隊が、その後は石部隊が使っていた。使用した「衛生サック（避妊具）」はそのままあっちこっちにほったらかされ、子どもたちがそれを拾って風船のようにふくらまして歩いているのもよく見かけられた。家は「立ち入り禁止」とされたが、空襲の際には「頼みこんで許可を受けて、木を切ってきてやっと瓦家を擬装した」という。辻の女性であれ、「慰安所」は強い規制のもとで、地主さえも「立入りを禁止」されていた状況を田場の証言を通して知ることができる。[28]

とりわけ「慰安所」として使われた《田場小》宅の経験は、それが石部隊で終わるわけではなかった。石部隊が移動した後に再び「西村部隊」がやってきたのである。

「祖父は『あんた方みたいな野蛮人には、この家は貸さない。これを見てみなさい。こんな立派なチャーギヤー（最上の建材として用いられたイヌマキで造られた家）を、こんなに傷つけて[29]』」

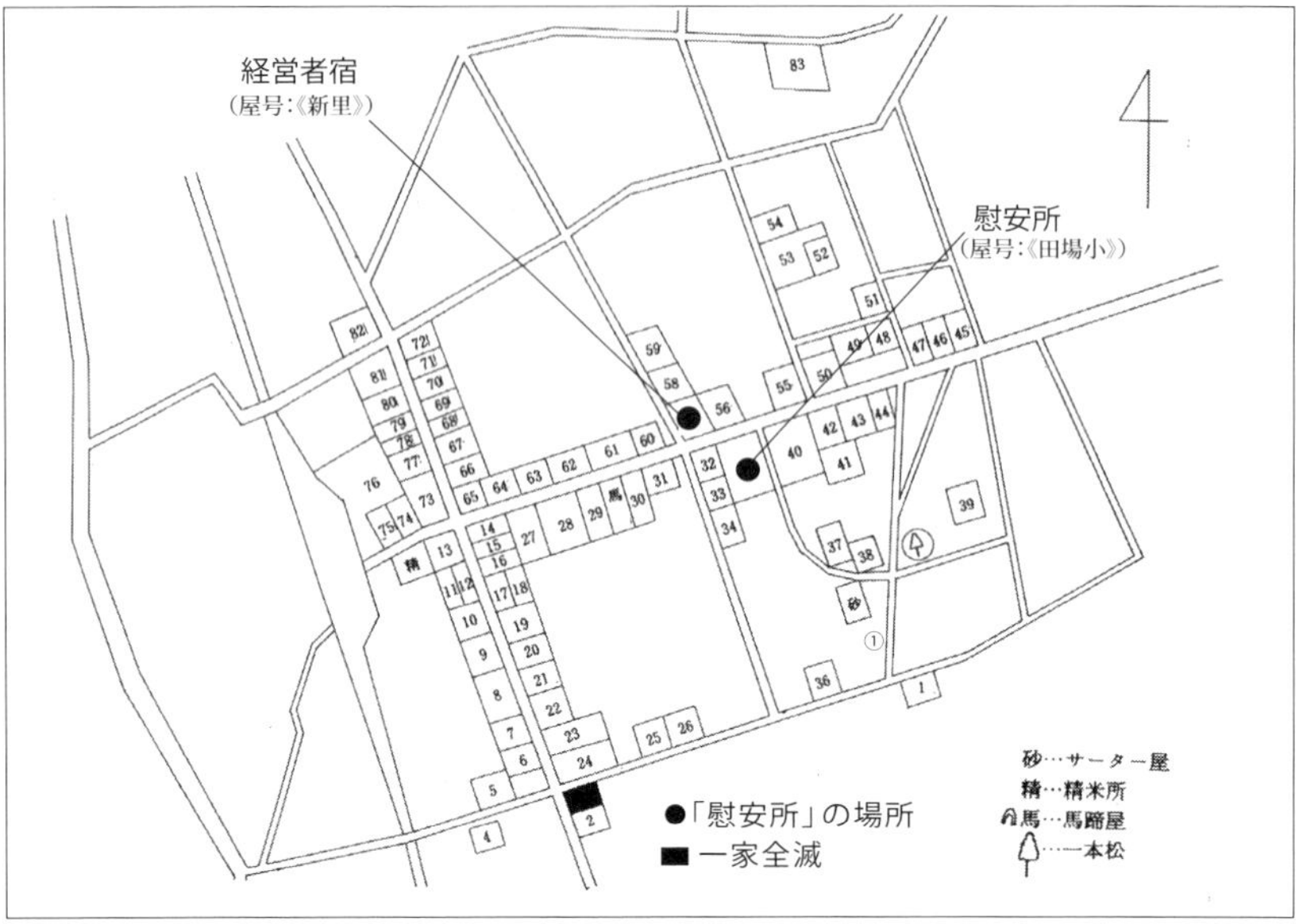

図Ⅱ　桑江ヌ前の辻遊郭女性の「慰安所」

地図出典：『北谷町史 第五巻（資料編 4）――北谷の戦時体験記録（下）』北谷町史編集委員会、1992 年。「慰安所」位置作成：洪玧伸

田場の祖父は石部隊が日本刀で家のあちこちを傷つけたことを軍に抗議し、再び「慰安所」として使うことを拒否した。それに対し西村という中隊長が、「もう、戦争は間近だ。借りるといっても、そう長いことではない」と説得。結局、《田場小》は、米軍上陸の直前である一九四五年三月まで「慰安所」として使われていった(30)。このような田場典仁の証言は、家が「慰安所」に接収された住民の生活を詳しく伝えるだけでなく、軍隊の移動によって、入れ替わり「慰安所」の設置を求められている過程を知る上で重要な証言である。田場典仁は、屋号《田場小》と呼ばれる自宅が桑江ヌ前では一番大きかったため、最初は「武部隊（第9師団の通称）」の宿舎として接収され、その後は、『石部隊（第62師団の通称）』の強い軍命により「慰安所」として接収、最後は、

越来《ごえく》村山里《やまざと》（現沖縄市山里）に駐屯していた「西村隊」の「慰安所」として接収されたと語る。また10・10空襲以降、「慰安所」に連れてこられた辻の女性たちを管理、率いる親元（元締め）は、屋号《新里小《しんざとぐゎー》》の家にいたという。

『北谷町史　第五巻（資料編4）―北谷の戦時体験記録（下）』には、「桑江ヌ前の住宅地図」(31)で、戦時下の屋号の様子を記録している。嘉手納大通りの屋号と位置が分かる〔図Ⅰ〕で見る朝鮮人「慰安所」と同様、田場典仁の家《田場小》は、八三棟の中で最も大きい家のひとつで、街の中央に位置していたことが分かる。《新里小》はその向い側で、やはり大通りに面する家であったことが地図から読み取れる。嘉手納大通りと同様、桑江ヌ前で使われた「慰安所」は、人通りのある場所にあった〔図Ⅱ参照〕。

にもかかわらず田場典仁の証言からは、嘉手納の大通りの朝鮮人「慰安婦」の「慰安所」と同様、厳しく立ち入り禁止が強いられる管理・統制が、辻の女性たちにも向けられていたことを知ることができる。当初は「日本が戦争に勝つためだったら」と協力した田場典仁らでさえ、「立入禁止」となった自宅から追い出され、激しい空襲をしのいだ経験を経て、最後の「西村隊」の接収には強く拒絶を試みるまでに、軍に対するまなざしが変わっていったと見てよいだろう。

ところが、桑江ヌ前で辻の女性たちが見かけられたのは10・10空襲以降であった。一九四四年一〇月一〇日、那覇の町は空襲で九割が全焼した。疎開は七月から始まっていたが、自主的に多くの住民が北側に向かったのは、10・10空襲以降であった。

当時首里第一国民学校の教員だった新里真盛は、「十・十空襲の後をうけて、戦争に対する実感が一段と高まった。時局は日一日と険悪にむかってゆき、やがて小学校高等科の男生徒まで、軍の壕掘りに駆り出されるようになった。」と当時の状況を語る。(32)

北谷の北玉《きたたま》国民学校の向い側に住んでいた伊礼秀は、10・10空襲の知らせを聞いた住民たちが、驚いて学校の前に集まってきたことを覚えている。学校は野戦病院として使われていたが、空襲後には、次から次へと負傷兵が運ばれてきた。空襲を受けてからは、北谷にも那覇からの避難民がやって来た。荷物を持ち、北谷を通過して国頭《くにがみ》へ向かう人、親戚を頼って北谷にとどまる人が増えていった。(33)那覇から焼け出された住民が北部へ避難民として列をなして来るため、北谷の街頭では、婦人会がおにぎりやお茶を配った。生活のために働かなければならず避難に踏み切れない人も「三人以上の子供のいる者は国頭へ避難する様強制命令が下り」、指定された避難先へ向かっていった。(34)

こういう時に、軍隊は入れ替わりながら住民の家を「慰安所」として接収、それに関する規律はむしろ強化されていった。そして家主でさえも「立入り禁止」の状況に置かれたのである。

首里から長い列をなして北へと進む住民。彼らが北へ進む際に立ち寄る街、北谷の字では、どのようにして「慰安所」の規律が強化されていったのだろうか。繰り返しになるが、最も注目を払わなければならない重要な点は、北谷に限らず沖縄に戦争を実感させた10・10空襲時に、「慰安所」が依然として字の中に存在したこと。そして多くの人々が北部へ向かう中、徐々に南下して行く日本軍の動きと共に「慰安所」も移動していることである。

5．「北・中飛行場問題」と、動く「慰安所」

では、上記で紹介した《田場小》を接収していた部隊の移動をもう一度整理してみたい。田場典仁宅《田場小》は、最初「武部隊（第9師団）」が宿舎として使用、その後「石部隊」が「慰安所」として使った。当時、厳しく立入りが禁止されていたため、家主は木を切って瓦家を擬装することすらままならず、空襲の恐怖にさらされなければならなかった。そしてその後、「西村隊」が最も戦況の悪化した時期に来ていた。これらの軍隊の移動には、いわゆる日本軍の兵力によって飛行場を防衛しきれない状況、「北・中飛行場問題」が関わっている。

「北・中飛行場問題」とは、一九四四年一二月の第9師団（武部隊）の台湾移動により、沖縄本島の配置に変更が生じ、地上軍備、主用航空基地の確保などに大きな困難を招いたことを指す。第32軍は、飛行場を防備することは難しいと判断し、北・中飛行場を主陣外に置き、首里を中心とした地上戦に備える方針を固めていった。その防衛が弱体化されたことは、それまで航空戦中心で地上戦を想定してなかった大本営からは「北・中飛行場地区の確保問題」として懸念されたが、第9師団の移動による兵力不足に追いこまれた第32軍は、飛行場を廃棄し、北・中飛行場の確保をあきらめた。首里の北方五キロの牧港《まきみなと》―嘉数《かかず》―我如古《がねこ》―和宇慶《わうけ》を結ぶ線より南の山陵地帯に集中して陣地を構築し、嘉手納方面に米軍が上陸した場合には、首里を中心とする陣地自体にたてこもって持久戦を行おうとした(35)。

前章で、読谷の北飛行場設定に軍隊の移動が繰り返された理由として、米軍上陸を間近にしていた一二月、大本営が戦闘部隊である第9師団を台湾に転出させたため、その穴埋めに戦闘部隊として読谷に駐屯していた24師団（山部隊）が南部に移動した。今度は山部隊の穴埋めのために読谷から北へ移動した44旅団独立混成第15連隊（球部隊）が再び戻ったことや、飛行場破壊後には、主な部隊が南部へ移動したことを指摘した。当然、読谷北飛行場の混乱は、補助飛行場として造られた嘉手納中飛行場にも影響を及ぼすものであった。

飛行場設営のために駐屯していた戦闘部隊の移動が激しくなっただけでなく、読谷と同じく一九四五年二月以降は、重要部隊が南部へ移動したのである。これらの軍隊の編成変更を念頭に入れつつ「慰安所」

を考えると、北谷で利用された「慰安所」の強化は、単なる北谷だけの状況ではなく、読谷、北谷、浦添、那覇へと南下していき、首里近くの山陵地帯に集中して陣地を構築した軍隊の移動との関連性の中で考える必要がある。そのため、ここではまず「石部隊（第62師団）」に注目してみる。

「石部隊」は中国戦線から沖縄に上陸した部隊である。北支から上海に集結して、八月一九日に那覇に着いた。[36] 本部隊は、北谷、読谷、浦添の飛行場建設のために加わった戦闘部隊である。日本軍隊は師団、大隊、中隊の順の命令系統を持っている。第62師団は師団司令部を浦添に置き、それに属した各々の旅団、大隊、中隊などが、西原、北谷、読谷、浦添の国民学校等に駐屯しながら、飛行場周辺の陣地帯を構築していた。九月までは集中的に読谷北飛行場と嘉手納中飛行場の設営に励み、その後は浦添の仲西飛行場の設営に加わった。「北・中飛行場問題」が可視化されてからは、第32軍が持久戦作戦を繰り広げることになると首里方面に移動している。まさに「北・中飛行場問題」と共に、部隊配置が展開してきた部隊であった。その中で北谷の「慰安所」を設置したのは、独立歩兵第15大隊（石3596）であった（図Ⅲ：第62師団の組織図と通称名」参照）。独立歩兵第15大隊は、中国戦線から一九四四年（昭和一九）八月二〇日那覇港に上陸し、八月二一日から沖縄本島中央西海岸の一角（沖縄県中頭郡北谷村）に進駐した。[37]

『陣中日誌』には、独立歩兵第15大隊（石3596）の「慰安所」に関して、次のような記録が残っている。

「獨歩十五日命　第七八號
　九月二十二日
獨立歩兵第十五大隊日々命令　北谷國民学校
一、第二中隊　兵科見習士官　矢中貞夫

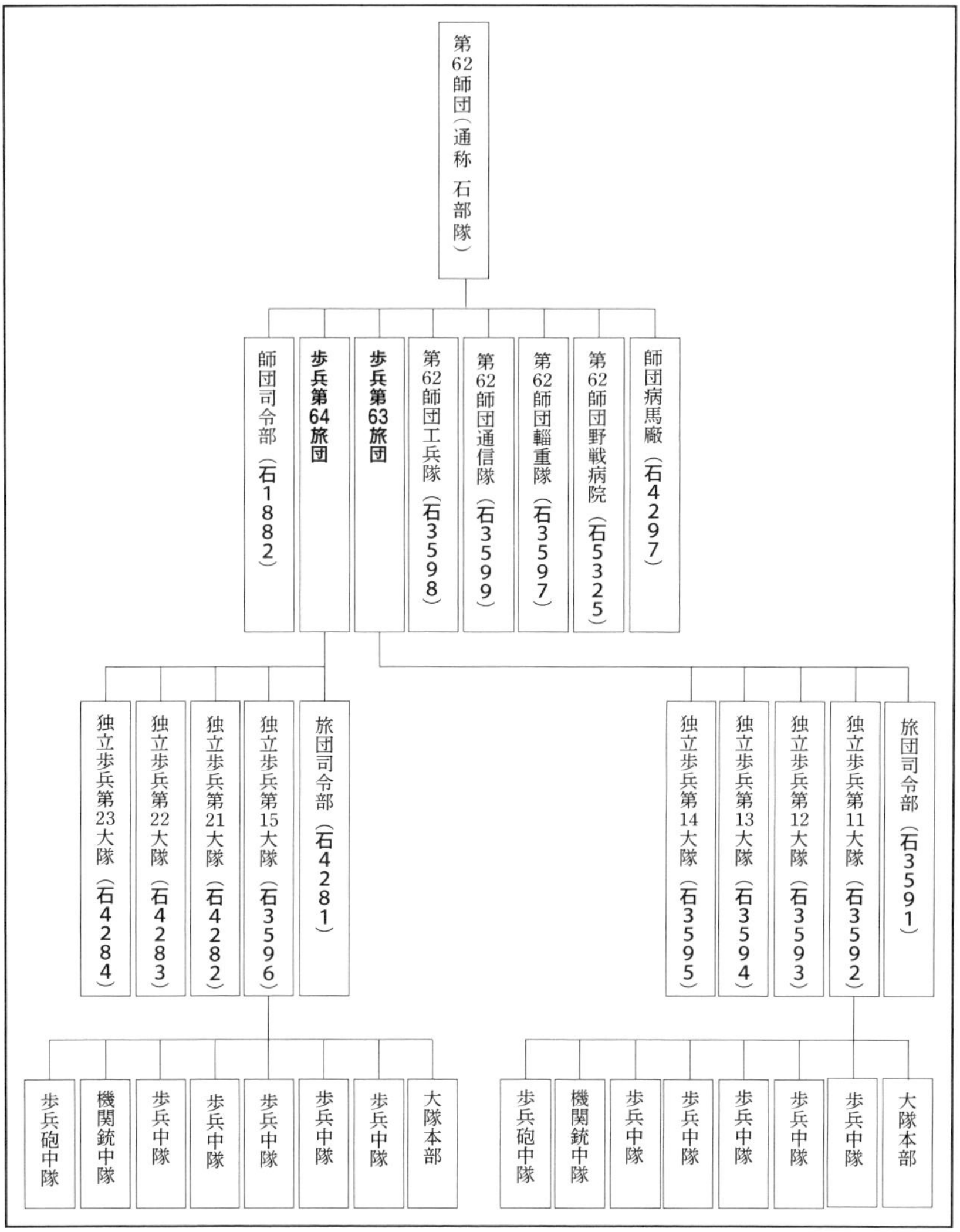

図Ⅲ　第62師団の組織図と通称名

第63旅団と第64旅団の編成人数と構成は同一。中隊以下は、部隊長、小隊長、班長の名前で呼ばれる場合が多いため省略。
作成：洪玧伸

第五中隊　同　神谷　武
機関銃中隊　同　澤村　正夫
第三中隊　同　中谷　梅雄
第一中隊　同　長尾　長兵衛
右頭書ノ中隊附ヲ命ス
二　委員長　陸軍大尉　遠藤典一
委員　陸軍中尉　松田　實
同　陸軍軍監中尉　小松三郎
同　陸軍主計中尉　武藤克巳
同　陸軍少尉　八木本　友作
同　助手　陸軍曹長　伊藤作松
同　陸軍衛生曹長　岡本源三郎
同　陸軍主計軍曹　岩井　秋生
右者　後方施設委員長　委員　同助手ヲ任命ス
三　休日及外出ニ關スル規定別紙如シ
四　桑江軍隊特設慰安所設置規定別冊ノ如シ
五　内務衛兵砂邊監視所ヲ左ノ通リ服務スヘシ
1．内務衛兵　二十二日ヨリ　通信一中隊五中隊ノ順序トス
2．監視所　二十二日ヨリ　五中隊　歩兵砲一中隊ノ順序トス（九、二一日命追加）」

（『第六十二師団歩兵第六十四旅団獨立歩兵第十五大隊　日々命令』昭和一九年九月二二日）

独立歩兵第15大隊の兵力配備は、大隊本部（平安山《あんざん》ノ上）、第1中隊（平安山ノ下）、第2中隊（桑江）、第3中隊（上勢頭）、第4中隊（桑江）、第5中隊（平安山ノ下）、機関銃中隊（下勢頭）、歩兵砲中隊（佐久川）であった。[38] 独立歩兵第15大隊（石3596）が駐屯した集落のうち、証言で「慰安所」が確認された集落は、前述したように、桑江の桑江ヌ前、下勢頭である。上記の『独立歩兵第15大隊　大隊日々命令』（一九四四年九月二二日）にある「桑江軍隊特設慰安所設置規定別冊ノ如シ」という記述から、既に部隊の駐屯から一カ月足らずで「慰安所」が設置されていたことが分かる。「桑江軍隊特設慰安所設置規定別冊」は、防衛省防衛研究所所蔵資料の中には残っていないが、「慰安所」は「後方施設」と呼ばれ、陸軍大尉遠藤典一を委員長とする七人の委員によって管理・統制される組織的な管理体制が整えられている。当然ながら、これらの管理体制は第62師団司令部の方針と繋がっている。字仲間《なかま》から後には浦添小学校に駐屯した第62師団司令部がまとめた『石兵團會報』は、戦時中日本軍が残した史料の中でも、軍隊内部で行われた訓練、教育、日々の命令、伝達、注意事項などが最も詳細に記録されている史料である。その中に、多数の「慰安所」関連記録が残っている。

『石兵團會報』からは「桑江軍隊特設慰安所設置規定別冊」の内容を考察することができるだけでなく、10・10空襲以降も「慰安所」管理は体系的に行われ続けたことや、軍隊の日常と住民との関係の変化を読み取ることができる。

「第六二號

九月二十八日　十六〇〇
石兵團會報　浦添國民学校

（前略）

七　後方施設ニ就キ

1「サック」ノ支給ヲ適切ニシ不足ナキ如クセラレ度

2　燈火材料ノ配給ハ注意セラレ度又燈火管制ハ軍施設ナルヲ以テ免ルコト能ザルモノナルヲ以テ注意ノコト

3　經營者ト妓女トノ關係ヲ具體的ニ調査シ次期會報時鉛筆書ニテ可ナルニ付報告ノコト

4　外出者中水筒ニ酒ヲ入レテ携行シ登摟飲酒スル者アリ　カヽルモノヲ發見セル其ノ部隊ニ使用禁止ヲセシメラレ度

5　兵中切符ナクシテ慰安所ニ至ルモノ及切符ヲ見セルコトナク各室ヲ覗キ廻ルモノアリ爾今使用時間ヲ十二時三十分ヨリ概ネ指定スルコト又切符ハ張揚《ママ》［ママ、帳場のこと：引用者］ニ直チニ提示スル如ク指導ノコト

配布先　中隊迠　各部班」

（『石兵團會報綴（球一五五七六部隊）』昭和一九年九月二八日）

「第六四號
十月二日　十六〇〇
石兵團會報　浦添國民学校

（前略）

五　衛生「サック」ハ後方施設担任部隊ニ一括交付シ直接慰安所ニ備付ラルヽニ付承知アリ度」

（『石兵團會報綴（球一五五七六部隊）』昭和一九年一〇月二日）

まず第六二、第六四『石兵團會報』から、「慰安所」が「後方施設」として運営され、切符制で、その管理は「後方施設担任部隊」により行われ、サックの支給までもが「後方施設担任部隊」という組織の管理であった点が分かる。「後方施設」という語は、「桑江慰安所」に関して記述している『独立歩兵第15大隊　大隊日々命令』（昭和一九年九月二二日）の記録と同様で、「那覇から来たジュリ」がいることや、「切符制で休みの日に切符を持った兵隊」が住民により目撃されている。[39] 既に紹介した通り、桑江ヌ前で家《田場小》を「慰安所」として接収された田場典仁は、「十月空襲で辻街が焼けたあと、七、八名のジュリ（娼妓《ママ》）が慰安婦《いあんふ》として配属されてきた」[40]というが、以下の『石兵團會報』第七四号と第八四号は、その経緯を知る重要な手掛かりを提供する。

「　　十月十九日　一二〇〇

石兵團會報　第七四號　浦添國民学校

（前略）

十　後方施設に就キ

1　兵團會報第六二號ニ注意セラルヽアル所ナルモ未ダ兵ニシテ切符ヲ見セルコトナク各室ヲ覗キ或ハ妓女ノ手ヲ握リ强要スル者アリ又夜間切符ヲ持タスシテ張場《ママ》ニ至リ断ラルヽヤ投石シ暴行ヲナス

モノアリ斯ルコトナキ様注意ノコト
2　兵團會報第六二號ニテ經營者ト妓女トノ關係ノ調査報告ノコトトアルモ未ダ提出セサル部隊アリ速カニ提出ノコト（二字不明）又経営者ト妓女トノ分前ハ今後七分（妓女）三分（經營者）ト經費ハ全部經營者ノ負担トス但シ以前ヨリ現在ノ經營者ト妓女ト關係セルモノハコノ限リニアラス」

（傍点は引用者による）

（『石兵團會報綴（球一五五七六部隊）』昭和一九年一〇月一九日）

『石兵團會報』第七四号で見るよう、「未ダ兵ニシテ切符ヲ見セルコトナク各室ヲ覗キ或ハ妓女ノ手ヲ握リ強要スル者」と記されているところ「妓女」が既に「慰安婦」として働かされていることや、既存の「慰安婦」とされた辻女性たちの他にも新たに妓女と契約者との関係調査に踏み切っていることが分かる。10・10空襲から一〇日も経たない時期であった。また、10・10空襲で沖縄の辻町は全焼している事実から考えると、これら石部隊が、「妓女」と呼ぶ女性たちを、「辻遊郭」以外の施設、つまり「慰安所」として借りた家や建物の中で提供していたとみて良いだろう。経費は経営者に負担させたとはいえ、上記で述べた第六四号の「後方施設担任部隊」の任務に変更がないことから、軍がその監視・管理していたとみてよい。なぜなら、契約の相手はあくまでも軍隊であったことが分かるためである。

「　十一月十二日　一二〇〇
石兵團會報　第八四號　浦添國民学校
（前略）

五　各隊ハ空襲ニ依リ避難シ来リ慰安婦トシテ新ニ採用シアル者ニシテ既ニ球軍ト慰安婦トシテ契約シアルモノアラバ調査ノ上　十一月一四日迄左記様式ニ依リ報告ノコト

元住所	元屋號	氏名	年令	摘要

（傍点は引用者による）

（『石兵團會報綴（球一五五七六部隊）』昭和一九年一一月一二日）

上記の第八四号から見てとれるように、10・10空襲後、避難してくる辻の女性たちは、「慰安婦」として軍と新たに契約を結ぶようになった。調査すべき項目からは、「元屋号」という記述があることから、これらの女性たちが朝鮮人「慰安婦」ではなく、辻遊郭の女性だったことを知る。同時に、「既ニ球軍ト慰安婦トシテ契約」した女性を調べるようにしたことからは、10・10空襲後、辻の街が全焼した後、別の軍隊と既に契約を結び、民家を借りた形の「慰安所」で生活した可能性が読み取れる。ここでいう球部隊とは独立混成第44師団の通称名である。球部隊と「慰安婦」として契約を結んだものが、今度は石部隊と契約を結ぶ。居場所を失った辻の女性たちの多くが、軍隊から軍隊へと転々と契約を結びながら動いていたのだろうか。それよりも、ある軍隊と契約を結んだ辻の女性たちが、軍の移動により次の部隊に「慰安婦」として引き継がれたと考える方が、可能性としては高い。

10・10空襲以降、桑江ヌ前の《田場小》で「慰安婦」とされた辻の女たちがまさにそのケースであろう。

「昭和十九年十二月六日正午ヲ以テ大隊防衛地ヲ獨立混成第四十四旅團ニ委譲ス

大隊ハ昭和十九年十二月六日正午第九師團ヨリ新防衛地沖縄縣島尻郡玉城村全地區）ヲ継承シ新防衛ニ任ス」

（『第六十二師団歩兵第六十四獨団独立歩兵第十五大隊歴史』）

桑江ヌ前に駐屯した第62師団「独立歩兵第15大隊」（石部隊）は一二月六日、桑江ヌ前から玉城《たまぐすく》に移動した。第9師団（武部隊）が台湾に移動することとなり、「北・中飛行場問題」が浮上したことで、第9師団に代わって戦闘部隊である石部隊が、玉城での陣地構築を担うことになったためである。守備隊が、石部隊から球部隊へと入れ替わると同時に、「委譲」されたのは「防衛」だけではない。「慰安所」もまた「委譲」された。「独立歩兵第15大隊」（石部隊）に引き継がれ、桑江ヌ前に駐屯した第44旅団（球部隊）の一二月二八日の『陣中日誌』には、「一二月二九日至リ桑江慰安所ヲ開設ス」とした上で、「使用規定製作マデハ説明ニ基キ利用スベシ」とし、臨時の「使用日割及び使用部隊」や「料金」を定めた史料が残る。(41)桑江ヌ前の「慰安所」のみについて考えても、これらの設置・使用をめぐり各々の大隊が連携していたことが見てとれる。

ところが、「慰安所」をめぐるこうした連携はただ桑江ヌ前に限ることではない。実は、第44旅団（球部隊）は、第9師団の移動により第32軍の再編成が行われる前、つまり、桑江ヌ前に移動する以前は、北部の本部に駐屯していた。第44旅団隷下「独立混成第15連隊」（球部隊）が、北部でも一〇月に「渡久地軍慰安所」と呼称する「慰安所」を「北地区駐屯地軍慰安所使用規定」に基づき設置。(42)一一月には「謝花慰安所」を開設していた［本書第7章参照］。

特に、「謝花慰安所」の開設に当たって、一一月六日と七日には大隊の副官を今帰仁に出張させ、「慰安婦招致」を手配し、一一月一五日から「慰安所」施設作業を実施。二六日には施設を完了していることが、既に古賀徳子の分析で明らかになっている。(43)

こうして北部でも、隣接する軍隊の協力の下に「慰安所」を開設した球部隊が、一二月、桑江ヌ前に移動して来て、さらに、既存の駐屯部隊であった石部隊の「慰安所」を引き続き使用した。「慰安所」は軍隊と共に移動しただけではなく、このように次から次に移動してきた部隊へ引き継がれて使用されたことを、この事例は示す。一九四四年一〇月の時点で、石部隊と球部隊は、両方とも「慰安所使用規定」を定めていた。

桑江ヌ前から移動に際して石部隊が出した次のような命令、「（中略）五、各隊ハ空襲ニ依リ避難シ来リ慰安婦トシテ新ニ採用シアル者ニシテ既ニ球軍ト慰安婦トシテ契約シアルモノアラバ調査ノ上　十日一四日迄左記録式ニ依リ報告ノコト」との『石兵團會報』第八四号、昭和一九年一一月一二日の記述は、軍と軍の間で、「慰安所」開設や使用が連携されたことをも暗示しているのである。

つまり、朝鮮人「慰安婦」の「慰安所」がバラックや村外れ、あるいは徹底的に外との交流が禁止される形の民家を接収して開設され、軍の移動と共に別の地域に移動したのに対し、10・10空襲以降、避難先で契約を結んだ辻遊郭の女性たちは、軍の再編成に伴い、先に駐屯していた部隊から別の部隊へと引き渡されるという形も存在したことが分かる。また、第44旅団（球部隊）の『陣中日誌』で見てとれるように、使用規定が一二月以降であることから、10・10空襲以降の辻遊郭女性たちとの契約、「慰安所」の利用に関する注意・喚起の記述などがかたまっていることに注目しなければならない。つまり、10・10空襲以降、「慰安所」はむしろ体系化されたことが分かる。

そして、10・10空襲以降、たとえ辻の女性たちであっても民間との接触を禁じられていくなかで、嘉手納大通りでの出征軍人の見送りがなくなった。10・10空襲以降の出征兵士たちは、親類縁者の見送りもなく、すべて秘密裏に家族だけで見送るようになった。しかも家から出るのは、夜間の九時以降という異常状態となった。(44)「支那事変」から続いた華やかな見送りは、「秘密保持」のために、空襲後にはその姿を消していったのである。

この時期における『陣中日誌』や『兵團會報』の中に見られる記述は、以下の二点を考える重要な手掛かりを提供している。

第一、沖縄住民の証言に登場する通称名、球、石、武、山部隊といった主な戦闘部隊はどこまで連動していたのか、という点である。そもそも第62師団（石部隊）は、転出させられた第9師団（武部隊）と密接な関係を持つ部隊である。一九四四年六月末、独立混成第44旅団（球部隊）は、富山丸で独立混成第45旅団（先島配備予定）と共に沖縄に向かう途中、徳之島沖で米潜水艦によって爆沈され、四六〇〇名の兵士のうち三六〇〇名が行方不明となった。第9師団はそのために配備された戦闘部隊で、一九四四年七月はじめ、混成部隊である独立混成第15連隊と共に第44旅団の指揮下に入り南部の防備に当たった。(45)

つまり、第9師団は、第44旅団の指揮下であったため、第44旅団が旅団単位で「慰安所」の規定を定めているのなら、台湾に移転した第9師団（武部隊）が建てた「慰安所」もその規定に基づいていたことになる。また、第62師団（石部隊）、第44旅団（球部隊）は共に、第9師団（武部隊）の移転により再配備されているが、これらの部隊が設置していた「慰安所」開設も同様に互いに関連を持って使われたことは、すでに本文で見てきた通りである。残るのは、島尻地区の配備に当たった第24師団（山部隊）である。本部隊も、第62師団（石部隊）と同様、中国戦線から沖縄に向かった部隊であった。関東軍の現役師団である本部隊は、対ソ戦にそなえてソ連領内に侵攻する訓練を長い間重ねた部隊である。本部隊の「慰安所」

規定と他部隊の『陣中日誌』に見られる「慰安所」関連事項を比較分析する必要があろう。

第二、陣地構築を中心に部隊の中・南部への移動が多かった時期に、住民はむしろ、北部へと「避難」を余儀なくされている点である。10・10空襲以降、地上戦に対する緊張が高まる中、住民はかつての生活の場からの移動を強いられていた。沖縄戦研究で広く指摘されてきたように、北方面に移った住民の多くが、食糧難と栄養不足によるマラリアによって死に至り、残る住民は第32軍が最後まで地上戦を繰り広げた南部戦線に巻き込まれていく。そして、「慰安所」も軍隊の移動と共に南下してくることに注意を払わなければならない。北部に移動せず残った人々、南部・島尻の住民にとって、これらの「慰安所」はどのようなものであったのだろうか。

最後にこれらの二点に注目しつつ、沖縄中・南部方面に建設中であった飛行場に注目してみる。

註

（1）嘉手納町史編纂委員会「第一章　社会と村落」『嘉手納町史（資料編2）――民俗資料』嘉手納町役場、一九九〇年、二三頁、北谷町史編集事務局「北谷町の大字・小字の編纂図」『北谷町史　第一巻　附録』北谷町教育委員会、二〇〇五年、一四―一五頁参照。

（2）沖縄本島の約六〇〇の部落のうち一三八が屋取起源の村落で、北谷間切、具久川間切、越来間切などは屋取部落の分布地域であった。（『最新版　沖縄コンパクト事典』琉球新報社、二〇〇三年、四一〇頁、『沖縄大百科事典下巻』沖縄タイムス社、一九八三年、七三〇頁参照）

（3）大城将保「第32軍の沖縄配備と全島要基化」『沖縄戦研究Ⅱ』沖縄県文化振興会公文書館管理部、一九九九年、一一〇頁。

（4）大城将保「第32軍の沖縄配備と全島要基化」『沖縄戦研究Ⅱ』前掲書、一一〇―一一四頁参照。

(5)「北谷町の大字・小字の変遷図」『北谷町史　第一巻　附録』前掲書、一六—二二頁参照。
(6)大城将保「第32軍の沖縄配備と全島要塞化」『沖縄戦研究Ⅱ』前掲書、一一〇—一一二頁参照。
(7)『沖縄方面陸軍作戦』前掲書、九一—九二頁参照
(8)「第一章　社会と部落」『嘉手納町史（資料編2）—民俗資料』前掲書、八〇—八一頁。
(9)渡久山朝章「字概況——都屋」『読谷村史　第五巻（資料編4）—戦時記録（上巻）』読谷村、二〇〇二年、一四九頁参照。
(10)「私の戦時体験（奥間偉功、一九二八年生）」『嘉手納町史（資料編5）—戦時資料（上）』嘉手納町史編纂審議会、嘉手納町教育委員会、二〇〇〇年、一四頁。
(11)同前、一五—一七頁。奥間偉功は嘉手納町史編纂審議会の委員長でもあった。奥間は自分の「慰安所」に関する記憶を語るにあたって、嘉手納に設置された他の「慰安所」に関しての証言も収集しようとしたようである。以下、関連部分も紹介する。「軍隊の移駐に伴って従軍慰安所も設置された。私の記憶に残っているのはタクシーユウフルヤー（現在のロータリーの中央辺り）の北側にあった一カ所だけだが、現在の野球場の駐車場辺りにもあったらしい。（嶺井伸裕氏談）」（同書、一六頁）。
(12)大城将保「第32軍の沖縄配備と全島要塞化」『沖縄戦研究Ⅱ』前掲書、一一一頁。
(13)『第五十飛行場大隊陣中日誌』昭和一九年五月七日。
(14)福地曠昭『哀号・朝鮮人の沖縄戦』月刊沖縄社、一九八六年、一三八—一三九頁。
(15)『沖縄県ゼンリン住宅地図—嘉手納町』（株）ゼンリンプリンテックス、二〇〇〇年九月、「嘉手納町区分図」及び「地図番号一八区域図」を参照。
(16)古賀徳子「沖縄における日本軍『慰安婦』制度の展開」沖縄国際大学院修士論文、二〇〇七年度、四七頁。
(17)宋連玉「『慰安婦』・公娼の境界と帝国の企み」『立命館言語文化』二〇一一年一〇月、第二三巻二号、二〇三—二〇七頁、「『慰安婦』問題から植民地世界の日常へ」『「慰安婦」問題を／から考える—軍隊性暴力と日常世界』岩波書店、歴史学研究会・日本史研究会、五—二八頁。

(18)「大山医院の看護婦として（玉城スエ、一九二七年生・看護婦）」『読谷村史　第五巻（資料編4）――戦時記録下巻』読谷村史編集委員会、読谷村、二〇〇四年、六九六頁。
(19)同前、六九四頁。
(20)同前、六九五頁。
(21)知念トキ（一九二七年生）読谷、読谷村史編纂室二〇〇六年一一月七日、洪玧伸、尹貞玉、古賀徳子の共同調査による。
(22)「生と死の間を生きて（福地喜美子、一九二五年生・看護婦）」『読谷村史　第五巻（資料編4）――戦時資料（下巻）』前掲書、六三二頁。
(23)「阿呆らしい軍事教育（浜元トヨ、一五歳・高等科生）」『北谷町民の戦時体験記録集（第1集）沖縄戦――語てぃいかな何時《いち》ぬ世《ゆー》までぃん』北谷町史編集事務局、北谷町役場、一九八五年、三八頁。
(24)「第一章　社会生活」『北谷町史　第三巻（資料編2）―民俗（上）』北谷町史編集委員会、北谷町役場、一九九二年、一六―一七頁。
(25)「字桑江ヌ前の移民・出稼ぎ家族・戦災調査一覧表」（『北谷町史　第五巻（資料編4）――北谷の戦時体験記録（下）』北谷町史編集委員会、北谷町役場、一九九二年、七七―七八頁）によると、沖縄戦中沖縄離島、日本本土、海外に出稼ぎに出かけた人々は全部で一六八人でそのうち三九人が死亡している。字桑江ヌ前の戦時中の戸数は八三、全体人口は三九八で、戦死者は五二人（同書、一七五頁）であったことから考えて、出稼ぎの割合や犠牲者の数は大きい。
(26)第9師団（武部隊）は七月一一日那覇に入港し、司令部を首里におき歩兵第7連隊を首里南方の南風原から大里地区に、歩兵第19連隊を東風平地地区に、歩兵第35連隊を南部島尻地区に配置し陣地構築をしていた。九月中旬から大本営からの飛行場緊急設置の命令を受け、第9師団から約三〇〇〇名が、中・北飛行場建設のため動員され、第24・第62師団との協力のもと、一〇月に中・北飛行場設置を完成している。（『第9師団戦史』第10師団編、二一三―二二〇頁、整理番号B03-5-362、沖縄戦関係資料閲覧室所蔵）第9師団は、大本営の方針に従った第32軍司令官の決定により一一月台湾への抽出命令を受け、一二月下旬から一月上旬にかけて台湾に輸送され、

一九四五年一月一〇日から第10方面軍に編入している。（『沖縄方面陸軍作戦』前掲書、一三四―一三五頁参照）

(27)「桑江ヌ前にあった慰安所（田場典仁、一九二八年生・中学生）」『戦時体験記録―北谷町』企画課町史編集室、北谷町役場、一九九五年、一七二―一七三頁。

(28) 同前、一七三―一七四頁。

(29) 同前、一七五頁。

(30) 同前、一七五頁。

(31)「桑江ヌ前の住宅地図」『北谷町史　第五巻（資料編4）――北谷の戦時体験記録（下）』前掲書、七二頁。

(32)「首里から真壁への道――私の戦争体験記（新里真盛、当時二七歳・教員）」『北谷町民の戦時体験記録集（第一集）沖縄戦―語てぃいかな何時《いち》ぬ世《ゆー》までぃん』前掲書、七四頁。

(33)「野戦病院だった北玉国民学校（伊礼秀、一九二九年生・小学生）」『戦時体験記録―北谷町』前掲書、三頁。

(34)「忘れられないおかゆの味（又吉敏子、当時二六歳・主婦）」『北谷町民の戦時体験記録集（第一集） 沖縄戦―語てぃいかな何時《いち》ぬ世《ゆー》までぃん』前掲書、六八頁。

(35) 防衛庁防衛研修所戦史室「第32軍の兵力増加要望」『沖縄方面陸軍作戦』朝雲新聞社、一九六八年、一八五頁、藤原彰編『沖縄戦――国土が戦場になったとき』青木書店、二〇〇一年、七五頁参照。

(36)「第32軍戦闘条例および指揮下部隊一覧表（昭和一九年三月二二日―昭和二〇年六月末）」参照。

(37) 独立歩兵第15大隊『第六十二師団歩兵第六十四旅団独立歩兵第十五大隊歴史』防衛省防衛研究所所蔵資料参照。第15大隊により作成され、アメリカに抑収された防衛省防衛研究所所蔵資料。本史料では、「平安山ノ上」「平安山ノ下」と表記されているが、それは字、「平安山ヌ上《はんざんぬうぃー》」と「平安山《はんざん》」であろう。大隊本部があった「平安山ヌ上」は、戦後、米軍基地と接収され今は存在しない。しかし、一五年に及ぶ聞き取りを中心とした調査により二〇一〇年字誌が編纂されている。同集落は、一七四〇年頃、勢理客姓の士族の帰農によって生まれた屋取集落で、戦時中は、軽便鉄道の平安山駅があったことや、県道、郡道が通っていたことで本島中部の物流拠点として栄えたところで、現在の嘉手納基地第一ゲート付近に位置していた。北谷国民学校や村役場を中心とした行政機関のほかに、そば屋や交番、商店などが立ち並び、栄えた町であった。嘉手納駅近くに存在した嘉手納大通りと多くの面で類似しており、嘉手納大通りと同じく、朝鮮人「慰安婦」の「慰安所」が存在した可能性があるが確認できない。とりわけ、北谷・嘉手納には、「平安山ヌ上」のように戦時中は栄えた町で、かつ近くには県内の景勝地として人気だった「砂辺の浜」があり、バショウの木が多い美しい集落であった。この字が戦中、日本軍により軍事化され、戦後は米軍に接収されたのち消滅したことを書きしるしておきたい。(平安山ヌ誌編集委員会『平安山ヌ上誌』平安山ヌ上郷友会、二〇一〇年、四七―五〇頁、「基地に消えた古里再び　旧北谷村「平安山ヌ上」一五年がかりで完成」『琉球新報』二〇一〇年三月二一日参照)

(38) 独立歩兵第十五大隊『第六十二師団歩兵第六十四旅団独立歩兵第十五大隊歴史』

(39)「今でも鼻に残っている死臭(桑江チヅ、一九一二年生・主婦)」『北谷町史　第五巻(資料編4)――北谷の戦時体験記録(上)』前掲書、四二三頁。

(40)「桑江ヌ前にあった慰安所(田場典仁、一九二八年生・中学生)」『戦時体験記録――北谷町』前掲書、一七三頁。

(41)「独立混成第十五連隊砲中隊　陣中日誌」昭和一九年一二月二八日。

(42)『第十五連隊速射砲中隊陣中日誌』(昭和一九年一〇月三日)には、「一、本部町渡久地ニ開設セシ軍慰安所を渡久地軍慰安所ト呼称ス　二、渡久地慰安所ハ十月五日〇〇〇〇より使用許可ス　三、渡久地慰安所ノ使用ニ関シテハ北地区駐屯地軍慰安所使用規定ヲ厳ニ履行スベシ」と書き記されている[第7章参照]。

(43) 古賀徳子「沖縄における日本軍『慰安婦』制度の展開」、前掲論文、一六―一七頁参照。

(44)『読谷村史　第五巻(資料編4)――戦時記録(上巻)』前掲書、一九三頁。

(45)『沖縄方面陸軍作戦』前掲書、五五―五八頁参照。

第6章　激戦地、中・南部における未完の飛行場建設と「慰安所」

子どものころ、崩れた石垣に囲まれた空き屋敷をよく見かけた。
なかにはブロックや石を積んだ小さな家があり、香炉が置かれていた。
近所のおばさんに「あの家は何」と尋ねると
「アマー、イクサウティ チネードーリル ソーンドー。チムグリサヌヤー
（戦争で一家全滅したんだよ、かわいそうで心が痛む）」と
悲しそうに話していた。チネードーリのチネーは家庭のこと、ドーリは倒れるという意味で、
家族が誰もいなくなることである。

（大城弘明『鎮魂の地図――沖縄戦・一家全滅の屋敷跡を訪ねて』未來社、二〇一五年、一二三頁）

1．陣地構築の村・一家全滅を抱える村における「慰安所」

一九四四年五月から、浦添《うらそえ》村に陸軍沖縄南飛行場（別称　仲西《なかにし》飛行場、城間《ぐすくま》飛行場。以下、仲西飛行場とする）が、西原《にしはら》村に陸軍沖縄東飛行場（別称：西原飛行場、小那覇《おなは》飛行場、以下、西原飛行場とする）の飛行場建設工事が行われていた。当初この両方の飛行場の工事を行ったのは、第19航空地区司令部（司令官青柳時香・球2569部隊）の命令により第三飛行場中隊（誠8349部隊）が担った。八月になると満州から来た

第62師団司令部（石部隊）が参入しており、「慰安所」も石部隊へと引き継がれていった。第62師団司令部（石部隊）は浦添に拠点を置き、浦添と西原に設置予定であった飛行場建設にかかわった。のちに「北・中飛行場」問題など、第32軍の方針が持久戦に変わってからも、第62師団は浦添にそのまま駐屯しながら、地上戦のための陣地構築に備えていた。しかし、結果的に両地域の飛行場は完成されることなく終戦を迎えた。

これまで確認された浦添における「慰安所」は、浦添の一八の字のうち七つの字に合計一五カ所である。「戦災地図、戦災実態調査表」によると、かつて「慰安所」のあった字の一家全滅率は、小湾《こわん》の場合二〇・七％、安波茶《あはちゃ》四三・三％、仲間《なかま》（以下、字仲間）三二・八％、屋富祖《やふそ》二五・〇％、経塚《きょうづか》二五・〇％、沢岻《たくし》二三％、西原《にしはら》（以下、字西原）一七・一％にのぼる（1）。

また、西原町（戦前は村）も一九八七年『西原町史』の戦時記録編をまとめており、「世代別戦争被災者状況」と「住宅（屋号）地図」を備えているが、その中から確認された「慰安所」のあった字の一家全滅率を見てみると、伊保之浜《いほのはま》一八・八％、嘉手苅《かでかる》一八・〇％、小那覇《おなは》二五・〇％にのぼる。西原自体、村の住民の半分は戦死したと言われるほど、甚大な被害にあっている。家族の中で一人以上の戦没者がいる世帯は全二一五六世帯のうち一八〇三世帯で、八三・六％にも上る（2）。未完の飛行場建設が試みられた二つの地域は、地上戦に巻き込まれて行った一家全滅の家々を抱える地域でもあったのである。この地域に、一体、「慰安所」はどのように入って行ったのだろうか。

まず、仲西飛行場が設置予定であった浦添に注目してみよう。

浦添は沖縄本島南部に位置し、首里（那覇）と中北部を結ぶ地域である。東部は丘陵地、西部は東シナ海に続く東高西低の地盤で形成されている。「沖縄の屋根」ともいわれる北東から南西にのびる山陵地を境にして、西原と隣接する。特に標高四〇メートル以上の高地は山稜が波浪状をなし、激しい起伏を示している。字西原から宜野湾の嘉数《かかず》にかけては、「嘉数高台」と呼ばれる標高六〇メートルから八〇メートルの石灰岩の高位面を形成していた(3)。

嘉数高台は、今や普天間基地が一望でき、離着陸する米軍の戦闘機やオスプレイの発着が最もよく見下ろせる場所として有名であるが、沖縄戦当時、この一帯は前田高地、仲間台、嘉数高台などの山稜地域に囲まれ、日本軍が造った巧妙な陣地が張り巡らされていた。その頂点に位置するのが嘉数高台であった。前田高地から嘉数高台一帯をめぐっては、一九四五年四月、米軍と日本軍との間で一ヶ月をこえる戦闘が行われている。

米軍上陸後、「時間稼ぎ」のために首里の地下壕の司令部を主陣地としていた第32軍は、この浦添、西原方面の「天然要塞」を利用した陣地を構築し、自然洞窟、墓などをも利用した作戦を展開していった。持久戦に備える過程で、しばしば「沖縄の屋根」ともいわれるこの一帯は、日本軍の「天然要塞」として利用されたのである。

しかし、当初第32軍が注目したのは、のちに激戦の中心となる山稜地域ではなく、浦添の字城間《ぐすくま》、仲西《なかにし》、小湾《こわん》にまたがる西海岸の平坦地であった。第19航空地区司令部指揮下の第3飛行場中隊(球部隊)に浦添の仲西飛行場と西原の西原飛行場を担当させた。飛行場中隊の他にも第6要塞建築勤務中隊の一部を派遣した。正規の将兵一六九人程度の小部隊を飛行場建設のため編成、浦添に駐屯することになった。四四年五月一日、飛行場設定隊による起工式が行われ、飛行場建設が始まった。

浦添は、一八の大字とそれぞれの大字に属する小字で成り立つ。地形や土地に恵まれた農業地帯で、水田や畑で、かんしょ(甘藷)、豆類、米、麦などの栽培がおこなわれる純農業地域であり、小作人が存在する貧富の差が大きい地域でもあった。零細農家が多かったため、明治から大正初期にかけて貧困のため身売りされたジュリ（辻遊郭の女性）の中には浦添出身者が多かった。(4)

沖縄戦では大きな家を持つ人々は兵舎としての提供を強いられ、小作人は食糧供出を強制され、それぞれ貧困を体験するようになる。飛行場中隊は主力を字、小湾《こわん》に駐屯させ、小湾にあった尚家別荘を借り上げて本部の宿舎とし、浦添国民学校を接収し兵舎としたが、徴用者などを加えて飛行場設営隊が編成されるとそれだけでは収容しきれず、村内の大きな瓦家の一番座などを借りきって一四カ所に一四人から一五人の部隊を分宿させていた。(5) そしてこれらの村々に、「慰安所」が設置され始めた。

まず小湾には、第19航空地区司令部は指揮下の第3飛行場中隊の主力約七〇人を駐屯させ、本部の宿舎として尚家《しょうけ》の別荘、松山御殿《うどぅん》と中城御殿を接収した。小湾は浦添で唯一の海岸沿いの集落で、海からの潮や強い浜風から集落を守るために屋敷は石垣で囲まれ、石垣の内部には防潮林や防風林として植えた樹木が影を落としていた。集落の道には白い砂が敷き詰められ、白い小道にはきれいにホウキの目が刻まれていたという。沖縄県知事により生活改善指導字（一九三二年）に指定された集落であった。生活改善運動だけでなく、天照皇太神宮の礼拝も行われ皇民化教育も村をあげて徹底しようとした集落であった。(6)

日本軍が最初に接収した尚家別荘松山御殿、中城御殿は、両方とも木造一部二階建て、赤瓦寄棟作りが重なり合う識名園の離宮に通じる美しさを持つ建物であった。松山御殿は、敷地は西側の海側以外の三方面が見事な石垣に囲まれ、庭には豊かな観賞用のフクギやガジュマルがあり、村人には「モリ」と呼ばれていた。中城御殿は屋敷の西側に砂浜と東シナ海が広がる最も美しい場所に位置し、中庭には珊瑚石が敷き詰められ、庭には観賞用の池と築山、たくさんの花木やガジュマルが植えられ、周辺は高い

石垣で囲まれており、「南国の楽園の風景」そのものであったと言われる。(7)

そして、この別荘がまもなく「慰安所」となった。駐屯に先立つ一九四三年、日本軍が当時村会議員を務めていた手登根順明を訪ね、尚家別荘の接収を求めている。手登根《てどこん》は小湾が生活運動改善指導字に設定されたときに、村代表の一人として沖縄県知事と関連契約書を交わした村の有力者であった。手登根の娘、伊智万里子（旧姓・手登根文子、一九二三年生）は、当時のことを次のように証言する。

「昭和一八年のある日、日本軍の将校が一人私の家にやってきたのです。その時、父母と三人暮しで、私は縁先で針仕事をしていました。すると、小雨の中を、軍刀をさしてレインコートを着け、長靴をはいた日本兵が、パチャパチャと門から入ってきて、『手登根順明さんのお宅はこちらですか』と県庁でもらったという父の名刺を持って、尋ねるのでした。私はそのとき、初めて日本兵を見ましたし、また将校という言葉も知らなくて、父に『兵隊の服装している人が、お父さんの名刺も持って見えているよ』と伝えたのです。この柳三郎という見習士官は、沖縄県に、仲西飛行場の設計に来て、父を紹介されたのです。そして、父とそこでいろいろな話し合いをしていました。その結果、『松山御殿と中城御殿を兵舎として借用させるが、兵舎と部落は絶対に区別して、兵隊は、部落内から絶対に歩いていけない。部落には、娘たちが沢山いるので、軍隊の通り道は、自分たちで決めて、その通り以外は絶対に通ってはいけない』と父は厳しく条件を付けていました。父は軍隊経験者でした。(8)」

将校という言葉さえ知らなかった伊智万里子が、「慰安所」というものを知るはずがなかった。彼女は、別荘の広い庭先で、「慰安所」にいた辻の女性たちから歌や踊りを教えてもらった。何の意味も分からず、兵隊が切符を持って一列に並んでいるのを見ても「あんたがたは、何しに来たネー」と言うくらいであったという。松山御殿と中城御殿は尚家別荘であったため、村の人々はほとんど敷地内に入る機会はなかった。「そこは男が女を買う所なんだよ、そこへ行くと大変だよ」と青年たちが教えてくれたのは、ずっと後のことであった。「慰安所」の衣類の洗濯などは、労働奉仕として徴用された住民によって行われたが、小湾出身で一ヶ月ほど労働奉仕で「慰安所」を行き来した比嘉ヤス（旧姓・宮城、一九二二年生）の証言では、小湾で「慰安婦」とされた女性たちは、全て辻の沖縄女性たちで、十数名くらいだった(9)。

小湾以外の地域にも次々と「慰安所」が建てられていった。「慰安所」はそれまで村で大きな茅葺屋と一軒屋に過ごした人々の日常に大きな影響を与えた。

安波茶出身の宮城篤三は、瓦葺家の自宅が「慰安所」として使われるとの話に驚いた。一九四四年当時、宮城篤三は村兵事係兼在郷帝国軍人会分会長をしていた。

「役場にやって来た将校が、瓦葺家の私の家に慰安婦を入れるというのです。私は最初不服だといったがどうしても使用するといい、貸さなかったらどうするかと聞くとこれは軍命令だといって、強引に慰安所にしていったのです。そのとき私は子ども三名の五人家族でした。そして、製糖小屋に追いやられたので、そこは床もないから子どもを寝かせられないので、屋敷内の馬小屋で寝泊りさせて欲しいと願ったが、そこも駄目だということでした。慰安婦は、朝鮮人と辻の女性が四、五人きていました」(10)

安波茶で宮城篤三と軍との間で「慰安所」のために新家接収の話が行われた一九四四年夏、経塚でも、役場で疎開係を務めていた大田朝英（一九〇六年生）の自宅が、「慰安所」として接収されていた。

大田朝英自身、中国戦線に参戦し満期除隊後に帰国した人であり軍隊による性暴行事件などを知っていた。実際、浦添の住民が、戦争を肌で感じはじめたのは、一九三七年(昭和一二)「支那事変」以降である。浦添各字から次々と中国大陸へ出征していき、出征、転戦、負傷ないしは除隊となり帰郷するといった状況が切れ目なく続いた。中国戦線の参戦の経験から大田は、「村の婦女子を兵隊から守らねばならないということで、止むを得ない」と思い、また、「戦争に勝つためには何でも軍のいうままで」あった当時の状況から、「慰安所」として使われることを許可した。ところが、「慰安所」として自宅を譲り、馬小屋にムシロを敷き、そこで老父母と三名が寝起きする生活とは、大変なものであった。大田の父は馬小屋暮しが始まってからだんだんと老衰していき、正月には「家に帰りたい」と言い出した。部隊長に事情を説明し自宅に帰る許可を得た。ところが、父は自宅に帰って間もなく亡くなり、その日のうちに葬式をすることとなった。「もう葬式終わったから、むこう(馬小屋)に戻りなさい」という部隊長に対し、大田はそれでも、沖縄の葬式を珍しがっておおぜい墓までやってきた兵隊に感謝の念を抱き、「立派な葬式ができて、ありがとうございました」と礼を述べたという。(11)

このように一九四四年五月「起工式」以来、飛行場建設のために浦添に駐屯した第19航空地区司令部の独立第3飛行場中隊は「慰安所」のために民家を接収し、住民は豚小屋などに追い出される生活を余儀なくされた。しかし、「娘たちが沢山いるので」「村の婦女子を兵隊から守らねばならない」「戦争に勝つためには」などの理由などでそれらの要求は受け入れられ、また軍の強制に逆らうことはなかった。

こうして、最初は海岸地域周辺を中心に第3飛行場中隊(球部隊)の小部隊の「慰安」組織として設置され始めた「慰安所」は、第62師団(石部隊)という七月以降満州から沖縄本島に上陸した戦闘部隊へと受け継がれていった。

浦添には八月から集中的に日本軍部隊が駐屯する。仲西の区長だった親里仁正の証言によると、この頃になると、村を通して各集落区長に、集落内の大きな家の世帯主の氏名、軒数を報告するように指示が下ったという。石部隊が駐屯し始めてからは、校舎が兵舎として使われたため、一時期授業が中断されるほどであった。そして、間もなく10・10空襲が始まった。(12)

宮城三吉（一九二四年生）は、浦添、前田《まえだ》の激戦地で生き抜いた証言者である。雨期に入っていた前田高地では、戦闘で、焼き焦げる死体の煙で視野がきかないまま四〇日近くの戦闘を経験し、恐怖で精神異常となった兵士を多くみてきた。「鏡」を持っているだけで敵に鏡を反射させて連絡を取っているから「部隊に連れて来い」などと言われ、鏡はスパイの証拠物件として扱われるとの話が流行るなど、兵隊同志が互いに疑うことはもちろん、住民の扱いにまで影響するほど恐怖で狂っている状況であったと宮城はいう。激しさが増していく浦添戦線で、宮城自身、死んだ同僚の死体を担いで死体の下でそのまま息をこらえるなど「紙一重」の死と生の差を何回も体験し、戦場を生き抜いている。宮城は一九四四年正月に徴兵検査を受け、五月頃には現地入隊が決まったが、入隊命令が届いたのは10・10空襲の後であった。小湾には既に石部隊が村に駐屯し機関銃の陣地や壕掘りを始めていた。宮城は10・10空襲を小湾で経験し、その直後の一五日に入隊している。(13)そして、小湾の尚家別荘にいた「慰安婦」のことを次のように証言した。

「そこは慰安婦が、一般の兵隊じゃない。下士官以上あたりがずっと慰安所に出入りしていました。（中略）10月10日の大空襲があって、那覇の街はほとんど焼けたわけですよ。辻（チージ）の遊郭もみんな焼けたわけですよ。みんな散り散りになったので、そういうふうにして引き受けたわけです。前はチージで慰安をやっていたわけです。兵隊たちもみなチージに行きよったわけです。那覇のチージにね。

あれが焼けたもんですから、こういうふうに分散してあちこちに行ったんじゃないかと思います。(14)」

このように浦添の各字に住んでいる住民が、自ら自宅を接収された経験などを語ったことから明らかとなったのが、一五カ所という「慰安所」の数である。浦添市史編集委員会の調査では一八の字のうち七つの字に合計一四カ所(『浦添市史　第五巻(資料編4)――戦争体験記録』、浦添市教育委員会、一九八四年)が設置された。『浦添市史』をもとにした九二年沖縄女性史研究グループの調査によると、浦添の字、仲間《なかま》に一カ所、安波茶に二カ所、屋富祖に一カ所、小湾に三カ所、経塚に四カ所、西原に二カ所、沢〓《たくし》に二カ所の合計一五カ所の「慰安所」が確認されている。(15)

浦添の「慰安所」調査の詳細に関しては、各字の「戦災実態調査表」から「慰安所」が設置された場所の確認ができる。同調査表は、「日本軍民家利用」「家屋被害」「慰安所」の項目にわけられ、特に「慰安所」に関しては朝鮮人の「朝鮮人慰安婦」と「沖縄人慰安婦」に分けて調査結果が記録されている。その中には、小湾の「慰安所」のうち「陣地＋『慰安所』」とされたものは数えられていないが、同字の地図のなかには記入されており、浦添市史の調査結果でも「慰安所」は一五カ所とみて良い。(16) これらの調査結果を、浦添に駐屯した石部隊の作戦地図に示したのが、〔図I〕である。

沢〓や仲間では、字の事務所(ムラヤー)が「慰安所」として使われ、小湾の場合前述の通り尚家別荘が「慰安所」にされ、その他にも「陣地＋慰安所」となっている掘立小屋の「慰安所」があった。(17) しかし、その他は、ほとんど民家を接収し「慰安所」として使ったものであった。最初は、辻遊郭から連れてこられた女性が多く、朝鮮人「慰安婦」が連れてこられた時期は、第62師団(石部隊)が山稜地域に陣地構築を始めた頃と重なっている。

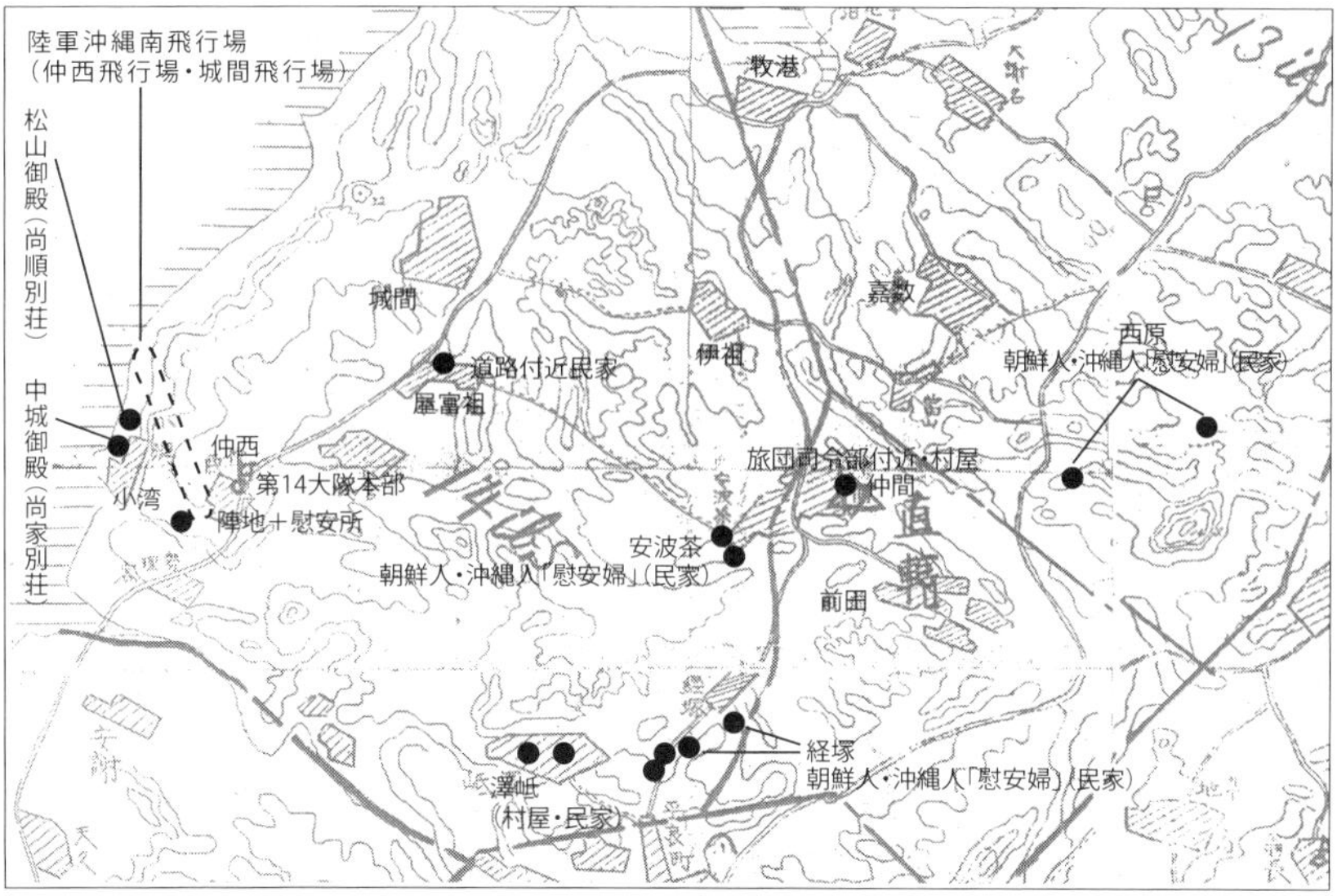

図Ⅰ　浦添の日本軍「慰安所」マップ

地図出典『歩兵第六十二師團独立歩兵第六十三旅團司令部歴史(1943年6月～1945年3月)』
●「慰安所」の場所　「慰安所」位置作成：洪玧伸

「慰安所」は山稜地域に近い字に集中している。実際、朝鮮人軍夫たちの多くも、一九四四年七月に朝鮮大邱で編成し、八月から一二月にかけて沖縄に動員されている。(18)彼らは「特設水上勤務隊」と呼ばれ、主に、沖縄本島の海岸地域では荷役作業を、慶良間《けらま》諸島では壕構築、物資集積作業を、嘉手納、読谷、そして名護の本部では軍用物資揚陸作業、運搬、道路工事を行っていた。(19)その中で、沖縄本島特に北部から南部への荷役作業を行った特設水上勤務第102中隊は、一九四四年一二月に上陸している。北部では主に陣地構築のための木材を運搬する作業をし、石部隊に食糧を運搬し、最後は南部で弾薬運びをさせられほぼ全滅した。(20)特設水上勤中隊と同じく、浦添周辺の「石部隊」の陣地周辺の朝鮮人女性たちも戦況が激しくなった一九四四年七月から一二月にかけて連れてこられた可能性が高い。とりわけ、陣地図をもとに作成した以下の「慰安所」マップでその概略は見てとれる。

第62師団の陣地図では、部落の中の民家の位置が省略されている。しかし、私は、〔図Ⅰ：浦添の日本軍「慰安所」マップ〕の作成過程で、意外な「地図」に大いに助けられた。それは、一九二一年陸地測量部が作成した「琉球列島地形図」である。「琉球新報」によると、日本軍は、すでに一九一三年に軍事練習をしている。(21)

この地図は、細かな点で民家の位置、道路、山稜の形などが詳しく書かれており、その位置は、浦添市が作成した「戦災実態調査表」や各字の図と比べてもほとんどが一致している。〔図Ⅰ〕は、「大正一〇年陸地測量部作成」と「戦災実態調査表」を参考に、地形や道を比べながら、「慰安所」のあった集落を沖縄戦当時の『陣中日誌』の上に表示したものである。『陣中日誌』の保存状態がそれほどすぐれていないため折り重なった部分などが見づらいのだが、「慰安所」は単に山稜地域付近に位置しただけでなく、師団司令部が置かれた字仲間につながる大きな道沿いにも集中していたことが分かる。

浦添の仲西飛行場付近の小湾や仲西集落から、第14大隊本部を通り、北へ進むと屋富祖に至り、屋富祖から大通りに沿って南に進むと安波茶を経過して、師団司令部がある字仲間に至る。といった形で、字仲間を中心に道は繋がり、その拠点となるところどころに朝鮮人の「慰安所」が建てられていたことが分かる。沖縄本島の南部に位置する浦添は、南には那覇が、北には宜野湾《ぎのわん》、東には西原と普天間街道（現在の県道153号線）が繋がる、交通の要衝であった。陣地構築のために山稜地域付近に駐屯した軍隊の設置した「慰安所」は、一見、山稜地域に位置したように見えるが、実際には師団司令部への道につながる作戦上重要な道沿いに位置していたのであり、最も交通の便が良い場所に置かれたために、住民の生活圏ともそれほど離れていない場所にあった。

『浦添市史』の調査では、字仲間にいた「慰安婦」は「朝鮮人慰安婦」で約一〇人とされる。[22]だが、より多い人数の女性が送り込まれた可能性もある。そして、朝鮮人や辻遊郭の女性以外に、本土から来た女性たちもいた。「石兵團會報」には、一二月五日から仲間には将校だけを相手とする「慰安所」も開設された記録が残っており、「藝妓又ハ特ニ他府縣ヨリ招致セル者」の価格が設定され、下士官、将校及び準士官のみの使用を許可し、切符発行は免除されていたことが記されている。これらの「慰安所」を軍は「第三慰安所」と称した。[23]古賀徳子は、修士論文において浦添市立沖縄学研究室保管の非公開資料から、比嘉有吉の手記「沖縄戦を顧みて」の中で、字仲間にあった尚家別荘も使用していたことを発見しており、字仲間の尚家別荘が「第三慰安所」として使われた可能性を示唆している。[24]

浦添は、現在調査されただけで沖縄本土で最も多い一五カ所の「慰安所」が存在した字である。しかし、村全体の破壊や犠牲者が多いだけに、その実態は未だに不明である。それでも本書で住民証言を伝えられたのは、一九八四年浦添市が取り組んだ画期的な調査のおかげである。一九八四年、浦添市は、緻密な地図を作り上げた。約一〇〇〇人の住民の証言と、日本軍関連資料、浦添住民の援護法関係資料などを、他市町村史も参照しながら総合的に分析し、五年かけて「戦災地図、戦災実態調査表」を作製したのである。この表は、一九八〇年から八二年まで、沖縄国際大学石原ゼミナールの学生四三名が実施した約一〇〇〇名の戦争体験者の聞き取り調査が基礎になっている。「戦災地図、戦災実態調査表」には、日本軍陣地、住民の避難場所、各戸別の戦死者数、日本軍の家屋利用・被害状況などが詳細に記録されており、実際の住民の証言と照合しながら読むことで、戦闘に巻き込まれていった住民の戦争体験を立体的に認識することが出来るようなっている。その空間の記憶の中に「慰安所」があった。本書で紹介した証言は、当時収集された証言をまとめた石原昌家「第一章　戦場への道」（『浦添市史 第五巻（資料編）4――戦争体験記録』）

を多く参照した。また、本書で作成した「慰安所」マップは、当時作製された「戦災地図、戦災実態調査表」に基づくものであることを強調して置く。

一方、一九四四年春、浦添と全く同じ時期、西原にも陸軍沖縄東飛行（別称　西原飛行場、小那覇飛行場。以下、西原飛行場とする）が置かれ、軍・官・民一体の飛行場工事が続く中で「慰安所」が設置されていった。西原飛行場の設置に適する土地として、当初は、西原の字、小那覇から伊保に至る海岸の平坦地が注目された。一九四四年五月一〇日、第3飛行場中隊が、三九万平方メートルの農地を接収して以来、七月中の完成を目指し、軍・官・民一体の飛行場建設が始まった。起工式は一九四四年五月一日、浜之御殿（尚家別荘）で行われた。浦添と同じく飛行場設営を担う第3飛行場中隊（球部隊）が主力で、尚家別荘であった浜之御殿に本部を置き、徴用労働者は小那覇の民家に四人～五人ずつ割り当て宿泊させた。[25]

西原は、首里王府時代、その直轄領地でもあった。[26] 尚家別荘である浜之御殿が位置する字であった伊保之浜《いほうのはま》は、沖縄でもっとも風光明媚な絶景として知られるところで、主に首里士族の次・三男らが生活の糧を求め田舎下りしてできた集落であった。[27] 民家を接収して「慰安所」とした嘉手苅《かでかる》も、尚円王（一四七〇～一四七六）ゆかりの地で歴史の古い集落で戦前までは肥沃なサトウキビ畑に、製糖工場、町役場、農協、銀行、商店などが立ち並ぶ中心街であった。[28] 一方、病院の空家が「慰安所」として使われたとされる小那覇は、一九四四年（昭和一九）四月、西原飛行場の建設のために、約一五万坪が強制接収された農業中心の平坦地域である。[29] これらの字は、いずれも、西原飛行場の近くに位置していた。そして、設置された「慰安所」は、石部隊が駐屯することになってから「石部隊」へと引き継がれていった。

西原に設置された「慰安所」はその設置過程や運用が、浦添と類似している。浦添の字、小湾の尚家別荘松山御殿《まつやまうどぅん》や中城御殿《なかぐすくうどぅん》が「慰安所」として使われたことと同じく、西原も尚家別荘浜之御殿《はまぬうどぅん》が「慰

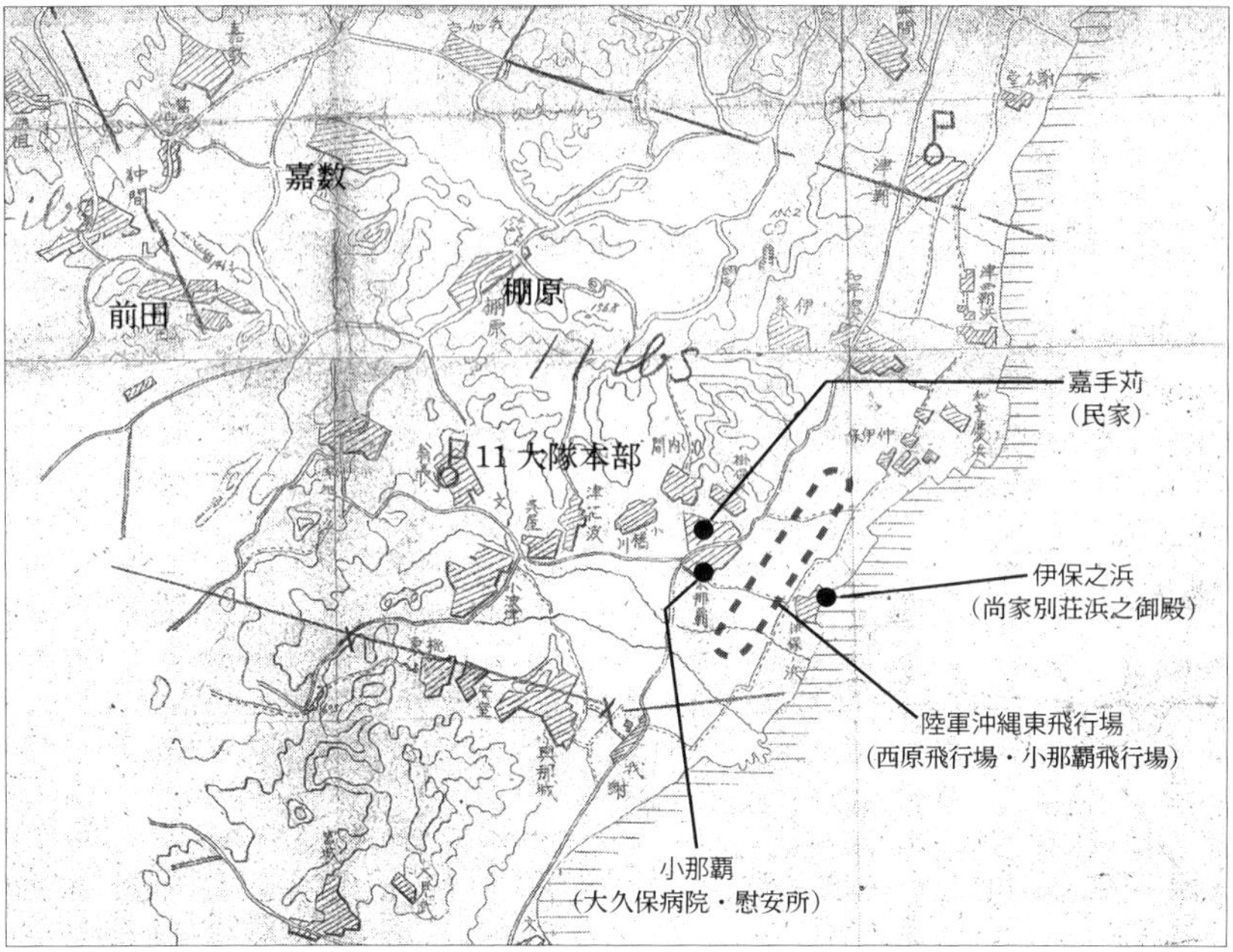

図Ⅱ　西原の日本軍「慰安所」マップ

地図出典『歩兵第六十二師團独立歩兵第六十三旅團司令部歴史（1943年６月～1945年３月）』
●「慰安所」の場所　「慰安所」位置作成：洪玧伸

安所」（伊保之浜一カ所）として使われた他、民家（嘉手苅一カ所）や空屋となった病院（小那覇一カ所）などが、辻遊郭の女性たちが入れられた「慰安所」となった。[30]特に、尚家の別荘を「慰安所」とした集落、伊保之浜の事例は、遊郭の形をした「慰安所」の形態を最も明確に示している。

伊保之浜は、民家に一人も日本兵が駐屯していなかった半農半漁の小さい集落であったが、唯一、「慰安所」としてのみ使うために、尚家別荘・「浜之御殿」が軍に接収された。そもそも「慰安所」となった「浜之御殿」は、周辺を高さ二、三メートルの石垣に囲われ、敷地内には二階建ての木造茅葺（庇は瓦屋根）家屋と、サンゴ石灰岩で造られた深さ二メートルほどの大きな池があった。毎年九月か十月ころになると、首里の「中城御殿」から二、三〇人の尚王家の人々が轎に乗って「浜之御殿」へ遊びに来ており、字民総出で尚王家の人々を迎える行事となっていた。一八九九年（明治三二）に増築されて以来、知事や書記官、警部、参事官などの高官を招待して盛大な酒宴が催される場所でもあった。[31]

一九四四年、かつて尚王家のために使われたおよそ三千坪にもなる敷地内は、飛行場建設のために西原と浦添方面に駐屯した将校たちの宴会の場となった。二〇人から三〇人の石部隊の将校たちが、毎日、夕方になると宴会を催したのである。戦前と変わったのは、経営と管理は軍に依頼された人々が行い、提供されたのが軍に供出された糧であったこと、そして宴会場が「慰安所」として使われたことであろう。軍から委託された与那覇《よなは》出身の夫婦が経営し、二、三人の女中がきりもりして、軍に供出された牛や豚がその場で料理されたが、その解体を担当した住民は「屠殺係の軍属」として兵役を免除された。[32]当時、近くの字、小那覇で牛乳屋を営んでいた宮平済（当時三七歳）は、「慰安所」に毎日牛乳を届けていたという。牛乳の配達は、10・10空襲により小那覇もほとんど焼け、山に避難した時まで続いたという。[33]台湾に移駐予定であった第9師団（武部隊）のため盛大な送別会が行われたのも、「浜之御殿」であった。武部隊は、一九四四年一一月下旬から台湾に転出していることから、「浜之御殿」の「慰安所」は10・10空襲以降にも使われていたことが分かる。[34]

しかし、こうして「慰安所」も設置し、進めていた西原飛行場の工事は思うようには進まなかった。飛行場が設置された西原の平野は、海に近い東側から「砂がち堆積層」と「泥がち堆積層」が広く分布しており、[35]西原飛行場に徴用された人々は、毎日、膝まで泥につかりながらトロッコで土や石ころを運ぶ作業をしなければならなかった。[36]それでも、軍官民一体の飛行場工事により、七月初めには、ほとんど地ならしを終え、ワイグー（小石）も敷きつめられる段階まで進んだ。ところが、サイパンの「玉砕」（七月七日）が伝わった翌日には中止された。サイパン陥落後、第32軍が有力な飛行場、伊江島、読谷、嘉手納の飛行場に集中作業を命じたためである。作業が中止され、住民と飛行場設営隊は、嘉手納と読谷に派遣された。(37)

そして、八月二〇日第62師団（石部隊）が、西原国民学校に駐屯するようになると、飛行場周辺に陣地構築が始まった。九月一五日は航空作戦準備強化のために、第32軍は戦闘部隊を飛行場設定に動員したが、西原飛行場は強化の対象とされなかった。地盤が軟弱なために工事の先行きが困難視されたためといわれている。八月以降第62師団が力を入れたのは、持久戦のための陣地構築である。この時期から、海岸地域の平坦地より、山稜地域に近い集落での軍民雑居が本格化し、陣地構築作業が進められた。また、10・10空襲後の飛行場の設営は、事実上放棄された。西原飛行場は完成されずに敗戦を迎えた。第32軍の方針により読谷と嘉手納の飛行場をあきらめ、前線を中南部中心に移し、持久戦へと向かっていったためである。そして、第32軍は、司令部を置いた首里の郊外、石嶺《いしみね》に秘密飛行場を建設し、西原飛行場と連絡路で結んで特攻機を発進させる計画で工事に着工したが、それも米軍の攻撃が激しくなると進まず、首里城の軍司令部の前衛陣地となったために飛行場は完成されることなく敗戦を迎えた。(38)

そして、浦添も西原も今度は飛行場周辺の地域ではなく山稜地域の集落に陣地構築のための部隊、石部隊が駐屯し始めてから住民と軍との間の葛藤が一層高まっていった。

まず、浦添でかつて自宅を「慰安所」として提供し、父の葬式後にも何の文句も言わずに軍に協力した大田朝英は、供出係を務める中、区長に向かって軍曹が、軍刀まで抜いて「なぜこんなに少ないのだ！もっと出せ！」と促す態度には耐えきれなくなった。「自分も支那事変からずっと戦闘してきて帰ってきた時期だ。あんたがたが軍刀抜いたってびくともしないよ」といい、「住民も銃後を守るために食べなければならないのだから、次は多く出すようにするから、今度多く出しなさいといえばいいじゃないですか」と、強く抗議したことが証言されている。(39)

仲西《なかにし》の親里仁正区長は、仲西飛行場建設現場から、石部隊の中隊長が「仲西の部落は徴用の人数が少ない」といわれたことに対し「兵隊さん、仲西の部落は少ないし、この部落から飛行場建設だけでなく、各陣地作りにも分配していますから、人数は足りませんよ。当然です。人数がそれだけしかいませんし、どこから連れて来ますかね」と抗議した。(40)

陣地構築のために駐屯している兵隊に食べ物を作り、慰問に出かけた国防婦人会会長仲西出身の宮城カメは、「あんたがたには、ぜんざい作りはできないから、材料を持っておいで」といわれ、その態度に激怒、国防婦人会の村の集まりでこのことを報告後、「もう慰問はするな」との意見が出て慰問をやめている。その後、薪の供出を強く促した隊長から「あんたがたは薪の供出を充分してないね。燃えやすい家からロープで壊して薪にするよ。私達がここを守らないで、敵に負けたらみんな灰になるんだ。私達が守るから薪の供出を充分にしなさい」といわれた時には、「民家も壊して薪にするとおっしゃるんでしたら、敵と同じじゃないですか」と強く抗議している。(41)

一九四五年（昭和二〇）三月、中隊長の命令だけで、村の若い女性たちが救護班に駆り出されると、不満はピークに達した。一九四五年三月救護班として編入された伊智万里子は当時のことをこう語る。

「当時議員をしていた父（手登根順明）は『地方の娘まで兵隊みたいに、令状が来るなんてけしからん』と激怒していました。そして私達九名が部隊に入るとき、父がみんなを集めて、部隊は部落内にあったのだが、一応見送ってくれたのです。その時、父は防空壕からカルピス一本を持ってきてくれました。

そして、『君達九名はね、もう本当に目に入れても痛くないぐらいだ。君達に令状が来るということはね、もう戦争は負け戦さだから、絶対死んではいけないよ！　死んだら君達は犬死にだよ！　ちゃんと戻って来て、もう一回踊って、みんなに見せるんだよ！　絶対死んではいけない、死ぬ時は、お父さんがちゃんと爆弾ひとつは持っており、みんな一緒に死んであげるから、犬死にしてはいけない！　絶対死ぬな！』と言いました。(42)」

父の強い言葉を胸に救護班として動員された伊智万里子は、同じく動員された女子看護班のミスに衛生兵がビンタを張るのを見た。「あんたなんか衛生兵の免許は持っているが、うちなんかは救護班に来たばっかりなのに、うちなんか兵隊でもないのになんでたたくね！」と抗議したことを生々しく語る。九人の女性の中で生き残ったのはたった三人だけであった。(43)　証言者伊智万里子の父、手登根順明は一九四五年五月、沖縄の南部、具志頭《ぐしちゃん》で戦死している。(44)

本章のはじめで言及したように、西原の状況を考える際に見逃せないのは、一家全滅の家が多い点である。戦時中、西原全体の戸数は二一五六戸であったが、そのうち一家全滅は四七六世帯の二二・一％に上っている。(45)

北部への避難を食糧の面から懸念して避けていた住民や、また日本軍を信頼し避難を避けた住民。一九四五年三月になると、米軍の艦砲射撃が激しく、北部に避難する状況ではなくなった。住民の多くは米軍との激戦が続く中で南部に避難するしかなく、沖縄戦の中でも最も激しい南部激戦に巻き込まれたのである。(46)「慰安所」が置かれていた集落、小那覇は、最初は飛行場建設用地に土地を接収され、10・10空襲により村内で唯一爆撃を受け、戦後は米軍の飛行場として土地を接収されたために、屋敷自体が跡形もなくなった集落である。沖縄戦で集落自体が全滅したといわれる小那覇は、〔図Ⅲ〕で見るように、一家全滅の家が目立つ。(47)

西原飛行場周辺は10・10空襲による攻撃は少なかったが、一五日から艦砲射撃がまた激しくなり、四月になると海からの艦砲射撃、地上からの米軍上陸、そして空からの後方偵察や攻撃など、息つく間もない緊張感がこの一帯を巻き込んだ。そして既に「放棄」されていた日本軍の飛行場は無能であった。

「日本機は全然その姿を現わさない。米機は自由自在で、山と山との中間を、グッと低空するけれども、日本軍は全く鳴りを静めている。わざわざ東風平方面から運んで来たはずだろうに、兵器弾薬はほとんど米機の好餌と消え散るのである。歯がゆくて見るに忍び得ない。といって、ついうかつに批判がましいことでも言うと銃殺されるのである。深い沈黙を守らねばいけない。軍に言わしむれば、それも一つの作戦のようだ。しかし、ここかしこで、ひっきりなしに露と消える家族全滅の悲惨さを見せられては、あるいは聞かされては、折角、国民の血と汗で造った兵器を使わずに、米機の好餌に捧げて、国民に済まないと、詫びる気持もなく、作戦と片づける軍の態度を沈黙の裡に責めずにおられようか。そのくせ県民をスパイ扱いするに到っては、軍民を離反させる結果を招くようなことはないだろうか。」(48)（傍点は引用者による）

「深い沈黙を守らねばいけない」状況の中に住民スパイ視があるなら、その対象は、「慰安所」関連の協力者でも例外ではなかった。

伊保之浜では、島が分断された状況で、逃げるに逃げられず再び地元に戻った六人の高齢者と一人の

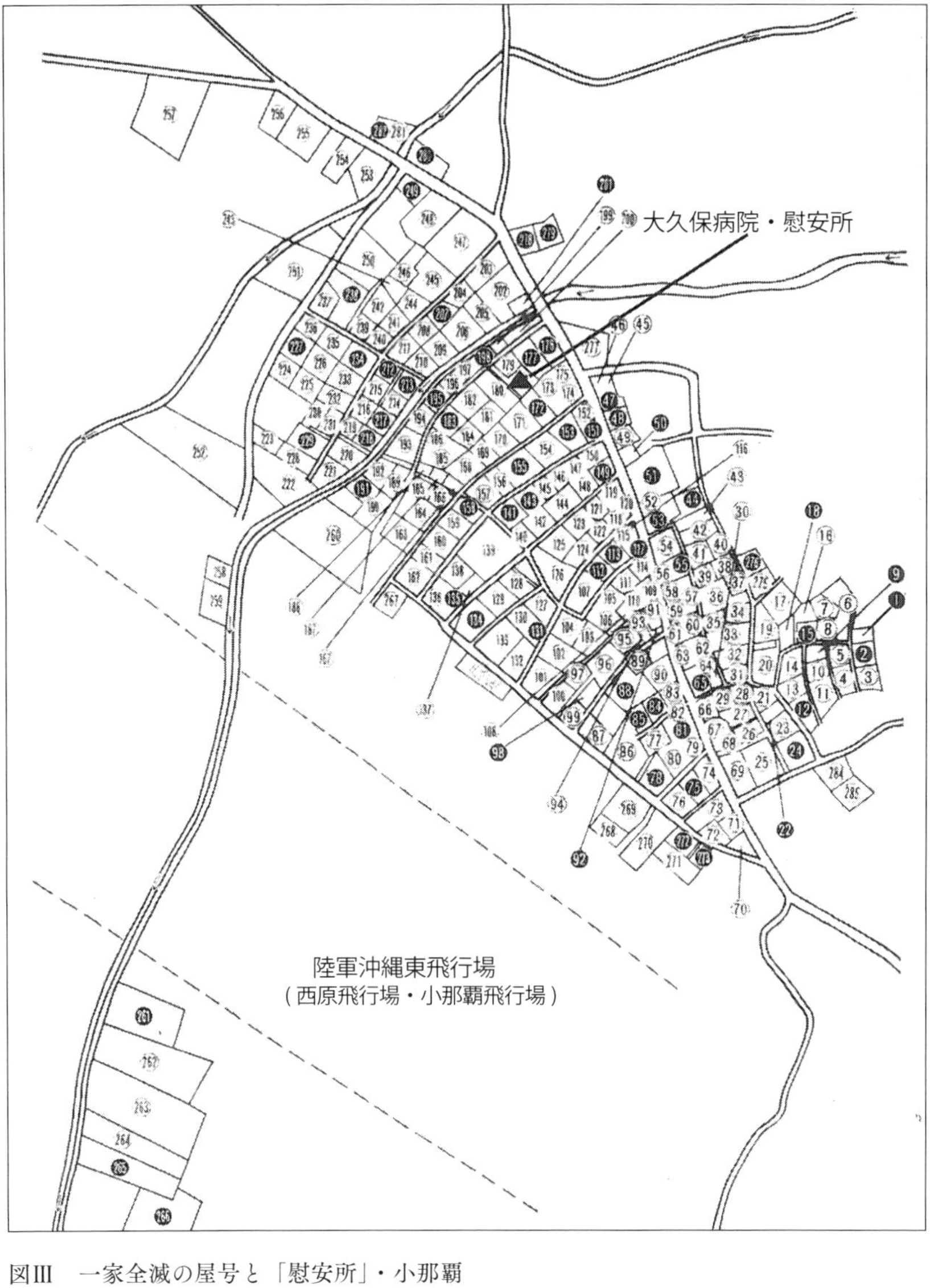

図Ⅲ　一家全滅の屋号と「慰安所」・小那覇
地図出典『西原町史第三巻（資料編２）― 西原の戦時記録』西原町史編纂委員会、1987年、525頁。
▲「慰安所」の場所（位置作成：洪玧伸）　●一家全滅の屋号（西原町史編纂委員会による）

女性が、スパイ容疑で殺された。高齢者は全て七〇歳から八〇歳、一人の女性とは、「慰安所」となっていた「浜之御殿」の「屠殺係」で、軍に供出された牛や豚などを解体し料理して将校にだしていた花城仙三の妻であった。さらに、石部隊は、「慰安所」としても使われた広い「浜之御殿」に、大きな松材で擬似高射砲を設置し中城湾《なかぐすくわん》に向けていた。「浜之御殿」はもとより、米軍の艦砲射撃により集落は一戸残らず全焼した。日本軍も駐屯していなかった伊保之浜は「浜之御殿」さえなければ、集落は焼かれずに済んだのではないかという話が伝わる。(49)

私は、これらの住民の不満がエスカレートしていくこの時期に、「慰安所」に関する規定がなお体系化されていくことに注目したい。

2.『石兵團會報』の「慰安所」記述にみる日本軍の住民観

石部隊と住民との間の葛藤が高まっていったのは、陣地構築が本格化した一九四四年（昭和一九）末からである。それは『石兵團會報』から見ることができるが、「慰安所」に関する規定も、住民との関係性の中で考える必要がある。石部隊の沖縄上陸（一九四四年八月一九日那覇上陸）後に書かれた一九四四年九月七日『石兵團會報』第四九号には、「防犯関係」と称する項目に、石部隊の住民に対する意識をうかがわせる次のような記述がある。浦添や西原の陣地構築の主力部隊である石部隊は、住民の不満を、「忘恩功利傾向」「デマ多き土地柄」と認識しようとしたのである。

「第四九號
石兵團會報

九月七日　一〇　〇〇

仲間

（省略）

二、防犯関係

1．管下ニ於テハ「泡盛」豊富且其ノ「アルコール」含有量多大ニシテ過度ニ飲用セバ往々常軌ヲ逸シ粗暴ナル行動ニ出ズル虞大ナルモノアリ私的制裁ノ絶滅ト共ニ飲酒ノ躾ヲ確立スルコト

2．姦奪ハ軍人ノ威信ヲ失墜シ民心離反若クハ反軍思想誘發ノ有力ナル素因トナルハ過去ノ苦キ経験ノ示ス所ナリ

殊ニ沖縄縣人中ニハ他府縣人ニ比シ思想的ニ忘恩功利傾向大ナルモノ多ク其ノ具體的表現ハ中傷陳情投書等ヲ以テセラレル、ガ故ニ掠奪乃至強姦ノ域ニ達セズト雖《いえど》モ之ニ近似セル所為ノミニテ軍ニ對スル反感ヲ醸成スルニ至ルベシ

且一部地域ニハ貞操観念弛緩シアル所アリ之ガ誘惑ニ乗ゼラレ不知不識ノ間猥褻姦通略取誘拐住居侵入等ノ犯罪ヲ犯スコトナカラシムルコト

3．管下ハ所謂デマ多キ土地柄ニシテ又管下全般ニ亘リ軍機保護法ニ依ル特殊地域ト指定セラレアル等防諜上極メテ警戒ヲ要スル地域ナルニ鑑ミ軍自體此ノ種違反者ヲ出サザル如ク萬全ノ策ヲ講ゼラレ度」

（一〇　〇〇は時刻、傍点は引用者による）

（『石兵團會報綴（球一五五七六部隊）』昭和一九年九月七日）

「過去ノ苦キ経験」とは、中国戦線での経験を指すものであろう。第62師団はそもそも北支那から上海

に集結・出港して那覇に着いた部隊である。北支那方面軍は、既に南京大虐殺の翌年である一九三八年六月二七日、中国北部の（日本軍の）安全が危機に瀕している主な理由は、日本兵による強かんの増加に対し、中国人の恨みや復讐が高まっていることだという原因分析や警告（岡部直三郎参謀長による通牒）を全部隊に向けて発していた[50]。これが中国戦線で「慰安所」を組織的に体系化するきっかけとなったことは周知の事実である。

ところが、石部隊は沖縄に上陸して間もない時期に、何故、「過去ノ苦キ経験」を想起したのだろうか。同日の会報上記の「防犯関係」関連項目以外にも「軍会報中必要事項」という項目を設け一五の項目をあげている。その中に第一〇項目として「本島ニ於テモ強姦罪多クナリアリ嚴罰ニ處スルヲ以テ一兵ニ至ル迠指導教育ノコト[51]」（傍点は引用者）との記述がみられ、沖縄の本島で既に強姦事件が多発していたことを裏付けている。また「防犯関係」の項目で明らかなように、この時期になると、駐屯軍に対する不満が住民側の「陳情投書」として現れていたのである。

ところが、軍は、かつて占領地の中国で軍の威信を失墜させ、「民心離反」もしくは「反軍思想誘發」の原因となった強姦事件の危険性、つまり、強かんがもたらした「ナショナリズム」への影響に触れる代わりに、「沖縄人の特性」そのものに対する注意を書き記している。

「殊ニ沖縄縣人中ニハ他府縣人ニ比シ思想的ニ忘恩功利傾向大ナルモノ多ク」とか「一部地域ニハ貞操観念弛緩シアル所アリ之ガ誘惑ニ乗ゼラレ」とか「デマ多キ土地柄」というように、「姦奪ハ軍人ノ威信ヲ失墜シ民心離反若クハ反軍思想誘發」に対する軍の責任は、恩知らずの「沖縄人」、また、「貞操観念が薄い」ことにすり替えられる。「デマ多キ土地柄」であるからデマが拡散されることを防ぐ必要があり、「反軍思想」の「誘発」を防止するためには、「強姦防止」だけではなく、そういった沖縄人を「警戒」し、

「デマを防ぐ」ことであり、該当地域を「特殊地域」に指定することを考え出すのである。

こうした石部隊の住民に対する見方を、「沖縄人差別」という語で単純化してはいけない。それが重要な理由は、「防諜上」警戒すべき地域を設定、「違反者」も作り出していく「防犯関係」の問題として、「性」の管理と同時に「沖縄人」の傾向や特徴となるものに対する警戒が、同時に位置付けられていることだ。

ところが、こうした石部隊の住民に対する認識は、ただ石部隊に限られるものではなかったようである。軍隊の編成の面で考えると、沖縄戦が本格的に戦時体制下に入ったのは、第32軍司令官として牛島満が赴任する前後からである。そもそも二個混成旅団と一個混成聯隊を主体とした、南西諸島全域で総兵力約二万という警備部隊の域を出ない小編成であった第32軍は、牛島満の赴任以降、北満から戦闘部隊第9師団（武部隊）、同じく北満で第24師団（山部隊）、大陸打通作戦に参加した戦歴を持つ第62師団（石部隊）などが続々沖縄本島に配置されていく。従来沖縄第32軍司令官であった渡辺正夫と入れ替わり一九四四年（昭和一九）八月一〇日に着任した牛島満は、八月三〇日、各師団長と旅団長、大東諸島支隊長（第36連隊長代理）、台湾軍参謀長などを招き、次のような着任後初の訓示を行っている。

第一「森厳ナル軍紀ノ下鉄石ノ団結ヲ固成スヘシ」（中略）

第二「敢闘精神ヲ発揚スヘシ」（中略）最後ノ一兵ニ至ル迄敢闘精神ヲ堅持シ泰然トシテ敵ノ撃滅ニ任セサルヘカラス

第三「速カニ戦備ヲ整ヘ且訓練ニ徹底シ断シテ不覚ヲ取ルヘカラス」（中略）

第四「海軍航空及船舶ト緊密ナル協同連繋《ケイ》ヲ保持スヘシ」（中略）

第五「現地自活ニ徹スヘシ」（中略）現地物資ヲ活用シ一木一草ト雖《イエド》モ之ヲ戦力化スヘシ

第六「地方官民ヲシテ喜ンテ軍ノ作戦ニ寄与シ進テ郷土ヲ防衛スル如ク指導スヘシ」
之カ為懇《ネンゴロ》ニ地方官民ヲ指導シ軍ノ作戦準備ニ協力セシムルト共ニ敵ノ来攻ニ方リテハ軍ノ作戦ヲ阻碍《ソガイ》セサルノミナラス進テ戦力増強ニ寄与シテ郷土ヲ防衛セシムル如ク指導スヘシ
第七「防諜《チョウ》ニ厳ニ注意スヘシ」
右訓示ス
尚細部ニ関シテハ軍参謀長ヲシテ指示セシム

昭和十九年八月三十一日　軍司令官　牛島　満

（「」、ルビは原文による）

（「訓示」『沖縄方面陸軍作戦』朝雲新聞社、一九六八年、八四頁―八五頁）

「軍紀」（訓示　第一）、「精神」（訓示　第二）が強調され、「海軍」（訓示　第四）と共に一致団結の共同連結が進められることが求められる中、その軍隊を支える物資は、「現地自活」（訓示　第五）、であり「地方官民」に「作戦に寄与」することが求められた（訓示　第六）。ところが、日本軍の作戦に協力することを求められたこれら住民は、一方では「防諜」に厳しい注意を払わなければならない存在でもあったのである（訓示　第七）。

とりわけ、牛島満を迎えた石部隊の一九四四年九月は、牛島が訓示の第一に上げた「軍紀ノ下鉄石ノ団結」とはかけ離れたものだった。「石第三五九三部隊ニ計画的ト見受ケラル、逃亡兵一在リ」「工事中ニ於ケル上官ニ對スル敬禮ハ一般ニ不可ナリ陸軍禮式令ヲ研究シ敬禮ノ嚴正ヲ期セラレ度」「小部隊ノ引率指揮不確實ナリ一般ニ注意ヲ要ス」「集團時ニ於ケル警告敬禮ハ中等學生以外ハ全然實施サレアラズ各隊ハ一兵ニ至ル迄教育實施セシムルヲ要ス」などと、石部隊の軍紀は「軍紀ノ下鉄石ノ団結」とは言えない状況にあった。[52]

こうした中国戦線から沖縄に上陸したばかりの石部隊が語る一九四四年九月七日の『石兵團會報』の「忘恩功利傾向」の沖縄人とは、わずか一週間前に行われた第32軍最高責任者牛島満の「防諜ニ厳ニ注意スヘシ」との訓示とのかかわりで考える必要があろう。そして、これらの「防諜」に関する厳しい注意が各軍参謀長に求められて以来、軍と住民の接触をなるべく避ける装置として「慰安所」規定が強化されていく。

まず、その一策として、外出区域が制限された。

「第四九號
石兵團會報
九月七日　一〇　〇〇
仲間

(省略)

五　近ク外出ヲ許可セラル、モ地方人家ニ立入ルヲ禁ズ物品ヲ購入スル場合ト雖モ店先ニテ調辨シ家中ニ立入ルベカラズ各部隊共一兵ニ至ル迠教育ヲ徹底セラレ度

外出ノ區域ハ概ネ旅團（區處部隊ヲ含ム）區域ハ旅團ニテ區處シ磯崎部隊及直轄（⚐附近ノモノ）ハ⚐ニテ區處スル豫定ナルモ意見アラバ次期會報時迠通報セラレ度」

（調辨とは、軍隊で兵馬の糧食などを現地で調達すること。⚐＝大隊本部：引用者）

（『石兵團會報綴（球一五五七六部隊）』昭和一九年九月七日）

そして、その「外出の区域」とは、他ならない「慰安所」だった。九月一四日『石兵團會報』五四号には外出許可、外出区域、外出日、利用時間内での「慰安所」利用を軍隊が定めており、その運用（税金）を軍隊が決めていることを示す資料が残っている。

「第五四號
石兵團會報
九月十四日　一八　〇〇
（前略）
二、外出ニ關シ左ノ如ク實施ノコト
1．下士官兵ノ延刻外出ハ許可セザルコト
2．旅團毎ニ其ノ防衛區域ヲ外出區域トシ外出日其ノ他適宜旅團ニテ統制ノコト
3．直轄部隊ノ外出區域及外出日ハ別紙ノ如シ（外出許可ノ時期ハ別ニ示ス）
4．慰安所ノ價格ハ左ノ如ク暫定ス

	一時間		二十三時以降翌日朝迠
兵	四．〇〇	將校	一五．〇〇
下士官	五．〇〇	仕官	二〇．〇〇
將校	六．〇〇		（本價格ニハ十二割ノ税ヲ含ム）

5．取扱ヘズ當分ノ間馴致ノ為切符制トシ慰安婦一人ニ對シ兵二枚下士官一枚將校一枚ト概定

6．各部隊ハ師團旅團ノ統制ノ許ニ外出ヲ許可スルコトヲ得」

（傍点は引用者による）

（『石兵團會報綴（球一五五七六部隊）』昭和一九年九月一四日）

こうして九月の時点で、第62師団（石部隊）の球１５５７６部隊は、「慰安所」使用切符に税金まで課す暫定規定を定めた。

また、上記の『石兵團會報』第四九号、第五四号の記述を通して、沖縄に存在した「慰安所」をめぐる統制とは、当会報を出した第62師団のみならず、各々の師団や旅団で共通していたことが分かる。直轄とは指揮関係を示す場合に用いる軍事用語で、球１５５７６部隊は、独立速射砲第22大隊（大隊長、高橋巌大尉）で、石部隊に属しながらも第62師団区分のその他部隊に分類される。つまり通称名が「石」ではなく「球」となる指揮関係にある。一方、直属とは固有の隷属関係を示すときに用いる軍事用語で、既存の第19航空地区司令部や飛行場大隊、一九四四年八月以降次々と上陸してきた砲兵団などが直属部隊で、これらは第32軍の指揮下にあった。『石兵團會報綴（球１５５７６部隊）』（一九四四年九月一四日）で旅団、師団、そして直轄部隊にまで言及されたことは、沖縄戦における第32軍の指揮下にあった全ての部隊において、「慰安所」関連規定が体系化されていった可能性を示唆するものである。

一方、この時点は前述したように、第19航空地区司令部は指揮下の第3飛行場中隊（球部隊）また、引き続き石部隊が駐屯してきて、既に「慰安所」としていた尚家の別荘や民家を接収していた時期でもある。当初「慰安所」になったのは辻遊郭の女性たちであったとの住民証言を裏付ける史料も、やはり存在する。

「第五六號

石兵團會報

九月十七日　一六　○○

仲間

（中略）

五．在仲間後方施設ヲ左ノ如ク稱呼シ九月二十日ヨリ營業ヲ開始ス

所在地	名稱	所在地	名稱	所在地	名稱
安波茶	見晴亭	経塚	觀月亭	安波茶	軍人會館

又司令部及直轄部隊ノ外出ハ二十日ヨリ實施ノコト

六．巡察報告中左ノ如キ事例アリ各部隊ハ嚴ニ監督指導セラレ度

［六は全八項目。詳細は本書二六三―二六四頁に引用］

七．各部隊ハ慰安所開設ニ當リ左記事項ヲ速ニ報告セラレ度（自後《ママ》変更セルトキハ覺書ニテ可ナルニ付其ノ旨報告）

左　記

1．後方施設擔任委員名（委員全員ヲ報告スルニ及バズ庶務掛ノミニテ可）

2．營業開始月日

3．經營［経営］場所（經營場所ハ現在所ノ外桑中央旧○○旅館跡又ハ民家等ノ如ク附記セラレ度）

4．經營者氏名

5．妓女數

6．經營内規等アラバ其ノ寫」

（［　］は引用者による。）

（『石兵團會報綴（球15576部隊）』昭和一九年九月一七日）

これら『石兵團會報』の記述を通して「慰安所」は、いわゆる「営業」や「経営」までもが軍の後方施設委員によって管理され、「後方施設」として位置付けられていく過程が浮き彫りにされている。『石兵團會報』を通して、辻遊郭の女性たちが「動員」された「慰安所」の場合、従来の遊郭経営者に管理責任を持たせながら、その使用価格が「十二割の税金」を含む切符制（第五四号）をとり、その「経営」を直接管理する「後方施設委員」が設定され（第五六号）、「後方施設」として位置付けられた。

なお、第五七号の「巡察報告」には、兵舎附近で「無帽ニテ出居ル者多シ特ニ日没後ニ多シ」と報告。また、「慰安所」のうち「軍人会館」に関しては、二〇日から二五日に開設予定を見送らせている[53]。続く『石兵團會報』第五八号には、税金に関して「税金額ハ營業者ヲシテ貯蓄ノ方法ニテ保存セシメ他日税額決定ノ折ハ適宜ノ處置ヲ取リ得ル如クスルコト」など、経営者に税金に対しての注意喚起を行うように指示が行われている[54]。こうして「慰安所」は、外出地域、名称、外出日、料金などが駐屯旅団ごとに決められ、管理される「後方施設」となっていった。その規定のもとに、朝鮮人の女性や辻の女性がいた「慰安所」、そして数こそ少ないが、「第三慰安所」と呼ばれる将校相手の「慰安所」が存在し、共に「慰安所」として使われたことは、証言を通して述べた通りである。

しかし、ここで激しさを増していく戦場で「そこまでして『慰安所』を利用したのか」という問い、あるいは、決まった曜日、時間で「慰安所」を利用するために行列をつくる兵士の姿を想像し、「加害」という語彙をすぐさま出すことは、ひとまず控えよう。すなわち、被害者としての「朝鮮人慰安婦」や「辻遊郭」の女性たち、民家から追い出されて「慰安所」提供を強制された被害者としての「沖縄人」と、「性欲に満ちている」加害者としての「兵士」の姿を対峙させ、「戦時性暴力の悲惨さ」と片付けることは、避けたいと考えている。

「被害者／加害者」という結論を先に出すより、むしろ、それぞれの居場所を制限された人々の〈関係〉に注目する必要があると考えるからだ。

激しくなる戦場の中の「慰安所」が持つ「暴力性」というものは、短絡的に軍と「慰安婦」の関係、あるいは、絶対的な上下服従の関係でありながら、人間であるが故に時には「同情」が生まれる女としての「慰安婦」と、男としての兵士、あるいは「友軍」と呼びつつ兵士、または「国民」というカテゴリーの中で「一木一草」までを「戦力化」の一員となることを強いられた「沖縄人」と兵士、などの関係に注目するだけでは問うことが出来ない。それを支えるために、一体、どういう軍律が働いたのか。戦場を支えた軍事化そのものを、帝国の軍隊は、どのような「関係」のコントロールを通して作り出そうとしたのか。そこにこそ注目しなければならない。そうすることによってこそ、このシステムによって傷つき、戸惑いながら痛みを感じた、あるカテゴリーに属し切れない人々のための軍事化の「ポリティクス」に対する「加害性」を問うことが出来ると考えるからである。

そこで、まず沖縄戦における構造的な問題を考えておきたい。着任直後の第32軍司令官牛島満の「訓示」で明らかなように、「一木一草」にまで「戦力化」が試みられたのが沖縄戦であった。その中で、軍は何故、「喜んで軍の作戦に寄与する」ように期待し教育していった沖縄住民の居場所と、「後方施設」として位置づけた「慰安所」の女性たちの居場所を、厳密に区分し、コントロールしようとしたのだろうか。民家の使用も多く、「慰安所」は既に、小さい村社会の中では「公然」と知られたものであった。

軍にとって住民は、「喜んで」軍の作戦に「寄与」するように教育すべき対象でありながら、同時に、「忘恩功利傾向」の土地柄を持つ故、「防諜上」極めて「警戒」を払うべき対象でもあるという住民観を持っていた（『石兵團會報』第四九号）。その構造的な問題を想起しておこう。軍が、これら「後方施設」としての「慰安所」設定を通してコントロールしようとしたのは、単なるそこにいる「女性」たちだけではない。軍が警戒し、索出に万全を期した「違反者」とは、逸脱した兵士であると同時に、「防諜上」警戒すべき沖縄住民というものも含まれている。関係性を管理することによって、「反軍思想」を防ぐポリティクスを作り出せるという構造の中で、「慰安所」をめぐる規定の強化が進められたことに注目しなければならないと考える。

「軍紀」が乱れていく中、「後方施設」としての「慰安所」の設定や、兵士に対する「巡察報告」が同時進行で行われていく理由がそこにある。そして集落は、住民を守るためというより「防諜上」のために「外出禁止」地区に設定されていく。

そこで、先ほど言及した「後方施設」としての「慰安所」の性格を明記した第五六号の中の「七．各部隊ハ慰安所開設ニ當リ左記事項ヲ速ニ報告セラレ度」の詳細を見てみることにしよう。

「慰安所開設に当たり」報告された内容は、全八項目で、以下の通りである。

「第五六號　石兵團會報

（二六〇頁と同一のため省略）

六．巡察報告中左ノ如キ事例アリ各部隊ハ嚴ニ監督指導セラレ度

1．荷馬車ノ監督兵ニシテ荷馬車ニ乗リアル者アリ

2．監督兵荷馬車ノ前後左右ヲ前進中上官ニ遭フヤ指揮者ノ附近ニアル者ノミ急ニ隊伍ヲ整ヘ敬禮ス

3．徒歩兵數名行軍中上官ニ遭フヤ歩調ヲトリ指揮者ノミ敬禮ス

4. 指揮者アル部隊上官ニ遭フヤ各個單獨ノ敬禮ヲナス

5. 公用兵ニシテ甘蔗ヲ食シツ、歩行シアル者アリ（牧港附近）

6. 作業終了歸隊時半裸體或ハ鉢巻ノ儘歩行シアル者アリ注意ヲ要ス

7. 石第三五九二部隊本部川村上等兵畑上等兵平田一等兵ノ三名（川村上等兵引率）ハ十七日一六〇〇石第一八八二部隊ニ赴ク途中（公用）リヤカーヲ道路上ニ放置シ當山北方ノ敷屋ニ妄リニ立入リ湯茶ノ饗應ヲ受ケアリシハ不可ナリ

8. 十七日兵器部衛兵（石第四二八三部隊山下隊差出）ニシテ白井兵長司令代理トシテ服務中『司令ハ』ト問フニ目下巡視中ナリト言フ然ルニ人員ヲ検査セルニ司令原伍長ハ假眠シアリ服務嚴正ヲ缺ク」

（『石兵團會報綴（球一五五七六部隊）』昭和一九年九月一七日）

監督する立場、部隊本部の上等兵、司令官代理などの立場の者でさえ、部隊で禁じていた荷馬車に乗り、服務中に民家へ立ち入り、服務中の仮眠などが行われており、また一般兵士のなかには、甘蔗（サトウキビ）を食べながら歩く兵士があり、作業後帰隊時には半裸体や鉢巻のまま歩行をしている。指揮者に敬礼すらしない軍紀の乱れが既に報告されている状況が、「慰安所開設にあたり」速やかに報告された。そして、師団旅団が統制する「後方施設」としての規律が形を整えて行く。

3. 中部・南部（島尻）の駐屯軍隊の「慰安所」規定と住民

「慰安所」の規定の体系化は、10・10空襲以降にもさらに強化されている。そのことを最も詳細に示しているのが、歩兵第32連隊（山第３４７５部隊）の『内務規定』である。

第24師団（山部隊）は、第9師団（武部隊）の移転によりその穴埋めのために中南部に配置された部隊で、石部隊よりさらに南部の島尻《しまじり》一帯に駐屯していた。そして、石部隊が米軍との激戦の末ほぼ全滅すると、かつて石部隊が駐屯していた西原など前線地帯に移動、守備隊としても活躍することとなる。

この山部隊は一九四四年一二月に山第3475部隊『内務規定』の中の附録第四「軍人倶楽部ニ関スル規定」に詳細な「慰安所」規定を記載している。本史料には、合計三一項目に及ぶ規定に、その附則第一「軍紀風紀ノ維持及取締ニ関する件」が付け加えられ、「附表」として部隊副官、各部隊（独立部隊）や副官、主計将校、軍医将校などに分けて軍人倶楽部における全般の業務を説明した「軍人倶楽部業務分担表」、そして実物と同じ大きさの「使用許可証様式」がおさめられている（以下、これらの資料群を「内務規定慰安所関連規定」とする）。

『内務規定』は、これまで主に沖縄市町村史において幅広く取り入れられ紹介されてきた史料である。例えば、「軍人倶樂部ニ関スル規定（山部隊）」に関しては、既に『浦添市史　第五巻（資料編4）―戦争体験記録』の「第5章　資料にみる沖縄戦」の中で三一項目のうち二六項の規定が紹介された他、附則「軍紀風紀ノ維持及取締ニ関スル件」が掲載されている。(55)また『読谷村史　第五巻（資料集4）―戦時記録（上巻）』に「女たちの体験」をまとめた小橋川清弘により「附表」や「使用許可証様式」を除く、全文が紹介されている。(56)さらに『沖縄県史資料編23　沖縄戦日本軍資料』で「附表」や「使用許可証様式」を含む全文を網羅して紹介している。(57)筆者の知る限りではこれらの規則は、最も詳しく沖縄における「慰安所規定」を定めた資料群である。

本章で紹介してきた『石兵團會報』も、沖縄における「慰安所」の状況を論じるこれまでの先行研究においても広く引用されてきた。特に高里鈴代は、沖縄戦に配備された主な部隊が中国戦線を経験していたことが、沖縄に「慰安所」が設置されたことと無関係ではないことを指摘した上で、「準外地」の沖縄で、駐留にともなう業務の一つが「慰安所」設置であったと指摘する。そして高里は、「慰安所」の設置に対する軍の関与を示す史料として『石兵團會報』や『内務規定』の中にある附録第四の「軍人倶樂部ニ関スル規定」に触れ、「軍が慰安所の経営に大きく関与している」ことがこれらの資料から明らかであるとしている。(58)『石兵團會報』でも「慰安所」関連部分は多くみられるが、軍がどのように「慰安所」を管理し、何を「禁止」「許可」したのかの詳細、つまり、整えられた「規律」そのものに関しては、残された史料の中では『内務規定』が最高の資料とみて良い。

しかし、「慰安所」関連に限らず、『内務規定』全般を通すと、市町村史が取り入れてない、例えば附表第三「検黴出席簿」〔原史料①参照〕のような規定が、数多く『内務規定』全般に散在していることに気づき、10・10空襲以降、日本軍が「慰安所」にいた女性、住民、兵士がどのような「関係」にあったのかを知ることが出来る。そこで、本書では、「内務規定慰安所関連規定」以外にも、以下のような『内務規定』の全般から住民、兵士、「慰安婦」の関係を知ることが出来る各箇所を分析対象に含めた。

「内務規定詳細：第一總則、第二命令・報告・通達及事務、第三露營及室（幕舍）内装置、第四勤務、第五露營衛兵、第六當

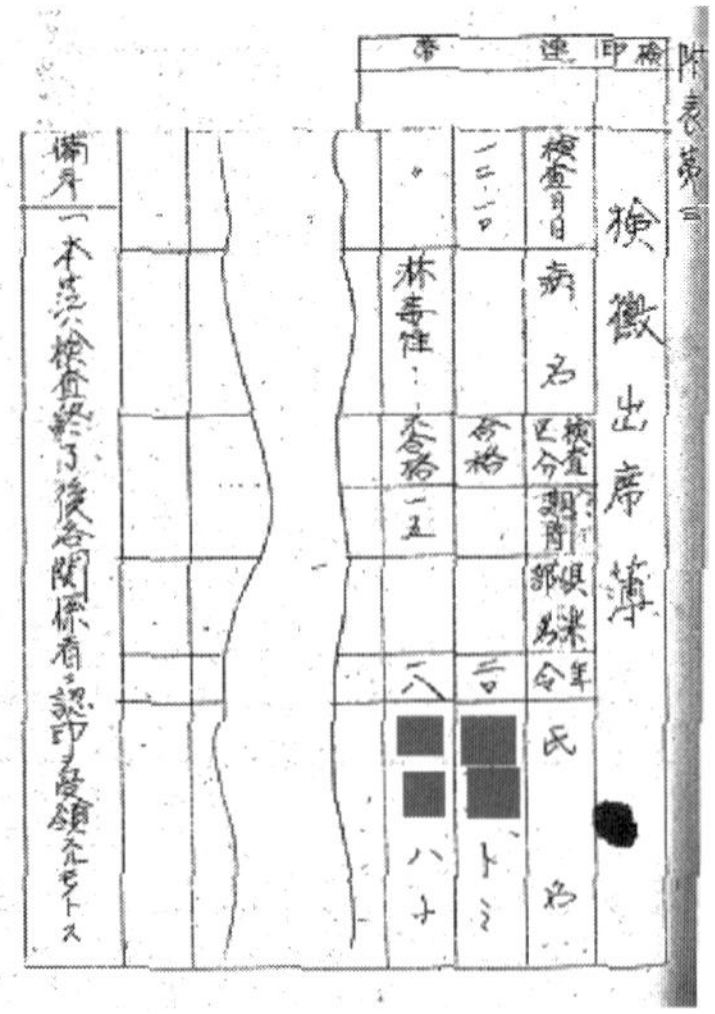

原史料①　「附表第三　検黴出席簿」

「軍医将校」の主な業務は「慰安所」での性病検査であった。集落内の「慰安所」は地元の病院が「性病検査」を任され定期的に性病検査が行われていた。

番勤務、第七起居容儀、第八休日及外出、第九秘密保持、第十保育衛生、第十一火災豫防、第十二對空防護、第十三郵便物ノ取扱、第十四雑則」、「附表第一腕章ノ様式及配當区分表」、「附表第一諸當番服務人員基準法」、「附表第二日課時限表」、「附表第二行動概要報告」、「附表第三屬表点呼順序表（日朝点呼）」、「附表第三軍紀的教練實施要領」、「附表第三検黴出席簿」「附表第四延燈　終夜燈　随時燈　許可範囲」、「附表第五巡察報告」、「附表第六巡察者服務要領」、「附表第七標札様式」、「附圖第一外出區域立入禁止區域案圖」、「附図第二露營地ノ標示要領」、「附録第一　一般外出規定」、「附表第一外出證明書　身分證明書　外出證様式」、「附録第二公用外出ニ關スル規定」、「附表第二行動概要報告」「附録第三　服装規定」、「附録第四　軍人俱樂部ニ關スル規定」、「附則第一　軍紀風紀ノ維持及取締ニ關スル件」、「附表第二軍人俱樂部業務分担表　使用許可証證様式」、「附表第三検黴出席名簿」

［傍点は内務規定『慰安所』関連規定。傍線は本章で分析対象に含めたもの―引用者］

「内務規定慰安所関連規定」にも「価格、性病検査、開設日、コンドームなどの配布、軍から経営者への注意事項」など、軍が直接「慰安所」を管理したという事実が書き記されている。特に「附表第二」には、「軍人倶楽部業務分担表」を通して「部隊副官」が軍人倶楽部に関する業務全般を処理し、「各大隊（独立部隊）」は、軍人倶楽部内における内務やその使用に関する状況を把握し、各隊の意見を聴き取りして改善するようにしている。経理に関しては「主計将校」が協力、軍人倶楽部の衛生、特に性病検査を主な業務としたのは「軍医将校」となっている。「軍人倶樂部」という語を用いているものの、本質的には「後方施設委員」によって管理を試みた『石兵團會報』の「慰安所」管理とほぼ同様のものが、『内務規定』の「内務規定慰安所関連規定」から明らかになっている。軍の「慰安所」設置への介入以上に注意を払う必要があるのが、以下の項目だ。

「三、防備地区内軍人倶樂部ハ地方官民ニハ一切利用セシメザルモノトス又軍人軍属ハ地方慰安所ノ利用ヲ嚴禁ス」

「六、軍人倶樂部ニ於テハ飲食宴会等実施セズ」

「七、軍人倶樂部ニ於ケル遊興税ハ免税トス」

「一三、営業主ハ一般外出帰営時刻迫接スルカ又ハ外出（使用）時限外ニ使用セントスル者アル場合ハ之ヲ拒絶スルモノトス」

（「附録第四軍人倶楽部ニ関スル規定」『内務規定（山第三四七五部隊）』昭和一九年一二月）

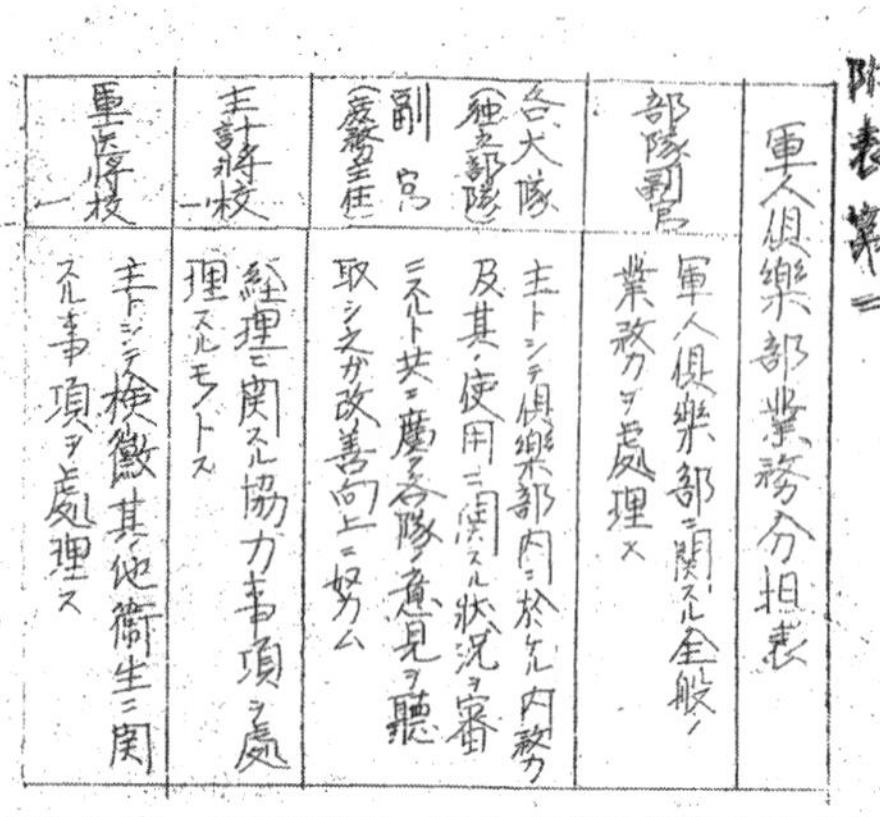
附表第三

軍人倶樂部業務分担表

部隊副官	軍人倶樂部ニ関スル全般ノ業務ヲ處理ス
各大隊（独立部隊）副官（庶務主任）	主トシテ倶樂部内ニ於ケル内務及其ノ使用ニ関スル状況ヲ審ニスルト共ニ各部隊ノ意見ヲ聴取シ之ガ改善向上ニ努ム
主計将校	経理ニ関スル協力事項ヲ處理スルモノトス
軍医将校	主トシテ検黴其他衛生ニ関スル事項ヲ處理ス

原史料②　「附表第三　軍人倶樂部業務分担表」

上記の項目からは、とりわけ「住民」と「軍」の接触を避けるために特に注意が払われていることに注目しよう。上記の史料の中で「慰安所」で公然と行われてきた宴会も禁止されたが、実は一般住民が将校たちをもてなした宴会もこの時点では禁止されている。[59]「慰安所」ではお酒の代わりに圍将、棋其、その他の「娯楽設備」を「部隊業務関係者」との協議のもとで設置することが求められた。[60]なお、「附録第四　軍人倶樂部ニ關スル規定」によると一二月の時点になると遊郭と同様に税金を徴収していたあり方も、「七、軍人倶楽部ニ於ケル遊興税ハ免税トス」となり、既存の「遊郭」の形を借りた「慰安所」も戦場での唯一のレクリエーションとして完全にシステム化されるあり方に変わっていた。

そして「慰安所」の運用だけではなく、それに向かう道自体が、完全に管理の下におかれた。浦添・西原に駐屯した石部隊が一九四四年九月七日の『石兵團會報』において「立入り禁止区域」の検討を進めたことは既にふれたとおりであるが、石部隊よりさらに南部戦線に駐屯した山部隊（第３４７５部隊）の『内務規定』にはさらに詳細な記録が残る。

直接「慰安所」関連記述がある「軍人倶楽部ニ関スル規定」だけでなく、兵士の軍隊生活一般を規定する『内務規定』の内容に注目すると、「三二、特ニ指定セル給養日ノ外一般休日祭日ハ休務セズ」などと、外出が制限されていたことが分かる。またその外出は、「三三、給養日ニ於ケル外出ハ部隊一般外出規定ニ又公用外出ハ部隊公用外出規定ニ拠ルモノトス」であった。[61] 言うまでもなく、「給養日ニ於ケル外出」先とは「慰安所」のことをいうのである。

外出に向かう兵士には「軍人倶楽部使用許可証」以外にも服装検査の上、各組ごとに集団で「一列従隊」での移動が求められ、直将校（不在の時には内務掛）に注意事項を聞いた上に敬礼の練習を実施することが求められた。[62] また、こうした「外出」や「公用外出」の中で最も強調されたのが、「外部隊防諜規定」つまり、住民に対して軍の機密が漏れることを防止するために定められた「秘密保持」事項であった。『内務規定』には禁止区域、外出区域、部落民立入り禁止区域、海岸の指定場所への立入り禁止区域が明記されている。公務以外の出張をする場合、指揮者には「腕章」を着けることが義務づけられた。洗濯や洗面、水浴びのために露営地より離れた所に移動する場合には腕章着用は要求されなかったが、それでも「民家」「部落」と接近している場合には下士官以上の指揮者付でなければならなかった。[63] 下痢患者とその他伝染性疾病

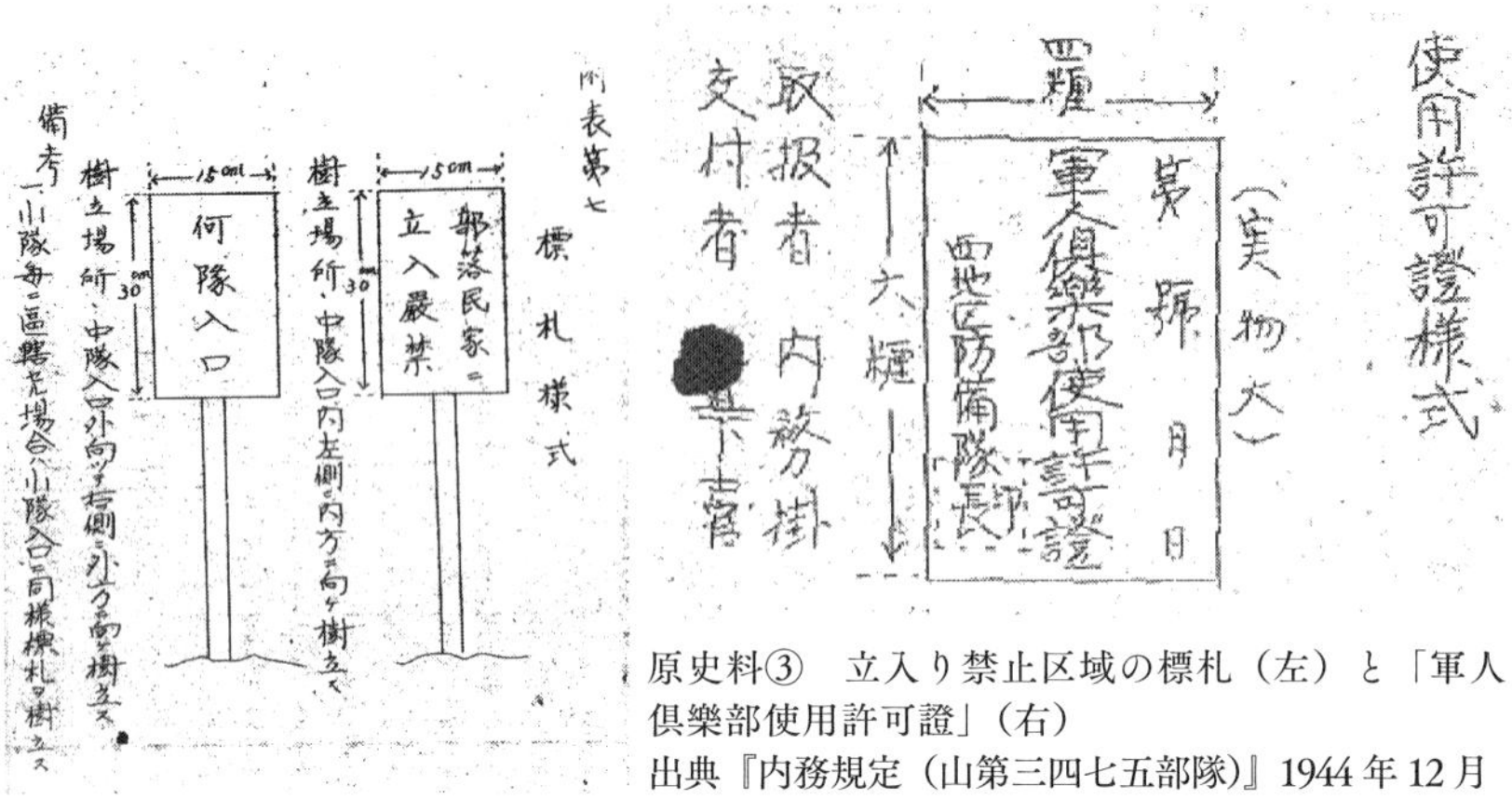

原史料③　立入り禁止区域の標札（左）と「軍人倶樂部使用許可證」（右）
出典『内務規定（山第三四七五部隊）』1944年12月

患者は特別に区分され、水浴びは別に区分することとなっていた。(64)

　兵士が「慰安所」に向かうとは「軍人倶樂部使用許可証證」を持った軍人たちが、決まった給養日、服装検査を済ませて、各組ごとに移動、住民と軍の接触を避けるために建てられた「標札」がかけられた道を通過して行くことを意味する〔原史料③〕。

　既に「二一、外出中部落（通路ヲ除ク）民家ニ立入ルヲ禁ズ、又地方人ト無用ノ談話ヲナスベカラズ(65)」と「秘密保持」のため軍と民の接触を減らしていく中で、「規則」に基づき「合法的」に許された「通行路」を通って民家に接近できる場所が「外出区域」であり、しかも外出とは「慰安所行き」に限られていたと言える。一九四四年末の「慰安所」規定強化はこうした、軍の「秘密保持」とあわせて考えなければならない。

　「秘密保持」に注目しつつ「慰安所」を考えると「慰安所」の規定強化はある特徴を持つ。それは、「軍人軍属」の利用制限である。沖縄戦における「慰安所」の場合、「朝鮮人軍夫」は、その使用が認められたケースがある。朝鮮人軍夫の場合、主に荷役作業で海岸沿い付近に起居しており最も厳しい労働環境にあった。戦争が激しくなると食糧難により栄養失調になるケースも多く、日本軍により虐殺された経験は既に広く知られている。ところが、姜仁昌《かんいんちゃん》の証言によると、日本軍の虐殺により同僚の死を見届けた阿嘉島でさえ「慰安所」行きを許可された経験を持っていた。[66] また、宮古島での経験を語った徐正福《そじょんぼく》は、日本語が分からない朝鮮人軍夫と日本軍との間で「通訳」係のような仕事をさせられていたが、「慰安所」行きを許可された。[67]

一方、金元栄《きむうぉんよん》は『朝鮮人軍夫の沖縄日記』（三一書房、一九九二年）で朝鮮人「慰安婦」貞子の話を書き残している。金元栄は沖縄北部の名護の東村に作業班長として「慰安所」を建てた経験を持っている。過酷な労働環境にあった朝鮮人軍夫の中にも、一部とはいえ将校の許可があれば「慰安所」を経験する機会はあったと考えられる。誤解を避けるためにいうが、問題は、朝鮮人や沖縄人に利用を許可したかどうかではなく、どのような状況で、「軍人軍属」が使用を制限されたのかにある。

住民との接触を固く禁じる状況の下で体系化された一九四四年一二月の『内務規定』で指す「軍人軍属」とは、防衛隊（満一七歳以上満四五歳未満の男性）、鉄血勤皇隊（中等学校・青年学校の男子生等）、義勇隊（青年学校生）など、戦闘参加を強制されながらも「一般住民」と「軍人」との区分自体を明確することの出来ない「沖縄人」を指しているのである。

纐纈厚《こうけつあつし》は、沖縄における第32軍の住民スパイ視について、「大軍軍力の配備が不可能」で、かつ本土防衛のために最初から「隊規模の攻撃作戦が破棄」された点、また、「原則的に極力限定された軍事力派遣・配備が前提であったことから、派遣軍隊の補充兵力として沖縄住民の総戦力化が意図されたこと」また、「正規軍の補完する戦術として、秘密戦を採用することでアメリカ軍に対する軍事的劣勢を補おうとした」点が重要な要因となったと指摘する。つまり、「軍民一体の目的において住民を徹底動員の対象」としながら、その一方では「住民と軍隊との接触の恒常化による軍事機密漏洩」を防ぐことが「住民対策の中心」となるという極めて矛盾した形の作戦が、展開されたのである。[68] こうした沖縄戦における構造的な問題は、これまでの沖縄戦研究で広く指摘されてきたが、そのことは、「慰安所」をめぐる規定にも適用することができるだろう。

「慰安所」としての自宅の提供、食糧提供、場合によってはその建設作業にまで、住民は動員され、かつその組織自体が住民の目を避けることはできなかったにもかかわらず、「慰安所」は公然たる「秘密」として扱われる組織であった。単に軍がその組織を「恥」として捉えたためでも、いわゆる「民間女性」への「暴行」を防ぐためでもない。一九四四年(昭和一九)末の「慰安所」をめぐる規定強化は、むしろ、住民の力に徹底的に依存しながら、その一方では「軍時機密漏洩」を避けようとした、矛盾した住民対策としても読めるのである。

山部隊の「外出区域」と設定された地域のうち糸満《いとまん》には、外出日に設定された「三、七、十」のうち「三、十」のつく三日、十日、十三日、二十日、二十三日、三十日に指定された「外出往復経路」に沿って外出が許可された。下士官以下の場合、「外出証」及び「身分証明書(軍人倶楽部使用者はその許可書)」を所持するように指示している。[69] 住民証言によると民家や遊郭を含む五カ所の「慰安所」であったが、いずれも周辺住民の目を避けられなかった。「慰安所」は第一号、第二号、第三号、第四号、第五号と名付けられており、辻の女性たちと共に朝鮮人「慰安婦」が、兵士四〇人から五〇人がずらりと並ぶ「慰安所」での生活を強いられていた。[70]

「このあたりにいた人はみんな見ているよ。私は10月の空襲のすぐ後に、神谷医院で息子を生んで《ママ》ね。神谷病院へ女たちが来ておったよ。あとは、みんなやせてね、よろよろなって、何人も医者通いをしておったさ」[71]

こういう状況の中で、唯一の「外出」先であった「慰安所」で、軍は、「暴言」や「高声放歌」「暴力」を振う兵士に注意を促しながら、一方では、その兵士に対する「理解」や「奉公」が「慰安所」で兵士の暴力にさらされる女性たちに求められた。

「二、使用者ハ軍人タルノ衿持ヲ保チ倶樂部附近ヲ徘徊シ地方住民ノ尊敬信頼感ヲ失墜スルガ如キ行動ヲ禁ズ」
「三、使用者ハ倶樂部ニ於テ暴言大呼シ又ハ高聲放歌等ヲ嚴ニ愼ムベシ」
「七、業婦ノ取扱ヒニ不満ヲイダキ暴力ヲ振フ等ノ行為アルベカラズ」
「八、使用後ハ徒ラニ附近ニ滞留スルコトナク速カニ退去スルモノトス」
「九、一般ニ業婦ト柵外ニ出テ談話シ又ハ散歩等ヲ行フヲ禁ズ」
「三、業婦ハヨリ使用者ノ立場ヲ理解シ何人ニモ公平ヲ第一トシ使用者ヲシテ最大ノ御奉公ヲ為サシムルコトヲ念願シ如何ナル事情ニ依ルモ身ヲ誤ラシメ御奉公ヲ欠カシムルガ如キコト絶体ナキ様万事細心ノ注意ヲ以テ取扱フモノトス」

（「附則第四軍紀風紀ノ維持及取締ニ関スル件」『内務規定（山第三四七五部隊）』昭和一九年一二月）

そして、「慰安所」として民家を接収するにも「警察官」を介する形となった。第１部で述べたように、「警察官」は、第32軍上陸当時は、辻には事務所があると、辻の女性たちを動員することや「慰安所」に関与することを避けようとしていた。が、この時点では警察官を介することを規定化している。

「第二、一、建物ノ借上使用料等ハ営業主ニ於テ警察官ヲ介シ所有者ト直接交渉スベキモ必要ニ応ジ部落ノ業務関係者之ニ協力スルモノトス」

（「附則軍紀風紀ノ維持及取締ニ関スル件」『内務規定（山第三四七五部隊）』）

外出と指定された地区への管理は北部においても同様であった。北部では「北地区駐屯地規定」に基づき、外出地区として設定された謝花地区の管理が行われている。(72) さらに、『内務規定』とほぼ同じ時期に、嘉手納から南部に移動し島尻郡玉城村全域の防衛を任された石部隊（石3596部隊：大隊長飯塚豊三郎少佐）も、「後方施設ニ關スル内規」をまとめている。それまで同部隊は臨時の規定に基づき「慰安所」を開設していたが、一九四五年一月八日、その内規を正式にまとめた。まず、「軍紀風紀ノ維持監督並ニ外出ニ関スル規定」が、「飯塚防衛担任地区」内に属する陸軍はもちろん配属海軍部隊をも含むものとして、民家への立ち入り禁止を基本とする外出区域を定めている。そして「後方施設ニ關スル内規」という「慰安所」関連規定を定めた。「第一　本規ハ石第三五九六部隊後方施設ニ必要ナル事項ヲ定ム」とした上、「慰安券様式」を含む一四項目が定められている。

「後方施設ニ關スル内規」は、委員長を設け慰安所を管理するとした点においては既存の臨時の規定（『歩兵第六十二師団第六十四旅団獨立歩兵第十五大隊　日々命令』昭和一九年九月二二日）とほぼ一致している(73)［第5章二一四・二一六頁参照］。

しかし一九四五年一月八日にまとめられた「後方施設ニ關スル内規」には、「見習士官」、「初年兵」(74)、部隊長や各部長の判断により「出入り不適当」と判断されたものの使用を禁じている項目が加わった。既

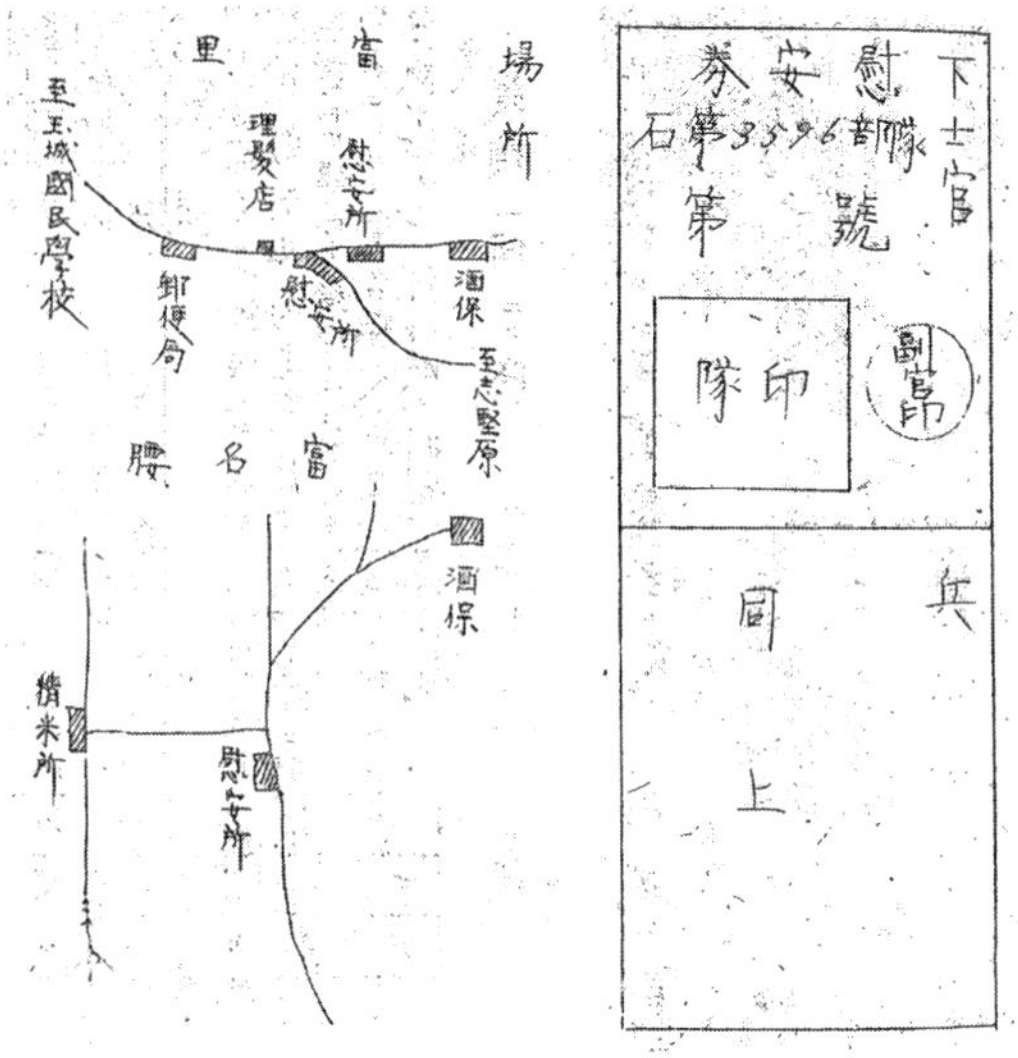

原史料④　嘉手納から移動してきた石部隊が設置した「慰安所」と慰安券
出典：慰安所の位置「石九六會第二二號會報」玉城国民学校（1945年1月26日）、慰安券「後方施設ニ關スル内規（石第三五九六部隊）」（1945年1月8日）

に徴兵検査を受け現地召集で部隊配置が決まった「初年兵」は一月に入隊したばかりであった。そして、軍紀の乱れに関する注意事項と共にさらに、「防諜」に関する条項が強調されている。

「後方施設ニ關スル内規

昭和二〇　一、八　石第三五九六部隊

第一　本規ハ石第三五九六部隊後方施設ニ必要ナル事項ヲ定ム

（中略）

第七　會館ヲ利用シテ將校ハ下士官ト下士官ハ兵ト會食スルコトヲ禁ズ

第十　會館使用ニ方リ堅ク左記緒件ヲ嚴守スルモノトス

1. 軍紀風紀ヲ嚴正ニスルコト　時局柄地方人ニ悪感作ヲ及ボサヾル如ク注意ノコト
2. 防諜ニ關シ特ニ注意シ軍ノ秘密ヲ漏洩スルガ如キ有害ナル談話ヲ禁ズ
3. 禮儀ヲ重ンジ又經營者從業者ニ對シ非常識ナル言動ヲ爲サヾルコト
4. 建物及備付ノ器物諸物品ヲ破損シ或ハ使用物品ヲ持出サザルコト
破損ニ對シテハ損害賠償ノ責ヲ負ハシム」

（『第六十四師団獨立歩兵第十五大隊本部陣中日誌』昭和二〇年一月八日）

一月には「慰安所」への道だけではなく、「慰安所」内で兵士の間の会食まで禁止されていったのである。

「だから、みんなお互いに不信感になっているわけです。同僚に、同じ日本軍の中でも不信感だらけですよ。お互い同志《ママ》も[75]」

初年兵として現地入隊した宮城三吉（一九二四年生）のいう「不信感」とは、悲惨な「虐殺」の場だけではなく、「流言蜚語」の制度的な防止、「防諜」が強調されるなかで醸成されたものとして考えることも出来よう。

このように10・10空襲以降、主に陣地近くの山奥や、民家の中でも村外れなどに建てられた「慰安所」は、こうした「内規の強化」と共に南部から北部まで拡大されていった。

軍隊のみが残っていた大東諸島にも一一月、朝鮮人「慰安婦」が配置され、一九四四年一二月には「慰安所」をめぐる規定の存在を明かす文言が残っている〔第1章　六五頁参照〕。これらを考えると、師団、旅団、各部隊において駐屯地域の特徴に合わせた規定が存在し、特に、米軍上陸が迫っていた沖縄本島においては「住民の管理」、「防諜」へ注意を強化した形で「内規の強化」を進めながら、監禁状態の「慰安所」が作り出されたと考えられる。

とりわけ、未完の飛行場周辺で、西海岸からの米軍上陸時の防波堤として設定されていた浦添、西原にわたる地域や、首里の第32軍の司令部が位置した地域における陣地は、「秘密保持」がさらに強調された地域であった。そして、米軍が上陸すると石部隊は全滅し「内務規定」を強化してきた山部隊が、西原付近も守備することになる。この時点では、「デマは砲煙弾雨の中に乱れ飛び」、「もし捕虜になったら酷い目にあわされる」、「男は裸体にさせられて、戦車の前に立て弾除けにするとか、老人と子供等は残酷にも戦車で轢き殺し、若い女は弄ぶ」、または「宜野湾村長は捕虜となるや、若い娘をかり集めて慰安所の主人となって、米軍に協力している」、「スパイが多いので、日本軍は苦戦しているのだ」などと、日本軍の作戦失敗を、住民の責任にする言説が飛び交うようになってきた。(76)

しかしながら一九四四年末から一九四五年一月にかけて明文化されたこれらの「規定」は実際にはそれほど使われなかった。一九四五年三月二六日慶良間上陸に成功した米軍は、一九四五年四月一日、沖縄本島中部西海岸に、一八万三〇〇〇人の兵員（後方には約五四万人の補給部隊）と約一四〇〇隻の艦船で海岸全体を包囲しつつ上陸したからである。何の抵抗も受けずに「無血上陸」した米軍は、その日のうちに読谷北飛行場と嘉手納の中飛行場を占領し、わずか三日後には、北は石川《いしかわ》方面まで進撃し、沖縄本島を完全に分断した。嘉手納の中飛行場からわずか五キロ南には那覇がある。北部では日本軍敗残兵との闘いを続けながら沖縄を南北に分断した米軍の主力が、日本軍の司令部が設置されていた首里方面に南下した。(77)

米軍は、日本軍主力が配備されていた宜野湾の嘉数高地から続いた激戦における最後の前田高地での戦闘について、「ありったけの地獄を一つにまとめた」戦闘(78)を経験したと表現している。それは、「中・北飛行場」の防衛を放棄しひそかに持久戦を準備した第32軍の主力部隊が、洞窟・壕・トンネル・トーチカといった複数の巧妙な陣地を各所に構築し、米軍の南下を待ち一斉に総攻撃してきたためである。米軍でさえ「あたりをへいげいするように連丘がそびえ、それが自然の防衛陣」となり、「山脈の連峰にそって日本軍の防衛の『核』をなし、しかもそこにいたるまでに、数多くの前哨陣地がうまく地形を利用して構築されていた」と記録している。(79)

日本軍が主力陣地をおいた西原村棚原《たなばる》から宜野湾村の嘉数《かかず》・宇地泊《うちどまり》を結ぶ線は、西原村、宜野湾村、浦添村に至る長くて高くそびえる丘陵地帯で、それこそ自然の要塞だったのである。本書で扱った浦添と西原の飛行場を放棄し、陣地構築を行った日本軍の戦略は「時間を稼ぐ」という側面では大きな成功を果たした。

わずか三日で沖縄を南北に分断した米軍でさえ、これらの天然の要塞を占領するには、一ヶ月以上を要した。宜野湾の嘉数高地は一九四五年四月二三日に占領、浦添の前田高地は五月七日に占領されている。米軍陸軍省戦史編纂部がまとめた沖縄地上戦の記録、『沖縄―日米最後の戦闘』には、嘉数山陵から西原山陵にまたがるこれらの戦闘記録を、「墓と戦争」「中部戦線の死闘」と称し最も比重を置いて記録している。いわゆる肉弾攻撃まで行った日本兵もまた、嘉数・前田高地を失った時点で部隊の再編成を行わざるをえないほどに追い込まれた。五月の時点で米軍の首里への上陸危機が迫るなか、第32軍は、首里占領を防ぐための「持久戦」を、これら「東西両海岸に依託する現陣地」、つまり、西原村棚原から宜野湾村の嘉数・宇地泊を結ぶ線を主戦場として位置づけ構築した陣地で、米軍への最大の痛手を与えようと図った。(80)本土攻撃を防ぐ時間稼ぎで「持久戦」が行われた沖縄戦において、まさに西原、宜野湾、浦添は、「持久戦」が試みられた最も被害の大きい地域であったといえる。

そして、米軍が「ありったけの地獄を一つにまとめた戦闘」と称したこの戦場に、最も多くの「慰安所」が存在し、米軍が南下していった南部には朝鮮人「慰安婦」が住民の目をさける形で存在したのである。

最初日本軍が注目した平坦地における「飛行場建設」は、未完で終わったものの、再び米軍施設として利用された。仲西飛行場の場合、現在もキャンプ・キャンザーのままである。西原飛行場は、戦後、米軍の訓練用飛行場として拡張、設置されたため立ち入り禁止区域となり、約一〇年間米軍に使われた。尚家別荘の松山御殿《うどぅん》と中城御殿が「慰安所」として使われた小湾《こわん》の場合、沖縄戦で総九〇戸のうち、七七戸で戦争の犠牲者を出し、続くアメリカの占領によってキャンプ・キャンザーが設営され、宅地はもちろん、田畑、山林、墓までもが米軍基地建設のために残らず破壊されている。「慰安所」もかつて住民が住んでいた集落の風景そのものも、住民の記憶からしか復元することが出来ない。

一方、丘陵地帯では、死んだ「慰安婦」に対する記憶が語られる。沢ⅰ《たくし》の住民は、米軍上陸直後に「慰安婦」だった辻の女性たちが避難した墓を、「ジュリの墓」と呼んでいた。戦後、ジュリの女性たちのものとみられる紅型の衣服が見つかったと言われる。(81) 激しい戦闘が繰り広げられた嘉数高台には、青丘之塔《せいきゅう》という碑に、陣地構築に動員された朝鮮兵、軍属三八六人と朝鮮人「慰安婦」三〇人が共に祀られたとされる。(82)

註

（1）浦添市編集委員会「三、戦災地図・戦災実態調査表」『浦添市史　第五巻（資料編4）――戦争体験記録』浦添市教育委員会、一九八四年、三四一頁。
（2）西原町史編纂委員会「字別戦争被災者状況一覧表」『西原町史　第三巻（資料編2）――西原の戦時記録』西原町役場、一九八七年、一三一頁。
（3）宮城勉「第一章　地形・地質」『浦添市史　第六巻（資料編5）――自然・考古・産業・歌謡』浦添市教育委員会、一九八六年、五―六頁、参照。
（4）波平勇夫「第一節　浦添の農民」『浦添市史　第六巻（資料編5）――自然・考古・産業・歌謡』前掲書、三五五―三五八頁、大城常夫「全体解説――農村から都市へ」『浦添市史　第一巻（通史編）―浦添のあゆみ』浦

添市教育委員会、一九八九年、五〇一頁、参照。
（5）大城将保「第32軍の沖縄配備と全島要基化」『沖縄戦研究Ⅱ』沖縄県文化振興公文書館管理部史料編集室、一九九九年、一一四頁。
（6）比嘉実「序にかえて――小湾村の概観」『小湾字誌――沖縄戦・米占領下で失われた集落の復元』法政大学沖縄文化研究所・小湾字誌調査委員会、浦添市小湾字誌編集委員会、一九九五年、Ⅴ―Ⅶ頁、参照。
（7）武者英二「第3節　聖域と共同施設―5　ウドゥン（御殿）」『小湾字誌　沖縄戦・米占領下で失われた集落の復元』前掲書、五〇―五一頁。
（8）石原昌家「第一章　戦場への道」『浦添市史　第五巻（資料編4）――戦争体験記録』前掲書、一〇頁。
（9）石原昌家「第一章　戦場への道」『浦添市史　第五巻（資料編4）――戦争体験記録』前掲書、一七―一八頁。
（10）石原昌家「第一章　戦場への道」『浦添市史　第五巻（資料編4）――戦争体験記録』前掲書、一六頁。
（11）石原昌家「第一章　戦場への道」『浦添市史　第五巻（資料編4）――戦争体験記録』前掲書、一六―一七頁。
（12）『浦添市史　第五巻（資料編4）――戦争体験記録』前掲書、九頁参照。
（13）「（2）私の沖縄戦体験（宮城三吉、一九二四年生）」『小湾字誌　沖縄戦・米占領下で失われた集落の復元』前掲書、四二七―四四三頁。
（14）「（2）私の沖縄戦体験（宮城三吉、一九二四年生）」『小湾字誌　沖縄戦・米占領下で失われた集落の復元』前掲書、四二八頁。
（15）全国女性史研究会交流のつどい実行委員会『第5回全国女性史研究会交流のつどい報告集』全国女性史研究会交流のつどい「報告集」編集委員会、一九九四年、二七―二八頁。
（16）「第五章　資料にみる沖縄戦（『図Ⅲ―10小湾』『図Ⅲ―10戦災実態調査表―小湾』）」『浦添市史　第五巻（資料編4）――戦争体験記録』前掲書、三七四―三七六頁。
（17）浦添市史の「戦災地図、戦災実態調査表」に「陣地＋『慰安所』」となっている「慰安所」は、九二年女性史研究グループの調査で、「掘立小屋」であったことが示されている。全国女性史研究会交流のつどい実行委員会『第5回全国女性史研究会交流のつどい報告集』前掲書、二八頁。

(18)「第32軍戦闘序列および指揮下部隊一覧表」参照。
(19)「特設水上勤務第百三中隊史實調査参考資料報告」、『特設水上勤務隊百四中隊第二小隊陣中日誌』（昭和一九年一一月）参照。
(20)「沖縄作戦ニ於ケル特設水上勤務第百二中隊史實資料」（昭和二二年三月二五日）。
(21)本章では大正一〇年陸地測量部作成（『図Ⅲ—1仲間』）を参照にしたが、既に大正二年（一九一三年）一二月から軍事訓練は始まっていた。石原昌家は、一九一三年一二月から一九一四年四月一日にかけて「琉球新報」が、第6師団混成部隊の浦添村には軍事訓練を報じていることに触れながら、沖縄戦の三一年も前の一九一三年の時点で、既に敵の上陸時、住民の犠牲を前提とした軍事訓練が行われていた点を批判している。（『浦添市史　第五巻（資料編4）——戦争体験記録』前掲書、四五頁）
(22)「第五章　資料にみる沖縄戦」『浦添市史　第五巻（資料編4）——戦争体験記録』前掲書、三四四頁。
(23)『石兵團會報』第九〇號　昭和一九年一二月四日。
(24)古賀徳子「沖縄における日本軍「慰安婦」制度の展開」沖縄国際大学大学院地域文化研究科修士論文、二〇〇七年度、五八頁。
(25)大城将保「第32軍の沖縄配備と全島要基化」『沖縄戦研究Ⅱ』沖縄県文化振興公文書館管理部史料編集室、一九九二年、一一七—一一八頁。
(26)西原町史編纂委員会『西原町史　第四巻（資料編3）——西原の民俗』西原町役場、一九八九年、一〇二頁。
(27)『西原町史　第四巻（資料編3）——西原の民俗』前掲書、二九七頁。
(28)『西原町史　第四巻（資料編3）——西原の民俗』前掲書、二五一、二五七頁参照。
(29)『西原町史　第四巻（資料編3）——西原の民俗』前掲書、二六七頁。
(30)西原町史編纂委員会『西原町史　第三巻（資料編2）——西原の戦時記録』西原町役場、一九八七年、五八二頁、全国女性史研究会交流のつどい実行委員会『第5回全国女性史研究会交流のつどい報告集』前掲書、一九九四年、二二七頁。
(31)『西原町史　第四巻（資料編3）——西原の民俗』前掲書、二九七—二九八頁参照。

(32)「第一七節　伊保之浜」『西原町史　第三巻（資料編2）――西原の戦時記録』前掲書。五八二頁。
(33)「反戦の気持ちを大切に（宮平済、当時三七歳、主婦）」『西原町史　第三巻（資料編2）――西原の戦時記録』前掲書、五五四頁。
(34)「第一七節　伊保之浜」『西原町史　第三巻（資料編2）――西原の戦時記録』前掲書、五八二―五八三頁。
(35)西原町史編纂委員会『西原町史　第五巻（資料編4）――西原の考古』西原町役場、一九九六年、一三―一四頁参照。
(36)「第一節　幸地」『西原町史　第三巻（資料編2）――西原の戦時記録』前掲書、一三五頁。
(37)「第三節　徳佐田」『西原町史　第三巻（資料編2）――西原の戦時記録』前掲書、二二〇頁、大城将保「第32軍の沖縄配備と全島要基化」『沖縄戦研究Ⅱ』前掲書、一一五頁参照。
(38)大城将保「第32軍の沖縄配備と全島要基化」『沖縄戦研究Ⅱ』前掲書、一一七―一一八頁。
(39)石原昌家「第一章　戦場への道」『浦添市史　第五巻（資料編4）――戦争体験記録』前掲書、三三―三四頁。
(40)石原昌家「第一章　戦場への道」『浦添市史　第五巻（資料編4）――戦争体験記録』前掲書、三四頁。
(41)石原昌家「第一章　戦場への道」『浦添市史　第五巻（資料編4）――戦争体験記録』前掲書、一四―一五頁。
(42)石原昌家「第二章　戦場の浦添」『浦添市史　第五巻（資料編4）――戦争体験記録』前掲書、一一四頁。
(43)石原昌家「第二章　戦場の浦添」『浦添市史　第五巻（資料編4）――戦争体験記録』前掲書、一一五頁。
(44)『小湾字誌　沖縄戦・米占領下で失われた集落の復元』前掲書、三二七頁。
(45)「字別戦争被災者状況一覧表」『西原町史　第三巻（資料編2）――西原の戦時記録』前掲書、一三二頁。
(46)字棚原の場合、三月二三日に北部の山原に疎開しようとした矢先に、艦砲隊が沖縄本島を包囲し、攻撃してきたため、昼間は歩くことができず、結果的には南部・島尻に逃げた住民が大多数で、住民七八七人のうち四四・六％の三五四人が沖縄戦の犠牲となった。一家全滅は二二世帯に上る（『西原町史　第三巻（資料編2）西原の戦時記録』前掲書、一八三―一八四頁）。
(47)「第一五節　小那覇」『西原町史　第三巻（資料編2）――西原の戦時記録』前掲書、五二四―五二五頁。
(48)「無茶な守備軍（大城純勝・三九歳・兵事主人）」西原町史編纂委員会『西原町史　第三巻（資料編2）――西原の戦時記録』前掲書、四四九―四五〇頁。

(49)「第一七節　伊保之浜」『西原町史　第三巻（資料編2）——西原の戦時記録』前掲書、五八三—五八四頁。
(50) 国際法律家委員会（ＩＣＪ）『国際法からみた『従軍慰安婦』問題』自由人権協会（ＪＣＬＵ）、日本の戦争責任資料センター訳、明石書店、一九九五年、三六頁参照。
(51)『石兵團會報』第四九號　昭和一九年九月七日。
(52)『石兵團會報』第四九號　昭和一九年九月七日。
(53)『石兵團會報』第五七號　昭和一九年九月一九日。
(54)『石兵團會報』第五八號　昭和一九年九月二一日。
(55)『浦添市史　第五巻（資料編4）——戦争体験記録』前掲書、三一四—三一五頁。『浦添市史』編集当時、「内務規定」は「沖縄県立平和祈念資料館」に所蔵されていた。
(56)『読谷村史　第五巻（資料集4）——戦時記録（上巻）』読谷村史編集委員会、二〇〇二年、三八四—三五一頁。
(57) 沖縄県教育庁文化財課史料編集班『沖縄県史資料編23　沖縄戦日本軍資料』沖縄県教育委員会、二〇一二年。七八八—七九〇頁。
(58) 高里鈴代「強制従軍『慰安婦』」『なは・女のあしあと——那覇女性史（近代編）』那覇市総務部女性室、那覇女性史編纂委員会、ドメス出版、一九九八年、四四八—四六三頁。
(59)「内務規定詳細　起居容儀」山第三四七五部隊『内務規定』昭和一九年一二月。
(60)「附則　軍紀風紀ノ維持及取締ニ関する件」山第三四七五部隊『内務規定』昭和一九年一二月。
(61)「内務規定詳細　第八　休日及外出」山第三四七五部隊『内務規定』昭和一九年一二月。
(62)「附録第一　一般外出規定」山第三四七五部隊『内務規定』昭和一九年一二月。
(63)「録第二　公用外出ニ關スル規定」山第三四七五部隊『内務規定』昭和一九年一二月。
(64)「内務規定詳細　第十保育衛生」山第三四七五部隊『内務規定』昭和一九年一二月。
(65)「附録第二　公用外出ニ關スル規定」山第三四七五部隊『内務規定』昭和一九年一二月。
(66) 姜仁昌（八六歳、二〇〇六年現在）、韓国・慶尚北道英陽、二〇〇六年七月四日、七月五日、洪玧伸による。
(67) 徐正福（一九二〇年生）韓国・大邱、二〇〇六年九月二一日、洪玧伸による。

(68) 纐纈厚『侵略戦争と総力戦』社会評論社、二〇一一年、一四四―一四五頁。
(69)「附録第一　一般外出規定」第三四七五部隊『内務規定』昭和一九年一二月。
(70)『糸満市史（資料編7）――戦時資料（上）』糸満市史編集委員会、二〇〇三年、一九一頁。
(71)「(ア)字糸満（上原初枝）」『糸満市史（資料編7）――戦時資料（上）』糸満市史編集委員会、二〇〇三年、一九一頁。
(72)『独立混成第十五連隊第二中隊陣中日誌』昭和一九年一一月二四日、『独立混成第十五連隊第三中隊陣中日誌』昭和一九年一一月二四日。
(73)「第六　左記委員ヲ設ケ各々其ノ業務ヲ分担セシム　1．委員長　全般統轄　2．甲委員　軍紀風紀　3．乙委員　經理一般　4．丙委員　衛生一般」（「後方施設ニ關スル内規」『第六十二師団独立歩兵第十五大隊本部陣中日誌』昭和二〇年一月八日）。
(74)「第四　左ノ各項ニ該當スルモノハ会館ニ出入スルコトヲ得ズ　1．見習士官　2．本業基本教育間ノ初年兵　3．部隊長又ハ各隊長ニ於テ出入ヲ不適當ト認メタルモノ」（「後方施設ニ關スル内規」『第六十二師団第六十四旅団独立歩兵第十五大隊本部陣中日誌』（昭和二〇年一月八日）。
(75)「(2)私の沖縄戦体験（宮城三吉、一九二四年生）」『小湾字誌　沖縄戦・米占領下で失われた集落の復元』前掲書、四三八頁。
(76)「無茶な守備軍（大城純勝・三九歳・兵事主人）」『西原町史　第三巻（資料編2）――西原の戦時記録』前掲書、四四七頁。
(77) 米国陸軍省編『沖縄　日米最後の戦闘』外間正四郎訳、光人社NF文庫、二〇〇六年、二一四―二九六頁。
(78)『沖縄　日米最後の戦闘』前掲書、二九三頁。
(79)『沖縄　日米最後の戦闘』前掲書、二三五頁。
(80)「首里周辺の戦闘」『沖縄方面陸軍作戦』前掲書、四八八頁参照。
(81)『浦添市史　第五巻（資料編4）――戦争体験記録』前掲書、一三頁。
(82) 福地曠昭『オキナワ戦の女たち――朝鮮人従軍慰安婦』海風社、一九九二年、五七頁。

第3部

米軍上陸の「有った」島／「無かった」島における「慰安所」

昼は米軍がおり危険だからと、夜、大勢の老若男女が、真喜屋から仲尾次の部落を経て今帰仁の大井川を通り、目的地の今泊部落まで粛粛《しゅくしゅく》と行列をつくって歩き続けた。

黙々と一言も発せず、沈黙の不気味な集団であった。目的地に着いたら、必死になって他人の畑の芋を盗み掘りして、用意の袋、或いは籠に持てるだけ入れて、又帰り道を沈黙の集団が県道を歩き、避難小屋まで帰って来た記憶がある。

（朝武士靖雄、県立第三高女の教師。『戦時下乃学園記─戦火をくぐって』なごらん同窓会、一九九六年）

第3部では、「移動」と「孤立」という二つの状況から「慰安所」と住民の関係を取り上げたい。これまで主な「飛行場」が置かれた地域を中心に、「慰安所」がどのように村に設置されて行ったのか、また、航空基地中心の作戦から「地上戦」、「持久戦」へと展開する中で、軍隊の移動と共に「慰安所」をめぐる「規定」そのものが、10・10空襲以降、変容していったことを述べた。しかし、移動したのは、軍隊のみではない。焼け野原から「逃げ場」を求め、わずかな食糧と生活用具、きものなどお金になりそうな物を担ぎ、裸足で移動する避難民の行列が、北へ北へと続いていた。そして、10・10空襲によるこれらの避難民の「移動」こそ、沖縄北部の住民にとって「地上戦」への恐怖を現実として感じさせる出来ごとであった。これらの「移動」は、すでに食糧供出に苦しんでいた住民の、「食糧」問題を加速化した。

さらに、沖縄戦における北部の山岳地帯（国頭《くにがみ》村、大宜味《おおぎみ》村、羽地《はねじ》村、東《ひがし》村、久志《くし》村など）は、一九四五年二月から三月まで各町村に割り当てられた大規模の集団疎開が計画されていた地域でもあった。また、上陸後、米軍は「非戦闘員」と「戦闘員」を区分した上、北部地区に次々と民間人収容地区を設定している。南部でまだ激戦が続くなか、捕虜となった住民が早くも四月上旬から米軍収容地区へ運ばれ、「戦後」をスタートする。だが、未だ多くの避難住民が、山の中で避難生活を送っていた。

食糧を求めて重い荷物を担いで三〇キロ、四〇キロの山道を行列をつくって通った経験は、「越境」(1)と呼ばれ、幼い子どもや米軍の軍作業に動員された住民が、米軍の物資集積所に潜り込み、食糧を盗みに来る行為は「戦果」(2)を揚げることと呼ばれた。

北部における沖縄戦、その「敗戦」と「解放」とは時間概念ではなく、「食べてゆく」という日常の歩みを、何処に求めればよいのかという具体的な戸惑いと、張りつめた緊張感の続く空間概念でもあったのである。「敗戦」と「解放」が、空間概念として混在していたこういう状況のなか、これまで「慰安所」を見てきた人々にとって、「慰安所」とは絶えず「移動」し、「逃げ場」を求めていく中で出会った「状況」でもあったことに注目したい。

一方、「孤立」に関しては、宮古島の事例を通して考えてみよう。宮古島は、沖縄戦のための三つの飛行場、六本の滑走路が建設されていた「航空要塞」でもあったが、結果的に米軍上陸は行われず、沖縄戦のなかでも「比較的に被害が少ない」と言われている。だが、すでに武装解除後した陸海軍三万三〇〇〇人が、復員するまで収容所に送り込まれることもなく、物資の調達が途絶えた「孤立」した島に残存していた。そして「飢え」への恐怖がそこに浮上する。武器のない兵隊と住民が共存し、すでに「戦後」であることを知りながらも、「軍紀」が強調されて行く孤立した時間が戦後しばらく続いている状況の中で、住民が見た「慰安所」とは何であったのか。

「地上戦」への恐怖を、悲惨な戦争体験そのものではなく、「移動」と「孤立」をしていく中での「恐怖」

と「性」をめぐる言説が重なって行く過程から考えることにしよう。

第7章　北部における「慰安所」の展開

北部における沖縄戦は、国頭郡《くにがみ》に属し沖縄本島の半分以上の面積に及ぶ空間で展開された。西に東支那海に面し扇形状に展開する本部半島《もとぶ》、その西方にある伊江島《いえ》、そして、山原（やんばる）と呼ばれ、山々が繋がる山岳地帯を含む。伊江島を除くと、飛行場建設に適していない自然環境である。本部半島の高い山からは肉眼でも見える伊江島に、「東洋一」を目指した飛行場建設が開始されると、北部の住民の生活は一変していった。

本部半島の北部にある運天港《うんてん》には魚雷艇保護のための秘密要塞が、西の渡久地《とぐち》港は伊江島との連絡港、そして、東の本部町の高い八重岳《やえだけ》（四五三メートル）には、陸海軍合わせて四門の加農（カノン）砲が伊江島に向けて設置され、国頭支隊の司令部が置かれた。これら軍事施設の建設とともにもたらされた人々の「移動」こそ、北部における沖縄戦の始まりであった。

「私が疎開に行くときに、母はまだ出産直後だったし、父と妹は伊江島の徴用にとられるし、こんなたくさんの子どもを抱えて、母はもう、ほんとうに、大変だった。防空壕に入っても、こどもを泣かしたら苦情が出るし、大変だったらしい。私が疎開に行った後は妹の律子がいちばん上で、その下に男が四人いたから(3)」

沖縄北部の久志国民学校六年生であった勢頭敬子は、一九四四年一一月、大分に学童疎開した。沖縄に戻ってきたら、五つ年上の姉は戦後、マラリアで亡くなっており、戦前にはなかった避難民のお墓が出来ていたという。本土に移動する子ども、徴用のために伊江島に渡った父と妹、残される出産直後の母、そして、証言者勢頭敬子本人が見なかった避難民の死。

北部に避難民が来始めたのは、10・10空襲からである。その一足先に、北部に移動してきたのが、遊郭の女性たちであった。

戦後しばらくして琉球政府の社会局が名護町長宛てに出した「戦斗《ママ》協力者の資料送付について」（一九五七年三月二二日）には、「慰安所」についての軍の直接関与に言及した以下のような記述が残っている。

「慰安婦については沖縄戦当時全島に亘り、大体一個連隊単位に慰安所を二ヶ所置き、（一ヶ所に慰安婦が約十五人づつであったと云う）全島で約五百人位が配置された。

これらの女子は元辻町の遊女であって、軍の直接の命令で各地区（部隊毎に）ごとに配置されたものである(4)」

「慰安所」に関する軍の関与は、『陣中日誌』にも多くの記述が残されているが、とりわけ上記の資料が、五〇〇人ほどの辻遊郭の女性たちが「軍の直接命令」により送り込まれた、としたのは重要である。既存の「慰安所」調査と名護《なご》市が実施した聞き取り調査を見ると、初期段階で、北部（名護・やんばる地区）に設置されていった「慰安所」は、上記の資料のように、遊郭に類似した形を借りたものが多かった。そして「慰安所」には、辻遊郭の女性たちだけでなく、多くの朝鮮人「慰安婦」が主に10・10空襲直前から目撃されている。

1．小学校と「慰安所」のある風景

一九四四年八月以降、米軍の伊江島攻撃に備えるために日本軍が次々と駐屯することになると、北部の学校や公共施設が次々と軍隊の宿舎として接収されていった。そして、日本軍が駐屯する学校周辺の大きな家や、遊郭などが「慰安所」になっていった。

まず、今帰仁《なきじん》村の運天《うんてん》港の海岸が、海軍魚雷艇の秘密要塞として注目された。『陣中日誌』には、「運天基地」と称し、米軍上陸時、本部半島沖に上陸する米艦船を奇襲攻撃する魚雷艇の秘密要塞の建設を計画した記録が残っている。八月からは運天港では魚雷艇秘匿壕の建築が急がれた。米軍の空襲被害をさけることを目的に、発電機及び魚雷調整場を現地材で家屋式にして設置することにしていた(5)。

魚雷艇隊は天底《あめそこ》国民学校へ到着した一九四四年八月、魚雷基地設営に着手した。早速「慰安所」も設置された。

当時、今帰仁村の天底国民学校二年生であった吉嶺全二は、白石部隊（第27魚雷艇隊）の「慰安所」を覚えている。

「当時、天底小学校に海軍の白石部隊がいました。陸軍もいましたが、食糧なんかとても恵まれていました。慰安所に利用された家は雑貨を扱う商店で、とても大きな家でした。10・10以前からいたと思います。はっきりとはしませんが、日本人というか沖縄の人ばかり、十人ほどだったようです(6)。」

吉嶺全二の証言のように、『陣中日誌』でも同隊の食糧事情は、上陸初期には十分であった。「僻地」であることが繰り返し強調され、六ヶ月分の食糧が用意されていた。問題となったのは「水」と「衛生」の問題であった。

特に、編成段階から、同部隊は衛生関連を強調していたのは興味深い。各家庭で山羊、豚などを飼育しているものの、住民の意識として「衛生思想皆無」だと指摘されている。特に、良質の湧水がなく、飲み水はもちろん洗濯や体を洗う水を補給するのも困難な状況であった。『第27魚雷艇隊戦時日誌』(一九四四年九月一日~三〇日)には一九四四年九月二日集結当時、沖縄の平均気温は二八・八度で、夜でも二五度。降雨のため多湿であると記した「天候ノ概要並ニ気象ノ衛生的影響」を「出征仲の事項」の第一項目としてあげている。以降、本部隊が「衛生思想皆無」の住民の伝染病が軍隊に及ぼす影響を避けるため、「衛生」管理に注意を払う。そして、基地隊の兵舎であった天底国民学校から基地設営の海岸までは、徒歩二五分かかる距離であったが、基地隊は九月二六日に運天港のある上運天《かみうんてん》「部落」に移動を決め、移動距離を短縮した。民家に分宿するに際しては、住民の伝染病患者の調査及びその収容のため、愛楽園や収容壕などの利用が検討された。同部隊の陣中日誌では、「慰安所」に関する記述は見られないが、気温、水、伝染病の脅威などが頻繁に語られる中、九月、雨天の日を選び演芸会が行われた。

「十．兵員労働慰安並ニ休業等ノ概要

第一段階ノ物件揚陸作業終了後六分ノ一上陸四時間宛各一回許可シ雨天ヲ選ビ演藝大會ヲ行ヒ大イニ士氣ヲ鼓舞シタリ而シテ第二段階ノ設營作業ニ着手シ早朝ヨリ夜間ニ至ルマデ作業ヲ續行シ着々ト

シテ戰闘準備完了ニ突進シツヽアリ」

（『第二十七魚雷艇隊戰時日誌』昭和一九年九月一日―三〇日）

とりわけ、天底《あめそこ》国民学校から上運天集落に軍隊が移動することによって、遊郭がある近くの集落にも軍専用の慰安施設がもうけられた。運天港に近い仲宗根《なかそね》には、家主が九州へ疎開し空き家となった宮城医院（仲宗根診療所と思われる）が「慰安所」として使われた。そこでは、中南部から仲宗根の遊郭などに売られてきた沖縄の女性たちが、「慰安婦」として日本兵の相手をさせられることになった。(7) 陸・海軍別に「慰安所」が設置されたが、一〇人から一五人の辻の女性たちで、疎開してきた女性たちであったとのことが、地域住民によって証言されている。「慰安所」には、「何百名という軍隊が、四列縦隊で軍歌を歌って行き来き」しており、「突撃」（突撃一番と思われる―引用者）と書かれていたコンドームが渡されていた。(8)

今帰仁村の運天港に魚雷艇の秘密要塞の建設が急がれていた頃、名護湾に面した渡久地《とぐち》港からは、多くの住民が労働力動員のために伊江島に向かっていき、陣地構築のための木材運びや、船から桟橋までの荷役作業に動員された。

北部には、宇土部隊と称される陸軍の国頭《くにがみ》支隊がおり、伊江島及び北部全域を担当することになっていた。国頭支隊は、独立混成第44旅団の一部で、沖縄へ向かう途中、徳之島沖で米潜水艦の攻撃を受け、その大半の兵力をうしなったため、現地でかき集めた補充兵、青年義勇隊、防衛隊、三中鉄血勤皇隊などで埋め合わせたものであった。(9) そして、これら現地で軍の埋め合わせとして動員された人々にも、「慰安所」は目撃されている。

一九四四年九月から一〇月の間は、独立混成第44旅団第2歩兵隊本部が名護町の県立第三中学校に駐屯したのち、伊豆味《いずみ》国民学校に駐屯し八重岳《やえだけ》の陣地構築に取り組んだ。

県立第三中学校の三年生で鉄血勤皇隊に編成されていた山里将晃は、「ピーヤー」や「ペーターヤー」と呼ばれた「慰安所」があり、伊豆味国民学校や山里に駐屯していた兵隊が利用していたと証言する。(10)伊豆味国民学校のすぐ近くには、カヤで囲んだ二棟の慰安所には、一〇名ほどの朝鮮人「慰安婦」がいて、一〇月頃から米軍上陸の四月までそこにいた。(11)

羽地《はねじ》国民学校には一九四四年九月から一一月末まで独立混成第44旅団砲兵隊が駐屯していた。当時、国民学校五年生だった平良松善は、五、六人ずつ列をつくっているのを見たと証言する。「慰安所」として使われた家は畑の中の一軒家で、平良松善の叔父の家であった。(12)

県立第三高等女学校にも一九四四年七月から独立混成第44旅団長（鈴木少将）が駐屯するようになった。(13)名護町では、すでにあった料亭が将校用「慰安所」として使われ、その中で月見草は一般兵士の「慰安所」として使用された。

遊郭の一樂、菊水、山海楼、松ノ屋では、月一回、北部の色々な部隊の「出張慰安」が行われ、「夕方五時から翌日八時まで食べる、飲む、男の生理作業をさせました」という。(14)朝鮮人の「慰安婦」たちがいた料亭、一樂、菊水は今もその名前が駐車場の名前として残っている。


「逃げるにしても逃げられないでしょう、こういう状態で軍の命令だから。日本に慣れていなくても片言混じりの話し方の人もいて、相当の人数いたからね。(15)」

岸本誠功（一九二八年生）は、「慰安婦」として料亭にいた朝鮮人の女性たちの片言まじりの話しぶりを覚えている。しかし、『陣中日誌』によると、将校用の旅館での宴会や「朝鮮人」慰安婦たちが一般住民と話すことは、間もなく禁止されたと見られる。そして、一般住民と兵隊の交流の禁止の背景には、防諜に対する警戒があった。

独立重砲兵第100大隊（平山隊）の『陣中日誌』、「名護駐屯地規定」と称された追加事項に、名護町内にあった料亭菊水が一般兵士禁止となり、将校専用となったことが記されている。

「七、名護駐屯地規定ノ追加ニ就イテ
1．二二條～二五條
2．外出日ヲ決定
二三條　旅館ノ宴會ハ禁ズ　二十三時迠ハ特別許可ヲ受ケテ實施
二四條　地方民家立寄禁止（公務以外）
二五條　菊水ハ立入禁止（兵ハ慰安所ニテ）
外出ハ（慰安所）一週間ニ　二回）」

（『独立重砲兵第百大隊平山隊陣中日誌』昭和一九年八月二六日）

一九四四年八月二六日の段階でこれらの菊水などの料亭の一般兵士の利用は禁じられた。同『陣中日誌』には、「八、外出者ノ態度敬礼特ニ夜間敬礼ヲ厳正ニ」など軍紀を強調する項目と共に、特に、兵士が民家の住所を借りて書簡を出したこと、女学生名を女学生に書かせて出すことなどが発覚したことなど、「書簡の検閲」を実施したことが分かる。さらに、サイパンから引揚てきた家族に対しての、防諜に関する注意項目が見られる。

その後、一般兵士向けに新たに開設されたのが、料亭月見草と見られる。

当時名護国民学校五年生であった幸地清子（一九三四年生）は、「私は料亭、月見草の近くに住んでいた。桑畑もあった相当広い料亭のような家に長屋ができて、そこに兵隊さんが入れ代わり立ち代わり出入りしていた。私はいつも桑畑のところで遊びながら見ていた」と述べ、「庭先にコンドームが捨てられていて、雨が降るとぷかぷかして、子どもたちが風船にして遊んだ」と振り返る[16]。

当時、月見草に朝鮮人「慰安婦」がいたことを友人に聞いた看護婦がいる。戦時中看護婦であった比嘉和子（一九二四年生）は、月見草の話に自分が実際に淋病にかかった兵隊をみた経験を重ねる。

「大きな家の貸家、そこには比嘉秀平（後の琉球政府初代行政主席）さんが住んでいた。以前の月見草は料亭だった。そこがジュリヌヤーになったという。私は見ていないが、朝鮮の人たちがいて、兵隊がいっぱいならんでいたって。

また、私が北山病院に看護婦として働いた頃、憲兵隊のオオサワさんという人が来ていた。本人は淋病に罹っていた。朝鮮の人からうつったかどうかわからない[17]。」

比嘉和子は一時期、護郷隊の看護婦として勤めていた。彼女が実際に見た「慰安婦」は、宇土大佐の近くにいた女性たちであった。モンペを着けていたかどうかは分からない。三名ぐらい宇土大佐の横にもいたのを見たことがあるという[18]。

本部の渡久地《とぐち》に独立混成第44旅団第15連隊（連隊長：美田千賀蔵大佐）が八月から駐屯しはじめ、連隊本部と第3大隊が本部国民学校、第1大隊が謝花国民学校に駐屯した。
第44旅団第15連隊の『陣中日誌』には、一〇月三日に渡久地に「渡久地慰安所」と呼称する「慰安所」を設置していた。

「十月三日　晴天（火）渡久地
駐屯地命令第二號
一三、一五〇〇　北地区駐屯地命令
一、本部町渡久地ニ開設セシ軍慰安所ヲ渡久地軍慰安所ト呼稱ス
二、渡久地慰安所ハ十月五日〇〇〇〇ヨリ使用許可ス
三、渡久地慰安所ノ使用ニ関シテハ北地区駐屯地軍慰安所使用規定ヲ嚴ニ履行スベシ」
（傍点は引用者による）
（『独立混成第十五聯隊速射砲中隊陣中日誌』昭和一九年一〇月三日）

上記の一〇月三日付の『陣中日誌』で見られるように、「渡久地軍慰安所」と呼称される「慰安所」の開設が軍の命令により実施され、一〇月五日から使用が許可された。なお、「北地区駐屯地軍慰安所使用規定」という文言から、この頃すでに北地区全域の駐屯軍に通用する「慰安所使用規定」が存在していたことが分かる。

10・10空襲の一週間ほど前であった。では、どのような時点で、こうした住民と「慰安婦」、ないしは駐屯軍との接触を避ける方針が出されたのだろうか。

2. 疎開者、避難民、そして「立ち入り禁止区域」の女たち

県立第三高等女学校（以下、三高女）第一〇期生の高城ハル（旧姓・比嘉）の証言から話を始めたいと思う。10・10空襲の時、高城ハルは、入院中の弟の見舞い先の那覇で空襲に遭った。入院室に残してきた黒糖を気にしつつ、避難壕に逃げ込み、先に避難した人が空襲で焼け死んだ豚の肉を切り取ってきたため、豚汁と焼肉が食べられた。固い土を手で掘り、避難の際に食べる芋を手にして、名護への道を急いだ。患者連れの高城ハルは、途中で日本軍に頼み込み、途中までトラックで移動することが出来たため、10・10空襲の翌日には名護に辿りつく。那覇から名護にたどり着いた時、住民はすでに避難壕に逃げ込んだ後で、明かり一つ見えず「猫の子一匹いない」という有様の静かな状況だった。名護町には、高城自身を含み「声をかけるでもなく、又かけられるのでもなく命がけの逃避行だけに、ひたすら北へ北へ黙々と歩きつづけるだけ」の行列が続いていたという。[19]

北部も10・10空襲により本部半島と伊江島の間の小さい島の瀬底《せそこ》島、運天港、名護湾などに停泊していた潜水艦や海岸近くの民家が、米軍の集中攻撃にあっていた。本部町健堅《けんけん》の山里宗喜は次のように語る。

「十月十日の早朝、私はいつものように丘の上で牛の草を刈りて《ママ》いた。すると海の方からドカンドカンというただならぬ音が聞こえて来た。海上に目をやると、おりしも瀬底と崎本部《さきもとぶ》の間に停泊していた四、五艘の輸送船をめがけて、米軍機が集中攻撃を浴びせているところであった。はじめは友軍の演習だとばかり思い込んでいた私も、眼前のすさまじい光景を見て急に背すじが冷たくなり、慌てて溝に飛び込んで伏せた。

ひとしきり艦船に猛爆撃を加えたあと、米軍機は、浜崎海岸一帯の民家につづけざまに爆弾を落とした。海上の輸送船は火柱をふいて燃え、やがて海岸一帯の民家も炎につつまれてしまった。米軍機が飛び去ると、私は大急ぎで村に駈け下りた。さいわい私の家は焼けずに残ってはいたが、間もなく家の中は海上から運ばれて来た負傷兵でいっぱいになった。傷つき血だらけになった兵隊たちが苦しそうに呻いていた。

その日の空襲で村人たちは一段と重苦しい空気につつまれてしまった。夕闇の中を兵隊たちがあわただしく往来し、避難の準備を急ぐ村人たちも恐怖におののいていた。私の家族もそのような村人の群にまじって避難を急がなくてはならなかった。」(20)(ルビは引用者による)

山里宗喜は、米軍上陸まで村外れの山の中の避難小屋に逃げ、米軍が上陸するとさらに、伊豆味《いずみ》の山に逃げ込んだ。米軍上陸後に村の知り合いの人が、妻を強姦から守ろうと反抗したことが理由で、射殺されるなど、米兵による暴行事件への恐怖からであった。そしてその恐怖の記憶は、何気なく牛の草刈りをしていた10・10空襲の朝の風景から始まる。

当時、野戦病院とされていた三高女の寄宿舎には、10・10空襲で負傷した兵士たちが海岸から運ばれてきた。

軍医や正規の看護婦の手が足りなくて、ほんの応急処理だけの傷兵が、足も踏み入れられないぐらい部屋いっぱいに詰め込まれ、痛みに耐える呻き声、「看護婦さあん、学生さあん」と介護を求める声、絶望を訴える悲痛な叫び声、「水をくれー」や「お母さーん」と叫ぶ声で、あたりは「阿鼻叫喚の坩堝《るつぼ》」。三高女四年生であった大嶺弘子(旧姓・宮崎)は、10・10空襲で負傷した兵士たちが苦しむ寄宿舎の様子を、

「地獄絵」に例える。[21]

沖縄戦で住民の疎開地として一〇万人の疎開を予定されていた北部は、疎開者たちのために仮宿舎と、地元住民のための避難小屋などの対応が急がれていた。今帰仁村へは宜野湾・伊江島・首里から一七〇〇名（今帰仁村史）、国頭村では那覇・読谷山《ゆんたんじゃ》・浦添《うらそえ》・勝連《かつれん》・与那城《よなしろ》の各地から一万八〇〇〇名（国頭村史）、大宜味村へは、那覇・豊見城《とみしろ》・高嶺《たかみね》・真和志《まわし》・真壁《まかべ》から一万二四七名（大宜味村史）が疎開し、久志《くし》・東《ひがし》村へは、西原《にしはら》・中城《なかぐすく》・東風平《こちんだ》・与那原《よなばる》・佐敷《さしき》・知念《ちねん》から、名護町へは小禄《おろく》から、羽地《はねじ》村は北谷《ちゃたん》から人々を受け入れている。実際、疎開出来たのは三万人ほどに過ぎなかった。[22] 10・10空襲以降、北部への避難を決断する人々が増えていったが、それでも生活基盤そのものを置いて疎開するということへの不安の中、避難は容易いものではなかった。[23]

ところが、空襲、疎開、米軍上陸への恐怖がエスカレートする中でも「慰安所」は建てられている。北部における軍隊の宿営のあり方は10・10空襲後に、変化している。

本部国民学校にいた北地区隊長美田大佐は、「独混一五作命第六六号　北地区隊命令」と名付けられた以下のような命令を出し、防諜の強化のため、宿営の形態を変えている。

「一、軍ハ地方住民ト軍隊トノ混居ヲ厳禁シ十一月十日迄ニ之ガ清掃ヲ期ス
二、地区隊ハ軍ノ方針ニ基キ来ル十日迄ニ現ニ地方住民ト混居シアル部隊ヲ藁屋幕舎等ニ轉居セシメントス
三、本部各隊ハ現地作業ヲ實実施スル傍一部ノ兵力ヲ以テ陣地附近ニ速ニ三角兵舎藁屋幕舎等ヲ構築シ十一月十日迄ニ轉居スベシ（後略）」

（「獨混一五作命第六六号　北地区隊命令」『獨立混成第四十四旅団獨立混成第十五聯隊本部陣中日誌』昭和一九年一一月一日～一一月三〇日）

つまり、「地方住民と軍隊との雑居を厳禁」し、雑居している部隊は「藁屋幕舎等に転居」、速やかに「三角兵舎藁屋幕舎を建築」し、一一月一〇日までに陣地附近に「住民との雑居禁止」を骨子とするものであった。(24)

そもそも四四年八月以降、本部半島と伊江島に駐屯していた独立混成第44旅団は、現地自活を念頭に、状況を調査、駐屯に当たっては地質及び水源地帯の状況に応じ、畑作地を定め、農作や野菜作りが考慮されていた。疎開者の畑の利用や、学校農園の利用、空閑地利用、家畜の飼育など様々な自活方法が論じられた。水の問題は重要であった。国民学校などの施設を利用するのはもちろん、今帰仁の寒水原集落附近の場合には、一個分隊宛ての民家二分宿なども行っている。民家の協力を求めるなどの方法で民家と軍の雑居が多いのは、こうした「現地自活」の面も影響していた。(25) しかし、一一月から「現地自活」のために雑居状態にあった宿営の状況を正そうとした。

当初、こうした宿舎の変化は、軍内部でも歓迎されていたわけではないようである。『沖縄方面陸軍作戦』では、当時の状況を、「配備変更に当たっては戦術上の陣地構築に着手する前に宿舎構築のため、労力、資材相当量を必要とし、築城の進度に影響した。また、部隊自活のために栽培していた野菜なども配備変更により無駄となった」と嘆く叙述がある。(26) このように作戦変更に伴う陣地構築、いわゆる「三角兵舎」と称された藁屋幕舎の急速な建築が進められる中で建てられた「慰安所」の記述が残っている。

「十一月六日（月）晴　謝花
二、大隊副官慰安所開設ノ件ニ関シ今帰仁方面出張
十一月七日（火）晴　謝花
四、大隊副官慰安婦招致ノ件ニ就キ今帰仁方面出張　一三三〇
十一月十五日　曇　謝花
三、軍寮及慰安所施設作業　〇八〇〇～一七〇〇
十一月十七日　晴後曇　謝花
二、軍寮及軍慰安所設備作業　〇八〇〇～　一七三〇
十一月二十四日　晴　謝花
下達命令　十一月二十四日大隊命令
大隊日日命令
一、十一月二十五日ヨリ別命アル迄本部及各隊ノ外出ニ関シ左記ノ如ク心得ベシ
左記
1. 目的　軍慰安所及軍寮ヲ使用セシム
2. 外出許可人員　各隊人員ノ1／3以内
3. 外出區域　謝花地区内（各隊ノ駐屯地ヨリ謝花地区ニ通ズル道路ヲ含ム）
4. 外出時間　一二〇〇以後トシ帰営時間ニ関シテハ軍隊内務令ニ依ル
5. 服装ハ北地区駐屯地規定ニ依ル
6. 外出日

日　第一中隊、第二中隊

月　本部、第三中隊、第一機関銃中隊

（以下繰返シ）

但シ都合ニ依リ各隊ニ於テ其ノ外出日ヲ交代スルコトヲ得

二、各隊内務掛准尉ハ外出簿ヲ作製ノ上外出前日迄ニ外出希望者ノ氏名ヲ記入セシメ点検シタル後各中隊長ノ許可ヲ得ルモノトス

三、各隊週番（日直）士官ハ外出人員ヲ承知シタル後之ガ服装検査ヲ実施スベシ

之ガタメ各隊毎ニ外出服装検査ノ集合場所ヲ規定シ確実ニ之ガ実行ヲ計リ無届ニテ外出スルガ如キモノヲ皆無ナラシムベシ

四、外出日ニ於ケル営外居住下士官ノ点呼特ニ二〇三〇トス

十一月二十六日　晴　謝花

二、慰安所設備完了ス」

（『獨立混成第四十四旅団獨立混成第十五聯隊第一大隊本部　陣中日誌』昭和一九年一一月六日〜一一月二六日）

上記の「大隊命令」は、『独立混成第15連隊第2中隊陣中日誌』と『独立混成第15連隊第3中隊陣中日誌』にそのまま記載されている。[27]　一一月に台湾の防備強化のために第9師団（通称：武部隊）を台湾に移動させることになり、重要な航空基地を確保しつつ地上戦に備えるという第32軍の作戦計画が完全に崩れ、時間稼ぎの地上戦へと展開していく過程に、これら「住民との雑居禁止」令がある。そして、「慰安所」が「外出区域」として設定されていった。

前述したように、今帰仁には辻遊郭の女性たちによる日本軍の「慰安所」が存在した。大隊副官が一一月一〇日まで軍民雑居の状況を回避するため、三角兵舎藁屋幕舎建設と同時に「慰安婦招致」を行ない、出張慰安所、「軍寮及慰安所設備作業」を行なっていたことがわかる。

第1、2、3中隊、本部、そして第1機関銃中隊までが外出日を決め、「慰安所」を利用していたが、最も重要なのは「外出区域」が設定され、外出者に対する名簿、服装、時間までを統制しようとしたことである。那覇から避難してきた砂川久子の証言によると、四四年一二月か四五年一月頃から大きな赤瓦の料亭で「慰安所」として使われた月見草にも、「門に『宇土部隊』の看板があり、学校から「ここは通るな」と言われ、もう一本の道を通学路にしていた」という(28)。

第9師団の転出により、一一月二四日、本部半島と伊江島に駐留していた独立混成第44旅団の主力の南部への移動が決まった。国頭・伊江島地区にはわずか歩兵大隊二個だけの国頭支隊を残すだけに縮小された。そして、この再編成に伴い一二月、謝花《じゃはな》の「慰安所」を開設した独立混成第15連隊は南部に移動している。謝花の「慰安所」は、一二月五日に閉鎖された(29)。一一月末、第1大隊は伊江島へ、第3大隊は中南部へ移動した。第2歩兵隊長宇土大佐が国頭支隊長となった。

3. 戦時動員された人々のみた八重岳周辺の「慰安所」

一九四四年九月から一〇月にかけ、県立第三中学校に駐屯していた独立混成第44旅団第2歩兵隊本部が伊豆味国民学校に移動し、八重岳の陣地構築を始めた。八重岳の陣地構築に関わった独立混成第44旅団第2歩兵隊に属していた宮城県出身の中竹登は、伊豆味周辺の「慰安所」の一三―一四人の女性たちに、コンドームを配給するために行き来していた。

「僕は経理部におったからですね、その伊豆味の慰安所にサックを届けよったんです。コンドームです。用意していたんです。やっぱり病気なんかを持っていたりするでしょう。男も女も一緒だからね、だから『突撃一番』というコンドームを届けて。最初は兵隊に渡していたんですね。兵隊に一人ずつ。そしたら兵隊は使わないわけですよ。だから、今度は慰安所の女の子たちに届けていたんですよ。セックスするときには、これを必ず付けさせなさいとね。これを使わなければさせるな、ということで僕は言っていたんです。結局それは、どの辺まで使ったか分からんけどね、僕はそういうことまで本部にいてやりましたからね、経理部にいて。(30)」

本部町伊豆味出身の与那嶺武は、戦争が近づいてきたため県立三中には入学することができず、伊豆味に帰ってきた。実家は大きかったため日本兵一二人の宿舎となり、家の後側には宇土大佐の馬小屋があった。そして、伊豆味にいた口紅をつけた女性たちを覚えている。一三歳の少年の目には綺麗に見えた彼女たちは、朝鮮ピーター《たち》と呼ばれていた。

「伊豆味には慰安所があった。当時は学校の先生も口紅をつけないのに、つけていて、きれいに見えた。一般兵ではなく、将校用の慰安所として使われていた。宇土隊長の住んでいた家は、ある家の長男の家で、そこから宇土隊長は毎日通っていた。朝鮮ピーターはいっぱいいた。地域との交流はなかったと思う。(31)」

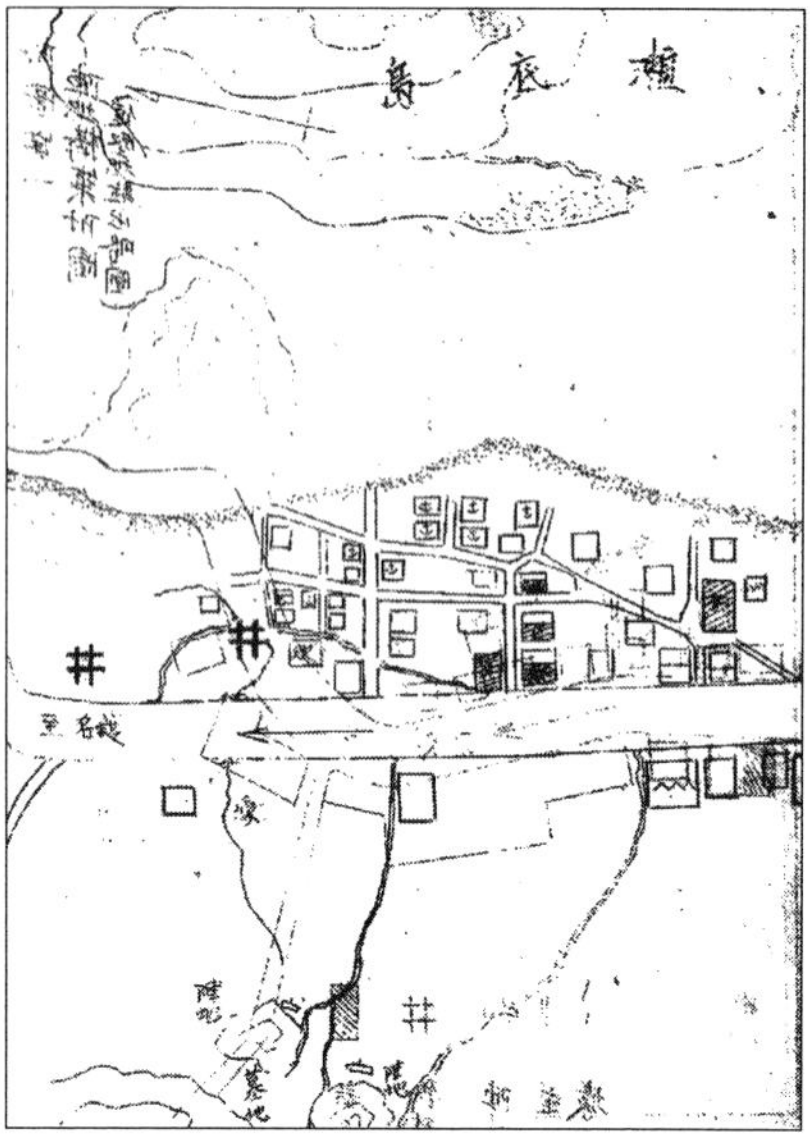

原史料①『特設水上勤務第104中隊第2小隊陣中日誌』（1944年9月）
黒色に表示されているところが、軍夫の宿舎である。地図の中に書かれてある瀬底島では、陣地構築のための松林伐採や運搬が朝鮮人軍夫によって行われた。

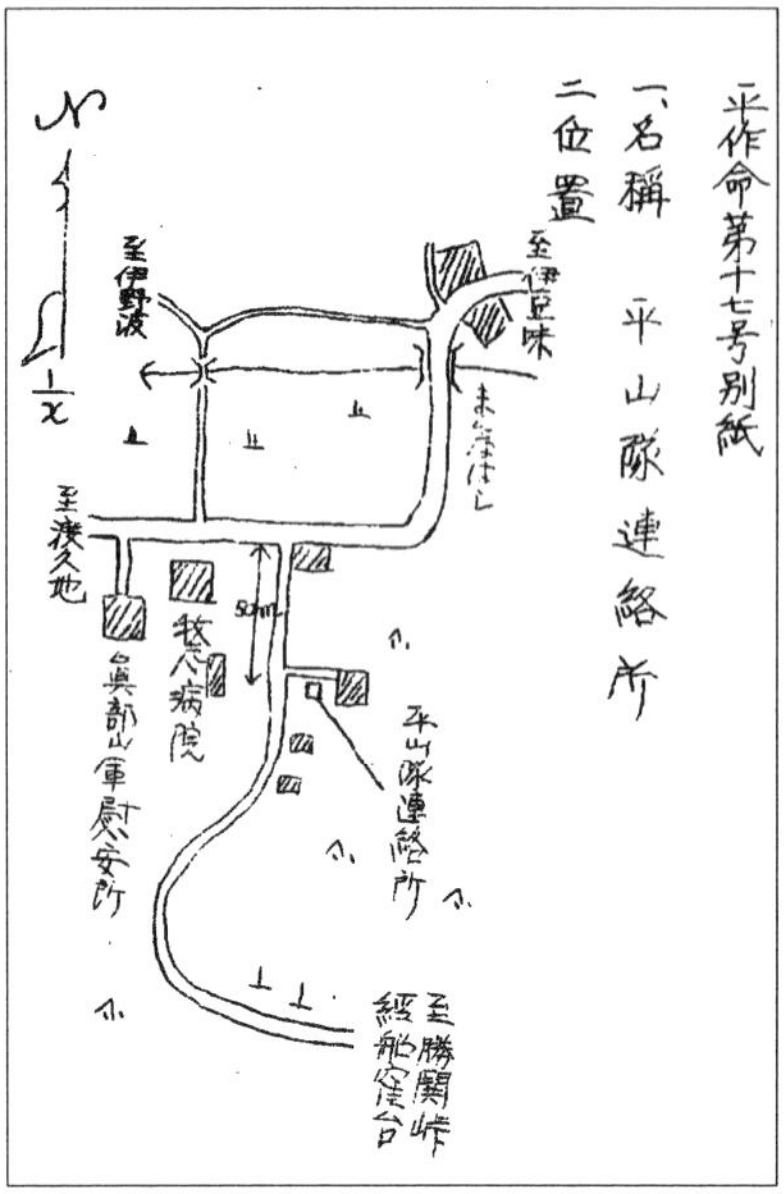

原史料②「平作命第17号別紙」真部山の「慰安所」出典『独立重砲兵第百大隊平山隊作命綴』（1944年7月27日～1945年4月8日）

『陣中日誌』（一九四五年二月一〇日）には、「真部山の慰安所」という地図が残されており、この地図の「慰安所」は、伊野波《いのは》集落に位置している渡久地昇永の言う「慰安所」関連証言とほぼ一致する。八重岳入り口の道沿いで、戦時中、渡久地港から伊豆味まで通じるこの道は、渡久地港から物を運ぶ朝鮮人軍夫の宿泊施設や、その近くの日本軍「慰安所」として使われた家が同時に置かれていた場所でもあった（原史料①②参照）。

渡久地昇永（一九三一年生）は、実家を軍夫の宿舎に取られ、近所の人の家が「慰安所」に使われているのを見た体験を持つ。「慰安所」になっていたところはもともと空き家で、渡久地昇永の親戚の家であった。渡久地昇永は、朝鮮人軍夫が荷役作業、壕掘り、そして大砲を引っ張って山を登って設置す

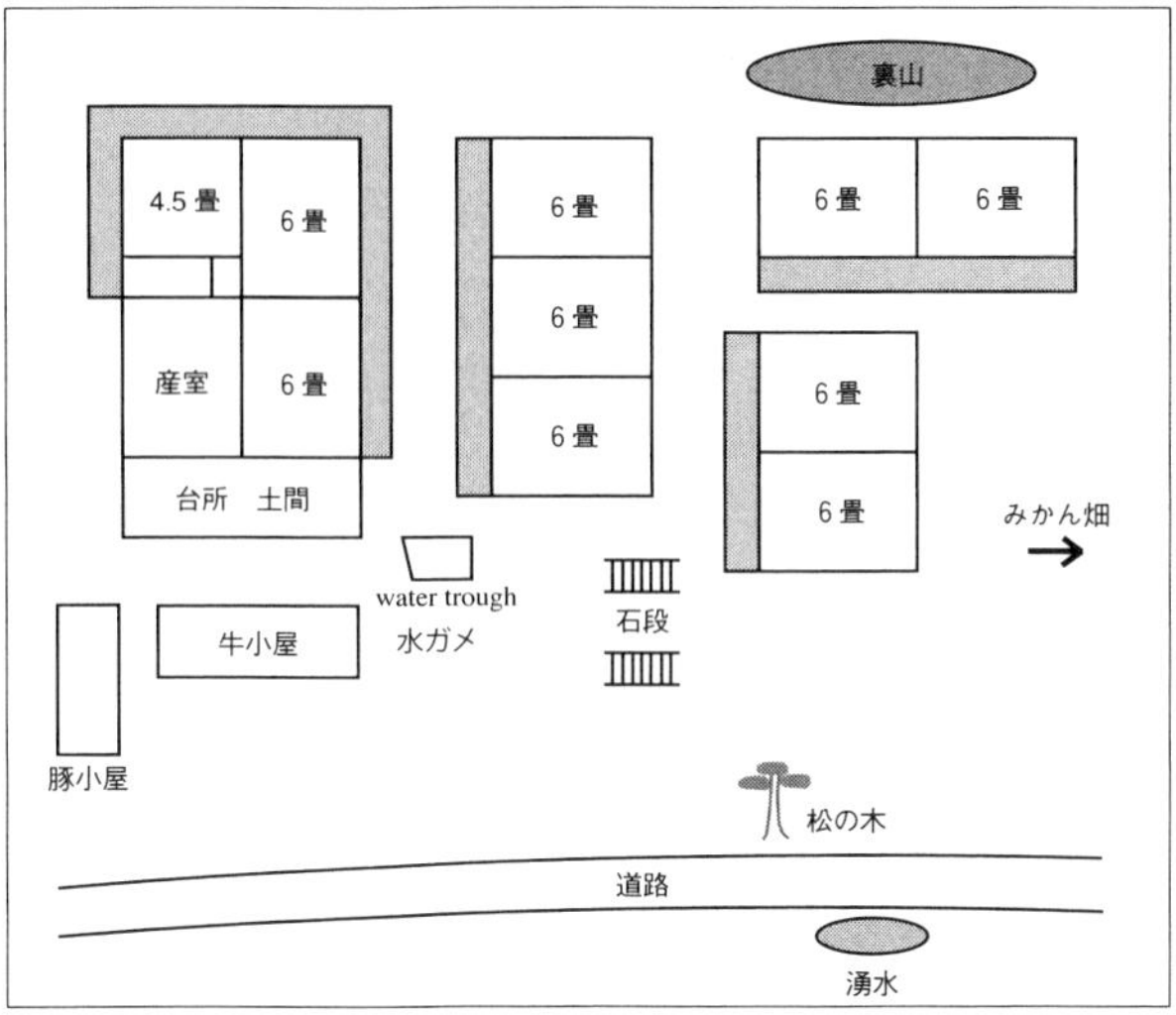

図Ⅰ　芭蕉敷「慰安所」の見取図

出典：『日本人「慰安婦」－愛国心と人身売買と』（「戦争と女性への暴力」リサーチ・アクション・センター（VAWW－RAC）・西野瑠美子・小野沢あかね編、2005年、現代書館、175頁）
現在芭蕉敷の「慰安所」跡には人の住む民家は存在しない。図は、田場祥子（VAWWRACの運営委員）が証言者饒平名知重（平岡知重と改名）に出会って作成した2013年オリジナル手書きのものを提供してもらい、改めて作成した。

る姿を見た。渡久地昇永も日本兵の壕掘りに動員されたためであった。しかし、「慰安婦」たちについては、兵隊たちが「朝鮮ピー」と言っているのを聞いただけだという。「慰安所」だった屋敷に大きな木があって、そこから「慰安所」を覗き見たりしたけれど、彼女たちは敷地から出ることはなく、直接、確かめることはできなかったという。(32)

八重岳の中腹に位置し、今は無人の里になり消滅している集落のひとつ芭蕉敷《ばしょうじき》にも「慰安所」が存在した。平岡知重（旧姓・饒平名《よへな》、一九三〇年生）、饒平名知寛（一九三二年生）兄弟が家族五人と過ごしていた広い屋敷は「慰安所」として接収され、一家は牛小屋での生活を強いられた。饒平名宅は一番座、二番座、三番座と座敷が区分された広い家に、広い庭と畑を持っていた。さらに、家の背後には一〇〇〇坪ほどの裏山があり、「慰安所」の建築材料は裏の山から伐採した木で作られた。この庭に、まるで野戦病院のように窓を付けた三棟の平屋が建てられた。接収された一家の部屋を含め、「慰安所」として使われた部屋の数は一〇部屋にのぼる。（図Ⅰ参照）宇土部隊の囲い女だった人もいて、裏山に近い六畳二間が宇土大佐専用の部屋となった。他の部屋では慰安券を持った兵士たちの長い行列が出来た。既に決まった番号、決まった順番で来ており、部屋で振り分けられてきたように見えたという。宇土大佐は、馬に乗ったまま入り、歩かないで自分専用の部屋まで乗っていたと言う。戦後、部屋から一〇〇個以上のコンドームが入った箱が出てきたという。山中に位置する芭蕉敷集落のこの「慰安所」も、10・10空襲後に建てられている。「慰安婦」は全員辻の女性たちだった。[33]

また『独立混成第44旅団第2歩兵隊第4中隊陣中日誌』には、宇土部隊が一九四五年一月一四日に出した「宇作命第六号」についての記述が残されている。「宇作命第六号」とは各部隊に「真部山陣地内ニ兵寮ヲ設置シ兵ノ慰安施設ヲ増強セントス」と、慰安所建設作業を命じたものである。この命令を受け真部山の第2大隊本部（佐藤小佐）は、一月一六日から二五日まで一〇日間、平山隊はもちろん、第4中隊、第5中隊、第6中隊、第2機関銃中隊など国頭支隊から二人ずつ兵を差出し、「慰安所」施設作業を実行した。

同時期、宇土大佐が最後に本部を置いた名護からさらに北の山岳地帯、東村《ひがし》にも四五年一月一六日から二五日までの一〇日間で、強制連行された朝鮮人軍夫を含む日本軍の「慰安所」が建てられている。東村の「慰安所」には全員朝鮮人女性たちで、やはり、山の中で孤立させられていた。[34]

そもそも東村には、沖縄の要塞化、陣地構築のための用材提供のため、第9師団（武部隊）が駐屯していた。10・10空襲後に、第9師団の台湾転出が決まると、第9師団の引き換えに朝鮮人軍夫と球部隊約二〇〇人が移動してきた。その際に、軍夫を管理する日本兵士の相手に、二〇人ほどの朝鮮人「慰安婦」が一緒に来たとされている。国有林のエーラ山で伐採された木は、「キンジ山　製材所」で加工され、やんばる船で那覇まで海上輸送されていた。資材の運搬には朝鮮人軍夫の他に、地元の徴用人夫も雇用さ

れていた。(35)

食糧不足で朝鮮人軍夫への配給が少なかったことは、沖縄戦の証言に数多くのこされているが、エーラ山周辺でも、朝鮮人軍夫たちが、木炭や木材を搬出して山に戻る時に、福地川の石をひっくりかえしてエビやカニを採って食べたり、シイの実を食べたり、唐辛子を民家からもらって食べていた姿が証言されている。(36)

一方、10・10空襲以降、製材所付近の「慰安所」で監禁状態にあった朝鮮の女性について、次のような証言がある。

「ある日、製材所に勤務している父の友人に頼まれサツマイモを馬の鞍に下げ、トーヤマに差しかかった時、そこの山小屋に監禁状態にされていた慰安婦（朝鮮出身の若い女性二十人）の三人がサツマイモを見つけて駆け寄って来て「サツマイモクダサイ、オネガイオネガイ」と両手を差し伸べて懇願したので、それぞれ一個ずつあげた。その場面を見ていた仲間の慰安婦たちも「サツマイモ　クダサイ、オネガイオネガイ」と駆けつけて来たので、びっくりしてその場から大急ぎで立ち去った(37)」

10・10空襲以降、名護・やんばる地域に緊迫した戦場を実感させた出来事は、一月二二日の空襲、そして三月二三日から三日間にわたる大空襲であった。県立第三高等女学校の寄宿舎に設置されていた野戦病院は八重岳に移され、一月下旬から三高女の女学生たちが野戦病院に派遣されている。一月二八日から二月二〇日まで、県立第三高等女学校の四年一組五人と四年二組の五人が、八重岳で看護教育を受けている。(38)

地域の女性たちで構成された青年団は道作りや、壕掘りなどに動員された。健堅分校に通じる道の家並が切れたあたりに「慰安所」があり、その先の道は、女子青年団が作ったため「乙女坂」と呼ばれた。[39]実際に「見ることは出来なかった」ものの、村には、「慰安婦は朝鮮から送られてきたみたいだよ、という噂はどこでも聞こえた。[40]」

三日間の空襲で、名護町の住民のほとんどが安全な場所を求めて山中に避難し、名護町のすべての行政機能は停止した。伊江島で日本軍が自らの手で飛行場を破壊し始めたのは、三月一〇日である。伊江島にいた「慰安婦」のように、北部にいた「慰安婦」たちにも看護救急教育が実施されたかどうかは残された『陣中日誌』は言及していない。ただ、看護教育実施訓練を終了し、三月二五日の卒業式の前日、軍のトラックで学校に帰ってきたばかりの三高女生徒を含む、一次と二次看護婦教育実施訓練を受けた合計二〇人の四年生（第二一期生）のうち一〇人が、軍の要請により選ばれ、再び、八重岳にあった沖縄陸軍病院（南風原陸軍病院の分院）に配属されている。[41]

中・南部における「慰安所」に関する規定で見てきたように、日本軍は10・10空襲以降、むしろ「慰安所」規定を厳しく定め、「外出区域」として設定していた。そして北部においても、「民家」の密集した地域では、これらの「慰安所」を貸した家主でさえも「慰安所」との接触がない不思議な状況が形成されていた。

「慰安所」は民家を接収した場合が多く、接触はなかったとはいえ、朝鮮人「慰安婦」の存在は住民の日常とかかわっていた。家や村屋などの接収はもちろん、「慰安婦」の食糧なども住民の供出によるものであったからである。また、こうした住民との接触がほとんどなかった朝鮮人「慰安婦」は、生き延びるために、日本軍に依存せざるを得ない存在だったといえよう。[42]朝鮮人「慰安婦」が「日本軍が勝ってほしい」「日本軍が負けたらわたしも死ぬ」と日本軍の勝利を祈ったという証言は、最後まで日本軍に依存せざるを得なかった戦場での恐怖を前提に考えなければならない。(43) それは、辻遊郭の女たちも同様である。10・10空襲により、「軍・官・民」一体となって作った沖縄の重要な飛行場と港湾施設はもちろん、その近くにあった「慰安所」はかなり焼けてしまった。辻遊郭も痕跡なく焼け落ちた。辻遊郭の女性たちが軍と直接契約を結んだ時期もこの時期で、首里にいた辻の女性たちが、避難先の北部の北谷で、軍と直接契約を結んでいたことは、前述した通りである。

「軍と共にいれば、そのうち戦争は終わる」という話を信じながら、最後まで兵士の傍で世話をし、共に自決する場面さえしばしば見られる。(44) 陣地構築のために多くの日本軍が配置されていた沖縄の本島中・南部に、軍と共に移動していた「慰安婦」たちの犠牲者は、戦争が激しくなるにつれ多くなった。

10・10空襲以降、「慰安所」規定が厳しく定められる中、辻原《つじばる》、仲井真《なかいま》、東風平《こちんだ》の宜次《ぎし》のように「慰安所」が乱立している地域でさえ、朝鮮人「慰安婦」の居場所は人目につかない所に設置されていった。それは、「慰安所」施設に対する住民の反対が強かったためではなく、第二部で論じてきたように、朝鮮人「慰安所」が本格的に建てられたのが、一九四四年末、つまり航空要塞建築から持久戦への変更や日本軍の駐屯形態が大きく変化したためと考えられる。

三高女の四年生たちが八重山に配属された頃、南風原《はえばる》陸軍病院には、三高女出身の六人（第一八期生〜二〇期生）も従軍看護婦として召集され、それぞれ第一外科、第二外科、第三外科に分けられ、各々配属先の壕での生活を強いられた。南風原に配属された看護婦の中で、生存者は、比嘉園子一人である。

鉄血勤皇隊師範隊として学徒動員され、第32軍の軍司令部の壕掘りに動員された仲田善明は、兵隊がつるはしで掘った土をモッコで外に出す作業を学生たちと「慰安婦」が五、六名ぐらいでやっていたと証言している。(45) 東風平村には、「慰安所に附属していた女子一〇名位の者は、戦斗が激しくなってからは、補助看護婦として最寄の部隊に協力中、全員が迫撃砲弾により即死した」と書かれている記述が残っている。[46]

問題は「慰安所」自体ではなくなる。軍隊の移動と共に動いたのは「慰安所」だけではない。町中、疎開先、避難先、そして、上陸を避けるために避難した山奥まで、「慰安所」は存在していたし、総力戦下で「協力」を強いられた住民もまた、複数の「慰安所」の存在を知っていた。問題とすべきは、こうして存在を知られていながらも、住民との接触を禁じられていた「慰安所」の中にいた女性がどのように管理されていたかだけではなく、それらの空間自体が、住民の「生」にとって、どのような関わりを持っていたのかという点である。

総力戦下で住民の「生」を変えていった日本軍側の軍律に、「住民スパイ視」がかかわっている一方で、その住民にはじめて米軍の圧倒的な軍事力を実感させたのは10・10空襲であった。10・10空襲後、恐怖を感じつつも「友軍」に協力した人々、逃げ場を求める人々、戸惑う人々にとって、「慰安所」とは何であったのだろうか。

そして注目すべきことは、住民が日本軍に依存せざるを得なかった時期に、「友軍」である日本軍の横暴が深刻化したことである。また、それと同時に、住民の視線に変化が生じたこと、住民の間から日本軍の「風紀」に対する批判がどっと浮上してきたことである。

註

(1)「本部町渡久地・浜元」(座談会)『沖縄県史10(各論編9)——沖縄戦記録2』沖縄教育委員会、一九七四年、沖縄県教育委員会、一九七四年、四八七頁。

(2)「子どもの体験(新城晃、七歳・伊江島)」『沖縄県史10』(各論編9)――沖縄戦記録2』前掲書、六四六頁。「漁民の生活苦(玉城キヌ、二三歳・石垣市登野城)」、同書、一四四頁参照。
(3)勢頭敬子(旧姓・松田、一九三一年生、久志国民学校六年生、汀間)名護市史聞き取りによる 二〇〇九年。
第3章で取り上げる証言は、筆者が名護市史編さん委員会の調査に参加して、北部住民の証言や名護市が長年調査してきた証言などが含まれている。従って調査した証言については、「証言者の氏名(年齢・戦時の所属・出身地)」を記した上、名護市史聞き取りによることを明記し調査年度を記入した。
(4)「戦斗協力者の資料送付について」(社会局長発、名護町長宛て、一九五七年三月二二日)『復員業務参考資料綴』所収、名護市役所所蔵。
(5)『第二十七魚雷艇隊戦時日誌』(昭和一九年八月一日~八月三〇日)
(6)全国女性史研究会交流のつどい実行委員会『第5回全国女性史研究会交流のつどい報告集』全国女性史研究会交流のつどい「報告集」編集委員会、一九九四年、一八頁。
(7)目取真俊『沖縄「戦後」ゼロ年』NHK出版、二〇〇五年、六五頁。「宮城医院」は「仲宗根診療所」と考えられる。当時、字仲宗根に診療所があり、宮城医師が診ていた。宮城一家が九州に疎開して空家になったところを接収したという。
(8)与那文子(今帰仁村天底、当時四〇歳)糸数昌徳(今帰仁村字湧川、当時三六歳)「今帰仁村の戦時状況(座談会)」『沖縄県史10(各論編9)――沖縄戦記録2』前掲書、五二四頁。
(9)『沖縄県史10(各論編9)――沖縄戦記録2』前掲書、四六三頁。
(10)福地曠昭『哀号、朝鮮人の沖縄戦』一九八六年、月刊沖縄社、一四六―一四七頁。
(11)福地曠昭『哀号、朝鮮人の沖縄戦』前掲書、一四八頁。
(12)『第5回全国女性史研究会交流のつどい報告集』前掲書、一九頁。
(13)なごらん21期生委員会『戦時下乃学園記――戦火をくぐって』なごらん21期生・なごらん同窓会、一九九六年、三四六頁。
(14)『語り継ぐ戦争――市民の戦時・戦後体験記録』第1集、名護市戦争記録の会・名護市史編さん委員会(戦争部会）・名護市史編さん室、一九八五年、四八頁。

(15) 岸本誠功（一九二八年生、名護町東江）名護市史聞き取りによる　二〇〇九年。

(16) 幸地清子（一九三四年生、名護小学校五年生、大兼久）名護市史聞き取りによる　二〇〇七年。

(17) 比嘉和子（一九二四年生、看護婦、大兼久）名護市史聞き取りによる　二〇一五年。

(18) 比嘉和子、同前。

(19)「戦中の思い出（高城ハル、旧姓・比嘉）」『戦時下乃学園記――戦火をくぐって』前掲書、三八八―三九四頁。

(20)「米軍上陸」（山里宗喜、五五歳、本部町健堅）『沖縄県史10（各論編9）――沖縄戦記録2』前掲書、四七二―四七三頁。

(21)「戦時に出会わせた苗木期《びょうぼく》」（大嶺弘子、旧姓・宮崎）『戦時下乃学園記――戦火をくぐって』、前掲書、二一三頁。

(22) 沖縄の疎開は、一九四四年（昭和一九）七月の閣議決定にもとづいて政府が南西諸島から約一〇万人の老幼婦女子と学童を県外へ疎開させる計画と、一九四五（昭和二〇）年二月中旬、第32軍と沖縄県が協議し沖縄県人口課に業務を担当させた県内一〇万人疎開計画に基づいている。特に、県内疎開の場合、食糧の問題も含め北部の各町村への割り当ての準備が充分にされないまま、非戦闘員一〇万人を送り込む計画を立てた。県内疎開が、住民の安全よりも「戦争遂行」が目的であったことはこれまでの沖縄戦研究で明らかにされている。避難・疎開者の受け入れを迫られた北部の様子に関する概略は、『語りつぐ戦争――市民の戦時・戦後体験記録　第1集』（名護市戦争記録の会、名護市史編さん委員会（戦争部会）、名護市史編さん室編、名護市役場、一九九五年）を参照されたい。

(23) 例えば、南風原の本部の場合、戦前から機織が盛んであり、機織り機を捨てて逃げることの躊躇や、やんばる（山原）に行った時の食糧に対する不安などから疎開せず、疎開したのは一世帯と、数人に過ぎなかった。（『南風原町沖縄戦戦災調査11――本部が語る沖縄戦』南風原町史編纂委員会、一九九五年、一四―一五頁参照）

(24)「独立十五作命第六六号北地区隊命令」『独立混成第十五連隊本部陣中日誌』（昭和一九年一一月一日～一一月三〇日）

(25)『独立混成第十五連隊第一大隊本部陣中日誌』（昭和一九年八月一日～八月三一日）

(26) 防衛庁防衛研修所戦史室『沖縄方面陸軍作戦』朝雲新聞社、一九六八年、一三九頁。
(27)『独立混成第十五連隊第二中隊陣中日誌』(一一月二四日、並里)、『独立混成第十五連隊第三中隊陣中日誌』(一一月二四日、寒水原)
(28) 砂川久子(一九二八年生、那覇・山原疎開者)『第5回全国女性史研究会交流のつどい報告集』前掲書、一九頁。
(29)「独立混成第十五連隊第一大隊本部陣中日誌第七号」(昭和一九年一二月一日～一二月三一日)
(30) 中竹登(宮崎県出身、独立混成第四十四旅団第二歩兵隊所属)名護市史聞き取りによる　一九八六年。証言者中竹登が、経理部にいた点は重要である。石部隊の『石兵團會報』(昭和一九年一〇月二日)には「五、衛生『サック』ハ後方施設担当部隊ニ一括交付シ直接慰安所ニ備付」となっており、山第三四七五部隊内務規定の「軍人倶楽部ニ関スル規定」(昭和一九年一二月)の附表第二「軍人倶楽部業務分担表」には、「経理ニ関スル協力事項ヲ処理スルモノ」としたのは「主計将校」となっている。詳細は見つかっていないが、昭和一九年一二月三一日に配布されたとされる「北地区駐屯地軍慰安所使用規定」(『独立混成第十五連隊第四中隊陣中日誌』)にも、「慰安所」の担当部隊が定められ、中南部における「慰安所」と同様後方施設としての管理が行われた可能性が高い。第6章を参照されたい。
(31) 与那嶺武(一九三二年生、学生、本部町字伊豆味)名護市史聞き取りによる　二〇一〇年。
(32) 渡久地昇永(一九三一生、本部国民学校高等科一年、本部町伊野波)名護市聞き取りによる　二〇一〇年。
(33)「芭蕉敷の思い出(饒平名知寛)」八重岳・ふるさと芭蕉敷記念誌編集委員会『八重岳・ふるさと芭蕉敷記念誌』二〇〇七年、一九五―一九六頁、田場洋子「沖縄・芭蕉敷の慰安所の事例――平岡知重さんの聞き取り」戦争と女性への暴力リサーチ・アクション・センター『日本人「慰安婦」――愛国心と人身売買と』二〇一五年、一七五―一八一頁。
(34) 金元栄『朝鮮人軍夫の沖縄日記』岩橋春美訳、三一書房、一九九二年、七七―八五頁。
(35) 字誌編集委員会『川田誌』川田区、二〇〇四年、一〇〇―一〇一頁。
(36)『川田誌』、前掲書、一〇二―一〇三頁。
(37)『川田誌』、前掲書、一一二頁。

(38) 三高女21期生委員なごらん会『学徒看護隊の戦場記』沖縄県立第三高等女学校なごらん会、二〇〇三年。一四一―一五頁。

(39) S・E(一九二七年生、女子青年団、本部町健堅)『第5回全国女性史研究会交流のつどい報告集』前掲書、一八頁。S・E氏は戦争で焼けてしまった「慰安所」跡を買い畑にした。

(40) 大見恒貴(一九二八年生。開南中学校生徒、本部町)名護市史聞き取り調査による 二〇一〇年。

(41)『戦時下乃学園記――戦火をくぐって』前掲書、二〇―二三頁、『学徒看護隊の戦場記』前掲書、二〇〇三年、二〇頁。

(42) 全国女性史研究会交流のつどい実行委員会『第5回全国女性史研究会交流のつどい報告集』「報告集」編集委員会編、一九九四年、八―一四頁。「慰安所」一二一カ所のうちおよそ六〇カ所が民家。一戸建てバラックが一〇、長屋三、掘建て小屋二、テント二で合計一六カ所、旅館・「サカナヤー」(遊郭)四、料亭七で一一カ所。

(43) 山谷哲夫『沖縄のハルモニ』(晩聲社、一九七九年、四八―五〇頁)、尹貞玉『平和を希求して――「慰安婦」被害者の尊厳回復へのあゆみ』(白澤社、二〇〇三年、一〇三頁)参照。

(44) 辻遊郭の女性の中には、沖縄戦の最高司令官の参謀長として摩文仁で自決した軍人の身の回りの世話をし、最後は自決した女性もいた。(『那覇女性史(近代編)――なは・女のあしあと』、四〇〇頁)

(45) 仲田善明(一九二八年生、鉄血勤皇隊師範隊、健堅)名護市史聞き取りによる 二〇一〇年。

(46)「戦斗協力者の資料送付について」(社会局長発、名護町長宛て、一九五七年三月二二日)『復員業務参考資料綴』所収、名護市役所所蔵。

第8章　地上戦の予感と「性」

1．10・10空襲以降の住民の日本軍に対する視線の変化

10・10空襲以降、住まいを焼け出された住民の多くは日本軍に対する依存度を急激に増した。日本軍は米軍が上陸し戦いが激しくなれば、住民の生命が食料難によって脅かされることを予測していた。しかし戦争に勝つためには、「一般県民が餓死するから食糧をくれといったって軍はこれに応ずるわけにはいかぬ。軍は戦争に勝つ重大任務遂行こそ使命であって、県民の生活を救うがために負けることは許されるべきものではない」（『沖縄新報』一九四五年一月二七日）[1]と、軍作戦に対する住民協力の一環として、強制的に食糧の供出を促した。10・10空襲後には、軍は補給の余裕はなく現地自給に依存した[2]。供出命令は村役所に伝えられ、供出しない家庭には各種配給を停止する措置が講じられるなど、戦況が悪化するにつれて住民への締め付けは厳しくなった。住民は食うや食わずの状態でも、自らの食料をきりつめて、それぞれ決められた日には割当て分を供出してきた。そういった状況の中、供出された酒などのご馳走をたべながらしかも辻の女たちを連れてくる日本兵に対して、空襲で食糧難の危機に直面した住民の視線は変化していった[3]。

視線の変化は、沖縄北部はもちろん、第32軍の司令部が位置していた首里城の地下壕や、中南部の戦闘に対する軍のあり方に対する批判的な視線へ繋がっている。

沖縄北部に駐屯した国頭支隊（以下：宇土部隊）は、すでに一九四四年に伊豆味《いずみ》国民学校に本部を置いて陣地構築に当たっていた。将校専用の「慰安所」や兵隊たちの「慰安所」が静かな伊豆味におかれ、街は変容していった。近年、米軍に対する積極的な抵抗をしなかった宇土大佐の戦術が住民の生命を守ったと再評価する動きがあるが、「性」に関して言えば、戦時中の評価はかなり異なるものであった。将校たちが民間の家に「女性を囲って」、毎日のように酒色に耽っていた話は有名だった。(4) 本部隊は、米軍と正面から戦わずにやんばるの山中に逃げ込み、「敗残兵が避難民にさまざまな虐殺を重ねたことから」も悪評が高い。(5)

「宇土大佐は嘉数村長の家に寄宿していたけれど、なにしろ評判の悪い隊長であった。民間の適当な家に女性を何人も囲って、ほとんど毎日のように酒色に耽っていた。またそのほかにも、兵隊たちのための慰安所もちゃんとあったし、将校はまた将校専用の慰安所に通うといったありさまで、閑静な伊豆味の村が、すっかり殺伐たる兵隊の町に変貌を遂げてしまっていた。慰安婦たちは殆んど那覇の辻遊廓から連れて来られたジュリグヮ（遊女《ママ》）たちであった。

また渡久地には数十人の朝鮮人軍夫が来ていて、村役所の前を通って行くのをしばしば見かけたことがあった。軍夫たちは、ごく些細なことでもなんくせをつけられて殴り倒されていた。牛馬にもひとしい扱いを受けて男泣きに泣きじゃくっていた光景は、いまも忘れることができない。」(6)

『陣中日誌』に北部駐屯兵舎の形態変化と「慰安所」設置に関する記述が頻繁にみられる一一月頃、名護憲兵隊に住民による苦情が入っている。一一月一八日付「駐屯地会報事項」には、「某部隊ノ将校ハ地方娘ヲ連レテ旅館ニ宿泊シ点々トシテ連レ歩キ地方人ガ不審ニ思ヒ訴ヘニ依リ名護憲兵隊ニ捕ヘラレタリ出張命令ハ的確ニ明示スル様部隊ニ於テ注意ノ事」(7)とあり、実際、軍と住民との間で「性」に関する苦情が出始めていることが分かる。

10・10空襲後、日本軍がその前夜に「辻のホテル」にいた話は、日本軍の怠慢の代表的な事例として流布されてきた。「全軍の兵団長、独立団長らの招宴が（辻の）沖縄ホテルで賑《にぎ》やかに開催された。その宴会のあと、軍参謀員で市内の料亭で二次会をやった」(8)こと、「長参謀長が裸になり、女性に扇であおがせているのを見た」という証言もある。(9)将校が辻遊郭で日夜飲み騒ぐのを見せつけられた住民には、これからの「国土決戦」を行うため、軍国調一色に塗りつぶされたこの郷土沖縄が、まるで外地同様植民地であるかのように見えた。大砲や機関銃陣地づくりのため、最初は一軒家の「慰安所」を設置していた玉城村《たまぐすく》では、10・10空襲の後、村民が設置に反対したにもかかわらず、軍令によって無理失理に小屋が作られた例もある。(10)そして、「あたかも外国軍隊が駐留しているのではないかとの錯覚さえ感じさせたと述懐する者」(11)も現れるようになった。「慰安所」は軍の贅沢な物質で満たされているように見られた。強制供出が続く中、「戦争といいながらこの連中は贅沢」(12)という冷たい視線が、深刻化していったことは想像に難くない。

「慰安所」に関する規定が各部隊で次々とまとめられ、従来と異なり「慰安所」での宴会などが「規定」として禁止されていったが、『石兵團會報』一二月二八日は、「軍内某慰安所ニ於テ飲酒ノ上帳場ニ於テ睡眠シ財布ヲ抜カレタル事件アリ、遊興ニ於テモ規定ヲ厳守シ規定外ノ場合等ニテ遊興睡眠等セザル如ク特ニ注意セラレ度」「軍内ニテ最近飲酒ノ上慰安所ニ於テ暴力ヲナス者アリト、慰安所ニ於テハ面白ク遊ブ如クセラレ度、古語ニモ『遊ブ時ニハ馬鹿ニナレ』ト言ヒアリ」などの記述があり、戦況が悪化の

一路をたどった一九四四年末にも「慰安所」での飲酒、暴力、事件などは相次いでいたとみられる。(13)

こうした中、住民の「慰安所」に対する視線は、これまで「一般の女性たち」を守るために「名前のないもの」とされた辻遊郭の女性や朝鮮人の女性に対してではなく、「友軍」に対する批判へと変化しているのを見逃すことはできない。またこれらの「風紀」に対する住民の怒りに、守ってくれるはずの「友軍」によって住民虐殺事件が繰り返し引き起こされたことが影響を与えていたことはいうまでもない。

第32軍司令部が首里城の地下に構築された壕に移転したのは、四五年一月である。「女とばかり壕に引っこもって、それで一体戦争ができるか」(14)という批判の声が上がった。もはや、「慰安所」は、かつて「兵隊の士気を鼓舞するように」と受け入れた場所ではなかった。

2.「強かん恐怖」という「死の政治」

それでは、戦況の悪化で「士気」低下と日本軍に対する視線の変化が生じる中、日本軍はどのようにして統治力を強化し、軍の命令に対する「忠誠」を獲得しようとしたのだろうか。

一九四四年(昭和一九)一二月末になると、かつて「慰安所」の設置などで日本軍と対立していた泉守紀知事が香川県に転じたことに始まり、県の治安担当者と高級官吏が県外出張などを理由に沖縄を離れ帰任しないことが相次いだ。このような事例があまりに多かったために、「軍・民・官」一体となるはずだった沖縄戦場で、県会は骨抜きになっていった。

それに対し、軍は住民に対し戦争協力をさらに強調していた。四五年二月第32軍の長参謀長は「身近な武器をとって夜間の斬り込みをはじめ遊撃戦からゲリラ戦まで組織して戦わなければならぬ」と主張し、「直接戦闘の任務につき敵兵を殺すことが最も重要である」と壕掘り、弾薬運び、食糧の提供はもちろん、住民が自ら戦闘で敵を殺す総力戦の範囲拡大を強調した(15)。

10・10空襲以降、中南部から避難民が集中していく中で、北部の日本軍に与えられた任務の他に、既存の伊江《いえ》島保持に加え、遊撃戦（ゲリラ戦）の任務が加えられたことは、前述した通りである。

県立第三中学校三年生で鉄血勤皇隊だった山内敏男（当時一五歳）が直接「慰安婦」に出会ったのは、伊江島徴用後、八重岳《やえだけ》に戦時動員された時であった。山内は砲弾に晒されるなか、逃げ込んだ壕の中で朝鮮人「慰安婦」たちと遭遇し、同じ壕で空襲をしのいだ経験を持つ。

「八重岳にいたのは僕ら当時三年生、一、二年は先生の責任で家に帰したら帰りきれずに戻って来てしまった。だから私たちだけでなく他に見ている人は当時二年生、一年生にもいると思いますよ。僕以外の人にも聞き取りをしてみて下さい。その若い子たちは朝鮮から来たということでしたが、案外日本語も話せて、晩には防空壕に隠れるでしょう？　二、三日だったかな、その連中と同じ壕に入れられて過ごしたけど、子ども心にも『僕がワラバー（子ども）だから上官は安心してこの壕に入れたのかなぁ』と思いました。慰安所は大きな建物ではなかったです。兵隊が裸で並んでいました。この辺は夜に弾が飛んで来て、昼は日本軍も休んでいました。山の中に広い平坦な所で木も生えていて、牛・馬が繋がれていて、兵隊が歩いている。そこに女の人たちがいて、朝鮮の人だということは分かりました。それ以外に若い女の子というと看護婦みたいにして三高女の生徒もいて、空襲のないときは森の中の炊事場の前で雑談をしたりしました。民間人はたまに通るけどチェックされました(16)」

八重岳の西側には、陸海軍合わせて四門の加農（カノン）砲を、伊江島に向けて設置していた。そして、米軍の艦砲射撃が続くなかでも一発も発射命令を出さない宇土部隊に対する批判が高まっていた。宇土隊長に抗議した兵士が上官に殺された事件が、炊事場で起こっている。看護婦として動員された三高女の當山悦子（旧姓・渡慶次）は、「炊事場事件」を知った頃、民間人と一緒に避難した本部《もとぶ》国民学校の教師がスパイ疑惑で殺された情報も入り、驚きと共に「殺気立ってくるような兵隊の行動に、恐怖感が益々つのるばかりであった」と語る。(17) 三月末、米軍の慶良間《けらま》列島への上陸占領が現実化され、艦砲射撃により既に名護の行政がその機能を失い、北部における米軍上陸も時間の問題とされた時期である。

一九四五年四月、住民の役割強化と共に、住民を管理・統治するために住民スパイ視が本格化している。「自今軍人軍属ヲ問ハズ標準語以外ノ使用ヲ禁ズ　沖縄語ヲ以テ談話シアル者ハ間諜トミナシ処分ス」(18)との通達によって、「友軍」による住民虐殺が正当化された。

四月になると、米軍の本島上陸と、伊江島の占領、北部では本部の渡久地《とぐち》港の占領から山稜地域を除く村々までが、次々米軍の支配下に入って行った。ついに八重岳も全滅状況となった宇土部隊は、四月一七日、羽地《はねじ》を突破し、多野岳《たのだけ》へ拠点を移動している。

三高女の女学生たちには、米軍上陸後の一六日、八重岳から多野岳への自力移動命令が出された。三高女の生徒たちも、集中砲撃が繰り返される八重岳から山麓付近まで山腹を横へ横へと這いつつ山を下りている。伊江島出身の内間通子（旧姓・大湾）のように、無事に山を下り、伊豆味の墓の中や自然壕近くの民家などに避難しているうち、今帰仁に疎開してきた伊江島の両親が迎えにきてくれたため、帰ることができた例もある。(19)

しかし、「看護婦」とはいえまだ高校生だった身内を戦火の中で探そうとしたため、むしろスパイ視されたケースもある。岸本ミツ（旧姓・安里）は、宇土部隊が多野岳陣地に集結するとの情報を得て、三高女四年生で「看護婦」として動員された妹を迎えに行き、スパイ視された体験を持つ。

「妹信子を迎えようと、早朝から多野岳入口で待っていた。しかし、来る人も来る人も男ばかりで、女性は見えない。衛生兵の腕章をつけた団体が来たので、妹のことを尋ねると、

『お前はスパイか。刺し殺されるぞ』

とすごい眼でみつけて《ママ》銃を向けてくるのには、びっくりした。

『私は三高女から従軍している安里信子の姉です。妹を探しているのです』

と、胸の高鳴りを押さえながら言うと、そのまま去って行った。[20]」

岸本ミツが再び妹を探しに宇土部隊に行った頃は、「米軍の近くには芋が残っている」と、避難小屋から山道を通って、すでに米軍のテントがずらりと建ち並ぶ名護《なご》町を恐る恐る行き来しながら、やっと食糧を確保するほど避難小屋生活の食糧も底をついていた。義兄と共に妹を探し、退却する宇土部隊の群れを訪ねる。

「義兄と二人で宇土部隊の退却している源河開墾地まで探しに行った。途中、山が険しく道に迷い、谷底に入り込んで行った。すると斥候兵がいたので、

『宇土部隊ですか』

と声をかけると、近くまで走り寄って来て、

『お前はスパイか』

と銃をむけて来た。

『私は妹を探しているのです。宇土部隊の看護婦です。』

と言う間も、斥候兵の手は震えていた。私は話終わらないうちに後ずさりをして走って戻った。[21]」

岸本ミツは、結局、妹捜しを断念した。妹の信子は、戦死している。

宇土部隊は、多野岳へ退却する途中、羽地の薬草園で米軍の待伏せにあい、多数の戦死傷者を出している。八重岳から撤退した宇土部隊が「慰安婦」を連れて薬草園あたりまで来ているのを、比嘉利善（当時一七歳）がみている。当時、比嘉利善は、真部山《まぶやま》の一部隊に配属されたのち、戦闘中、負傷し、部隊とはぐれて敗残兵となっていた。負傷したにもかかわらず、敗残兵の道案内役をさせられ、薬草園付近に着いた時、「慰安婦」たちに出会った。防衛隊も避難民も一緒に入り交ざって、何百人という人がそこに並んでいたが、その中に「慰安婦」が一〇人ほどいた。比嘉利善らは、さらに名護岳に向かった。そして今度は、那覇から北部の「慰安所」に移動させられてきた「慰安婦」に出会っている。

「うちら六人は二日ぐらい行ったり来たりして名護岳に行くつもりで山を歩いていたら、今の羽地ダムがあるあたりにあちこち家があったが、そこに慰安婦が三人ぐらいいた。はじめ僕は山下総長と慰安婦が話している言葉を聞いた時、宮古か離島あたりの人かと思っていたが、山下総長は沖縄に来る前に朝鮮とか満州や中国へも行って、それからこっちへ来ているから、経験あるからよくわかっているわけ。『あんた朝鮮だな』と言うと『はい』と言っていた。……山下総長が『どこから来たか』と聞くと、『那覇にいたがここに来らされた』と言っていた[22]」

このように、米軍の収容地区となっていく村の「戦後」と、運天港《うんてん》の魚雷艇秘密要塞から退却してきた小人数の海軍も加わったゲリラ戦が続く山中の「戦中」という空間を「慰安婦」は、北部の山岳を転々としながら、退却する日本軍と共に、その姿を見られていた。

一方、沖縄本島の南部地域と中部地域の境目に位置する浦添《うらそえ》には、米軍上陸後、浦添の天然要塞となった山稜地域を中心に、米軍と日本軍の激戦が始まっていた。激戦地への斬り込みからかろうじて生き延びた防衛隊員、安里嘉真（当時四五歳）の目には、防衛隊にも斬り込みが命じられる戦闘状況の中で、壕に逃げ込んだ兵隊は許しがたいものであった。彼の目に、「慰安婦」を連れて壕に飛び込んだ隊長は、状況の厳しさをむしろ招いていた人として映っている。

「この壕では、どこの部隊か知らないが兵隊が出たり入ったりのくり返しで、負傷兵もどんどん担ぎ込まれてきました。ウンウンうなっている負傷兵に『なんで貴様達兵隊なのに勇気がないのか！』とどなったんです。それでも誰も文句言うひとはいません。

西林大隊長が朝鮮ピー（朝鮮人慰安婦）も引き連れてこの壕に来たころからは、大変情勢は厳しくなり、衛兵が次々死んだり、逃亡してしまうのです。

そして、出て行く兵隊は戻ってこないので、兵隊の数が減ってしまい、階級の上のひとも出なくてはならなくなりました。すると同じ友軍でも、自分が行かされる立場に立つと怖いことというのです。命令を出す隊長をやっつけようと言うのです。そうしたら自分達は行かなくていいからということなんでしょうが、私はそういうことも直接耳にしたのです。(23)」

最初の一ヶ月以上の激戦が続いた浦添、西原《にしはら》一帯は最も住民スパイ視が多かった地域でもあった。中でもスパイ視された証言者が「慰安婦」に触れる次の証言は、「慰安所」に対する厳しい目が、この時点では「慰安婦」ではなく、軍自体のあり方に向けられていた事を語る重要な証言である。

浦添で女子救護班として動員された伊智万里子ら三人は、浦添小湾の松田中隊が壊滅した後、厳しい戦場をくぐりぬけ重症患者を首里の野戦病院に護送した。しかし、そこは満員で伊智万里子、手登根ヨシ子の従姉妹女性二人は戦場を彷徨することになった。首里の西方に向かったが、観音堂《かんのんどう》あたりに来たとき、もう夜も明けかけ、早くも米軍の偵察機（住民はトンボと称していた）が飛び始めたので、近辺の陣地に潜り込むことにした。幸い、ある壕を尋ねた時沖縄語で語りかけてくれた沖縄出身の兵士と出会い、壕の中に入れてもらった。ところがそこで、点検中の将校の目を介して、徐々にスパイとされていった。


「『何を言っているか、きさまらは何処から来たのだ』と副官が問うので、これまでの経緯を説明して、『昼中は歩けないから避難しました』と述べると、『それでは手を出して見なさい』と言うのです。もう何日も陣地生活で日光にも当っていないし、また年頃でもあったから手は真白でした。私が手をさし出すと、副官はいきなり手をピシッとたたいて『この手で君達は戦闘協力者といえるのか！　君達は慰安婦でなければ、スパイと認める！』と言うのです。

そしたら、私は、また、意地はあったはず。手榴弾を左右の腰にこっちに二個、こっちに一個持っているでしょう。して、カンネール、ヤマトゥンチュー（こいつら本土人め）といって、そして、また一人の上等兵が、『私はもう顔見知りのお姉さん達です。よく石部隊に伝令で行ったとき壕の中でビンに入れ、お米をつついているのをよく見かけた女の子ですよ』と言ったら、『うるさいことをそこでしゃべるな！』と副官は言うのです。その兵隊は『かしこまりました』と言って後ろに戻ってしまいました。その兵隊は本土出身者のようでした[24]」

命がけで重症患者を一生懸命護送した彼女の功績にもかかわらず「慰安婦」だと疑われたことに対する怒り、「裏切られた心情」の中で、浮かび上がったのが、沖縄語であったことに注目しよう。戦闘協力してきた過去を全て否定され、「慰安婦でなければスパイ」とされていくこの状況に遭遇した伊智万里子は、ついに、過激な行動に移った。

「私は今までこんなに家族とも別れて軍に協力してきたのに、慰安婦だとか、そうでなければスパイと認める、こんな汚ないことはないさ。

『姉さん、（もうこのときからは方言で）ナーエー、ワンガ手榴弾スグ安全栓ヌジャーナカイヤ、ワンガクヌ副官ナカイ投ギークトウ、ワッターテェータッチカヤーニ、ヤームンヌギヨー、ユヌマジュンヌギヨー、ヤームンシ、ワッタータイウマウティィシジミシラヤー（もう、私が手榴弾の安全栓を抜き取って、この副官に投げつけるから、私達は二人くっついて、あなたも私と同時に安全栓抜きなさい。あなたのもので、私達は一緒にここで死んでしまおう）』と言いざま手榴弾を腰から抜き取ったとたん、大尉が『オイ、ちょっと待ちなさい！　今なんて言ったか』と、安全栓を抜こうとした手を止められたもんだから、こんどは少尉が、私の後ろに回ってきて『あやまちを犯したらだめだ！』とその手榴弾を取り上げたのです。

私がアンネール副官ナカイ、今頃になって慰安婦ンディィイラリイミ、手榴弾シウヌタンメー小《グワー》ワンガクルスクトゥヤ、ワッタータイ、ウリシ死ナヤー（このような副官に、慰安婦なんていわれてたまるか。このじいさんを私が殺してしまうから、私達二人は、あなたの手榴弾で死んでしまおうね）ということを、方言で話したのがきっかけで、その大尉が『あんたは浦添小湾のひとだって、もう一度名前を言ってごらん』『手登根フミ（旧姓名）です』『手登根順セイさんは何んになっている、順樽さんは何んにあたっているか』『私の叔父です』『そしたら、順明さんは何んになっているね』と言われたもんだから、私は、もう、ヒリヒリグヮー（胸が高鳴っての意）してね、『順明は私の父です』『じゃあ、順シッさんは』『私の長兄叔父です』と答えたら、大尉は『間違いありません。副官殿、私の友人の娘になっています』ということで、私たちはこの大尉のおかげで救われたのです。[25]」（傍点は引用者による）

「慰安婦だとか、そうでなければスパイと認める、こんな汚ないことはないさ」といったこの発言を、「貞操観念」から考えてはいけない。むしろ、軍に対する強い信頼が全て崩壊し、スパイとされ死を間際にしたものの「裏切られた心情」、その強い怒りとして読まなければならない。「こんな汚いことはないさ」とは、「慰安婦」という名前のないものではなく、むしろ、軍の「あり方」についての強い疑問符であり、それを禁じられた沖縄語で表現したのだと、私は考える。

「順明さんは何んになっているね」という問いに、胸の高鳴りを聞きながら父の名を叫ぶ伊智万里子は、『順明は私の父です』と答えながら何を思ったのだろうか。小湾《こわん》で字の代表として「慰安所」を提供した父のことなのか。それともその「慰安所」にいる女性たちに対し何の偏見もなく踊りを学んでいた自分の姿であったのだろうか。そうでなければ、娘に届いた令状を前に、「死んだら君達は犬死にだ」と涙を流す父の姿だったのか。（第6章参照）まさにスパイとされ「犬死」になる前のこの沖縄語は、軍の「あり方」

に対する疑問符であると同時に、こんなに軍に協力してきたのにという、自らの過去に対する疑問符ではなかったのだろうか。

しかし、伊智万里子たちのように、激戦地に「看護婦」として動員された女性たちの中には、壕に潜む日本軍の暴行に遭遇した女性たちもいる。激しい空襲の中で、偶然、壕を訪ねた近所の人に助けられた女性がいる。

「看護婦として吉川についていったはずの人が……と思っていると、あとで話を聞いて驚いた。吉川のいる壕は衛生兵が出入りはしていたが、看護婦というのはまっかなウソで、吉川たちの意のままに、慰安婦にされているとのことであった。母と姉がたずねていったとき、ヒデ姉さんは小声で『おばさん助けてください、事情はあとで話します』といったそうである。母はピンときて自分たちが出たあとに離れてついてくるように言って、逃げるようにしてそこを出てきたという。

ヒデ姉さんは着の身着のまま逃げ出してきたものの、しきりに残してきた友だちのことを案じていた。二人の友だちのうち一人は発熱していたが、注射をうっては悪事を繰りかえしていたという。吉川に同行した次郎兄さんに終戦後聞いた話であるが、当時、吉川は母と姉がヒデ姉さんをつれ去ったのに気づき、殺気だって、すぐさま鉄砲を手にあとを追ったのであるが、次から次へと来襲する敵機が邪魔をしたために母たちは助かったのだそうである[26]」

確かに、兵士が切符を手に並ぶ「慰安所」が壕の中に建てられたわけではない。しかし、最も重要なのは、戦争が激しくなってからも陣地、壕、南部に散在している自然洞窟（ガマ）などで、女性たちは実際に「強かん」被害にさらされたのであり、もはや「一般女性たちを守るために」といった「慰安所」の名目自体が根底から揺らいでいた事実であろう。

　そして逃げ場のない外国で、朝鮮人「慰安婦」は日本軍に絶対的に依存する存在として、南部戦線をさまよったとみえる。玉城村（現南城市）の糸数では、住民およそ二〇〇人余りが避難していた自然洞窟（ガマ）「アブチラガマ」に、入れ替わりで日本軍が入り、首里戦線に移動していった。しかし、一九四五年五月末まで一〇人ほどの朝鮮人「慰安婦」が、最初は出口に、それ以降は「住民立入禁止区域」に移動し、最終的には軍と共に南部に向かったとされる。暗いガマの中を照らすために燈火用の石油をもらいに行ったある「慰安婦」とされた「慰安婦の子《ママ》」が、石油とガソリンを間違ったために大火傷をおい、そのため二、三日後にガマの中で死亡したことが証言されている(27)。

　第32軍司令部壕は、一九四五年四月九日の「球軍会報」において「爾今軍人軍属ヲ問ハズ標準語以外ノ使用ヲ禁ズ　沖縄語ヲ以テ談話シアル者ハ間諜トミナシ処分ス」という「住民スパイ視」の命令が下された場所でもある。

　南北四〇〇メートル、総延長一キロにも及ぶ巨大な地下壕は、将校、下士官、雇用人区域に区分され、使用する便所や壕内の配置などまで統制され、徹底した軍の統治下に置かれた場所であった。

『INTELLIGENCE　MONOGRAPH』という表題の米軍G２（情報参謀部）作成資料には、沖縄戦における壕の様子が実測図と四〇〇枚を超える写真、捕虜の尋問記録と共に詳しく報告されている。本報告書の第32軍司令部壕の実測図には、「日本人女性一二人と沖縄女性一九人」が女性区域（WOMENS QUARTERS）にいたという記述がある〔図Ｉ：洪玧伸発見〕。第32軍の「日々命令綴」の壕内の配置図には

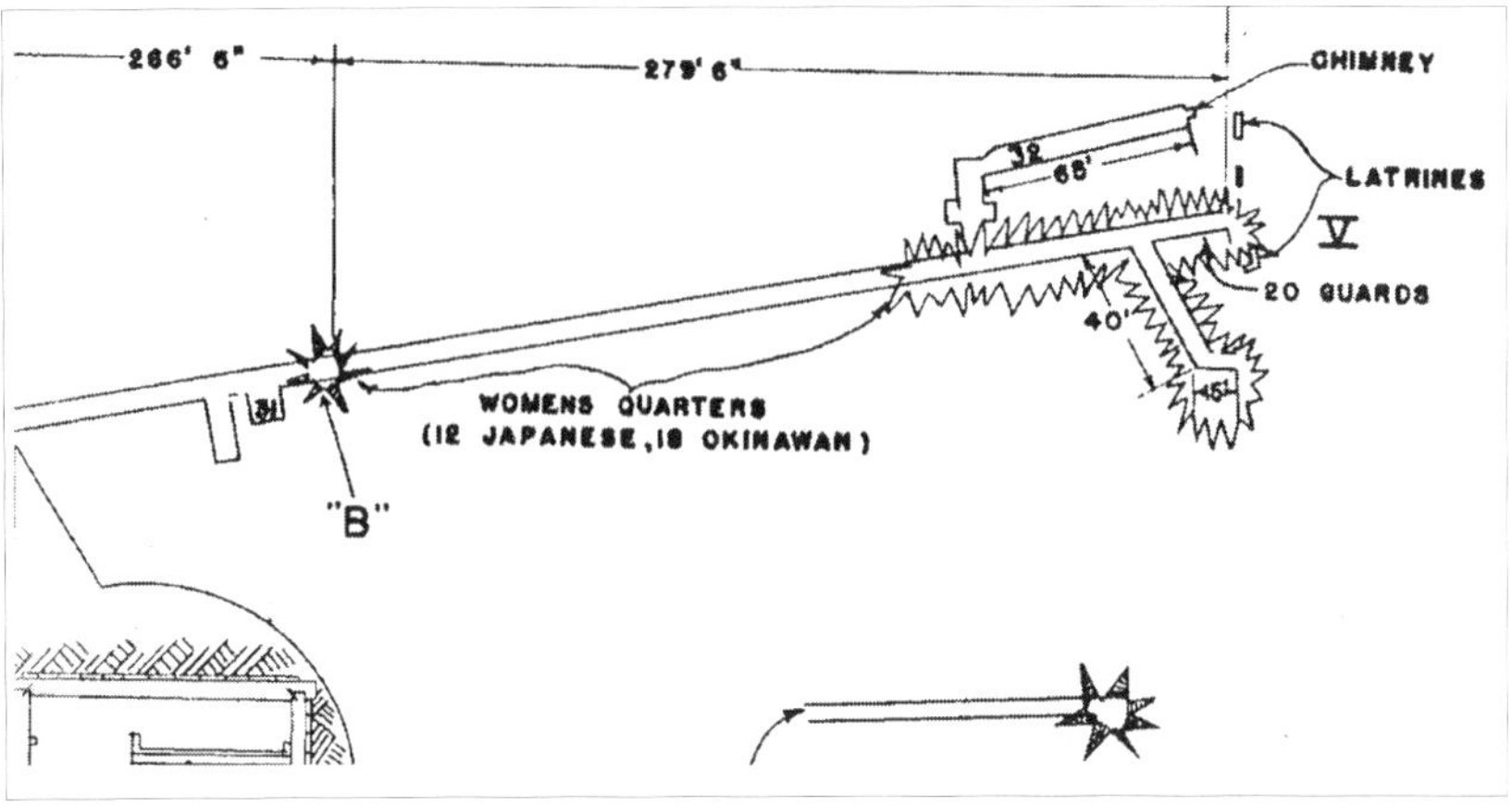

図Ⅰ　米軍G2（情報参謀部）が作成した『INTELLIGENCE MONOGRAPH』に収録されている第32軍司令部壕の実測図。右上に女性たちの区域がある。

「女雇用人」と記した場所や、「女性雇用人入浴時間割出表」があり、女性の入浴時間を細かく定めている。第32軍が、入浴時間までをも定め、軍の統制・管轄下に置いた「女性」とは一体誰だったのだろうか。第32軍司令部の「日々命令綴」の五月九日には「女性雇用人ハ五月一〇日以降別紙計画ニ基キ移動スベシ」と書かれ、その出発計画を記す五月一〇日の記録には、辻遊郭の「若藤楼」の女性たちや、陸軍将校クラブ「偕行社」の女たちが含まれている。

10・10空襲以降、第32軍の本部へ連れて行かれ、先着の「若藤楼」の女性たちと共に給水部隊へ配置された辻遊郭の女性本人の証言がある。彼女たちは「従軍看護婦」という名目を与えられたという（上原栄子『辻の華（上）』一九八九年）。「偕行社」の女性たちに関しては、日本本土から来た女性たちと壕掘り作業をしたという、元師範鉄血勤皇隊員による証言（渡久山朝章『南の巌の果まで』文教図書、一九七八年）がある。第32軍司令部壕の保存調査・運動が展開された一九九二年以降、「慰安婦」を見た目撃証言や、米軍作成地図での女性の部屋の存在など、既に、研究者だけでなく、「首里城下の沖縄戦」（『琉球新報』）などの地元の新聞の調査や企画を通しても報道され指摘されている。

企画「首里城下の沖縄戦」で証言の中で、「友軍のために」本来なら米軍に斬り込むための武器を持って、日の丸の鉢巻で守るべき国民であったはずの沖縄の女性を「スパイ」として殺す場面に注目してみよう。

「三十歳ぐらい。半そでで、半ズボンの軍服姿。頭は丸刈り。『スパイをしたら上原トミのようになるぞ』――この憲兵の発した名前が、川崎さんの頭に焼きついた。『スパイをこれから処刑する』と憲兵。沖縄師範学校の田んぼの中、坑口から二十メートルほど離れた電柱にトミさんはひざまづいた姿勢で縛り付けられた。壕内にいた朝鮮人従軍慰安婦が四、五人、日の丸の鉢巻きを締めてトミさんの前に立った。慰安婦が憲兵の『次』『次』との命令で代わる代わる銃剣をトミさんに突き刺した。憲兵は次に、縄を切ってトミさんを座らせた。『(中略)おれは剣術は下手なんだがなーと言って、日本刀を抜き出した』(川崎さん)その軍人はトミさんの背後に立ち刀を上段から振り下ろした。ふた振り目に首が切り落とされた。その時だ。周りで見ていた兵隊や鉄血勤皇隊の何人かが駆け寄り、土の塊や石をトミさんに投げつけた。(中略)学友を失った者たちは『お前のために』とトミさんの遺体に襲いかかってしまったのだ。[28]」

この想像を絶する「殺戮の場」で、問題化すべきと考えるのは、なぜ、食糧から何まですべてを日本軍に依存せざるを得なかったもっとも弱い存在、朝鮮人「慰安婦」が、加害者の立場に立たされたのかということではない。むしろ、「加害」と「被害」、「友軍」と「敵軍」、そして守るべき「国民」とそうではない「非国民」の図式が日本軍の命令によって人々の中で一気に崩壊してしまった瞬間に、言葉をなくし共犯の立場に立たざるを得ない「恐怖」が生じたことに注目しなければならない。それは、「お国のために」という合言葉が、トミさんへの「お前のために」という「戸惑い」に変質した瞬間であった。

戦場で「友軍のために」あるいは、「一般の女性を守るために」という名目で、一、般、の、女、性、とは異なる人間のように、「人種化された体」として存在し、住民の生活世界とは分断された植民地の「慰安婦」や辻遊郭の女性の体験が、共通の恐怖の中で、住民の「死の政治」に対する恐怖と一体化してゆく過程であったに違いない。

緊迫度を増していく戦場の中、身を隠していたガマ（自然壕）や防空壕を日本軍に奪われ、最小限の食料まで提供せざるを得ず餓死するなど住民の戦争による死亡の原因となった例も少なくなかった。日本軍によって壕から追い出され、戦争の犠牲になったり、食料を奪われて栄養失調で死亡したり、餓死したりした例も多かった(29)。「子供は戦争の邪魔者だ、殺してやるぞ。子供を泣かすと誰でもいいから殺してやるぞ(30)」と言われ、ガマの中でも、赤ん坊の泣き声が聞こえるからと子どもの口にオムツを押し込み、母親が子どもを殺さざるを得ないことも多々あった。

渡嘉敷島《とかしき》では、「アメリカ兵に捕われたら、女ははずかしめられ、男は男根を切られる」というデマが日本軍により流されていた(31)。既に米軍は上陸し、住民は「逃げ場」を求め山に避難していた際、「集団自決」の悲劇は起こっている。六ヶ月間も渡嘉敷の住民が山中生活を強いられていた頃、住民の住んでいた民家は、一九四五年四月下旬に、伊江島から送られてきた住民千人余りの「収容所」として使われていた(32)。そして、米軍によって降伏勧告を持たされ、山に潜む日本軍に渡そうとした伊江島住民がスパイとして殺される事件も発生している。日本軍によりスパイ視され死刑にされた男女四人のうちの一人の女性は、首を斬られたまま逃げ出したが、破傷風にかかった末、結局は、探し出した沖縄出身兵士の短剣で斬られている。「決死隊」として収容所に潜り込んだ日本兵の食事など一切の世話をしていた女性が、世話をしていた兵士の手によって殺された事実が、女性を短剣で殺害した兵士本人によって証言されている。(33) 五月には、米軍の使者として昼間白旗をかかげて山奥の赤松隊の陣地へ降伏勧告状を届けさせられた伊江島民の若い女性三人と青年一人が、自ら墓穴を掘らされ、斬殺されている。(34)

沖縄戦では四人に一人(当時の人口の捉え方としては三人に一人)が亡くなったと言われるが、そのうち日本軍と米軍の間で逃げ場を失い「集団自決」に追い込まれた例も少なくない。(35) 住民の犠牲の大部分は、多数の住民が避難していた場所へ軍隊がなだれ込んだことによって生じたのである。住民にとってスパイ視されることは抵抗できない絶対的恐怖であった。つまり、沖縄戦で死んだ住民の死は、〝自決〟ではなく、強制された〝死〟であった。

避難していた一四〇人のうち八三人が「集団自決」の道を選んだチビチリガマの生存者の証言から、このような「友軍」の「死の政治」に対する「恐怖」が具体的なことであったことが見えてくる。それは、「友軍」によりスパイ視され「非国民」という場に追い込まれたものが抱く「わたしたちは日本兵が中国戦線でやったような目にあわされるんではないか」という戦場の記憶に連っている。

「満州から中国んかい渡てぃ来るばーてー、うにーぬよー、(満州から、中国で戦争の経験をして来ているんだよ)なーうにーぬ看護婦やしぇーや、ユキぇ。(当時の看護婦なんだよ、ユキは。)看護婦そーぐどぅよ、兵隊《ひーたい》追てぃ看護婦っし歩《あ》っちょーるばー。(看護婦だったから、兵隊と一緒に看護婦として行動をしていたわけ)

あんし私達《わった》ぁ日本軍ぬすぬわじゃー全部《むるん》見ち来《ちょー》るばー。(だから我が日本軍のすることは全部見て来ていた。)あんさぐとぅや、(だから)「直ぐ生ちちょーいねー、若さる女《ぬなご》ぉ全員《むる》アメリカーんかい連《す》んかりやーい強姦さってぃ、あぬだー悪戯《がんまり》さってぃ、後《とー》りーねー殺《くる》さりーるすんどー（生きていたら、若い女は全員アメリカーに連れられ強姦されて悪戯されて、後は殺されるんだよ）[36]」

このように日本軍の具体的な残虐行動は経験者の証言を通し、沖縄の住民に伝えられていった。そして、実存し、また表象化された朝鮮人「慰安婦」を見ることで現実として受け止められた可能性を排除できない。「慰安婦」の存在は、中国戦線からの日本軍の蛮行を想起させ、米軍に同じことをされるのではないかという「恐怖」へと転換していったのである。

皮肉なことに日本軍は、このような住民の間で広がった中国における戦争の恐怖を、米軍に降服することを防止する統治手段として利用したのである。日本軍は「アメリカーは若い女は名護に集めてみんなジュリ（娼婦《ママ》）にするんだよ。みんな弄んで使えなくなったら殺して捨てるんだから大変だよ。山の中に逃げたほうがいい[37]」「もし捕虜になれば、男はブルードーザで轢き殺され、女は連れ去られて、血に狂う鬼畜の米英軍の毒牙に曝される[38]」というデマが日本軍により流された。更に、このような「アメリカ兵に捕まったら何をされるかわからない[39]」というデマは、「兵隊は切り込みに出る。そのほかの人は自分で自分の身を始末せよ、始末せよ[40]」という〃死〃の命令に繋がっていた。そして「統治手段」として「性」に対する恐怖を煽ることの命令があったのか、なかったのか、あるいは、そのデマを流した主体が日本軍か、住民か、それとも住民スパイ視の虐殺の場に居合わされた人々なのかは、もはや問題ではない。言葉を絶する恐怖の中で「集団自決」の「死」を強いる暴力は働いていた。状況そのものが人々に「死」を強制していく一つの軍律として作動していたのである。そして、この状況において日本軍に依存しながら戦地で彷徨う「慰安婦」の存在は、米軍に対する住民の「強かん恐怖」を引き起こす表象でもあった。

「斬り込み」を強制された浦添村勢理客《じっちゃく》の女子青年団だった真喜志清子の証言を見てみよう。弾薬運び、陣地壕の拡張や水汲みなどで使われた彼女は、今度は、「斬り込み」を強制された時、死の恐怖で泣き出し、それを見つけた兵隊とやり取りをすることになる。


「あんたはそんなに死ぬのが怖いのか」

「ハイ、怖いです」

「じゃあー生きれるようにしなさい！　生きなさい！」

「戦争になったら、みんな死ぬと言いますけど」

「いいや、生き残れる方法がある。昼、ここを出て行けば、アメリカ兵に抱かれて生きれる」

「それも怖いです。そんなして生き残るよりは、生きなくてよいです」

「じゃあ、早く準備しなさい！」(41)


林博史は、真喜志清子の証言に注目しながら、「お国のために尽くすのが当然であるという意識が叩き込まれていたにせよ、彼女たちに確実な死を選ばせるために、生き残ることの恐怖（とくに性的な暴力への恐れ）が利用された」と指摘している。(42)林博史の言う、利用された「生き残ることの恐怖」に筆者は同意する。だからこそ強調しておきたいことがある。それは、「そんなことをして生き残るよりは」という、真喜志清子の選択にはおそらく、「お国のために尽くす」との意識は通用されなかったことである。また「生きなくてよいです」という言説は、「お国」とも違う、「敵」であるからという「民族主義的な拒否」でもなかったことを、強調したい。それは、むしろ、前述したように表象としての「慰安婦」から読み換えられた恐怖、すなわち、軍隊による女性の体に対する暴力の恐ろしさが感知されなければならない。

斬り込みを選択した真喜志清子のその後の、以下にみる体験は、「強かん恐怖」と「慰安婦」の関係性を考える際、最も重要な手がかりになる。結局、真喜志清子はあきらめて同僚と四人で斬り込みに出た。彼女たちの中には兵隊が壕から見つけてきた香水をはじめとする化粧品がたくさんあったので死化粧をした人もいた。

幸いなことに一行は敵中突破に成功した。そして、さらに軍の指示に従って紹介状を持ち、南の「ナーツの陣地」に着いた。しかし、衛兵に紹介状を見せて通された部屋は「洞窟陣地だが、旅館のような造りになっていた」ことで一行は動揺することとなる。「食事も自分達が炊くから、いいから休んでおきなさい」という兵隊の親切はむしろ不安を増幅させた。それは、「われわれは朝鮮ピーにされるのではないかね」という恐怖であった。

結局、彼女たちは、斬り込み隊が戻ってきて寝る夜明け頃に、軍の命令に反し、衛兵の目を盗んで何分間かおきで逃げ出した。真喜志清子は、「全員が揃ったときには抱き合って泣き歓び合った」と振り返る。[43]

「朝鮮ピー」にされるのではないかという恐怖は、「アメリカ兵に抱かれるのなら生きなくてよい」という恐怖と繋がっている。「強かん恐怖」の言説は、日本軍の命令に従うことを強制した。それだけではなく、「愛国」という理念からは説明しきれない軍隊そのものが持つ暴力性に対する感覚的な拒否反応でもあったと、筆者は考える。

つまり、激しくなる一方の戦場の沖縄住民にとって、「慰安婦」にされた女たちは、友軍の「軍紀紊乱」を表す表象であった。と同時に、「慰安婦」たちは、軍によって「弄んで使えなくなったら殺し捨てられる」ことへの脅威、すなわち「住民スパイ視」への恐怖とつながっていた。そしてこのことは皮肉にも、「米軍に降服することへの恐怖」の原因、あるいは〈状況〉そのものとして作用していたと考えられるのである。

3. Love Day以降の「飢え」という問い

今まで、「アメリカーは若い女は名護に集めてみんなジュリにする」「アメリカ兵に捕まったら何をされるかわからない」とのデマが、「米軍に降伏することへの恐怖」に作用しただけでなく、沖縄の女性たちを、戦場へ動員する一つのポリティクスとして作用したことに触れた。しかし、例えば「慰安所」の存在により倍増した「強かん恐怖」のポリティクスは、単に、生きるか死ぬかという選択肢を強要した日本軍の論理であっただけではない。それが「いかに生きるか」の選択をせまられた時に、一つの感覚的な反応として再びたちあらわれたことに焦点を当てると、どのような問いが可能であろうか。

沖縄の「性」にかかわる問題を論じる際、結果としての「死」のあり様に焦点をおき、そこに潜む「死」のポリティクスを強調すると、「生き抜いた」人々の「生」をも否定してしまう恐れはないだろうか。「いかに生きるか」という問いかけの中で、国家や民族、あるいは自分の属した共同体といったカテゴリーから離脱した自分が、「人間としていかに生きるか」の場で「死」を選び、むしろ、それが愛情のもう一つの形であると思った、あの時の人々の「恐怖」そのものに、あるいは、その愛情から依然として選択権を持たない「女（家族というカテゴリーの娘）」に焦点を当てるためには、どういう問いが必要なのか。「死」のポリティクスを論じる際に、むしろ、その後の「生」の中に沈む権力を最も問題化しなければならない理由がそこにある。問題は死者ではなく、その「恐怖」の記憶を持ち、今を生きている人がいるということなのだ。

そこで、沖縄における女性たちの体験の中では、戦時と戦後を通じて「収容所」空間があったということが重要となる。

沖縄は、日本で唯一住民を巻き込んだ米軍との地上戦を経験した場所である。同時に沖縄は、日本軍捕虜及び沖縄の住民、朝鮮人など植民地から沖縄戦に動員された人々を収容する米軍収容所が置かれた唯一の場所でもあった。連合国は、Ｌデー（Love Day）と称した一九四五年四月一日、沖縄本土上陸を敢行した。そして、上陸と同時に沖縄の住民、軍人・軍属を次々と収容し、およそ七五％の住民を戦闘員として分類・収容した。

既に、沖縄の住宅や建物の九〇％が灰じんに帰していた。[44] 残った家も損失が大きく、使用可能な家屋は四％に過ぎなかった。[45] 米軍上陸から三ヵ月足らずの六月には、日本軍は組織的な抵抗力を完全に失っていた（六月二三日は沖縄県の「慰霊の日」）。司令官牛島満が自決する。そしてこの時期多くの沖縄住民が、米軍の建設した「収容所」に組織的に「収容」され、米軍の軍事的作戦により次々とつくられた「収容地区」へ移動させられ、日本本土攻撃のための飛行場や他の施設建設のための労働に従事させられた。米軍の本島上陸から間もない四月には、既に一二万六〇〇〇人の住民が一二の収容所に入れられ、六月にはさらに一一万人が米軍政府管轄下に置かれた。八月には、島内の三〇万人といわれる民間人のうち二五万人が、北部に集中して収容された。

北部に収容人口が集中した理由は、地上戦を行うために避難民を保護する必要から設置し始めた「収容所」が、沖縄戦が終結に近づくにつれ、住民が住んでいた土地を米軍基地拡張のために接収するという第二局面に入っていったためである。[46] 第一局面において、戦闘の妨害を避けるために集団居住させられた住民たちは、第二局面においては、米軍の基地建設を避ける空間に何度も移動させられ、集団的に「居住」するようになった。沖縄における「収容所」とは、建物ではなく「収容地区」という空間概念である。

そして、収容所での第一局面、つまり収容所に入れられた時、住民は「軍・官・民」一体となった戦場で、いわゆる「日本人」というカテゴリーからの離脱を初めて経験する。

「私はそれまで『日本人』として国家のため、故郷のために戦ってきたので自分は『日本人』であると信じて疑わなかった。そこで『日本人だ』と答えると、先に収容されていた友人たちが有刺鉄線の囲いの内側から『守善！　沖縄人と言え！』と口々に叫ぶ。これは何かあるのだろうと思い、『沖縄人だ』と申告しなおした。[47]」

写真１　慶良間列島で捕虜となった朝鮮人軍夫は、北部の屋嘉収容所に入れられた。（写真：米国政府撮影写真、撮影日 :1945 年 5 月 11 日）

写真：沖縄公文書館提供

写真２　屋嘉収容所の様子。

写真：沖縄公文書館提供

これは、戦闘員として動員された沖縄人男性にとって、「いかに生きるか」という際に浮かび上がった、カテゴリーへの離脱であった。

一方、朝鮮人男性たちにとって、収容所は、強制労働に対する「反日感情」を表現できる「解放空間」でもあった。日本兵と朝鮮人軍夫たちが収容された「嘉手納《かでな》収容所」や「屋嘉《やか》収容所」の場合、朝鮮人軍夫たちによる日本兵への復讐事件が多発している。朝鮮人と日本兵は分類収容されたが、朝鮮人テントから、日本兵のテントに侵入する「リンチ事件」が毎晩のように行われた。

特に、阿嘉《あか》島で食糧を盗んだ罪を問いつめ一三人もの朝鮮人を「虐待」した日本兵に対し、殺人の計画も立てられた。阿嘉島での体験を持つ姜仁昌《かんいんちゃん》は、リンチ事件が起こっても米軍は朝鮮人男性には寛大であったという。ただ、朝鮮人側で犠牲者が出たため、皆で話し合い、「収容所」の中でリンチ事件をやめることにしたという。朝鮮人軍夫たちは、屋嘉収容所で秩序を守ると決め、韓国に送還される日を待っていた。ハワイに移動させたのち朝鮮に返された人もいれば、屋嘉から朝鮮に直接返された人々もいた。姜は、一九四六年三月に朝鮮に戻った。戻ったら、ハワイに移動させられた軍夫たちは既に一九四五年一二月に戻っていたという。とりわけ、姜をはじめとする生き残った朝鮮人軍夫たちは、朝鮮に戻る船の中で、「太平洋同志会」を組織し、朝鮮戦争が勃発する前までは定期的な集いを持った。それが、「沖縄稧」であった[48]〔図Ⅱ参照〕。姜は、沖縄戦に強制動員された人々で、幸い朝鮮戦争でも命を落とすことのなかったメンバーたちと共に「太平洋同志会」を再結成。一九八六年には沖縄訪問を果たし、自らの体験を沖縄の人々に訴える

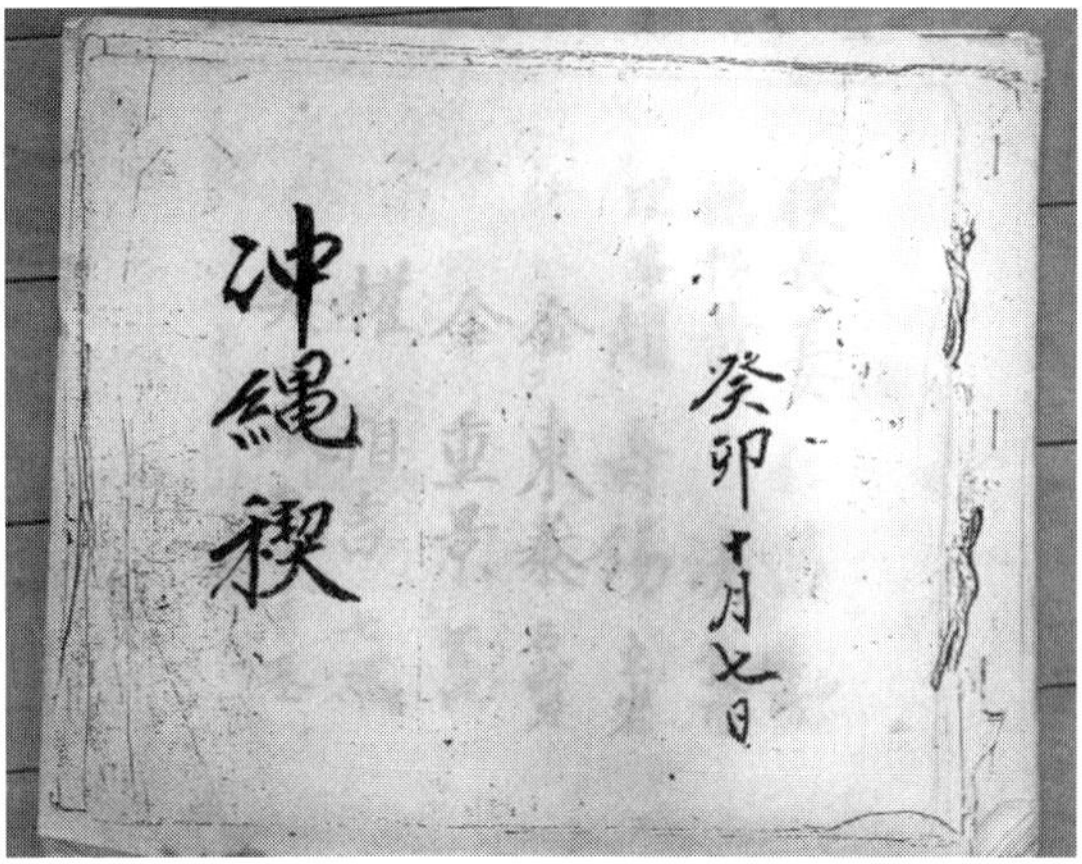

図Ⅱ　朝鮮人軍夫たちの『沖縄稧』（姜仁昌氏 提供）

沖縄の日本軍「慰安所」マップ
● 「慰安所」の場所

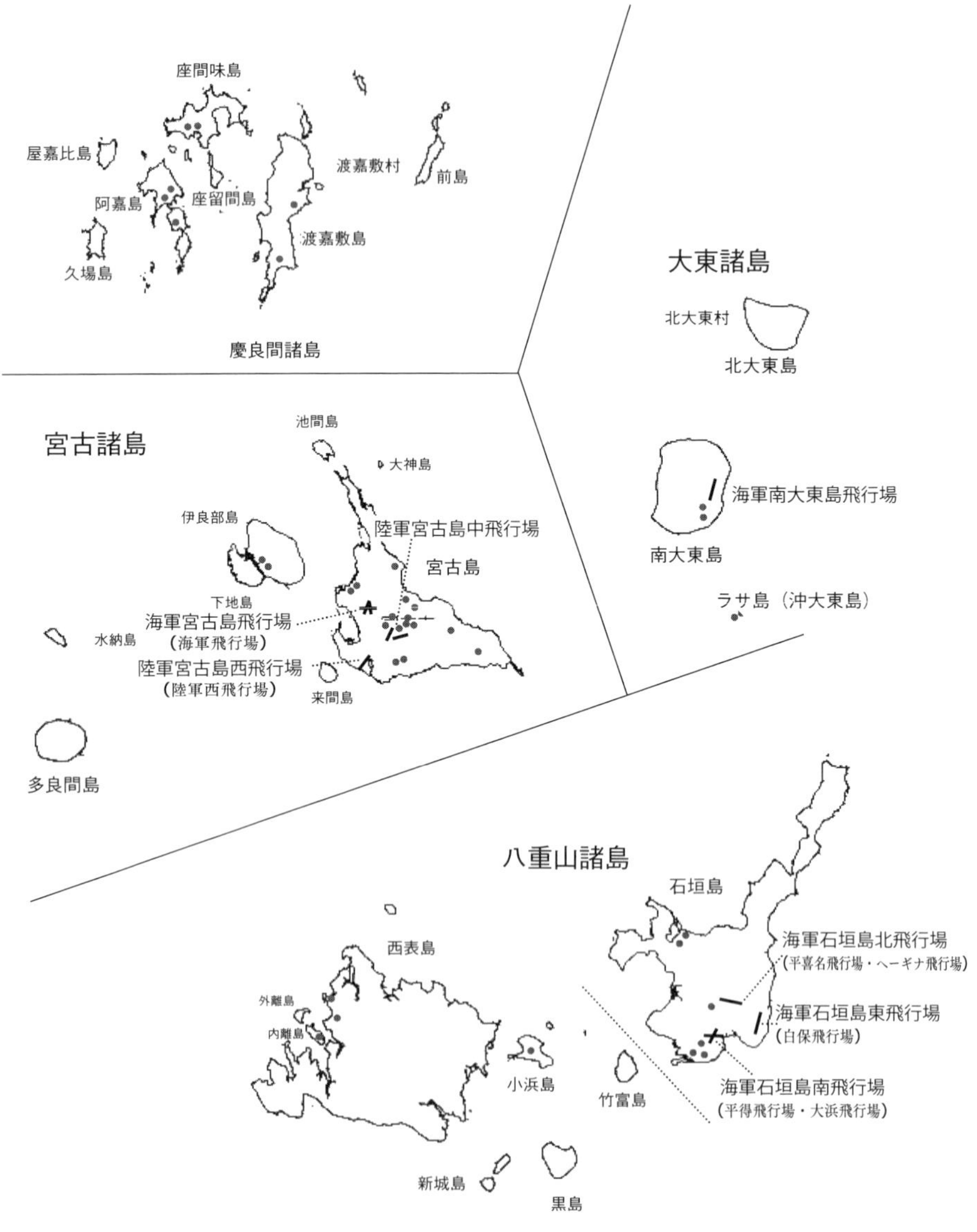

図I　沖縄本島における米軍の12の民間人収用地区

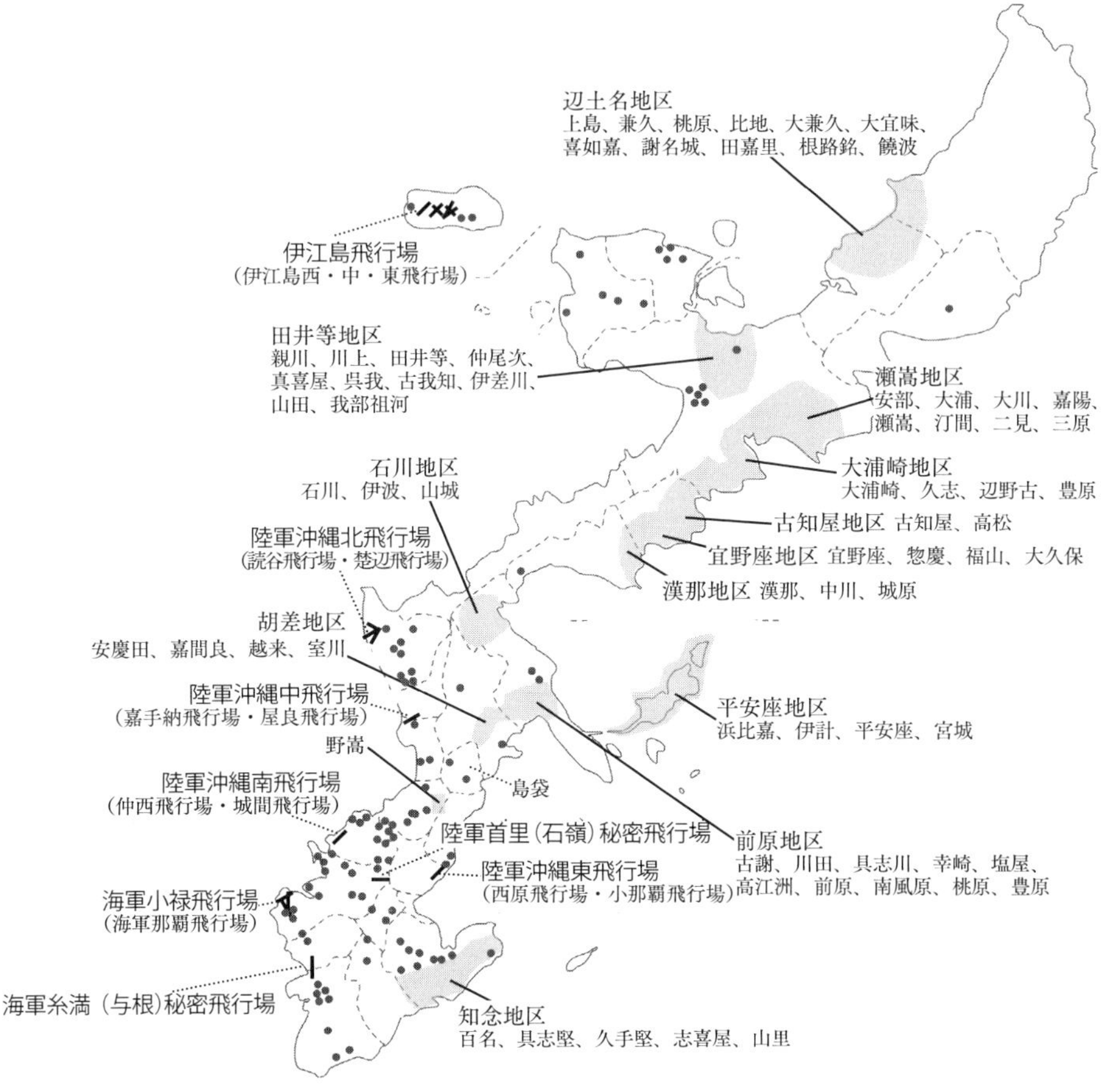

住民が収容された字を●で示した。
●は『慰安所』の位置　「慰安所」位置作成：洪玧伸

女性史研究グループの「慰安所」マップ（1992年）、大田静男『八重山の戦争』南舎社、1996年）、洪玧伸編『戦場の宮古島と「慰安所」―12のことばが刻む「女たちへ」』（なんよう文庫、2009年）、WAM編集・発行『軍隊は女性を守らないー沖縄の日本軍慰安所と米軍の性暴力』（WAM、2013年）を参照し作成。

ことが出来た（本書補論参照）。さらに、戦後六〇周年には、死んだ朝鮮人軍夫たちのための碑を、沖縄の人々との交流の中で建てた。自らの戦争体験から、本書の「序章」で言及した「加害者」としての日本の「謝罪」を、強く追求している彼ら朝鮮人軍夫たちの「戦後」は、まさに、収容所からスタートしていたのである。

しかし、米軍に申告するということがすなわち「解放空間」ではなかった体験として沖縄の女性たちと、朝鮮人「慰安婦」の女性たちの体験を考えざるを得ない。「慰安所」マップに一二の民間人収容地区の様子を表示したのが図Iである。住民の多くが収容されていた北部に設置された「慰安所」で明らかになった場所は、二〇カ所余りと少ない。しかし、住民がみたのは自らが住んでいる集落における「慰安所」に留まらない。戦中・戦後の狭間を生きる中で、住民は「慰安所」という存在を知り、それについて語り、いつか自分の身にも起こるかもしれない「性暴力」の危機を感じつつ、米軍収容所に収容されていった。

無論、この地図で見る日本軍「慰安所」は、既に米軍上陸後であるため存在しない。「慰安婦」だった女性たちは何処に行ったのだろうか。「慰安婦」本人の「戦後」は、限られた史料では十分に検証することができない。しかし、米軍収容所が即ち「解放空間」ではなかった沖縄の女性たちは「慰安所」を記憶していた。沖縄の女性たちは、「収容所」に入れられた第一局面に、まず、「性暴行」事件を懸念せざるを得なかった。実際、「強かん」は日々起こっていたのである。そして第二局面、つまり「収容所」が「収容地区」化された時期、この「収容所」でまた新たな米軍のための「慰安所」が提起された点も見逃せない。そこにもはや存在しない「慰安所」が、「戦中」と「戦後」が共存する沖縄で「言説空間」として現れていた。

「死のポリティクス」としての「強かん恐怖」が、「生きる」日常の中で再び立ち上がる時に注目したい。

そのために、「収容所」の中で行われた議論を、沖縄が、日本という国家から完全に分離される時点である一九五二年までをも視野に入れ、考えてみたいと思う。それは確かに「戦後」ではあるが、議論自体が始まったのは沖縄戦中であり、その延長線にあるからである。

では、まず、沖縄住民が「収容所」に入れられた第一局面で、「慰安婦」と呼ばれた女性たちはどのように、「収容所」に入れられたのだろうか。「戦闘員」であった朝鮮人軍夫たちは、屋嘉収容所に日本軍と分離されてテントに収容された。一方、朝鮮からの女性たちは、民間人と同じ「収容地区」に入れられたが、一般住民と分類され、民間人の収容空間のすぐ近くに収容されて行った。

「朝鮮人（?）娼婦（Korean（?）prostitutes）

五月一五日頃に一五人の「ゲイシャ」だと名乗る女性たちと彼女たちのマネジャーが、戦闘部隊によって山から連れてこられた。そして、保護管理するために金武の軍政府に引き渡された。彼らの所持品の中にコンドーム一箱が発見された。彼らは、娼婦と売春仲介人として再確認された。彼らは、上層本部によって、その配置の命令があるまで、保護拘置にとどめられる。(49)」

最初、彼女たちは「慰安婦（comfort women）」ではなく、「娼婦（prostitutes）」や、「ゲイシャ」などと呼ばれていた。そして、最も早い段階で「収容所」が設置されて行った、北部における沖縄戦場に再び戻ろう。

上記の資料で、女性たちは、五月一五日頃に山から連れてこられたとされるが、一九四五年四月米軍の上陸から一九四五年末までの時期、上陸に先立つ空襲で住まいを喪失し、上陸の危機感を抱いた住民の多くも山に避難小屋を作り、山中生活を始めていた。米軍上陸後は、昼は山中で、夜は山から降りて自宅から食糧を運ぶ生活を始めた。その際、那覇や中南部から疎開してきた避難民を保護した米軍は、焼け残った家に避難民を割り当てて「収容所」として使った。山から降りた住民たちは、避難民の収容施設となった自宅の一角を譲ってもらうか、米軍によって他の地域に移動させられテント生活を強いられた。そして、住民は村から遠く離れた山奥や、逃げまどう中、あるいは避難した山から降りて米軍の「収容所」になっていた村の中などで「慰安婦」をみている。

「『タスケテーッ』と大きな叫び声をきいたので、かけ足でそこへいってみたら、母親の目から「目の前で―引用者」アメリカ兵に娘がさらわれていくところでした。母親が泣声あげながらアメリカ兵の手にすがりついていました。その母親が足げにされるのを目の前にしながら私たちは逃げるほか、どうすることもできませんでした。このような事件は、収容所でたくさん起こった。妊婦であろうと、食糧や燃料の薪を探しにいった山野で、農作業の最中に、集団の中から拉致したり、家の中に押し入って家族の目前で暴行を加えるのもいた。拉致されかかった女性を助けようとして、射殺された男性もいた。米兵の中には公然と、あるいはピストルをつきつけて女性を要求するのもいた。[50]」

強かんされようとした時、ちょうど生理だったから助かった女性の話、[51]「石鹸、歯磨きあげるから私と寝てください」と書かれていたものを見せる米兵に対面した体験、[52]食糧を取りに山から降りた際には、一緒に歩いていた人が外人に引っ張られて強かんされるのを見た体験や、[53]缶詰を手に「ママ、チェンジ、チェンジ」と食糧との交換をせまる米兵と出会ったりした。(54) 深夜に米軍が現れると、空罐やバケツなどをガンガン叩いて追い払った。(55)

特に、米軍が上陸してくると真っ先に海岸地域の女性たちが、強かん恐怖にさらされた。三月三〇日から三一日両日にわたり、魚雷艇基地はのべ二〇〇隻以上の米艦隊の攻撃に遭い、結局、ほとんどその機能を失った。(56) 以来、天底《あめそこ》国民学校や運天《うんてん》港周辺にあった沖縄の女性たちの「慰安所」も、一九四五年三月末にその機能を停止した。「慰安所」のあった町全体が空襲に見舞われ、経営者はその後、出身地の越地《こえち》に「慰安婦」の女性たちを連れて疎開したと見られる。海軍第27魚雷艇隊はゲリラ隊を組織し、八重岳・多野岳に入った。屋我地《やかじ》島のハンセン病療養所「愛楽園」に対する食糧供出の強要や住民虐殺などを行っているが、「慰安所」をめぐる敗残兵による住民スパイ視も起きている。

上陸した米軍による性暴力事件が相次ぐ中、空襲で避難してきた業者が、S屋という米軍相手の「慰安所」を開設したという宮里真厚の証言も残る。

「丁度その時、仲宗根《なかそね》で『慰安所』を経営していたという人から、『アメリカ兵の為の慰安所を開設したらどうだろうか』という案が区長のところに持ちこまれた。『渡りに船』というのはまさにこういうことをいうのだろう。区長に異存のある筈はない。さっそく米軍のキャンプに行き、その旨を申し入れ、即刻ＯＫの返事を貰って帰ってきた。『慰安所』を経営していたという人はこの村の出身で、この空襲が始まる直前まで仲宗根で日本兵相手の商売をしており、幸いにその女性達全員（五、六人）が彼と行動を共にしていた。(57)」

仲宗根《なかそね》から越地《こえち》に疎開した業者、そしてその後提案された米軍相手の「慰安所」を、住民がおかれた状況とともに考えるうえで、県立第三中学校に在学中だった目取真俊の父（当時一四歳）の体験は、重要な体験である。目取真俊の父は、本部半島の八重岳や乙羽岳《おっぱだけ》などの山丘部での戦闘に参加させられたのち、敗残兵となって地元の仲宗根にたどり着く。地元が仲宗根であった上に、「慰安所」として使われた宮城医院が実家と道を挟んだ斜め向かいにあったため、目取真俊の父は、そこで働く沖縄の女性たちを知っていた。そして、彼女たちの存在を再認識させられたのが、越地であった。

彼は、ともに生活した敗残兵の日本軍が自分をスパイ視しているのを知りながらも一緒にいた。しかし、その後知り合いに会い、家族が「毎日あんたを探している」と教えられたので下山したという。道案内はもちろん食糧を探して食べさせていた敗残兵が、「スパイ容疑」で自分を殺すと相談していたのを耳にした直後だった。実家の仲宗根が焼けたため、おばあさんの家を頼りに越地に向かった。米軍上陸後に日本軍が山中に敗走したあと、米兵の欲望を抑えるため越地に造られた「慰安所」に女性を斡旋していたのは料亭の主人と、当時警防団長をしていた目取真の祖父だったという。目取真の父は、その料亭の主人の所に米兵が訪ねてきて交渉しているのを、そばで見ていたという(58)。そして、短期間で閉鎖されたとはいえ、一日三〇人を相手にする米軍相手の「慰安所」S屋となった(59)。翼賛会理事で、最後まで山に残っていた糸数昌徳（当時三六歳・今帰仁村湧川）は、かつて日本軍が語っていた「慰安所の必要性＝婦女子を守るため」の論理を用いて、スパイ容疑で殺される危機に見舞われいたS屋の業者を救おうとした。

「わしらは最後まで山に残っておったんですが。今帰仁整理するときですね、そういった連中、戦闘中にもかかわらず、はやアメリカの軍と一緒になってからに、村をつくるとかなんとかいうもんだから、それで全部整理するといってからに、名簿を持って歩きよったんですよね。それをわたしに見せて、誰々を殺す、みんな殺すといって、手帳にね――。

あんた方、誤解ですよ。これはね、（中略）戦前から料亭をもって、料亭の女をたくさんかかえておるので、そして一般の婦女子が米軍に強姦されて、たいへんなことになるので、それでその女を提供して慰安所をつくって、婦女子を護ろうという精神からでたものであってですね、決してスパイ活動ではない。こんなにりっぱな、住民を護ろうとする考え方に対してね、あんた方もうこれ整理するのか、大変ですよといったら、事実か、そうか、スパイでないかっていってね、追及、わしにさんざんしたんですよ。絶対もう。[60]」

米軍は南部で戦争をしながら、早期に占領されたこの地域を「休養地」として使っていた。多くの敗残兵が存在する中、米軍と親しくなっているように見えるだけで、住民はスパイ死の不安にさらされた。真部山《まぶやま》の中には、敗残兵と化した宇土部隊が、スパイとして処刑する名簿を持ち歩いていたという。田井等《たいら》は、国頭地区の中央に位置し、名護・やんばるの交通の要所であった。集落の多くは山手にあり、古くから山と深いかかわりを持つ。

久志村の大川《おおかわ》には、川に沿って作られた避難小屋やその周辺に佐敷《さしき》、首里、那覇、知念《ちねん》、玉城《たまぐすく》、西原《にしはら》の人たちが避難していた。村に住んでいた住民は、山の奥へ避難していた。当時一六歳だった崎浜良子も、庭に掘っていた防空壕ではなく山に逃げ、五〇代の母親が自宅と山を往復しながら「ネズミみたいに子どもたちを山に隠しておいてご飯炊いてから持ってきよった」という生活をしていた。伊江島に二度も徴用で行かされ、「みじめ」な食糧生活を強いられ、三度目は防空壕のための木を切り倒す作業に、四度目の徴用では「辺野古崎《へのこ》」（大浦崎《おおうら》とも言う）に行かされた。米軍上陸後、大川の民家は焼かれ、民間人は瀬嵩《せだけ》の学校の後の田んぼに米軍がテントで作った仮住民収容地区に収容された後、再び大川に戻る。「辺野古崎」と瀬嵩にはどんどん民間人を収容していった。崎浜良子（当時一六歳）によると、船は辺野古崎につけてあった。彼女が大川に戻った時には焼け残り、空いている民家や小屋には米軍のテントカバーが張られ、民間人を収容していたという。米軍は辺野古から配給する食糧をトラックに乗せて大川に来ていたという。崎浜良子は、金網はないものの、米軍の収容地区となっていた大川で、山を降りてきた宇土部隊が連れてきた朝鮮人「慰安婦」に出会った。

「ウチナーンチュ（沖縄の人）とは全然違うさ、ヤマト（大和）みたいにして色もきれいくて。体はあんまり大きくなかったけど、見て分かりよったね。朝鮮が日本の兵隊と一緒に歩くって話……、戦争終わってから山から兵隊たちがみんな下りて来るわけよ。可愛かったよ、日本の兵隊が連れて一緒に降りてきて歩くわけさ。山（多野岳）から下りてきて長太刀さした兵隊がこの女連れて歩くわけよ。(61)」

大川《おおかわ》にいて食糧不足のため、飢えとマラリアで死んだ避難民の墓が畑にずらっと並んでいた。その頃になると、日本兵が干してある洗濯物を盗み、軍服を捨てて偽装したため、服も干せない状況であった。彼女にとっては、敗残兵になって偽装する友軍が米軍より怖い存在として記憶されている。辺野古崎では、防空壕掘りに動員されていた「チョーセナー」（朝鮮人軍夫）が、スパイ容疑で友軍に撃たれて死に、その死体を、大川から名護に抜ける新しい道路の橋の下に、大川の人たちが埋めたという。(62)

「友軍こわくて。上陸してからアメリカはね。洗濯物をもってくるですよ。洗濯しなさいといって。これもう、洗濯するの、友軍がみたらね。すぐやられますからね。これもう一番こわかったですよ」[63]

米軍の洗濯をする行為とスパイ視までもが繋がる恐怖が、敗残兵となった日本軍がまだ残存する中に存在していたのだ。

一九四五年四月、山から降りた島袋エイは、大浦崎収容所（現在、辺野古《へのこ》のキャンプ・シュワブ）内の米軍病院で看護婦の仕事をした時に、梅毒にかかった朝鮮人女性を見た記憶を持つ。

「四、五名の朝鮮の女たちが『痛いよ、痛いよ』って泣いているのを覚えてる。梅毒を見たことがあったから。女の大事なところにヤケドみたいにしてね、痛かったはず。だれが見ても恥もないような姿で、痛いよ、痛いよって泣くの見たら『かわいそうに、無理矢理連れられてきて……』って看護婦の友だちと話してね。白い服を着けてる人もいれば、色ものの着物着てる人もいた。綺麗な顔してるさね、若い

写真３　米国軍政府撮影写真、「軍政府のメンバー、米海軍予備役部隊所属ワスマンの監督下、洗濯物を干す沖縄の少女」というキャプションが書かれている。（撮影日 :1945 年５月５日）
写真 : 沖縄公文書館提供

子だし。かわいそうに……。でも、私も言葉が分からないから付き合いはできないさ。治療はあんまりしてなかったみたいよ。ほったらかし。あの道通ったらさ、今でも肌毛たつ。[64]」

島袋エイによると、大浦崎収容所は食糧だけは恵まれていた。島袋は、食糧のために部落の有志と名乗った人が辻の女性を米軍に「一晩世話」をさせた話を覚えている。

「女をほしがっている男（米兵）が来て、部落の有志と言っていたけど、今の行政委員みたいな人が、平安座の人でジュリグァーがいたわけ、これを一晩世話したら、米とか砂糖をいっぱいもらって部落に配給した。MP大尉だったから、米をトラックから降ろして、部落の公民館に取りに来なさいと言って。ぜいたくだったよ[65]」

三月の空襲で源河《げんか》集落の家や避難民の仮住宅が全焼した。住民は山の中に逃げ込んだため、避難民は、源河住民の空屋に住み込んだ。米軍上陸後は、元の住民が入れないほどぎっしり源河に収容されていた。山から降りた源河の住民は、アメリカのトラックに乗せられて山田や仲尾次に移動させられ、そこでテント生活を強いられた。源河に戻った住民たちは、米軍統治下の源河の区事務所で朝鮮の女性たちを見かけている。米軍の空襲をまぬがれた立派な赤瓦の家、清水宅であった。

一七歳で護郷隊の一員として戦闘員となっていた新城義輝は、幸い非戦闘員として分類され、源河に戻った一〇月、清水宅にいた朝鮮の女性たちを見かけている。住民は、朝鮮ピー、朝鮮ピーと言っていた。[66]

新城昭子は、その源河の区事務所で働いていたが、アメリカのMP（Military Police　憲兵）が連れてきた朝鮮人女性のことをはっきり覚えている。

「四、五人ぐらい。体格も大きくてアメリカみたいな人、きれいな人だけ。ちょうどまたこの家は囲いがあって、民家だから戸を閉めてこっちに眠りよった。朝鮮ピーと言ってアメリカが連れて来ているから、どうして連れて来たのか意味分からんけど、こっちで一週間ぐらいいたよ。私は唐辛子を探していつも持って行ってあげて、彼女たちは料理など作って食べよったけどね。あっちは缶詰の食料があるから。朝鮮の人はキムチみたいな辛いものが好きだから、私は唐辛子を探してきて、イワシの缶詰にこれを入れて火にかけ、ちょうどカレーみたいにトロトロさせて出したら喜んでねぇ。ご飯の上にかけたら、おいしいって。だから、それをまねしてよ。そんなして食べた。(67)」

このように元護郷隊員だった新城義輝や源河の区事務所員であった新城昭子が、集落で朝鮮人「慰安婦」を見かけていた頃、源河は米軍によって収容された避難民でいっぱいであった。その多くは、日本軍の疎開命令により現在の沖縄市、コザ市の越来《ごえく》から来た人たちであった。源河の住民たちはすでに山で避難小屋を作り食糧には困らなかったのに対し、避難民は三月の空襲で焼け野原となった村にたどり着き、以降、米軍上陸によって配給物資に依存しなければならなかった。

源河のA氏は、山から降りたら避難民がぎっしり住みついていたため自分の家には入れなかったが、その実家にいた女性のことを、「アメリカさんの彼女」として記憶している。

米兵が避難民を入れた実家には、中南部、小禄《おろく》からの人が住んでおり、米兵の相手をしていた。上等な板を持ってきて、家の中にちゃんと敷き、いつもたくさん缶詰を持ってジープで来ているのを見たという。A氏の家族は、結局、戻らないで家を壊したという。[68]

A氏は、子どもながらアメリカ兵と「性」を媒体に生きる女性の小屋も覚えている。

「ある民家の小さな物置小屋に、少し気がおかしくなったおばさんがいた。いつもアメリカ〔米兵のこと〕の大きいシャツ一枚つけておった。その小屋にはアメリカが持ってきたお菓子やらチョコレートやらいっぱいあった。僕らは、このおばさんにイタズラして怒らせ、おばさんが家から出たそのスキに、隠れてる子がおうちに入って、お菓子なんかとったりしてた。一五名くらいアメリカがきよった。強姦ではなかった、生きるためにやってたはず。使ったあとのゴムなんか木に吊るしていたよ。また、アメリカが小屋に入ってるのを見て、僕らが『エムピー』と大声で言うと、銃もガラガラして慌ててアメリカが逃げた。『MPが来るよー』と言うと慌ててアメリカが逃げるのを喜んで見てた。こんなヤンチャしてたな。そのおばさんは、その後どうなったかわからない。[69]」

一方、名護の羽地には「慰安婦」たちが、養老院と孤児院でしばらくの間、戦争によって体の弱った老人や孤児の世話役をさせられていた。松田ウタ（一九一六年生）は次のように証言する。

「夜になると、朝鮮の女の人がここ（養老院）で働いてるんだけど、朝鮮ピーと言ったら悪い言葉みたいですよね。『ジュリ』と言うか『朝鮮ピー』と言いよったんだけど。こっちに朝鮮ピーたくさんいると聞きました。『朝鮮ピー、朝鮮ピー』と言って男の子どもたちがウシェールバーテーナー（バカにしていたよ）。[70]」

養老院として使われた稲福家は、立派な赤瓦の大きな屋敷きを持つハワイ移民帰りの稲福保一の自宅であった。間もなく孤児院として使われることになった。

本部の崎木部の山中で、母と妹三人と共に捕まえられた時、座覇律子は一三歳だった。母は間もなく田井等の病院で亡くなり、座覇律子は一〇〇人くらいの孤児たちが集められた孤児院で、子守りを手伝いながら過ごす。その時、孤児たちを世話していたのが、一〇人くらいの朝鮮人の女性たちであったことを懐かしく語る。

「昼間は元気で騒いでいても、夜になるとすすり泣き声が聞こえてくるのです。あちこちでお母さん、お母さん、と……、自分たちの親はどこかで死んだのかな……元気かな……。ある日、孤児院だった稲福家のピンプンに腰をかけて思い出を話しているうちに、全員が泣きじゃくってしまったことを、昨日のことのように思い出しますね。朝になると毎日のように小さい子どもたちは死んでいきました。

(「慰安婦」たちが）山から運ばれてくる子どもたちに、食べ物も工夫して飲ませ、子守唄で何とか寝かせても、朝になったら半分はもう……みんな、栄養失調でしょう。朝鮮の女性たちがどこかで木箱みたいなダンボールに入れて埋葬してく

写真４　孤児院であった家のピンプンに腰をかけて思い出を話す座覇律子さん。

れました。[71]」

新城健三（当時一四歳）は、日本語がうまくない朝鮮人女性の言葉を真似する子どもに、「チョウセン、チョウセン、パッカスーナ（馬鹿にするな）」と返事が返ってきたことを聞いた覚えがあるという。[72] 孤児院で朝鮮人女性の世話を受けた座覇律子は、「朝鮮ピー」「朝鮮ピー」といじめる男の子たちを石で追い払ったこともある。孤児たちが「佐々木のおばさん」と呼んだ色の白いおばさんは、とても綺麗な人で、その後、アメリカ兵と結婚したらしく、戦後、その「佐々木のおばさん」を訪ねたことがある。元の家主の院長の家族は裏座《うらざ》に住んで、大きな家が許田《きょだ》の海端にあった。田井等にいた座覇律子のような本部出身の人々が自由に移動できるようになったのは、一九四五年一〇月三一日からである。

写真５　立派な赤瓦の大きな屋敷きを持つハワイ移民帰りの稲福保一氏の自宅は、孤児院として使われ、米軍は「慰安婦」にその世話をさせていた。

　伊豆味出身で当時高等科一年生だった伊野波盛明は、仲尾次《なかおし》のほうで捕虜にされていたが、二、三十メートル離れたところの養老院で老人たちを世話していたのが「朝鮮ピー」だったという。捕虜となった仲尾次では、海辺の病院の跡のようなものがあり、門柱もある構えのいい建物が、養老院として使われ、戦場で疲れ果てた人々が毎日死んでいったという。彼は、伊野波は、伊豆味で一番大きい家が、宇土大佐の「慰安所」として使われたことや、兵隊たちが日曜日ごとに並ぶ「慰安所」のことなど、伊豆味で既に「朝鮮人慰安婦の存在を知っていた(73)。

久志《くし》には「今思ってもすらっとして、非常に綺麗」で、「肌がきれいくて、垢ぬけしている朝鮮ピーが二人」いて、「だいぶ落ち着く時までいて」、「二世の恋人」と思われた(74)。「(住民と)離れるんじゃないんだけど海の近くに一軒家があって、『朝鮮ピー、朝鮮ピー』しよったから、ああ、朝鮮ピーもいるんだなあと」思わせて、「アメリカ兵が行き来していたし、朝鮮ピーもなにか貰っていたのは見えたから」それをみた住民には、アメリカ兵の相手をしているように見えた(75)。

久志はまた、基地建設のため島へ帰ることを米軍に禁じられた伊江島の人々が、「伊江村」という形で、戦後をスタートさせた場所でもある。伊江島の人々は山間部に、元の住民は山の下に、朝鮮人「慰安婦」が海岸の近くにいた風景が、終戦後もしばらく続いていた。米軍の基地建設のために集団で収容されていた伊江島の人々が久志から島に戻ることができたのは一九四七年三月である。

米軍は戦後、名護の一カ所に、「慰安婦」を集めていたと見られる。宜野座《ぎのざ》の収容所から許田に戻った長嶺将己(当時一五歳)は、現在の名護保健所のあたりの一カ所に集められた朝鮮人女性たちを目撃した。

「朝鮮人の慰安婦が一カ所に置かれていたんですよ、戦争終わってからよ。名護の今の保健所のあるところ、テントじゃなくて長屋みたいなものだったけどね。そこに慰安婦の方々がおられて。朝鮮ピーという意味は僕らは分からんけど、ときどき沖縄の人たちは朝鮮の慰安婦の人たちを『おーい、朝鮮ピー』と言ってからかいよったんですよ。なかには沖縄の人で石投げる人もおったよ。前は朝鮮の慰安婦の方々も教育されていたのかどうか分からんけど『朝鮮ピーでも天皇はただ一人……』というのが耳に残っている感じがします。(76)」

長嶺将己が「慰安婦」を見たのは、既に戦争が終わった一九四五年、MPと一緒に「収容所」となっていた羽地の本部に食糧を取りに行った帰りであった。

4、「占領空間」と「解放空間」を生きる女たちとある民主主義

海軍少佐ジェイムズ・T・ワトキンス(James T. Watkins)は、「ワトキンス・ペーパー」と呼ばれる報告書(James T. Watkins: Okinawa Papers Deposited)を残している。ワトキンスは海軍軍政府副司令官チャールズ・I・ムーレー大佐(Charles I. Murray)のもとで一九四五年六月から約一年間、沖縄における戦後最初の住民行政組織であり、米軍諮問機関でもあった沖縄諮詢会の設立・運営にかかわった海軍少佐であった。とりわけ「ワトキンス・ペーパー」は、「収容所」とされた地域の「第二局面」における「慰安婦」の存在を知る上で、手掛かりとなる以下の文書を残している。

「A一二
一九四五年　一一月二三日
軍政府の活動報告　一九四五年一〇月
C．朝鮮人〝慰安婦(comfort girls)〟
もう一つの社会の保安の問題は、日本軍が沖縄に残して行った朝鮮人〝慰安婦(comfort girls)〟の問

題である。彼女たちは、地域の絶えざるトラブルの要因である。軍隊は軍政府に沖縄琉球におけるこれら全てを集めていたと報告した。そして朝鮮に帰還させるために軍政府に、収容し、食糧を与え、帰還を待たせるように要求した。沖縄から四〇人が集められ、他の地域から集められた一一〇人が加えられた。彼女たちは、朝鮮への帰還を待っている。[77]」

この一九四五年一〇月の報告書の中に、置き去りにされた朝鮮人の「慰安婦」たちに関する次のような報告書も存在する。この時点で女性たちは「慰安婦（comfort girls）」という名称で呼ばれるようになった。彼女たちと住民との間でどのような「トラブル」が起きたのかは不明である。しかし、終戦直後、住民と「慰安婦」たちが入れられた収容地区で、「風紀」に関する非常に高い警戒心が存在したのは事実である。沖縄の住民にとって「戦後」は、沖縄県の慰霊の日六月二三日でも、日本の敗戦記念日八月一五日でも、東京湾で日本の正式降伏が行われた九月二日でもない。まして沖縄戦が正式に終わった九月七日でさえ、住民にとっての「戦後」は訪れなかった。住民一人一人にとって「終戦」を思い知らせたのは、米軍「収容所」に保護されてからである、とよく言われる。しかし、女性にとってその「収容所」は、占領軍による性暴行事件を思い知らされる「恐怖」の場でもあったのである。

繰り返されたのは「戦時性暴力」だけではない。むしろ、その「恐怖」からまた再び「慰安所」が立ちあがり、消滅することなく続いたことこそが問題である。今度は、その暴力を防ぐための防波堤としてアメリカ軍のためのレクリエーションが、「民主主義」を論じる最初の試みのなかで模索されていった。

一九四五年八月一五日、沖縄全島三九カ所の収容キャンプから、住民代表一二八名が石川《いしかわ》に召集され、第一回目の「仮沖縄諮詢会」が開催された。住民代表（ニミッツ布告で周辺島は参加できなかった）は、その場で天皇の「戦争終結の詔書放送」を聴き、同時に、占領地における行政活動停止を宣告したニミッツ布告以来停止したままだった「行政活動」に対する論議が始まった。「沖縄諮詢会」は、米軍占領下で模索された、沖縄における戦後の「民主主義」の第一歩となった。なお、沖縄本島の婦人たちの参政権行使は、日本よりは七カ月も早い一九四五年九月二〇日であった（宮古島、八重山は一九四八年に実現）[78]。そして、米軍による「性暴行」事件を回避する方法の論議も、この「沖縄諮詢会」を中心として展開されていき、女性たちの「沖縄婦人会連合」もこの問題への対応に直面した。

無論、当初から「性」関連政策に気を配ったのは米軍側であった。その典型的なものが、ニミッツの布告に従って第10軍の占領政策企画者たちが、米国司令官に対し、沖縄人は「敵性的な住民」で、「慎重に管理しなければ戦闘の邪魔となり、あるいは戦闘を逆転させることもありうる」と促したことである。企画者たちは、公衆衛生、労働、商業と産業、財政、運輸、言説の分野における司令官の任務をかなり詳細に定めていた。それは、人道的な立場では沖縄の「復興」の開始を意味するものであったが、同時に、沖縄人に対する厳格な「統制」を意味するものでもあった[79]。そして、「敵性的な住民」という見方が、「兵士たちにとっての衛生上の危険性」があり「兵士達の健康を損なうのみならず地域社会のモラルに反する」という名目の下、住民と兵士との「交友禁止令」を正当化する重要な要因でもあった[80]。

特に、「公衆衛生に関する条項」は、企画者たちが最も気をくばったものでもあった。沖縄を占領した占領軍は海軍と陸軍の戦闘部隊で、最初は「民主主義」の理想を持つ民事要員と、戦略的要請（基地開発）を優先する部隊との対立があった。しかし、公衆衛生に関しての条項は、陸海軍とも一致しており、一九四五年八月一五日、「仮沖縄諮詢会」の第一回目の会合から、米軍による「医療不足問題と性疾病」問題が提起され、各々の収容地区における公衆衛生が強調された。八月三一日の会議では、ほかの部署より早く、米軍の提案に基づく「公衆衛生部」の結成が決められた。
占領初期、米軍が行った「公衆衛生政策」に関しては、既に杉山章子のすぐれた研究論文『占領期の医療改革』（勁草書房、一九九五年）が、GHQ／SCAP資料に見られる「公衆衛生政策」を対象に分析を行っている。杉山は、性病対策において「軍隊の論理」が最も明確にあらわれたのは沖縄であると指摘したうえ、沖縄の恒久基地化が決定的になった一九四九年一二月に、保健所の設置と性病の対策が同時に強化されたことに触れて、沖縄における公衆衛生行政が、はっきり基地機能の強化を目的に進められたことを強調している。(81)

沖縄の恒久基地化が朝鮮戦争により触発されたのは言うまでもない。最近の研究実績としては、秦花《じんふぁ》秀《す》が「軍事占領下における性規範に関する一考察——日本「本土」・沖縄・韓国における米軍基地を中心に——」（早稲田大学アジア太平洋研究科、博士論文、二〇一一年）において、韓国をも視野に入れ、「軍隊の論理」たる「公衆衛生政策」を分析している。

しかし、本章で、注目したいのは、米軍による住民統制の一貫として行われた「公衆衛生政策」自体ではない。「兵士たちにとっての衛生上の危険性」から守るためにという、沖縄人に対する偏見に満ちた理由によって正当化された「交友禁止令」の維持を、むしろ、「沖縄諮詢会」が強く主張している点に注目する。「沖縄諮詢会」に「交友禁止令」の再考を提案したのは、前述の海軍少佐ワトキンスであった。彼は、沖縄の「民主主義」実現を信じていた「理想主義者」の一人であった。ワトキンスは、そもそも沖縄人に対する偏見で作られた「交友禁止令」を取り外すことを「沖縄諮詢会」にこう提案する。

「軍政府［ジェイムズ・T・ワトキンス］米軍作戦部隊から風紀に関する厳命が出て居るが御存じですか。

例えば米兵と沖縄女子との風紀関係等の如く。

米軍将兵が住民地区に来て物を売買、物々交換や性的関係等の風紀問題で
公的用務を帯びた者は住民地区との出入を許されるが其外の者は厳罰に処す事になって居る。

此の法令は戦時法令で沖縄住民及び軍を保護するものとの両法《ママ》である。

目的を達成するために米兵が住民地区に出入するのを憲兵が取調べて居る。

前門委員　ペンス将校（法務係）は米兵が住民地区に入る時はC・P［Civilian Police＝民警察］が逮捕してよいとのことであった。

軍政府　現在では米兵が出入りする事の出来ない住民地区が多い。

世界で米軍が駐屯して居る地区で沖縄ばかりである。独逸［ドイツ］で此法を施行せんとしたが失敗した。日本では全然して居ない。

住民と軍との接触を禁じて居る。

現状は不自然であるが此法を解く時は沖縄住民に被害がなければ解いた方がよい。」


（傍点、［　］は引用者による。）

（『諮詢会会議録』一九四六年二月二二日）


「物々交換や性的関係等の風紀問題」や、それに対し、特に「風紀に関する厳命」が米軍作戦部隊から出ていたことを上記の会話から知ることが出来る。ワトキンスは、米軍内で「風紀に関する厳命」が出されたことに触れる。そして、問題を起こしかねない「戦闘部隊」との接触は禁止しながらも、住民と兵士との間の交流自体を禁じる「交友禁止令」については、解除することが望ましいと提案したのであっ

た。そもそも沖縄人に対する偏見に満ちて作られた「交友禁止令」を、理想主義者、ワトキンスは必要ないと考えていたのである。それを強く拒否したのはむしろ諮詢会協議会の議員たちであった。

「松岡委員　当分は現状がよいと思ふが。
軍政府　厳格に云へば私（ワッキンス《ママ》少佐）も當山様《ママ》と御茶を飲む事は出来ない。
　沖縄の住民と笑顔や手招き等をしたりする事も出来ない。
　軍は現在のまゝで取締り住民は戦闘部隊とのみ出入りを禁じたら如何（住民は其外は解禁す）。
護得久委員　一方解禁よりも現在のまゝがよいのではないか。
仲村委員　禁止は解きたいが而し暫く現状維持がよい。
志喜屋委員長　現状の儘で暫く行きたい。
軍政府　現在の儘で行くと米兵と沖縄住民が離反して行くし如何にした方がよいか。
又吉委員　知識階層は交際してよいが一般住民が未だレベルの低い者が多い。
軍政府　暫く現在の儘で行くのがよいか。
當山委員　性質の悪い米兵を早く帰へす事である。」

（傍点は引用者による）

（『諮詢会会議録』一九四六年二月二二日）

「一般住民のレベルの低さ」にまで言及しながら、「交友禁止令」を維持しようとした議員たちの発言には、「性質の悪い米軍」に対する懸念、つまり「性暴行」事件についての強い懸念が見られる。これらの議論は、日本本土では占領軍のための「慰安」組織、ＲＡＡが廃止された一ヶ月後の話である。

日本本土では、敗戦からわずか三日後の一九四五年八月一八日に、内務省警保局が全国の警察に秘密指令を発し、占領軍専用の「慰安施設」を特設することを指示したことは広く知られている事実である。警察が売春業者に命じて組織した「特設慰安施設協会（Recreation and Amusement Association、以下ＲＡＡ）」は「慰安所」、ダンスホール、キャバレー等から構成されていた。政府は一億円を用意し業者たちが皇居前に集結、「民族の純潔」を守るという名目で約七万人の女性たちを集めたが、一九四六年には閉鎖された。閉鎖の原因は「性病蔓延」であった。[82] ＲＡＡをめぐる一連の動きに対する占領軍の反応に関しては、ジョン・ダワーの『敗北を抱き締めて』に詳しく記述されている。ジョン・ダワーは、一九四六年一月、非民主的で婦人の人権を侵害するとの理由で「公的」売春の全面禁止を命じた占領軍内部の政策は、実際には「性病患者急増」に最大の原因があったことを指摘している。ＲＡＡが廃止された時、ＲＡＡの女性は九〇％が性病検査で陽性となっており、第8軍のある部隊では兵員の七〇％が梅毒、五〇％が淋病に感染していたのである。[83]

沖縄で「特殊慰安施設」が提案されたのは、旧「収容地区」の中からであった。一九四九年、沖縄民政府（旧「諮詢会協議会」のメンバーなど）は具体的な案として「A．軍経営の米人女性に依る慰安施設の設置」「B．沖縄人経営のダンスホールを兼ねた『慰安施設の設置』」をコザ地区、那覇地区、前原地区、石川地区の数カ所に置く案を出し、米軍人を慰安する施設（ダンスホール）の設置を米軍政府に要請することに踏み切った。[84] 収容地区で本格的な活動を始めた「沖縄婦人会連合」は、こうした「特殊慰安施設」に関して懇談会を開き、民政府の保安課長や公衆衛生庶務課長などを招き、ダンスホール設置案についての説明や意見交換を行っている。「沖縄婦人会連合」は、人権保護の立場から民政府に反対の立場をとったが、それでも、戦後、米軍を相手にして生計を営む女性たちの「売春」問題や、米軍相手の「特殊婦人」

の問題に悩まされたようである。島袋が示したように、一九四九年の夏、「沖縄婦人会連合」の女性たちは連日会議を開き、ある計画を検討していった。越来村は、村として初めてダンスホールを開設するようになった。沖縄本島の中央に位置する越来村は、今日ではコザとして知られる。[85]

ダンスホールをめぐる収容地区内の動きに関しては、「沖縄婦人会運動史研究会」発刊の『沖縄・女たちの戦後——焼土からの出発』に、収容地区での「特殊婦人」問題について詳しく書かれている。当時、城間栄子婦人会副会長、越来《ごえく》村の村長などが集まり毎日のように論議を繰り返した結果、対策の一つの案として「特殊婦人を民家地域から立ち退かせたらどうだろう」という話が出た。話が出ると、村長宅が焼打ちされるとのうわさが飛び、米軍にMPを派遣してもらうほど、「特殊婦人」の問題は、コザを始め多くの収容地区で敏感な問題であった。民政府のダンスホールの設立に関しては強く反対した「沖縄婦人会連合」であったが、子どもの教育環境に悪影響を与えるからと、嘉手納航空隊のキンケイド少佐に「米兵の自粛と特殊婦人の退出」を訴えるようになる。「それでは街外れの野原の八重島に特殊地帯をつくろう、これが一番良い方法だ」ということになった。[86]

とりわけ一九四九年一〇月八日、沖縄民政府は、米軍軍政官陸軍中佐エドワード・ヂェイ・ミラーに正式に「ダンスホール」設置に関しての要請文を提出している。志喜屋孝信知事は、「ダンスホールは、現実の社会的要求」であるとし、次のような理由から「ダンスホール」設置に対する「軍の果断な措置を懇請」している。

「沖縄民政府

日付　一九四九年十月八日

覚書　第二四七号
首題　ダンスホールの設置について
宛　沖縄軍政官府
軍政官　陸軍中佐　エドワード　ヂェイ　ミラー
（中略）
一、ダンスホールの設置は現実の社會的要求で警察署長達の意見に賛同である。その理由は、
一、戦後米軍が沖縄に寄せられた多大な物資と温き心情に対し全住民は斉しく感謝と親愛の念に燃へてゐる、ところが偶々米軍員に依って加へられる強姦、殺人、傷害、放火等の不法攻撃は沖縄住民を暗然たらしめ、軍民の感情を緊張させ乃至軍政施行の上にも重大な影響を齎す虞れが大である。
一、米軍員に依り犯した斯種犯罪を民警察部に依って調査された、それを軍の参考に資するために別途添付する。
この犯罪は凡そ性問題にその原因又は遠因がある。

軍當局に若い軍員の性的慾求を満たすに足る設置の考案が拂はれてあったとすれば前述の犯罪も未然に防止得たであろう。
一、現在若い米軍員達の性的慾求の対象は沖縄人女性であることは當然である。沖縄に於ける軍員相手の賣春婦は経済事情も拍車をかけて漸次拡大しつゝあって社會風教上の問題であり更に花柳病の蔓延は免れぬ情態にあって何れも憂慮に堪へぬものがある。
一　本官は沖縄に於て米軍員と沖縄住民がより明朗な親和を保し軍政の円滑な運営に供すために軍に於いて軍員の慰安施設の考慮を提案し且つ急速に之が実現を懇請する次第である。（中略）

沖縄民政府　知事　志喜屋考信」(87)

民政府は上記の覚書第二四七号に、一九四六年から一九四九年までの「外人に依る沖縄住民に対する犯罪統計表」と、「占領軍属と沖縄女性との混血児表」を添えている。

ダンスホールを提案した一九四九年当時、民政府の調査で明らかになった犯罪の実態は、「強姦一〇九件、強姦未遂八五件、殺人二三件、強盗及び強盗傷害六七件、放火八件、傷害一二一件、暴行一〇四件、脅迫五一件、鶏姦二件、猥褻八件、拉致三三件、窃盗三八件、公務執行妨害五件、住居侵入一三八件、

原資料①『外人に依る沖縄住民に対する犯罪統計表』

外人に依る沖縄住民に対する犯罪（年度別）統計表　自1946年　至1949年

犯罪別＼年度別 件数	1946年	1947年	1948年	1949年	計	備考
強姦	54	27	17	11	109	
強姦未遂	49	13	17	6	85	
殺人	4	12	5	2	23	
強盗及強盗傷害	10	28	14	15	67	
放火		2	4	2	8	
傷害	43	37	29	12	121	
暴行	42	20	22	20	104	
脅迫	21	8	14	8	51	
鶏姦		2			2	
猥褻	2	3	3		8	
拉致		6	21	6	33	
窃盗	5	5	18	10	38	
公務執行妨害	2	3			5	
住居侵入	59	17	38	24	138	
部落侵入	148	59	17	14	238	
計	439	242	219	130	1,030	

出典：沖縄県公文書館所蔵資料、資料コード R00000439 B
軍占領一般文書、1949 年 5-5。

原資料②『占領軍属と沖縄女性との混血児表』

占領軍属と沖縄女性との混血児表

署別＼人種別 性別	白人 男	白人 女	黒人 男	黒人 女	比島人 男	比島人 女	中国人 男	中国人 女	日系二世 男	日系二世 女	計 男	計 女	備考
塩屋	1	3									1	3	
本部	12	1				1					12	2	
名護	7	5		1	6	1				1	13	8	
宜野座	4	6				1					4	7	
石川	7	18	2	1	7	3			1	2	17	24	
コザ	19	19	1		17	14			1	2	38	35	
前原	23	25		1	17	15	5	4			45	45	比島 1 中口 4)
首里	6	14	6	9	9	11	2	2	1	1	24	37	比島 1
那覇	8	19	8	14	26	46			1	6	43	85	比島 4
糸満	5	4	2		4	4					11	8	
知念	10	12	1		4	4			1	1	16	17	
計	102	126	20	26	90	100	7	6	5	13	224	221	
總計	228		46		190		13		18		495		

出典：沖縄県公文書館所蔵資料、資料コード R00000439 B
軍占領一般文書、1949 年 5-5。

占領軍属と沖縄女性との混血児表の備考欄には、前原備考欄にフィリピン人１人（米軍属、結婚）中国人１人（米軍属、結婚）、首里の備考欄にフィリピン人１人（米軍属、結婚）、那覇備考欄にはフィリピン人４人（米軍属、結婚）という情報も記されている。

部屋侵入二三八件」のおよそ一、〇三〇件に至っていた。そして、各収容地区で沖縄女性と米兵との間に生まれた混血児は四九五名であった〔原史料①、②参照〕。

宮城晴美は民政府が出した一九四六年から一九四九年のこれらのデータをさらに地域ごとに分類して分析している。宮城によると、一九四五年は北部に収容所が集中していたため、事件数は北部が高い数値を示し、米軍の軍基地が中部に建設されるにつれて犯罪は中部で増えていた[88]。そしてその米軍犯罪を防ぐために、沖縄の民主主義の場では、戦前と全く同じ日本軍「慰安所」のシステムが米軍に提案されていったのである。沖縄戦当時、飛行場建設の周辺の字に建設され始め、日本軍の移動や陣地構築によって山稜地域周辺に移動した日本軍「慰安所」は制度として温存され続け、今度は、米軍のための「特設慰安所」として、民政府と占領軍との話し合いにより、その具体的な施設が各々の収容地区に建てられるようになった。

もちろん、強かんに対する恐怖は沖縄に限ったものではない。しかし、沖縄の「収容所」で住民側から、住民と米軍との接触を強く避けようとする動きや、米軍のための「慰安所」設置の要求が再び浮上している点は重要である。それは単なる「恐怖」ではなく、実在している混血児や強かん事件などの「解決策」として、日本軍の「慰安所」システムと同様のものであった。米軍「収容所」は、戦中と戦後が重なる場所であった。沖縄は、五二年に日本から制度的に分離されるが、日本軍占領によってもたらされた制度としての日本軍「慰安所」は、再び米軍占領期にも受け継がれていくのである。

軍事占領下に「女性」の身に起こる暴力、それは確かに軍隊そのものが持つ暴力として捉えることができるだろうが、日本軍による占領と米軍の占領という二つの占領を経験した沖縄における「慰安所」

の歩みは、かかる意味で軍隊が村の生活空間を変容させて行き、それに対して住民側が、それを受け入れることによって、自らが「共犯」の場に立たされた記憶であるといえよう。そして、「スパイ視される＝裏切られる」体験と、米軍による「強かん恐怖」の両方が重なる、米軍基地下の沖縄にあって、かつて朝鮮から「慰安所」に入れられた女性たちに対する「記憶」は、常に想起されている。

註

（1）『沖縄新報』一九四五年、一月二七日（琉球政府編『沖縄県史第2巻（各論編1）―政治』琉球政府、一九七〇年、六三九頁から再引用。傍点は原文による。）
（2）浦添市史編集委員会『浦添市史　第一巻（通史編）』浦添市教育委員会、一九八九年、一二九頁。宜野湾市史編集委員会『宜野湾市史　第三巻（資料編2）―市民の戦争体験記録』宜野湾市、一九八二年、一一頁。
（3）「西原村座談会（一九六七年一一月一〇日）」『沖縄県史第9巻（各論編8）――沖縄戦記録1』前掲書、四六二―四六四頁。なお、本章4章―3、第5章―1を参照されたい。
（4）福地曠昭『オキナワ戦の女たち―朝鮮人従軍慰安婦』海風社、一九九二年、六四頁。
（5）林博史『沖縄戦と民衆』大月書店、二〇〇一年、二七九頁。
（6）「日本兵による虐殺（照屋忠次郎、四五歳・本部町伊豆味）」『沖縄県史10（各論編9）――沖縄戦記録2』沖縄教育委員会、一九七四年、沖縄県教育委員会、四九一頁。
（7）「附表第四駐屯地会報事項」『獨立混成第十五聯隊第三大隊本部陣中日誌』（昭和一九年一一月一日〜一一月三〇日）
（8）「首里城の沖縄戦32軍司令部壕（一九九二年六月一七―八月一二日）」『琉球新報』「10・10空襲前夜に宴会」。琉球新報は一九九二年六月七日から八月一二日にかけて「首里城地下の沖縄戦」という連載を企画しているが、住民の壕の生活とその中での視線移動を考える際、有効な資料である。連載題目と掲載番号のみと省略し記入することにする。

(9)「首里城の沖縄戦32軍司令部壕(一九九二年六月一七—八月一二日)」『琉球新報(一九九二年六月—八月一二日)』「一二、暑さ、温気、悪臭との闘い」

(10)福地曠昭『オキナワ戦の女たち—朝鮮人従軍慰安婦』前掲書、一三七頁。

(11)林博史『沖縄戦と民衆』前掲書、六九頁。

(12)『沖縄県史第9巻(各論編8)—沖縄戦記録1』前掲書、四六四頁。

(13)『石兵團會報』第一〇一號、昭和一九年一二月二八日。

(14)沖縄タイムス『鉄の暴風』沖縄タイムス社、二〇〇一年、二九五—二九六頁。

(15)琉球政府『沖縄県史第2巻(各論編1)—政治』前掲書、六四三頁。

(16)山内敏男(一九二九年生、県立三中三年生、名護・大兼久)名護市史聞き取りによる 二〇一〇年。

(17)「戦時中の学生時代(當山悦子・旧姓渡慶次、県立三高等女学校四年生、名護)」『戦時下乃学園記—戦火をくぐって』なごらん二一期生・なごらん同窓会、一九九六年、一三一頁。スパイ容疑で殺された本部小学校の教師は、村人から尊敬されていた本部国民学校校長の照屋忠英であった。(「日本兵による虐殺(照屋忠次郎)」『沖縄県史10(各論編9)——沖縄戦記録2』前掲書、四九二—四九三頁)

(18)「球軍会報四月九日」[「球」は、第32軍の通称]

(19)「私の戦争体験記(内間通子・旧姓大湾、県立三高等女学校四年生、伊江島)」『戦時下乃学園記—戦火をくぐって』前掲書、一二五頁。

(20)「北部で体験した沖縄戦(岸本ミツ・旧姓安里、名護)」『戦時下乃学園記—戦火をくぐって』前掲書、四二八頁。

(21)同前、四三三頁。

(22)比嘉利善(一九二七年生、宇土部隊、喜瀬)名護市史聞き取りによる 二〇〇七年。

(23)「二、戦場の浦添—防衛隊員の戦場体験」『浦添市史第五巻(資料編4)——戦争体験記録』浦添市史編纂委員会編、浦添市教育委員会、一九八四年、五九頁。

(24)「女子救護班をスパイ嫌疑」『浦添市史第五巻(資料編4)—戦争体験記録』前掲書、一九七—一九八頁。

(25) 同前、一九八―一九九頁。
(26) 日本の空襲編集委員会『日本の空襲―九　沖縄』三省堂、一九八一年、二六六頁。
(27) 糸数アブチラガマ整備委員会『糸数アブチラガマ』沖縄県玉城村、一九九五年、四頁、二二―二八頁参照。
(28) 「首里城の沖縄戦32軍司令部壕（一九九二年六月一七―八月一二日）」『琉球新報』「七、スパイのぬれぎぬで―上原トミさん」
(29) 藤原彰「沖縄戦で日本軍は県民を守ったのか」『軍縮問題資料』宇都宮軍縮問題研究所、一九九六年一一月、vol.192、二〇―三一頁。
(30) 『沖縄県史第９巻（各論編８）―沖縄戦記録１』前掲書、一九〇頁。
(31) 『沖縄県史第10巻（各論編９）―沖縄戦記録２』前掲書、七八五頁。
(32) 米軍は伊江島に上陸後、島に残っていた非戦闘員の住民を渡嘉敷に移動させていた。一方、すでに本部半島の今帰仁に疎開していた約三万人の伊江島住民は、久志村の大浦崎に収容されていた。
(33) 「副官の証言」（知念朝睦、元海上挺進第三戦隊副官・元陸軍少尉）『沖縄県史第10巻（各論編９）―沖縄戦記録２』前掲書、七七三―七七四頁。
(34) 『証言資料集成伊江島の戦中・戦後体験記録―イーハッチャー魂で苦難を越えて』伊江島教育委員会、一九九九年、四〇―四一頁。
(35) 我部政男「占領初期の沖縄における政軍関係」『年報政治学１９８９年度　近代化過程における政軍関係』日本政治学会編、岩波書店、一九九〇年、四八―五三頁。
(36) 琉球弧を記録する会『島クトゥバで語る戦世―一〇〇人の記憶』琉球弧を記録する会、二〇〇三年、七三―七四頁。
(37) 『沖縄県史第９巻（各論編８）―沖縄戦記録１』前掲書、一〇六頁。
(38) 『沖縄県史第９巻（各論編８）―沖縄戦記録１』前掲書、二九二頁。
(39) 宜野湾市教育委員会『宜野湾市史第三巻（資料編２）―市民の戦争体験記録』宜野湾市、一九八二年、二一二頁。
(40) 『島クトゥバで語る戦世―一〇〇人の記憶』前掲書、一〇三頁。
(41) 『浦添市史第五巻（資料編４）―戦争体験記録』前掲書、一二八―一二九頁。

(42) 林博史『沖縄戦と民衆』前掲書、一四六頁。
(43)『浦添市史第五巻（資料編4）—戦争体験記録』前掲書、一三一—一三三頁。
(44)「琉球米海軍軍政活動報告一九四六年七月一日」『沖縄県史資料編20——軍政活動報告（和文編）現代4』外間正四郎訳、沖縄県文化振興会公文書管理部史料編纂室、二〇〇五年、五頁。
(45)「沖縄諮詢会会議録（一九四六年二月四日）」『沖縄県史料——沖縄民政府記録1戦後1』沖縄県教育委員会、一九八六年、二七八頁。
(46)「沖縄諮詢会会議録（一九四六年二月四日）」同上、五—六頁。
(47) 外間守善『回想80年　沖縄学への道』沖縄タイムス社、二〇〇七年、七七頁。
(48) 姜仁昌（二〇〇六年調査当時八六歳、二〇一二年永眠）・韓国・慶尚北道英陽、二〇〇六年七月四日、七月五日。洪玧伸による。
(49)「X_1 History, P.3 korean(?)prostitutes」（原文）『沖縄戦後初期占領資料　第82巻』琉米歴史研究会・ワトキンス文書研究会編、一九九四年、九〇頁。本書は、沖縄在留米海軍で軍政府担当将校ワトキンスが収集し、アメリカ・スタンフォード大学フーバー研究所に保管された沖縄戦後初期の米軍政関連資料（「PAPERS of JAMES T. WATKINS IV」）のマイクロフィルムの全てを、原文のまま収録したプリント版（全一〇〇巻）である。原文訳は筆者による。
(50) 宮里悦編『沖縄・女たちの戦後—焼土からの出発』沖縄婦人運動研究会、一九八六年、一七頁。
(51) 名護市史聞き取りによる　二〇〇八年。
(52) 名護市史聞き取りによる　二〇〇九年。
(53) 名護市史聞き取りによる　二〇〇七年。
(54)「心から消えることのない戦争（沖縄県立第三高等女学校一二期・宮里苗）」『戦時下乃学園記—戦火をくぐって』前掲書、四〇九頁。
(55)「本部での戦争体験（仲地文子、一七歳、本部・崎本部）」『沖縄県史第10巻（各論編9）—沖縄戦記録2』前掲書、四六八頁。
(56) 防衛庁防衛研修所戦史室『沖縄方面陸軍作戦』朝雲新聞社、一九六八年、二一五頁。

(57) 宮里真厚『小国民のたたかい乙羽岳燃ゆ』新報出版、一九九五年、一〇五頁。
(58) 目取真俊『沖縄「戦後」ゼロ年』ＮＨＫ出版、二〇〇五年、二八―六五頁参照。
(59)『小国民のたたかい乙羽岳燃ゆ』前掲書、一〇五―一〇六頁。
(60)「今帰仁村の戦時状況（座談会）」『沖縄県史第10巻（各論編９）―沖縄戦記録２』前掲書、五一一頁。
(61) 崎浜良子（旧姓・奥村、一九二八年生、久志小学校高等科二年生、大川・旧久志村）名護市史聞き取りによる　二〇一二年。
(62) 崎浜良子、同前、名護市史聞き取りによる　二〇〇九年。
(63)『沖縄県史10（各論編９）―沖縄戦記録２』前掲書、五一一頁。
(64) 島袋エイ（旧姓・嘉陽、一九二五年生、収容所内「看護婦」、辺野古）名護市史聞き取りによる　二〇一〇年。
(65) 島袋エイ、同前。二〇〇九年一一月一〇日（尹貞玉、洪玧伸）、二〇一〇年三月二三日（浦島悦子、洪玧伸）による。
(66) 新城義輝（一九二七年生、元護郷隊員、羽地・源河）名護市史聞き取りによる　二〇一〇年。
(67) 新城昭子（一九二八年生、区事務員、羽地・源河）名護市史聞き取りによる　二〇一〇年。
(68) 名護市史聞き取りによる　二〇〇七年。
(69) 同前。
(70) 松田ウタ（一九一六年生、三歳児と生まれて一〇〇日ほどの子供を抱えた主婦、羽地・仲尾次）名護市史聞き取りによる　二〇〇七年。
(71) 座覇律子（一九三二年生、戦争孤児、本部・崎本部）二〇〇七年一〇月六日（洪玧伸、古賀徳子）、名護市史聞き取りによる　二〇一〇年。
(72) 新城健三（一九三〇年生、小学生、羽地・我部祖河）名護市史聞き取りによる　二〇〇九年。
(73) 伊野波盛明（一九三一生、高等科一年生、伊豆味）名護市史聞き取りによる　二〇一〇年。
(74) 高江洲徳雄（一九三三年生）比嘉良徳（一九三二年生）仲泊英徳（一九三一年生）、「久志区における伊江島住民の戦中・戦後史」についての座談会、名護市史聞き取りによる　二〇一四年。
(75) 屋嘉美知子（一九二六年生、主婦、伊佐川）名護市史聞き取りによる　二〇一〇年。

（76）長嶺将己（一九二九年生、名護・許田）名護市史聞き取りによる　二〇一〇年。

（77）「A12 23 November—1945 Subject:Report of Military Government Activities from October 1945 c. korean "comfort girls"」（原文）『沖縄戦後初期占領資料　第11巻』前掲書、九〇頁、原文訳は筆者による。

（78）収容所に関する最近の研究として、川平成雄『沖縄空白の一年―一九四五―一九四六年』（吉川弘文館、二〇一一年）をあげられる。本書は既存の「収容所」体験でそれほど語られてこなかった周辺島、「慶良間列島の経済実験」をも視野に入れた分析を行っている。

（79）アーノルド・G・フィッシュ二世『琉球列島の軍政一九四五―一九五〇：沖縄県史　資料集14（和文編）』宮里政玄訳、沖縄県文化振興会、二〇〇二年、二三頁。

（80）「米国海軍軍政活動報告」『沖縄県史資料編20　軍政活動報告（和文編）現代四』前掲書、四九頁。

（81）杉山章子『占領期の医療改革』勁草書房、一九九五年、一三七―一三九頁。

（82）冨田幸子「RAA（特施慰安施設協会）」『ジェンダー視点からみる日韓近現代史』日韓「女性」共同教材編集委員会編、梨の木舎、一八二頁。

（83）ジョン・ダワー『敗北を抱きしめて（上）』三浦陽一、高杉忠明　訳、岩波書店、二〇〇一年、五一六頁。

（84）沖縄県公文書館所蔵資料、資料コードR00000439B　軍占領一般文書、1949年5―5。

（85）Annmaria M. Shimabuku, *Alegal: Biopolitics and the Unintelligibility of Okinawan Life* (New York: Fordham University Press, 2019, p55―59

（86）宮里悦編『沖縄・女たちの戦後―焼土からの出発』沖縄婦人運動研究会、一九八六年、四四‐四七頁。

（87）沖縄県公文書館所蔵資料、資料コードR00000439B　軍占領一般文書、1949年5―5。

（88）宮城晴美「沖縄のアメリカ軍基地と性暴力―アメリカ軍上陸から講和条約発効前の性犯罪の実態を通して」『沖縄の占領と日本の復興』中野敏男外編、青弓社、二〇〇六年、五五頁。

第9章　もう一つの沖縄戦、「喰い延ばし戦」の島・宮古島

「もし方言を言った者には、罰として『方言札』科札、『パイツア』をトガ人として首に掛けます。パイツアを首に掛けられたトガ人は次の違反者を探してタッチする仕組みです。トガ人にはならないように何でも大和口で喋るのに四苦八苦です。たとえば、リンパ線を、方言でインマラダニ。これを大和口で犬のケンタマコウガンと言い、豚のレバーを、豚の心と発音したり実に滑稽な話です。しかもならばボトロ・テラザ・ヤドモリ・ピラザ・アンデリ・オモガイ等はどう発音する。実に困ったもんだ。そこで方言札に便利な規則がありました。どうしても大和口に言えない場合は、『方言で言ったら』と前置きしてから方言を喋る事が許されるとの事です。すると右も左も、方言で言ったらホーゲンターラ、の連発でした。私はトガ人第一号ですから、パイツアを首に掛けて次の犯人を必死になって探しました。」

（傍点は引用者による）

（「男女組と方言札（松川寛吉）」『伊良部小学校創立百十周年記念誌』伊良部小学校創立百十周年記念事業期成会、一九九七年、六八頁。）

この小学校時代の思い出話は、一九四〇年代前半、沖縄の方言の中でも特に個性が強い宮古島の伊良《いら》部《ぶ》国民学校での経験である[1]。当時、沖縄全島は、標準語奨励が着実に浸透し、「何時でも何処でも標準語」「三

っ子の時から標準語」「夢でも忘れるな標準語」「日本語これぞ未来の世界語だ」という標語が、教室や廊下、中庭、そして、便所の前の木にまで掲げられていた。この状況において、思い出話の中で「違反者」とは、いうまでもなく〝異質な言葉〟を喋る人間である。「国語」という均質な言葉の領域に入りきれない瞬間、子どもは「トガ人」になる。

ここで注目したいのは、自分の身体化された言葉で語れるうれしさ、それは「方言でいえば」と前置きをしてから、はじめて獲得できた「ホッとする瞬間」である。このような「ホッとする瞬間」の記憶、つまり、当たり前の日常を語らずには成立しえないという点である。

「集団自決」の証言や「慰安婦」の証言は、悲惨な戦場の風景、自分の身に下された被害の大きさの描写や、想像を絶する血まみれの空間からでないと、届かないのだろうか。戦場という日常の中での笑い、それでも生き続ける人々の思いや必死さ、忘れたいものは忘れておきたいという小さなため息からは伝えられないのだろうか。

このような問題認識から、最後に、沖縄戦の中でも最も「異質」な体験に注目したい。沖縄戦といえば、「日本の中で唯一の地上戦」として知られ、かつ、「集団自決」の問題で明らかであるように「守るべき軍隊」により、むしろ「死」を強制され、「守ってくれる友軍が最も怖かった」との言説で知られている。しかし、地上戦こそなかったものの、一人の人間として死の恐怖と隣合せの、「もう一つの沖縄戦」が存在する。それが、本島以外の島々、宮古島における戦争である。

宮古島には米軍の上陸はなく、「集団自決」もなかった。沖縄本島とは異なり、軍民とも戦後も収容所に捕虜として送られることもなかった。この島は「飢餓」の島であった。そして、この「飢餓」の別名は、「孤立」であった。宮古島における沖縄戦の記憶は、激しい空襲、そしてその空襲がもたらした孤立を抜きにしては語ることができない。一九四六年、沖縄民政府の調査団が南西諸島全域の行政一元のために調査した「宮古島概況」によると「空襲ニ依ル死亡一三九人、負傷者九〇人」。一九四五年一二月に創刊した「みやこ新報」は、創刊直後の五日付の新聞において宮古島の中心地、平良《ひらら》に限っても空襲による「家屋の焼失・半潰《ママ》三万六四六〇坪」と書いている。空襲はこれらの直接な空襲による被害以外にも補給路を断ち、マラリアや栄養失調による死をもたらした。平和の礎に刻銘された三二七二人のほとんどは空襲の直接的被害よりもこうしたマラリアや栄養失調による死であると見てよい[2]。飛行場建設に伴い三万名以上の日本兵が上陸した宮古島は、その上陸から一年足らずの一九四五年三月から補給が途絶えた孤立した島となった。そして、沖縄戦終結以降も、武器解除を行った兵士がそのまま島に残存し、復員を待つ。武器のない兵士が生き延びるために、「自活作戦」と名付けた異質な作戦を展開する。宮古島における「日本軍」が島を去ったのは、一九四六年二月であった[3]。この間、島に存在した「慰安所」は、住民にとってどのようなものであったのだろうか。

宮古島における「慰安所」は次のような三つの特徴がある。第一、宮古島における全島要塞化により、島全体に「慰安所」が分布している点。第二、島の自然環境により、「慰安所」を村はずれや、人目の触れないところに隠すことが出来ず、「慰安婦」はむしろ住民と生活空間を共有する存在であった点。第三、日本軍が、演芸会などを用いてその場に「慰安婦」を公開していた点である。そのほとんどが朝鮮人「慰安婦」であった。

このことは、二〇〇六年から始まり、二〇〇七年から本格的に行われた筆者を含む「韓国・沖縄・日本『慰安婦』問題共同調査団（以下：共同調査団）」の調査結果により明らかになった。

最後に既存の沖縄戦研究や、「慰安所」調査のなかでそれほど語られてこなかった、宮古島における「異質な沖縄戦」を、住民と「慰安婦」との関係性を通して述べたい。

1．沖縄・宮古島における要塞化と「慰安婦」とされた女たち

宮古島は、山といえば標高一一〇メートルの野原岳《のばるだけ》が島の中央にあり、小さい丘が数カ所並んでいる三角形の平らな島である。本書で強調してきたことだが、日本軍の視点で沖縄作戦を伝える『沖縄・台湾・硫黄島方面陸軍航空作戦』に書かれているように、沖縄作戦の最大の特色は、「航空特攻戦法」(4)であった。宮古島も例外ではない。渡辺軍司令官をはじめとする第32軍の首脳たちが宮古島を視察し、その結果、平坦な地形は飛行場建設を伴う航空基地に適していると判断された。(5)宮古島の面積は、沖縄本島の八分の一程度に過ぎないが、その中に三つの大きい飛行場と六本の滑走路をもつ航空基地建設による全島要塞化が始まった。

大本営直轄作戦軍であった第32軍が編成されたのは一九四四年三月であるが、その二ヶ月後の五月から本格的な要塞化が始まった。宮古島駐屯先島守備隊は、固有の部隊編成ではなく、戦闘がしやすいように部隊を組み合わせた「先島集団」として戦闘を担った。「先島集団」の独立混成第45旅団（旅団長：宮崎武之少将）は、その主力を宮古島地区へ、そして45旅団の一部を石垣地区へ派遣している。中でも満州から宮古島に移動してきた第28師団は日清・日露の戦歴を持つ部隊で当時としては日本陸軍の精鋭師団の一つとして数えられていた部隊であった。(6)石垣を含む先島群島所在兵力、即ち「先島集団」は、この第28師団（第28師団長、納見敏郎中将）の指揮下に置かれた。第28師団に与えられた任務は、「一部ヲ以テ西表《いりおもて》島及石垣《いしがき》島主力ヲ以テ宮古島地区ノ防衛ニ任スルト共ニ宮古島及石垣ノ航空作戦準備ヲ継承セシメ且所在航空部隊ヲ援助スヘシ」であった。西表島、石垣島、そして宮古島における作戦の展開は、

連動していたと言える。[7]［第2章参照］

一九四四年五月八日、飛行場関連部隊である第２０５飛行場大隊が宮古島に上陸して以来、航空作戦を維持、防衛するために配備された第28師団主力まで、次々上陸する日本兵で島にはカーキ色が氾濫していた。わずか一年ほどで宮古島の住民五万二〇〇〇人は、三万の兵士と向き合うことになった。[8]

日本軍は、陣地構築や軍備施設の早期拡張のために住民の協力を絶対的に必要としていた。沖縄本島と同様、不足する兵士の数を現地召集・防衛召集で穴埋めするため、かつて軍隊と接触した経験がほとんどない住民を総動員した。「先島集団」の独立混成第45旅団長は六月二三日宮古島に到着し、島の中心であった平良町西里の織物工場の事務所に司令部を開設した。また第28師団の師団長は、七月七日に到着、西里の県立女学校に司令部をあて作戦準備に取りかかった。[9] 秋から四五年二月まで「先島集団」は、島の中央に位置する唯一の高地であった野原岳（中地区）に集団司令部を移転し、その他に北地区、中南地区、東地区の四地区および海軍担当の海岸地区に区分して作戦を担った。これにより、「島民は各地区隊に収容して、戦争に参加する」[10] ような状況となった。そして、先生と呼ばれていた島の有力者たちは、直ちに軍にとって宮古島の住民が、「友」であることを説明する立場におかれた。

「先生は宮古に来られてから何十年になりますか」と、聞かれた。

「私は宮古の者ですよ」と、答えると、

「違うでしょう」と言う。

「いや、本当ですよ」と問答しているうちに、

兵隊の一人が「先生、土人は何処に居ますか[11]」

軍に協力する住民を「土人」「地方人」「チャンコロ」と呼ばないでほしい。

かつて軍隊との接触がなかった住民たちに、「守るために来た軍隊が、守る対象となる宮古のことについて、まるで知識がない」[12]ことを暴露したのが、これらの呼称であった。そして、島の有力者たちは、まずは「正しく知ってもらおう」と、酒や料理、演芸会を軍のために用意した。伊良部島の部落会長も、日本軍が住民を「野蛮人ぐらい」に扱い、「子どもは普通語もできないと非常に馬鹿にして」いるように思えたため、学芸会を催して認識をあらためさせている。[13]

砂川《すながわ》国民学校の教員、下地馨は駐屯した日本軍が「まるで外国にでも来たかのように」振舞ったと回想している。特に、部隊長や将校の態度に驚いた。国民学校のうしろに防空壕を掘りながら、「沖縄人は普通語がわかるか」「沖縄人は何人種か、支那人の子孫か」などと言う兵隊の誤解を解くため、歓迎会に招待している。彼は、部隊長の梶少佐をはじめとする将校十名ほどを家に招待し、酒やサカナを出して歓迎会をひらき誤解を解こうとしたのである。沖縄県の言語や民俗、本土との歴史的な関係などを説明すると、「びっくりしたような顔」の少佐から「准士官以上を全員集めるからそこで改めてあんたの研究したものをはなしてくれ」と頼まれた。そしてこの教員は、役場に集められた三〇人余の将校たちに向かって、ガリ版のプリントを配りながら必死で説明を行っている。本土と沖縄が同一民族であることを『古事記』の記述や『万葉集』等を引用し、宮古方言と結びつけて、「いかに沖縄県を正しく知ってもらうか一生懸命」だったのである。歓迎の意味をこめて「学芸会」を開き、軍と学校の合同演芸会の形式などで軍隊との関係改善に努めた。[14]

学校が師団本部や陸軍病院として接収され、住民の生活基盤であった土地も陣地や飛行場などのために接収され、住民の労働力の提供も強く求められる中で、これらの演芸会は開かれた。

しかし、こうした努力の結果、たとえ「土人」「地方人」という呼称が変ったとしても、それが即ち、「守るべき日本人」の領域へ住民たちの参入を意味するわけではなかった。

住民たちには、自らが「日本人」であるということを説明しなければならないという切迫感があった。「土人」「地方人」という呼称が改まったとしても、それが即ち、「守るべき日本人」の領域へ住民たちが入ることを意味するわけではなかった。それにもかかわらず、言葉を通じ、学芸会を通じ、説明し続けた。自らが「日本人」であるということを言葉でもって説明しなければならない切迫感、その張りつめた「空間」のようなものと同時に考えなければ読み解けない、何かが働いているからである。目に見えないかたちで身体に緊張感をもたらす軍律、規範、そうしたものを読み解く必要があると考える。そこで、本稿では、辞書的な言葉の意味には語り切れないこうした言葉の領域を、「意味空間」という語で呼ぶことにする。

既存の生活空間の感覚的な「生」の経験は、たとえ島が要塞化されたとしても、決して「死」の領域に溶解されるものではない。そもそも異なる「意味空間」の臨界を、軍が、いかにして溶解しようとしたのかに注目する必要があろう。沖縄戦における日本軍の「住民スパイ視」は、この臨界を埋める装置を考えるうえで、きわめて重要な糸口である。

我部政男は、一九四四年当時、沖縄で軍司令官が訴える「玉砕」の捉え方は、軍人と民間人との間で、大きな相違があったと指摘する。我部は第32軍編成時の三月、最初の司令官渡辺正夫中将が各地の講演会で言った「玉砕」は、「必勝不敗の信念と矛盾拮抗する概念ではなく、純粋に結合する概念」として捉えられていた可能性が高いと指摘する。(15) そして、軍が住民との接触や交渉の可能性のために考えた「防衛隊」の存在に注目する。「信用できない住民を戦力化して活用しなければならない軍部は、軍事機密のもれることを極力警戒しつつ、住民の協力を引き出そうとした」のであり、「そのために起きた軍と住民との摩擦が『スパイ嫌疑』であったと指摘する。[16] 乱暴に言えば、殺されるために動員されたわけではない住民が、軍の「玉砕」に抱く不安感、動揺、それを押さえるために、「スパイ嫌疑」という最も強烈な暴力の装置が動員されたのであり、その中に協力の主体でありかつ監視者でもある「防衛隊」が必要となった。この場合、「スパイ」とは軍と住民の「意味空間」の違いをもっとも顕著に曝露する一つの亀裂のようなものであった。

では、すくなくともスパイ視による死はなかったとされる宮古で、この「意味空間」の違いはどこで顕著に見えるのだろうか。私は、それは他ならない軍が用意した「演芸会」の場で現れていると考えている。住民の多くが朝鮮人「慰安婦」をみたのもまた、その「演芸会」であった。ならば、米軍上陸のない島においての「スパイ嫌疑」ないしは、「意味空間」の変化はどのようなものであったのだろうか。

宮古島では、五月に航空基地の着工が始まり、さっそく「慰安所」が建てられていった。

米軍の上陸を想定していた第32軍は、一〇万人の兵士のうち三万人もの兵士を宮古島に送りこんでいる。第32軍指揮下のほとんどの兵種の部隊が駐屯した。

そして一三〇カ所といわれる沖縄の「慰安所」の中で、一割を上回る一七カ所の「慰安所」が宮古島で確認されている（二〇一五年現在）[17]〔図I参照〕。日本軍が建てたバラック（〔宮原《みやはら》＝山北《やまきた》〕・地盛《じもり》・比嘉《ひが》・下北《しもきた》・千代田《ちよだ》・野原《のばる》・下里《しもざと》）茅葺小屋（豊原《とよはら》）と赤瓦の家（花切《はなきり》・盛加《もりか》・福山《ふくやま》）、民家（西仲宗根《にしなかそね》・宮原《みやはら》・野原越《のばるごし》・国仲《くになか》・仲地《なかち》）、が「慰安所」として使われた。地盛と比嘉には何もない野原にバラック二、三棟が同時に建てられた。豊原には兵舎にされた国民学校の中に軍が〝かや〟でつくった小屋の「慰安所」を建て、「ふんどしだけ身につけ、手には印の押された白い紙を持って並んでいる兵隊」を住民が目撃している。このようにバラックで建てた「慰安所」のほとんどが陣地に続く道端や、集落の近くに存在し、宮古島に

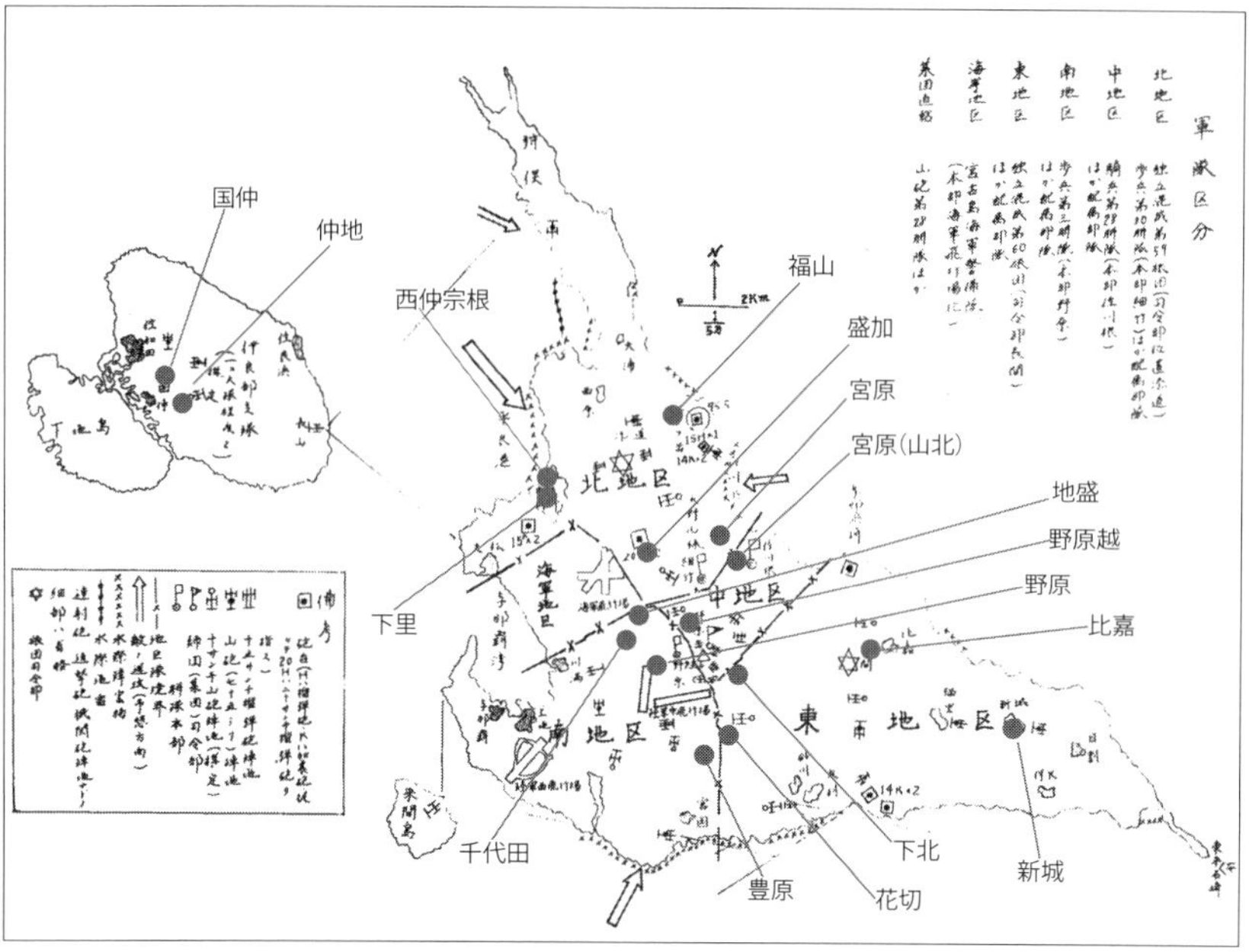

図Ⅰ　宮古島の日本軍「慰安所」マップ（2015 年現在調査）
出典・瀬名波栄『先島群島作戦（宮古編）』先島戦記刊行会、1975 年
●「慰安所」の場所　「慰安所」位置作成：洪玧伸・上里清美

おける「慰安所」は、人目を気にせずに建てたことが分かる。また、日本人「慰安婦」と朝鮮人「慰安婦」の「慰安所」が隣り合って存在した下里、台湾の女性たちがいた福山《ふくやま》の大野越《おおのごし》を除く全ての「慰安所」が、朝鮮人「慰安婦」が入れられた「慰安所」だった。[18]「島民は各地区隊に収容して、戦争に参加する」[19]状況で、住民は一九四四年から一九四五年にかけて「慰安所」までの道案内、軍の「慰安所」建設の手伝い、「慰安所」として家を接収されたなどの証言をしている。また、直接「慰安所」とは関係を持たなくとも平坦な島において日本軍は、航空基地建設に総動員された住民の目の届かないところに「慰安所」を置くことはできなかったのである。では、具体的に「慰安所」を持ち込んだ日本の軍隊と住民とはどのよ

うな関係を持っていたのか。戦況が激しくなるにつれ「孤立」していた宮古島で住民は「慰安婦」ないしはそういったシステムを持ち込んだ軍隊をどのように見ていたのだろうか。

宮古島での軍と住民、住民と「慰安婦」の関係性は、要塞でありながら生活空間を共有するという特徴を持っている。全島平坦な宮古島の自然状況で、「慰安所」を山中に置くことはそもそも不可能であった。したがって宮古島における一七カ所の「慰安所」は、街中や陣地の近くの野原に建てられている。民家を接収する場合も多く、住民の目を避けることはできなかった。

さらに、当時の宮古島は太平洋に囲まれていながらも、飲み水には恵まれない島だった。宮古島における平坦さや水が貴重である状況は、軍にとって、「防諜」困難な問題とも言える。宮古島では軍と住民、そして「慰安婦」が完全にお互いの目を避けることが出来ず、かつ水という生活空間を共有せざるを得なかったのである。

宮古島で住民と「慰安婦」の関係は、公然と知られただけでなく、軍自らが「軍・官・民」一体の演芸会などの行事で「慰安婦」を積極的に見せているという特徴があった。演芸会とは、住民側が軍に自らを理解してほしいと用意された場合もあったが、軍主催の行事とは、やはり、その「意味空間」が異なる。軍の行事における「軍・官・民」一体の戦意高揚感が戦場に結び付いているとしたら、住民側のそれは、生きるために用意されているからである。以下、宮古島における日本軍が開催した紀元節、陸軍記念日、明治節などの記念日に注目しよう。

2. 明治節で響く「アリラン」と「アパラギー、ミドゥン」

一九四四年八月、満州で宮古島主力部隊の第28師団に編入され宮古島に向かった下士官、龍沼梅光に、連隊長はまず「スパイ」に関する厳重な注意を呼びかけた。宮古島における駐屯回想録で、龍沼は、「難しい話になる」と「標準語を使わず、琉球独得の方言を使いだす」住民は、兵隊同士の方言とは違って「まったく分からない」ため、「日本兵にとって煙にまこうとしているようで実に不快なもの」と書き残している。「敵の防諜機関に、このような軍民不一致の実態を知らされれば、敵は間髪を入れず上陸して来る」[20]という懸念があったためだった。しかし、「スパイ」に関する警告を受けて派遣された龍沼の部隊は「スパイ狩り」ではなく、中飛行場の建設から一ヶ月後の「明治節（旧制の四大節の一つ、一一月三日。明治天皇の誕生日）」で活躍している。

本部からの通達に応じ、各部隊が「軍の士気高揚」のための催しに参加するように命じられた。娯楽施設のない島で、地区隊本部が兵士の「慰安」のために準備したものであった。龍沼の部隊でも早速、曹長が責任者となり二五分間以内の演芸を準備するため演芸団を組織している。そして、これらの「記憶」を書き残している龍沼自身、この「演芸」の脚本を読むナレーターであった。兵隊は陣地構築作業で疲れ切っていたが、「軍隊というところはたとえ芝居でも一位にならなくてはいけない」と、夕方になると野原の山へ出かけ必死で特訓を重ねた。そして、当部隊は、明治節での演芸会で中隊長をはじめとする全員を喜ばせることに成功。堂々一位に選ばれたのである。[21]一九四四年一一月三日の出来事であった。

宮古島ではこの明治節に向けて、もう一つの動きがあった。宮古島は、宮古島・伊良部《いらぶ》島・下地《しもじ》島・池間《いけま》島・大神《おおがみ》島・来間《くりま》島・多良間《たらま》島・水納《みんな》島の八つの島々からなり、「宮古群島」とも称される。明治節の数日前から離島の校長たちは船に乗って、宮古島まで「御真影」を運びはじめた。[22]野原の司令部の近くに「御真影奉遷所」という洞窟が設置され、各学校などにあった御真影や教育勅語を集め、収める「御奉遷」が無事完了したのが、明治節前夜であった。警戒警報がかかると「御真影をだいて、暗い井戸に入り」守っていたという多良間国民学校の校長藤村市政は、この日、橋正丸という三〇トンほどの船で島から宮古本島に着くまで、船長室でひざまづき、護持していたと振り返る。[23]

野原移転と同時に、激しくなる戦火から御真影を守るため当番制が設けられ、校長たちの新たな日常が始まったのも明治節の前夜からである。当番制は朝から夕方までと夕方から翌朝まで、各一二時間の二交替制で、夜は洞窟のなかでローソクをつけたり、焚き火をして寒さをしのぎ、寝泊りした。離島では空襲により物理的に当番が出来なくなる時期まで、夜、船に乗って野原に行き、翌日の夕方に交替して帰る一昼夜の当番が続いた。学校の校長として、御真影は自分の命より大切にしなければならない時代であった。空襲の中でも続いたこの当番制は、当時の〝優秀な校長〟の日常であった。城辺《ぐすくべ》国民学校校長の下地馨は、一九四四年一一月三日の明治節に「遥拝式挙行」があり、部隊の演芸会が開かれたことを日記に記している。この日記は、宮古島における日本軍の駐屯から終戦まで日々の出来事を簡略に記録したもので、これによって「軍・官・民」演芸会がたびたび行われたことも知ることができる。一九四五年一月二日は、戦車隊の演芸会に国民学校からも出演しており、二月一一日の紀元節でも、明治節と同様「紀元節遥拝式」が行われ、やはり演芸会が開かれていた。[24]

軍が主催した「笑いの場」の記憶は、住民側の「記憶」と重なり合う。「御真影奉遷所」と軍の司令部があった野原には、「明治節」だけでなく「陸軍記念日」における盛大な演芸会を「記憶」する住民が少なくない。そしてその中に、沖縄本島では決して見られない「アリラン」の記憶があった。当時小学校二年生だった仲里キミ（一九三五年生）は、野原越の近くにあった「慰安所」の女性たちと接しながら歌を覚えた。演芸会で「アリラン」の歌を歌った女性たちを、以下のように「記憶」している。

「その家（慰安所―記録者による）に朝早く行って、玄関に隠れていた。『子供はあっち行って遊びなさい』というからね。当時は『朝鮮ピー』という言葉しか分からないさ。『慰安婦』だとか何も分からないで、野原越に井戸（カー）があってそこに良く来ていた、『朝鮮ピー』たちが私をとっても可愛がってくれたよ。当時はこんな言葉しか分からないさ。その時は。何をしている人かは分からないよ。私のことをとっても可愛がってくれた。私は特別、歌が好きだったから。お父さんと一緒に兵隊の慰問に行って、兵隊の慰問の時に踊ったりもした。慰問のために遠いところまで行ったけど、何処だったのかは分からないよ。ただそこにとても綺麗なお姉さんたちが慰問で踊っていた。とても綺麗だったよ。

アリランの歌を
アリラン、アリラン、アラリオ
アリラン コオゲルウル ノモガンダ（峠を越えて行く）
私を捨てて行く人は、一里も行かずに足が痛む。
ヘイヘイヨ、ヘイヘイヨ。と、こんな調子で歌っていた」[25]

「軍・官・民」一体の場で、「アリラン」を歌う女性たちは、必ずしも「可哀相な存在」とは見られていない。要塞化の真最中に日本軍が行っていた「演芸会」の場で見られた「慰安婦」は、「アパラギー（美しい：会話で強調する際にはアッパラギーともいわれる）」と記憶される「朝鮮ピー」でもあったのだ。また「アリラン」の歌を覚えている住民も少なくない。野原の人々は、軍主催の演芸会の時からアリランの歌を覚えるようになった。与那覇博敏（一九三三年生）は、演芸会を見に集まった大人の間をくぐり抜けて「慰安婦」をみた記憶を、次のように語る。

「『アリラン』『アリラン アラリヨ』という歌があるでしょう。意味も分からないけど、その歌、僕たちもその歌を覚えている。軍旗祭か陸軍記念日で芝居をやったけど、そこで慰安婦たちが『アリラン』の歌を歌っていたから。陸軍記念日、たぶん、陸軍記念日だったと思う。三月か、五月頃だと思う（陸軍記念日は三月一〇日＝記録者による）。ほとんど軍隊中心だったと思う。そのような催しは芝居とか演劇会みたいなものだった。その演劇のなかでここの（「慰安所」の）ネーネ（お姉さん）たちが、アリランの歌を歌っていた。野原の人は、その時からアリランの歌を覚えるようになったと思う。あまりにきれいな音だったから私も覚えた。（中略）もちろん、私は慰安婦たちが出た演芸会だけ最後まで見たわけではなく、たまたまその部分だけ見ただけ。だって、向こうは江戸相撲でしょう。銃剣術大会も見せているし。六年生の夏に戦争は終わっていたから。当時私は小学校五年生で、大人の間をくぐり抜けて近くで見ていた。ほとんど兵隊ばかり騒いだだけどね。[26]」

住民は「朝鮮ピー」と呼ばれる女性を見かけたケースが多く、特に「アリラン」の歌が「陸軍記念日」の芝居で歌われたことを証言している。城辺《ぐすくべ》の下北《しもきた》の「慰安所」のことを話した証言者は、演芸会で日本兵と一緒に、今でいうデュエットのように「アリラン」を歌う綺麗な「朝鮮ピー」を見たという。[27] 飛行場建設と共に「慰安方法」の工夫として設置された「慰安所」に入れられた女性たちは、軍の士気高揚ばかりでなく、「軍・官・民」一体の「演芸会」で舞台に立たされ、綺麗な女性と見られていたのである。

伊江島や沖縄本島での「慰安所」建設に直接かかわった要塞建築勤務第6中隊の『陣中日誌』は、米軍に押収されたものが数多く残っている。しかし、日本軍自らが武装解除を行い降伏した宮古島の場合、武装解除を行うまでの期間に『陣中日誌』のほとんどを焼却した。宮古島における駐屯軍の記録はもっぱら「戦後」の記録である。従って、本土の要塞建築第6中隊と同じ任務で宮古島に派遣された要塞建築勤務第8中隊の記録は存在しない。ただ、要塞建築勤務第8中隊の元兵士も演芸会に登場した「慰安婦」のことを「記憶」している。要塞建築勤労第8中隊の陸軍伍長だった野口退蔵は、「携帯兵器」と呼ばれていた「慰安婦」が男装をして、師団演芸会に出演したことに驚いた。市内の映画館を貸し切りにして「演芸会」を開いていたということを記憶している[28]。

写真1　住民は明治節、軍旗祭、陸軍記念日などで「アリラン」の歌を歌わされた「慰安婦」のことを覚えている。写真は、明治節（11月3日）の江戸相撲の様子。［出典『先島諸島作戦（宮古島編）』先島戦記刊行会・1975年］

ここで重要なのは、「演芸会」での「慰安婦」の姿が、美しいという形容詞を伴う「朝鮮ピー」という呼称で語られること、あるいは兵隊には「携帯兵器」と呼ばれ、「兵隊の風紀を辛うじて支えている身を献じての悲しい愛情[29]」物語として語られることではない。最も重要なのは呼称や価値判断が、完全に「見る」「見られる」関係性の上に形成されていたことにある。そういう関係性を共有した場が、「演芸会」という軍の主催する「公」の場であった。朝鮮語の「アリラン」の歌の響きは、「公」の場で日本語の司会者によって進行され、方言が交わる「笑いの場」で共有された。あくまでも「軍・官・民」一体で、かつ「自由」に見られる「笑いの場」でのことであった。この「自由」の場において、住民は日本軍に「携帯兵器」と呼ばれていた女性に出会ったのである。そして、かつて「土人」「地方人」「チャンコロ」と呼ばないでほしいと演芸会を用意した住民、つまり「見られる」人々は、今度は「朝鮮ピー」「台湾ピー」という呼称で、「アパラギー（美しい）女」を見つめたのである。住民にとっても兵隊にとっても、「慰安婦」という存在は、依然として他者であった。

3．宮古島における「捨石作戦」と「慰安所」

軍が持ち込んだ「慰安所」は、どのように見られ、そこに住んでいた「慰安婦」に対する眼差しはどのように変化していったのだろうか。

宮古島に一四〇〇名の防衛隊が結成されたのは、一九四五年二月、先島集団司令部が野原越《のばるごし》に移動した時であった。一九四五年二月、軍は、既に現地調査の時点から把握していた「各方面から上陸可能で攻め易く守り難い」宮古島の状況を改めて認識し、「本土の航空燃料を涸渇させる目的で南西諸島攻略のため米軍が指向する攻撃重点」、即ち本土防衛のための戦略変更に挑んだ。[30] サイパン戦の教訓や激しくなる一方の戦時状況から、軍は宮古島への友軍の協力は期待できないことを熟知していたので、各方面から上陸可能なこの島全体の持久戦は難しいとの判断を下した。そして、敵の上陸を防ぐためには、米軍上陸予定地である湾の近くを「有力ナル部隊ヲ以テ水際ヲ強固ニ占領」することとし、島の南地区と北地区を防衛の中心に置く「水際戦闘」作戦に変更した。持久戦は中飛行場が近い野原岳《のばるだけ》を中心に進めることとし、野原岳の近くの野原越に集団司令部を移動した。[31]「水際戦闘」作戦とは、軍隊が住民の安全より時間稼ぎのための戦術を最優先したことを暴露した、宮古島における「捨石作戦」であった。

これらの作戦は、野原岳に「御真影」が移動され、明治節における盛大な演芸会が行われた一九四四年末には既に決まっていた。そして実際、集団司令部が移動した一九四五年二月、南地区と北地区にそれぞれ七〇〇名の防衛隊が派遣された。[32]サイパン作戦失敗による衝撃で沖縄県全体が、米軍上陸の恐怖に包まれている中、「実質的には戦闘、警戒、陣地構築、後方勤務などの任務に当たらせた組織としていわゆる義勇隊である防衛隊」が結成されたのである。[33]

そして、集団司令部は移動に先立って「慰安所」を計画したと見られる。宮古島における「慰安所」は司令部が位置した野原岳を中心に日本軍が駐屯した各地区に分布している。特に、軍の移動した南地区、北地区の多くの住民が「慰安所」の建設について証言している。一九四四年に連れてこられた「朝鮮ピー」と呼ばれた佳村文子（創氏名）は、一九四四年一二月一〇日、韓国の大田から日本本土で女職工として働けると騙されて宮古島に連れてこられた。同じく女職工になろうと応募した三〇名の女性たちと釜山に着き、下関を経て鹿児島から出港したところ米軍の空襲に遭い、そのうち一五名が死亡している。佳村文子をはじめ生き残った女性たちは、日本軍の将校に引き渡された。[34]

野原には、演芸会が開かれた一九四四年末から二月にかけて、「慰安所」が建てられた。その建設に現地召集された住民や、その地域の「カー（井戸）」を共有していた人々によって目撃されている。

陸軍病院にマラリア患者があふれ、医薬品も欠乏している状況の中、軍医部は、平良市西里で歯科医院を開業していた池村恒正（当時三一歳）を台湾に送った。衛生関連部隊の資料には「戦況急変のため、準備不足のまま宮古島に転進、更にその後の補給意に委せず、医療品、衛生材料にこと欠き、特にマラリア防遏に必要な塩類、硫規、アテブリン、殺虫剤などの不足著しく、風土病の予防対策は困難を極め、衛生状況の悪化は避けられなかった」との記録が残っている。[35] 台湾に送られた池村は、軍に頼まれた物資を購入し、キールン港から宮古島に戻る途中、朝鮮人「慰安婦」五三人と同じ船に乗っている。そして、自らが米軍の空襲により死にかけた際に「慰安婦」の死を目撃している。

「最初の銃撃で十数名慰安婦たちがたおれました。甲板の上には逃げおくれた女の人たちがなきわめいているのです。第一波の攻撃がすんだかと思うとくりかえしおそいかかって来るのです。どうしたら命が助かるかと水タンクに腰をおしつけてふるえている私の右側に二人、左側には一人、朝鮮の女性がふるえて見動《ママ》きできないでいるのです。三回目の銃撃の時、ロケット発射と同時に破片らしきものが私の上衣のボタンを砕き左手にいた女性の胸部を貫くのです。ふりむく間もないあっと云う間の出来事で、ほとんど即死です。発射されたロケット弾が、機関部に命中したらしく、黒煙が上がりました。それでも飛行機は去りません。このまま船上にいては、船もろとも沈められてしまうと、甲板をかけ出しました。（中略）船はアンカーをおろしていたのでそのロープの方へたどりつき、それにすがりながら飛行機の来る方向から体をかくしました。だれかが先にイカダを海へ落していたらしくそれにすがりつく慰安婦たちが片方だけにすがりついたため、いかだが転覆し、アイゴー、アイゴーと叫びながらおぼれていくのです。六回襲いかかったのち攻撃が遠のいたと思います。（中略）ひざくらいの所を必死に泳いでいたのです。助かったと思うと、涙がボロボロこぼれて来ました。（中略）生き残った朝鮮の女性は七名だけでした。この人たちは好き好んでイアンピーになったわけではない。日本の強権でつれてこられた人たちだったのです。[36]」

一九四四年末、九死に一生を得て生き残った池村は五三人のうち七人の朝鮮人「慰安婦」生存者をつれて伊良部島を経て、宮古島に着いた。そして、着のみ着のまま野原越の師団管理部へ連れて行った。池村恒正が記憶している「慰安所」だけでも、沖縄食料会社の西隣、西里、野原越の三カ所ある。そのうち、垣花恵栄宅に置かれていた野原越の管理部に「慰安婦」を渡している。「兵隊の性欲と云うのはそんなに強いものだろうか」(37)。連日、列をなして順番を待つ兵士に対する池村の言葉には、「アリラン」の歌を演芸会で歌う「自由」な「慰安婦」の存在はない。池村が、野原越の師団管理部に渡した七人の朝鮮人「慰安婦」のことは、この女性たちと生活空間を共有した住民たちの証言を通してみることができる。

久貝吉子（一九二七年生）は卒業の直前、三月に軍への徴用という形で師団部の獣医部に動員された。将校は「慰安所」には行かずに「サカナヤー」(38)に行ったのを見ている。久貝自身、軍と共に野原越に移動したため、一九四五年野原越で朝鮮人「慰安婦」を目撃している。父親は、宮古では大きな料亭をやっていてそこで働く女性たちを小さいときからよく知っていた。貧しい家で育った女性たちであった。そのような環境で育ったため、貧困や差別には敏感だった。日曜日などは腕に外出許可のマークをつけた兵士たちが「慰安所」にゾロゾロとやってきて、列を作っていた。「もう我慢できない。兵隊が並ぶのを見て、嫌なんていうもんじゃないよ。私を助けて！と叫びたい気持ちだった」という(39)。

与那覇博敏（一九三三年生）は、野原に連れてこられた朝鮮人「慰安婦」のなかで五、六人を顔まで覚えるほど近くに住んでいた。

「私のことを『兄《にー》ちゃん』とか『お坊ちゃん』と呼んでいて『クース』を好んだ。『クースを「唐辛子」だというんだな』と、その時はじめて唐辛子という単語が分かったよ。五―六本（もらって）あげた覚えがある。女たちは『ツガガー』という井戸に洗濯しに行ったり来たりしたから良く見かけていた。この道を通っていたからね。（中略）芝生ではなかったし今みたいに後ろが野原ではなく、木がたくさん植えてあって、洗濯物の帰り道でいつもそこで一休みしていた。休んでいるうちにもしょっちゅう軍馬と兵隊たちが通り過ぎて行った。通りすぎた兵隊さんたちが声をかけたりもしたけど、女性たちは楽しげにというよりは、何だか面倒のような表情だったように覚えている。いつもここで休んでいたけど、たぶん、戻ってお仕事しなければいけないから休んだのではないかね。必ず二人か三人のグループで廻っていたからね。僕の実家はすぐそこだし、慰安所の周辺は草刈場でもあったのでしょっちゅう見ていたから顔すらも覚えていた。（中略）ここの飛行場は、ここは、爆弾を据え付け、片道の燃料だけを入れて飛ばされたわけ。赤瓦の屋根があったけど、一休みしながらその間、こんな歌も歌ったりした。『明日は知れない命なら、お酒飲んだり、女郎買ったり、私は待ちます九段社』あんな馬鹿な靖国なんかに。特攻隊でね。とんでもない。レーダーでアメリカに、やられているのですよ。海に沈んでいた。手を振って飛んでいってもう戻らない。軍隊が三万人もいたから、平良の桟橋と野原が集中的に爆弾でやられた。軍馬、軍靴のあと、地元の人よりも兵隊が多いから。（中略）この石の場所にいつも座って休んでいたからね。その姿を、通りすぎると思い出す。[40]」

与那覇博敏の証言によると、野原《のばる》の「慰安所」は長い「かやぶきの屋根の家」で、元歩兵三連隊の宿舎だった。後に集団司令部が野原越に移動してくると、宿舎が「慰安所」になった。この「慰安所」の女性たちは、中飛行場の特攻隊の兵士が休んでいた「赤瓦の家」によく通わせられていた。土曜日、日曜日、外出日に「兵隊さん」が並ぶ慰安所には、民間人らしきものは全然みられず、軍が管理していた。草刈をしによく「慰安所」の近くまで行った。唐辛子をあげたりして女性たちを喜ばせたものだった。女性たちが洗濯物をしに「ツガガー」〔写真2〕という井戸に通って行き来し、その帰りにいつも腰をおろして休んでいた場所を覚えている。二〇〇六年筆者が与那覇博敏に出会った時、彼は、何もない野原の中の、「慰安婦」が休んだ場所にぽつんと大きな岩を置き、その周りの小さい花たちに水やりをしていた。「慰安婦」たちを記憶にとどめようとしたのである〔写真3〕。

　この地域の「慰安所」に関しては、多良間《たらま》島から臨時召集されて宮古島に来た仲本春栄（一九一九年生）の証言も、与那覇と一致している。仲本は、一九四五年はじめ頃、中飛行場造りに動員されたが、大工仕事の出来る人は「慰安所」を造らせられた。一棟だったが広い五〇坪位の長屋だった。そこにいた女性たちは、七名程度で「朝鮮人」だったと思った。着ている服が朝鮮服だった。その家は、杉柱の「かわらぶきの家」だった。(41)

　久貝シゲも（一九二六年生）野原の「長いかやぶき屋（ガヤヤ）」の「慰安所」のすぐ近くに住んでいた。当時二〇代で結婚も考える年だったから直感的に

写真2　「慰安婦」たちが使った「ツガガー」の様子。

写真3　「慰安婦」たちが洗濯帰りで休んでいたところに与那覇さんがおいておいた岩。この岩は、宮古島で「慰安婦を見た人々」の証言に出会った人々と、沖縄内外の住民の協力により、2008 年 9 月 7 日、「慰安婦」のための碑となった。

何をしているところか分かった。空襲で大変だった。野原には米軍の空襲が相次いだ。「重要基地がいっぱいで、死ぬかと思った」という久貝シゲには、「朝鮮ピー」と呼ばれた彼女たちは、すべて「朝鮮人」で「友軍」が管理しているように見えた。空襲は野原に集中していて、他の地域の人は、野原がまたやられていると、木に登ってみていたという。(42)

「カー（井戸）」に自由に行き来しているように見えた「慰安婦」は、明るく見えた場合もあった。「カー」に行き来する「慰安婦」たちに、ミシンで服を直してあげたり、食糧を与えたり、妊娠した「朝鮮ピー」の世話をしながらその悲しみに触れ、親しみの余り戦後自分の孫に「最も頭が良く綺麗だった『朝鮮ピー』」の日本名を付けた場合もあった。それは、演芸会の「笑いの場」で共有した「軍・官・民」一体の空間での「見る」「見られる」関係ではない。

「今も、どうしても忘れられないのは、ある日、川沿いで座り込んでいた女の姿だよ。こうやって膝を立てて座っていた。スカートの下に何もはいていなかった。もうあれは丸見え。彼女らは土手に座っていた。（朝鮮から連れてこられた人たちが）この辺にもいたのにね……。ボーとして何も表情のない顔で座っていたのよ。ボーとしてね……。その無表情が今も忘れられない。(43)」

下地トミ（一九三一年生）に記憶されるのは「丸見えの性器（ピー）」ではない。女の「無表情の顔」である。この証言において、朝鮮人「慰安婦」とは「演芸会」の「アリラン」を歌う女性のようにただ「見られる」存在ではない。生活空間における住民と「慰安婦」との関係性が、語りの中で、他者の痛みでありながら、それを自分の痛みとして受け入れるものに変わっていった。

そしてこの時期、生活空間を共有した日本軍と住民との関係にも変化がおこっていることに、注目する必要がある。

4．「喰い延ばし戦」と「慰安婦」

「一に工兵（工兵第二十八聯隊、豊五六四九部隊）、二にゴロゴロ（輜重第二十八聯隊、豊五六五六部隊）、三に野重（野戦重砲兵第一聯隊第一大隊）の大どろぼう」[44]

「太平洋汁じゃやりきれん」、「腹がへっては、戦さができぬ」という兵隊と、畑が荒らされた住民の間で「当初あれ程私達を歓待してくれた島民の心」を疑わせる食糧をめぐるギクシャクが度々起きた。飛行場作業の主力部隊に対して「ゴロゴロ部隊」や「大どろぼう」などの隠口がはやった。[45] 部隊の食事は「塩汁に芋ヅルがちょっと浮いている」程度のものだったため、兵隊は誰もが住民と接触できる「水汲みを希望」し、夜になると畑へ行って大根をぬき、ニンニクをとるのが普通だった。[46] 兵隊にとって共同の「カー」に水汲みに行くことは住民と会うことであり、住民は「食糧」だった。島に棲息する蛇は軍によって食べつくされたといわれる食料難に、日本軍は直面していた。「島にいるねずみにはペスト菌がないから、大いに食ってよろしい」との笑えぬ報告も出される状況だった。[47]

「（餓死した兵隊の遺品のノートから）三月〇日食いたいもの。カキフライ、えびの天ぷら、すし、すき焼きにねぎと豆腐を入れて――三月〇日今日は無性にシナ料理を思い出す。ごてごてと油のういたあのシナ料理を――三月〇日家に帰った夢を見た。母が芋のきんとんを作ってくれた。そうだ、芋を腹一ぱい食べたい。[48]」

宮古島における沖縄戦の死傷者は、ほとんど栄養失調による餓死とマラリア死である。召集兵を、「食糧をとって来い」と帰らせるようなこともしばしば発生する。[49] 住民は、蘇鉄の幹を食べるようになり栄養失調でやせこけた人が目立って来ている状況で、連日の空襲で、自然壕の中に住むような日常が続く。[50] 空襲にさらされる海で、自分はもぐることもなく、とった魚をごまかさないかと監視の役目をしていた日本兵の姿は、住民にとって不愉快な存在でもあった。[51]

野原越《のばるごし》に集団司令部が移動して間もない三月には、宮古島に物資を輸送中であった「大建丸」「豊坂丸」が撃沈された。[52] 以降、本島からの物資支援は終戦まで届くことはなかった。一九四五年一月から軍は主食の甘藷の自活を計画するほど補給困難に陥っていたが、三月以降は、激しい空襲により、ほとんどの物資が途絶えた。[53] 住民も食糧不足により各所で盗難が多発、飢えによるマラリアが発生し、衣服も不足するなか子どもは裸同様の状況であった。[54]

周知のように「住民スパイ視」の中、軍と住民の間に最も頻繁に起きたのが食糧をめぐるトラブルであった。既に述べてきたように、四月になると、沖縄本島では、標準語以外を使うことが禁じられ、「住民スパイ視」が、軍の通達（「琉球軍会報四月九日」）によって正当化された。しかし、宮古島で、「異質な言葉」を喋る住民をスパイとすることは、軍の「自活」に障害をもたらすものでもあった。標準語の代わりに「白いものを着てはいけない」との軍令が、厳しく伝わっている。

「白は清純」という考えから「御真影」を白い風呂敷につつんで運んでいた西原の天久校長は、日本軍につかまりスパイとされ酷い目にあった。西原には、駐屯軍の兵士が、「処女のうち」に入りこんだため部落の青年たちが家の周りを包囲、「お前らは女たらしにここまできたのか。戦陣訓を読んでるか」と叫び、逃げた兵隊を監視しに宿舎まで追い駆ける事件も起こるなど、軍とトラブルが多かった。後に、伊良部から碧部隊が移動してきて食糧を無理やり要求、三名の兵士が「部落民」に殴られた事件さえ発生している。(55) 別名、「ハダシ部隊」といわれた、碧部隊の兵隊は、下士官以上の階級しか軍靴もはけず、下級兵は、はだしで歩いていた。(56)

一九四五年四月一六日に宮古島警備隊から佐世保通信隊と沖縄根拠地隊司令官に打電された電報では、四月一五日現在の在庫量として「米 一四五日分二六三六人向け、乾パン六〇日分、その他の食糧三〇日分」とある。その一ヶ月後の五月二一日には二六三二人用の食糧在庫として「米 一〇八日分、副食一二八日分」と報告。宮古島には、陸海軍あわせて三万三〇〇〇人が自給する必要があり、弾薬と食糧、とりわけ米と塩を輸送してもらうことが何よりも必要であると訴えている。(57)

宮古島における沖縄戦の被害は、飢えと栄養失調によるマラリアによるものだと言っても過言ではない。そして、このような状況は、戦後も日本軍が収容所に送られることもなく、完全に孤立した宮古島で住民と生活することによって続いた。一九四五年七月二一日日本軍は「自活作戦」と称し、いわゆる「喰い延ばし戦」といわれた「軍・官・民」一体の食糧対策を公表した。以降、軍は三分の一の兵力を「自活作戦」にまわすことになった。

「一、戰局ノ推移ハ集團ノ後方補給ヲ[redacted]困難ナラシメ自給自足ノ要絶對ナル状勢ニ進ミツヽアリ集團ハ自活作業ヲ作戰ト見做シ之ガ教育、指揮、検閲等總テ戰術ト差異ナカラシメ以テ完全自活ノ完遂ヲ期ス

二、部隊ハ集團ノ企圖ニ基キ爾今作戰手項トシテ强力ニ自活作業ヲ推進シ戰力ノ保持増進ニ遺憾ナ

キヲ慾セントス

三、各隊ハ別紙自活作戰ニ關スル指示ニ據リ作戰命令ヲ以テ强力ニ自活作業ヲ推進シ完全自活ノ完璧ヲ期スベシ

部隊長　梶大佐」

（傍点は引用者、■＝判読不可能）

（「豊第五六四七部隊命令」七月二一日二〇時、野原岳）

「自活作戦」に伴う「自活作戦ニ關スル指示」には、各部隊の三分の一に該当する兵力の自活作戦への配備が許され、部隊長の認可があれば、兵力の半数以上を配備出来ることになっており、宮古島駐屯日本軍の食糧事情は、悪化していたことが分かる。[58] 一九四五年七月、野原岳の集団司令部は、米軍と闘う戦闘の準備以前に、まずは、兵力を維持するために自活自体の総指揮を担うことが求められたのである。

作戦命令を持つ強力な自活作戦に伴い、「現地自活査閲計画」が作られ、それに基く主な検閲項目には、①部隊長の自活一般に関する計画の適否及び実施進捗の情況、②将校以下の現地自活に対する心構の度、③将校以下各級指揮官の自活に関する識能・技術、④自活畑、家畜、飼育及び作業の現況、⑤肥料の製造及び施肥に関する施設及び実施の状況、⑥苗圃設置の状況、⑦種子の確保、⑧民育軍需畑（民に作らせてあるもの）獲得の計画及び実績並作業の実情、⑨特に創意工夫を凝しある事項、⑩労務使用の適正などが定められ、「現地自活は作戦、作業は戦術」の概念を徹底することが各々の部隊に強調された。[59] 一九四五年八月になると自活に対する役割を、部隊統一に行うもの、大隊で行うもの、各隊で行うものとして区分し、それぞれの任務に対して甲：農耕自活に関する事項、乙：家畜自活に関する事項、丙：資源活用に関する事項、丁：漁撈自活に関する事項と体系化しようとした。[60] 「自活作戦」は、主食だった甘藷の他、塩、

魚、味噌、衣服、紙から薬物まで広範囲に及ぶ。

「補充兵われも飢えつつ
餓死兵の骸焼きし宮古《しま》よ
八月は地獄」

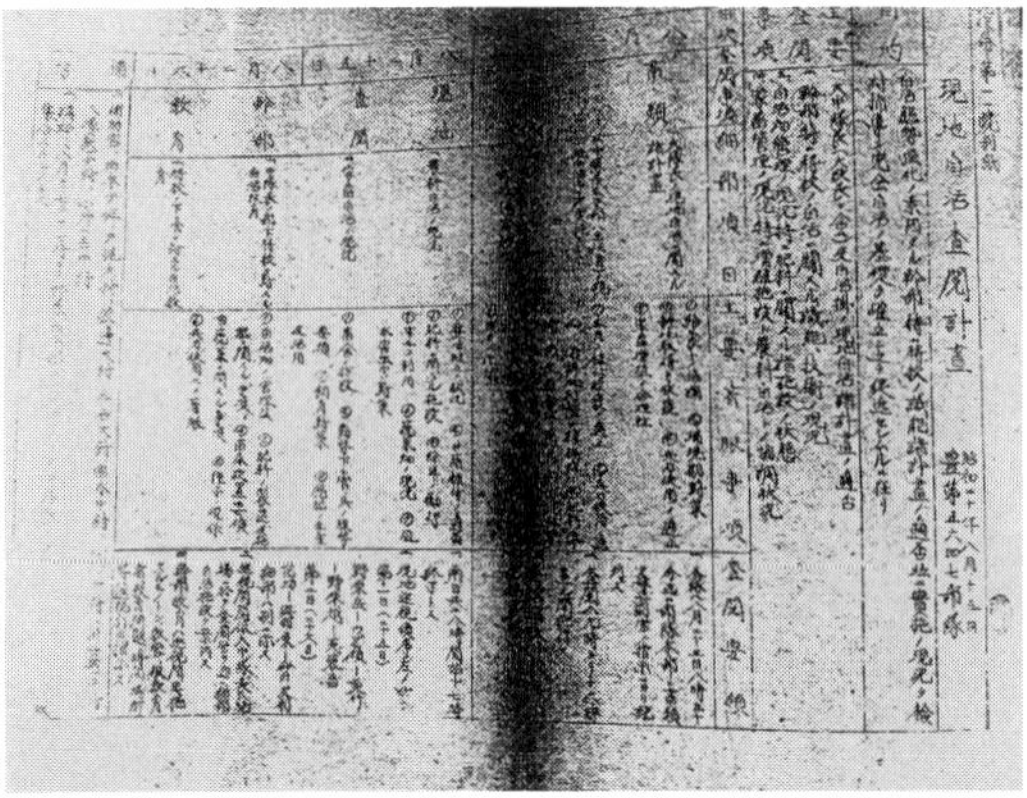
現地自活査閲計畫

原史料①　8月15日に出された「現地自活査閲計畫」

衛生兵として宮古島の戦闘に動員され高沢義人（一九一三年生）は、一九四五年八月の宮古島をこのような歌で描いた。武器も薬品も持たさず、竹やり一本するめ一枚だけを渡された衛生兵高沢に与えられた任務とは、栄養失調で死んで行く兵隊の死体を毎日焼く仕事だったという。(61)

『きけわだつみのこえ』には、東京芸術学校油絵科卒業後に入隊し、宮古島に派兵された関口清が七月一四日と八月九日に描いた三枚の図が残っている。すぐにでも倒れそうな姿で立っている七月一四日付の自画像に、関口は「もうこれ以上やせられまい」との一言を書き残した。そして、八月九日には力なく座り込んでいる自画像を描いた。最後の一枚には、痩せこけて裸体で倒れかけた自分自身をたくさんの食べ物が囲んでいる絵に「これだけあれば病気はなおる」と書き添えた。関口は、一九四五年八月一九日に宮古島の第28師団第4野戦病院で餓死した。二六歳であった。(62)

一九四五年八月一五日、宮古島の集団司令部から出された命令とは、「自活作戦」によって計画されていた「査閲計画」であった〔原史料①〕。終戦により「戦闘行為即時停止」が通達された。八月一七日「即時戦闘行動ヲ停止セントス」と宣言した集団司令部は、八月二四日対敵作戦任務を一九四五年「八月二五日零時ヲ以テ解除セラル」と命じた。それに先立って八月二三日「長期駐留」を予測し主に自活を中心とする「駐留態勢整備要領」を定めている。と同時に、武器解除までの間、「1・兵士の武器、弾薬、燃料などの監視、保全に万全を期する」と共に、「2・海軍砲台などを視察。不逞者の出入りを取締る」ことが強く勧められた。「治安維持のため」既に「対敵行為」はやめた軍隊は、住民に対する「不逞者の出入禁止」を実施したのである。[63]

沖縄の日本軍が正式に降伏したのは九月七日だった。牛島司令官らが自決したため、日本軍を代表して米軍の降伏文書に調印したのは、他ならぬ宮古島に駐屯していた第28師団の納見敏郎師団長であった。そこで、文書の上での沖縄戦は終結を迎える。

しかし、宮古島における日本軍は、直ちに収容所に送られることはなかった。戦後も収容所に送られることもなく、武装解除を行い、「武器のない日本軍」は組織を維持したまま残った。まず、九月五日停戦協定打合せのために宮古島から沖縄に派遣された停戦委員が米軍による武装解除を受けた。宮古島の中では九月二二日宮古地区兵器奉還開始、二六日 宮古島ノ兵器奉還一時終了した後も、武器のない兵隊が駐屯し続ける。[64]

終戦後にも、月一回ほどの細かい「現地自活査閲」が行われた。塩[65]や味噌、[66]薬用の油をとるためと思われる「ヤラブ」の果実をとる作業、[67]「アダン葉」を利用して防暑帽の製作法を兵士に普及する命令が出された。[68]「連隊兵器工場」と「自活工場」と呼ばれる「工場」で、農耕具の製作や自活作業関連道具の製作が命じられ(69)、蛋白質の源確保のためには鷹狩(70)、山羊の利用(71)、蝸牛の調理給養法の研究(72)が命じられていった。さらに、翌年の春以降の「自活」のため、大根の栽培や管理が命じられた(73)［写真4、5］。

宮古島の駐屯軍が焼かずに残した『陣中日誌』とは、全て、自活作戦によって作られた透き通るほどの薄い紙に綴られた「現地自活」の記録である(74)。こうした「自活作戦」は、一二月に入ってから遂次に「復員輸送命令」を受領した第28師団が(75)、一九四六年二月一一日復員を完了、解散するまでの間、継続された(76)。それまで、宮古島における沖縄戦とは、「食卓の戦場」であり、「日常の戦場」であった。

餓死する兵隊が跡を絶たない状況で、軍に食糧を依存しなければならなかった「慰安所」にいた女性たちはどのような生活をしたのだろうか。

写真4　「自活作戦」において主食の甘藷生産に取り組む兵士たちの様子。［出典『先島諸島作戦（宮古島編）』先島戦記刊行会、1975 年］

写真5　「自活作戦」で紙生産に取り組む兵士たち。宮古島における「自活作戦」命令は、この透き通るほどの薄い紙に書かれている。［出典同上］

男性A氏（二〇〇八年当時八一歳）は、「慰安婦」に食糧を与えて、肉体関係を持ったことを証言してくれたうえ「慰安所」の位置や様子を語った。当時宮古島で行われていた「慰安婦のための碑の建立」の運動について賛同すると伝えようと、家族の目を盗んで電話をしたと話していた。A氏によると、「憲兵がしょっちゅう見回る将校専用の『慰安所』で綺麗な朝鮮人の「慰安婦」がいるところに、当時必要とされた食糧を与え、こっそりと遊んだ」と話している。民間人は禁止であったが、食糧で、管理する兵隊が目をつぶるほど、食糧状況は深刻であった。そして、入隊準備をしていた彼は、普段の服ではなく用意した軍服で「慰安所」に入っていた。いよいよ入隊が決まった日、目をつぶってくれた責任者はもちろん、「慰安婦」たちも彼との別れを惜しんだという。中でも一人の「慰安婦」が、「あなたと別れたらもうこっちは品不足で物資不足だ」と涙まで流していた。(77)

佐治暁人が厚生労働省に対して情報公開法に基づいた開示請求を行い、開示された終戦直後の日本の軍法会議資料群の中から見つけた資料によると、軍の食糧を民間に売却し、「慰安所ニ於テ遊興消費」した兵士が存在した。

宮古島平良町字鏡原所在宮古島陸軍病院の炊事勤務中であった補充兵役陸軍衛生上等兵は、糧秣受領係あるいは経理科倉庫物品監視係を務めた身分を利用し、一九四五年八月二日頃、玄米一升、八月中旬には玄米一升、馬肉約二キログラム、九月一〇日に玄米一升、一〇月三日は金花砂糖二キログラムを炊事事務所から窃取し、あるいは受領したものの一部を横取りする形で民家などに売って、「慰安所ニ於テ遊興消費」した罪などで、懲役一年に罰せられた。(78)

食糧事情が厳しい中で、井戸で出会った「慰安婦」を家に招き、食事をさせた住民の証言が残る。屋宜トミ(一九二五年生)は、野原の長屋の「慰安所」から自分の家の近くの井戸を行き来する「慰安婦」と、「友達」となっていた。そして、終戦後、突然いなくなるまで、彼女たちと付き合った体験を次のように語る。

「最初は、食べ物はあったけどね。後は日本兵の倉庫ね。あちこちの倉庫。勝手にお米のをタワラを積んでいるわけよ。そして番兵がいるわけ。その番兵と友達になってからさ、夜こっそりとお米をくれるわけ。夜。番兵は北海道。うちなんかは餅なんか作ってもっていってあげるから。人に見られたら大変だから。穴を掘ってからカメを埋めるわけ。カメのなかに米をかくして、かくして焚いて食べていたのよ。だから、（「慰安婦」の——引用者）キミちゃんたちにもおにぎりをあげられたわけ。同じ頃の年だったし。外国人の人を見るのは始めて。この人、どういうものをして、どういうことをしているわけ。『アッパラギー』うちの母がよ、『アッパラギピトゥヌキャー（綺麗な人たち）、おいでおいて』ってうちの母は言って、アッパラギーはね、可愛い、綺麗という意味を、愛情をこめていう言葉だからね。『アッパラギーファヌキャ、これを食べなさい』というわけ。（急に泣きながら）ある日よ、あれなんかが泣いているからね。『何で泣いているの？』と聞くと、『朝鮮にいるお母さんが懐かしくて、泣いてるんだよ』と言うから、うちなんかも一緒に泣いたことがあるのよ。うちの母が、『大丈夫よ。大丈夫よ。皆、元気にいるから、大丈夫よ』とうちの母がとっても可愛がっていたよ。敗戦になってから、突然いなくなってから。『何で帰るなら、帰ると言ってあげたら、おにぎりなんか作って持たしたのに、何でいなくなったの』とうちの母なんか泣くわけよ。だから若い人はとても友だちだったわけよ。井戸から見えていた。こう茅葺の長屋だった。[79]」

宮古島における日本軍の復員が検討されたのは、一九四五年一二月からである。「急速に復員を実施する場合を考慮し、準備に万全」を期することが命じられ[80]、道路設備や乗船前の検閲が行われた[81]。そして宮古島における「慰安所」の場合、戦後の「慰安所」処理に軍が関わっていた。西城《せいじょう》小学校沿革概要には、戦後すぐ「慰安所」の建物に使われていた資材で仮校舎を建てたことを記録している。

「昭和二十年十月二十八日、仮校舎用資材トシテ駒部隊ヨリ元慰安所ノ建物ヲ貰ヒ受ケ資材ヲ運搬ス」(82)

ちなみに駒部隊は、一年前の一九四四年一一月三日の明治節の演芸会を主催した部隊でもあった。また城辺小学校は沖縄戦により木造建物校舎はもちろん教員室や校舎全体の木材を全て日本軍に提供させられ、便所一棟だけ残っていた。一九四七年一月六日、米軍政の補助金でようやく仮校舎用の木材を手に入れることが出来たが、それもやはり、かつて「慰安所」として使われた野原越にあった慰安所の木材であった。(83)

そして、「喰い延ばし戦」が最後を迎えた一九四五年一二月、再び軍の主催する「演芸会」が開かれた。食料不足に加え無為に過ごす旧軍人と住民のトラブルを防ぐため、旧軍隊駐屯地で演芸会の催しが盛んにもたれた。宮古若葉劇団が「ガイセン通り」の元「慰安所」跡で演芸会を上演した。(84)

しかし、戦後日本軍によって演出された「笑いの場」において、「慰安婦」は、もはや「笑い」を誘うものではなかった。嘉手刈《かでかる》集落では旧軍人に対する報復が計画され、集落の青年層を中心に演芸会場を包囲する事件が起きた。(85)「兵隊がトラックで引き揚げるときに兵隊が住民たちに「もういらないから」と乾パンを配る際、置き去りとされた「慰安婦」たちが地面に落ちた乾パンや石を、朝鮮の言葉で大声でわめきながら兵隊に投げつけていた。(86)

「慰安所」の解体した記録から、宮古島の「慰安所」は、一九四五年一〇月末の時点でその機能を停止し、「慰安婦」たちは軍より早く宮古島から「復員」した可能性も否めない。しかし、島には戦後「置き去り」にされた朝鮮人の女性たちが存在しており、住民が過去を問わずに隠して住むようにしたとの話も伝わっている。そのうち一人の女性は腕を失っていたという。(87)

宮古島は、結果的に米軍の上陸がなかったため沖縄戦の「被害の少ない地域」とされてきた。そのため被害の多い南部戦に比べその体験は、沖縄戦の中でもそれほど注目されてこなかった。しかし、この地域にはおよそ一七カ所の「慰安所」が建てられていた。そして、平坦な土地で、「慰安所」は全て町中や、草地に建てられている。「井戸」に行くことは女性の仕事とされていたが、この島では「慰安婦」と住民が「井戸」でかなり濃密な会話や関係を持っていた。軍もまた、「慰安婦」を演芸会などに立たせ、娯楽の場に奇麗な服を着て歌を歌う女性たちは「アパラギー、ミドゥン（美しい女）」として見られていく。住民が彼女たちにとっての「自由」がなにを意味しているのかに気付いたのは、むしろ、終戦直後であった。

宮古島における地形の平坦さや水などの自然環境によってもたらされた「慰安所」の解放性や、住民と「慰安婦」が持っていた親密性は、沖縄戦における「慰安婦」問題を考えるうえで、最も重要な観点を示唆するものであると考える。それは、「戦場」としてではなく、「生活空間」として沖縄戦や戦時性暴力を考える上で重要である。

米軍が上陸した村における最も悲惨な朝鮮人「慰安婦」の姿だけでなく、そして、宮古島における「アパラギー（美しい）」に象徴されるような、住民と「慰安婦」の関係性に目を向けないと、ただ「被害の重さ」を比べることしかできなくなってしまう。そして、その表面的な捉え方では、一見「自由」に見える中でも女性たちが不自由を「強制」されたポリティクスは問う事ができないであろう。

註

（1）沖縄の島クトゥバ（方言）はいくつかに分かれて各地域で複雑に変化している多様性を持つ。特に一四世紀まで宮古島の方言は、外部から来た人々が理解することが困難で「言葉三年にして通ず」と言われた歴史を持つ。逆の場合（宮古島の人の沖縄本島での経験）も同様であった。ただし普通（共通）語なら相互に聞くことは可能であった。（平良市史編さん委員会『平良市史 第一巻（通史編1）――先史～近代編』平良市役所、一九七九年、七三頁参照）

（2）史料提供は宮古郷土史研究者仲宗根將二氏、友利恵勇氏による。二人は一九七四年『沖縄県史』第10巻の「沖縄戦記録2」編で宮古島における証言収集を担当した際、「慰安婦」について語った証言に出会った。なお、九二年沖縄の女性史研究グループの「慰安所」調査に協力し、宮古島の地域史編纂作業においても「慰安婦」や軍夫に対する証言収集を行ってきた。筆者が二〇〇五年から始めた宮古島における「慰安所」調査においても、長期間にわたり欠かせない力になった。この場を借りて感謝を申し上げたい。

（3）一九四五年一一月、平良町長兼議長であった石原雅太郎（差出人）がマッカーサー司令官宛に一日も早い日本軍の復員を訴えた嘆願書が、スタンフォード大学フーヴァー研究所に保管されている。嘆願の理由は、戦後にもかかわらず残存する日本軍の駐屯により住民が「餓死に直面」するほどの食糧問題であった。日本軍の復員と台湾疎開者を一日も早く戻してほしいと書かれている。この資料は、早稲田大学の鹿野政直教授により発見され、『平良市史 第六巻 資料編4（戦後資料集成）』平良市史編さん委員会、平良市役所、一九八五年）に原文とその全訳が収められている。

（4）防衛庁防衛研修所戦史室『沖縄・臺彎・硫黄島方面陸軍航空作戦』朝雲新聞社、一九七〇年、六二七頁。

（5）瀬名波栄『太平洋戦争記録「先島諸島作戦（宮古島編）」』一九七五年、先島戦記刊行会、一頁。

（6）瀬名波栄『太平洋戦争記録「先島諸島作戦（宮古島編）」』前掲書、二―三頁。

（7）瀬名波栄『太平洋戦争記録「石垣方面陸軍作戦」』一九九六年、沖縄戦史刊行会、一二頁。

（8）当時宮古の人口はおよそ六万五〇〇〇人、このうち一万三〇〇〇人余が兵役、徴用、疎開、その他で県外へ出ていった。残ったのは五万二〇〇〇人と推定される。（仲宗根將二「宮古の戦争―人的・物的被害の概要」『宮古郷土史研究会会報』一〇九号、一頁）

（9）瀬名波栄『太平洋戦争記録「石垣方面陸軍作戦」』前掲書、三―四頁

（10）野口退蔵『宮古島建築兵始末記』永文堂、一九七二年、一五一頁：建築兵として宮古島の陣地構築に携わった元日本兵、野口退蔵は、各地区に戦争動員されている住民のことを、「収容する島」と表現する。
（11）平良市史編さん委員会『平良市史 第四巻（資料編２）――近代資料編』平良市役所、一九七八年、四八五頁。
（12）「総力特集終戦から60年 今、問う戦時下の宮古島」『ぱいぬ島《すま》文芸』ぱいぬ島《すま》文芸クラブ、二〇〇五年、五号、二六―二七頁。
（13）「部落会長（大川恵良）」『沖縄県史第10巻（各論編９）――沖縄戦記録２』沖縄県教育委員会、一九七四年、三七三頁。
（14）「沖縄を軍に理解させる（下地馨）」『沖縄県史第10巻（各論編９）――沖縄戦記録２』、前掲書、三一一―三一二頁。
（15）我部政男「戦時体制下の沖縄戦―軍官民一体論と秘密戦を中心に」『沖縄戦と米軍占領に関する総合的研究』平成一四年―平成一七年度科学研究費補助金報告書、基盤研究A課題番号（14202010）、四一頁。
（16）我部政男、前掲論文、三九頁。
（17）①西仲宗根《にしなかそね》 ②下里《しもざと》 ③野原越《のばるごし》 ④野原《のばる》 ⑤地盛《じもり》 ⑥宮原《みやはら》＝山北《やまきた》 ⑦宮原《みやはら》 ⑧盛加《もりか》 ⑨福山《ふくやま》 ⑩比嘉《ひが》 ⑪新城《あらぐすく》 ⑫下北《しもきた》 ⑬豊原《とよはら》 ⑭花切《はなきり》 ⑮国仲《くになか》 ⑯仲地《なかち》 ⑰千代田《ちよだ》
（18）台湾「慰安婦」に関しては以下の証言を参照されたい。（「福山の『慰安所』（久高勝伯）」『戦場の宮古島と「慰安所」―12のことばが刻む「女たちへ」』洪玧伸編、なんよう文庫、二〇〇九年、一一二―一一九頁）
（19）野口退蔵『宮古島建築兵始末記』前掲書、一五一頁。
（20）龍沼梅光『北満・宮古島戦記』旺史社、一九八九年、二五三頁。
（21）龍沼梅光『北満・宮古島戦記』前掲書、九四―九六頁。
（22）『宮古教育誌』（宮古教育誌編纂委員会、沖縄宮古連合区教育委員会、一九七二年）の各小学校沿革概要を分析した結果、野原岳の「宮古郡御真影奉遷所」における奉遷所造築作業は、一九四四年一〇月上旬から始まった。移動は一〇月末から離島の小学校から始まり一一月二日に完了している。一一月二日より小学校男性教員により護衛のための当直が始まった。
（23）「多良間島（藤村市政）」『沖縄県史第10巻（各論編９）――沖縄戦記録２』、前掲書、三八七頁。
（24）「空襲さけ朝夕だけの分散授業（山内朝源）」（『沖縄県史第10巻（各論編９）――沖縄戦記録２』、前掲書、三一〇頁）、

「或る校長（砂川恵敷）」（同書、三三七―三三八頁）「部落会長（大川恵良）」（同書、三七三頁）「戦争の思い出―第二話：御真影奉遷所（本村恵真）」（多良間村教育委員会『島びとの硝煙記録―多良間村民の戦時・戦後体験記録』多良間村戦時・戦後体験記編集委員会、一九九五年、一七四―一七七頁）

(25) 仲里キミ（一九三五年生）野原、二〇〇六年一二月二三日・二〇〇七年四月八日、洪玧伸。［日韓共同「日本軍慰安所」宮古島調査団『戦場の宮古島と「慰安所」―12のことばが刻む「女たちへ」』洪玧伸編、なんよう文庫、二〇〇九年、一四三―一四四頁収録］、本書では、「野原越には『川』があって」となっている。追加調査で宮古島の方言の「カー（井戸）」のことであったことが明らかとなったため、訂正して引用した。

(26) 与那覇博敏（一九三三年生）野原、二〇〇六年一〇月二二日、二〇〇七年五月一一日、洪玧伸。［『戦場の宮古島と「慰安所」―12のことばが刻む「女たちへ」』前掲書、七六―八四頁収録］

(27) 下里愛子（一九三一年生）宮古島・平良、二〇〇六年一二月二三日、洪玧伸による。

(28) 野口退蔵『宮古島建築兵始末記』前掲書、一二五―一二七頁。

(29) 野口退蔵『宮古島建築兵始末記』前掲書、一二六頁。

(30) 瀬名波栄『先島群島作戦（宮古島）』前掲書、五頁。

(31)『沖縄部隊史實資料』（第二十八師団（宮古島）師団長代理安藤忠一郎、第二十八師団参謀杉本和郎調製、昭和二一年二月一一日。

(32) 同上。

(33) 防衛庁防衛研修所戦史室「第三章マリアナ失陥と捷号作戦準備」『沖縄方面陸軍作戦』朝雲新聞社、一九六八年、六三頁。

(34)「或る女性挺身隊員の恨みからんだ事情（佳村文子：創氏名）」『鎮魂』韓国人慰霊塔奉安会、一九七八年、二九八―三〇二頁。

(35) 瀬名波栄『先島群島作戦（宮古島）』前掲書、一二頁。他にも戦後第28師団がまとめた報告資料には、戦時中台湾に漁船を送り軍需品の集積を実施。一九四五年五月までの間、三隻が被害にあったと報告されている。薬物は「現地自活」のため、野生の薬葉の研究利用が進められた。軍は葡萄糖の代用に現地産の白糖を利用した転化糖を製造した他、硫化カルシウム（現地砂糖漂泊用の硫黄を使用）、生理食塩水、酒精、海人草などが使用された。（第二十八師団『沖縄部隊史實資料』（第二十八師団（宮古島）師団長代理安藤忠一郎、第二十八師団参謀杉本和郎調製、昭和二一年二月一一日）

(36)「朝鮮人慰安婦の遭難（池村恒正）」『沖縄県史第10巻（各論編9）――沖縄戦記録2』前掲書、二六一―二六二頁。

(37)同上、二六二頁。

(38)沖縄では料理屋を通称「サカナヤー」という。一般的には料理を提供する店を言うが、宿泊も兼ねていて、宮古島では明治以降に「酌婦」を置いた料理屋が現れ、大正期に定着した。現在「サカナヤー」という名称は、「売春」を兼ねた料理屋という意味を含む。

(39)久貝吉子（一九二七年生）那覇、二〇〇七年四月一二日・二〇〇七年五月九日、洪玧伸。［『戦場の宮古島と「慰安所」―12のことばが刻む「女たちへ」』前掲書、一四九―一五四頁収録］

(40)与那覇博敏（一九三三年生）野原、二〇〇六年一〇月二二日、二〇〇七年五月一一日、洪玧伸。［『戦場の宮古島と「慰安所」―12のことばが刻む「女たちへ」』前掲書、七六―八四頁収録］

(41)『島びとの硝煙記録―多良間村民の戦時・戦後体験記録』前掲書、一三八―一三九頁、宮古島の「慰安所」建設に軍の関与があったことは戦後の「慰安所」処理にも見られる。

(42)久貝シゲ（一九二六年生）平良、二〇〇七年五月一一日、洪玧伸。［『戦場の宮古島と「慰安所」―12のことばが刻む「女たちへ」』前掲書、八六―八八頁収録］

(43)下地トミ（一九三一年生）宮原、二〇〇七年五月一二日、洪玧伸。［『戦場の宮古島と「慰安所」―12のことばが刻む女たちへ』前掲書、一四二頁収録］

(44)野口退蔵『宮古島建築兵始末記』前掲書、八〇頁。

(45)同上、八〇―八一頁。

(46)「薬品もない戦時下の医療（宮国泰誠）」『沖縄県史第10巻（各論編9）――沖縄戦記録2』、前掲書、三九四頁。

(47)神田文男『遥かなる宮古島―思い出の戦跡を訪ねて』朝日カルチャーセンター、一九八五年、二五―二七頁。

(48)宮永次男『沖縄俘虜記』国書刊行会、一九八二年、八〇頁。

(49)「指導員（山里勝助）」『沖縄県史第10巻（各論編9）——沖縄戦記録2』、前掲書、三六二—三六三頁。
(50)「医療及び食糧問題をめぐって（前泊マツ）」『沖縄県史第10巻（各論編9）——沖縄戦記録2』、前掲書、三六一頁。
(51)「大神島ウヤガン祭もとだえて（伊佐時蔵）」『沖縄県史第10巻（各論編9）——沖縄戦記録2』、前掲書、三五八頁。
(52)特設水上勤務隊と呼ばれ、船から荷役作業をしていた朝鮮人軍夫の多くが「大建丸」と「豊坂丸」の撃沈により犠牲となったことを言及しておく。
(53)『沖縄部隊史實資料』第二十八師団（宮古島）師団長代理安藤忠一郎、第二十八師団参謀杉本和郎調製、昭和二一年二月一一日。
(54)「福嶺小学校沿革概要」『宮古教育誌』前掲書、三一二頁。
(55)「軍とのトラブル（仲間雅弘）」『沖縄県史第10巻（各論編9）——沖縄戦記録2』、前掲書、二五一頁。
(56)「現地召集兵の証言（砂川恵勝）」『沖縄県史第10巻（各論編9）——沖縄戦記録2』、前掲書、二七〇頁。
(57)林博史「暗号史料に見る沖縄戦の諸相」『史料編集室紀要』沖縄県教育委員会、第28号、二〇〇三年三月、一〇頁。
(58)「自活作戦ニ關スル指示」部隊長梶大佐、昭和二〇年七月二一日二〇時、野原岳。
(59)「豊作命活第五號豊部隊命令」昭和二〇年七月二八日一六時、野原岳。
(60)「梶作命活第二號」豊第五六四七部隊命令、昭和二〇年八月一日一四時、野原岳。
(61)高沢義人の歌は、一九八一年朝日歌壇の年間秀歌一〇首に入選し、宮古島に知らせるようになった。歴史教育者協議会宮古島支部の交流によって歌碑となった。（中原道子「高沢義人の歌碑」『戦場の宮古島と「慰安所」—12のことばが刻む「女たちへ」』前掲書、二二〇—二二五頁を参照されたい）
(62)『きけわだつみのこえ—日本戦没学生の手記』日本戦没学生記念会編、岩波書店、一九九五年、四〇一—四〇九頁、中原道子「高沢義人の歌碑」『戦場の宮古島と「慰安所」—12のことばが刻む「女たちへ」』前掲書、二二四—二二五頁参照。
(63)「先砲作命第五五號　砲兵隊命令」（昭和二〇年八月一七日、一四時、野原岳）、「別冊集団駐留態勢整備要領」・「先砲作命第五七號　砲兵隊命令」（昭和二〇年八月二三日、一五時、野原岳）「先砲作命第五七號　砲兵隊命令」（昭和二〇年八月二四日、一四時、野原岳）

(64)『沖縄部隊史實資料』第二十八師団（宮古島）師団長代理安藤忠一郎、第二十八師団参謀杉本和郎調製、昭和二一年二月一一日。
(65)「梶作命活第一三號」（豊第五六四七部隊命令、昭和二〇年八月二三日一八時、野原岳）、「梶作命活第一七號」（山砲兵第二十八聯隊命令、昭和二〇年九月一七日一〇時、野原岳）、「梶作命活第二〇號」（山砲兵第二十八聯隊命令、昭和二〇年九月二九日一九時、野原岳）、「梶作命活第二一號」（山砲兵第二十八聯隊命令、昭和二〇年一〇月一日一四時、野原岳）に塩の補給、運搬関連資料が残っている。『沖縄部隊史實資料』（第二十八師団（宮古島）師団長代理安藤忠一郎、第二十八師団参謀杉本和郎調製、昭和二一年二月一一日）によると、塩は甘藷の次に力を入れ、八月の終戦時に自活率は約六〇％であった。
(66)「梶作命活第一四號」（豊第五六四七部隊命令、昭和二〇年八月二六日一四時、野原岳）。味噌は、主要原料の大豆、小麦の現地収得が、天候の影響で小量となり成果をあげることが出来ず、成果は僅小。醤油は生産出来ず、余った砂糖糟による若干の酒類を生産したという。『沖縄部隊史實資料』（第二十八師団（宮古島）師団長代理安藤忠一郎、第二十八師団参謀杉本和郎調製、昭和二一年二月一一日。
(67)「梶作命活第一五號」（豊第五六四七部隊命令、昭和二〇年九月一日一四時、野原岳）「ヤラブ」とは、方言で照葉木を指す別名を指すと思われる。方言で「ヤラブゥ」と呼ばれる照葉木は、防風林、街路樹に適する熱帯木で、宮古島に広く生育しており、樹皮は染料、種子の油は外用薬として使われていた。
(68)「梶作命活第一六號」（豊第五六四七部隊命令、昭和二〇年九月一〇日一四時、野原岳）。アダンは、パイナップルに似た外見をもつ熱帯木である。民間ではよく葉を乾燥させた後、一般に「パナマ帽」と呼ばれる帽子作りや、細工物、細く裂いて糸としてカゴを編む素材として利用されていた。
(69)「梶作命活第一二號」（豊第五六四七部隊命令、昭和二〇年八月一八日一四時、野原岳）、「梶作命活第二二號」（山砲兵第二十八聯隊命令、一〇月二日一〇時、野原岳）
(70)「梶作命活第二四號」山砲兵第二十八聯隊命令、昭和二〇年一〇月六日一四時、野原岳。
(71)「梶作命活第二六號」山砲兵第二十八聯隊命令、昭和二〇年一〇月二〇日一四時、野原岳。
(72)「梶作命活第三一號」及び「梶作命活第三一號別紙―蝸牛調理法研究審査会計畫」山砲兵第二十八聯隊命令、昭和二〇年一〇月二九日一七時、野原岳。
(73)「梶作命活第二五號」山砲兵第二十八聯隊命令、昭和二〇年一〇月一七日一四時、野原岳。
(74)紙は一九四五年五月から生産に従事したもののマラリア有病地帯となったため成績は不良。五月以降終戦までに生産した紙の量は二六、〇〇〇枚であった。(『沖縄部隊史實資料』第二十八師団(宮古島)師団長代理安藤忠一郎、第二十八師団参謀杉本和郎調製、昭和二一年二月一一日。
(75)『戰史資料』山砲兵第二十八聯隊、調製管陸軍大佐梶松次郎により復員後編纂。
(76)『沖縄部隊史實資料』第二十八師団(宮古島)師団長代理安藤忠一郎、第28師団参謀杉本和郎調製、昭和二一年二月一一日。
(77)証言者の名前は本人の事情を考慮、仮名とする。二〇〇八年三月(宮古島・「宮古島に日本軍慰安婦の碑を建てる会」宮古島実行委員会・上里清美による電話インタビュー)。A氏は二〇〇八年当時宮古島で行われていた「慰安婦のための碑の建立」の運動について賛同すると伝えようと、家族の目を盗んで電話をしたと話していた。
(78)林博史「資料紹介：沖縄・宮古島における日本軍慰安所」『季刊戦争責任研究』日本の戦争責任資料センター。第84号、二〇一五年夏季号、七二―七三頁。
(79)屋宜トミ(一九二五生)宜野湾、二〇一四年九月九日、上里清美、洪玧伸による。
(80)「山砲第二十八聯隊命令」昭和二〇年一二月一日一四時、野原岳。
(81)「砲停命第七號別紙」「道路補修整備實施計畫」(昭和二〇年一一月三〇日一四時、野原岳)「山砲第二十八師隊命令」(昭和二〇年一二月一日一四時、野原岳)。「乗船前検便實施計畫」(山砲兵第二十八聯隊、昭和二〇年一二月六日・七日実施命令)
(82)「西小学校沿革概要」『宮古教育誌』前掲書、二七六頁。
(83)「軍政府補助費ニ依リ本村ニ割宛一六三万円ヲ以テ各校ニ参教室六〇・七五坪、復旧本建築瓦葺校舎ヲ建築スルコトニナリシモ、資材(調達)ノ困難ノタメ町会ニテ野原越ニ在ッタ軍ノ慰安所四六坪ノ建物ヲ一七万円ニテ買入レ、不足ノ資材ハ全部請負者責任ヲモッテ、四〇万円デ公入札ニヨリ平良町恵得氏落札セリ。該校舎ハ町内四校長デ抽センシ、当センセル方ニ建テルコトニ町ノ委員会デ決議、抽センノ結果当、本校ヲ最初ニ建築スルコトニ成ル」（『城辺小学校創立一〇〇周年記念誌』一九九三年）仲宗根將二「第二次世界大戦と宮古島」『戦場の宮古島と「慰安所」―12のことばが刻む「女たちへ」』前掲書、六八頁から再引用。

(84)『平良市史 第一巻（通史編２）―戦後編』平良市史編さん委員会編、平良市役所、一九八一、三五頁。『平良市史』に記録されている元慰安所跡で演芸会は、一九四五年一二月二五日である。

(85)『平良市史 第一巻（通史編２）―戦後編』前掲書、二九頁。

(86)「島に落ちた涙―宮古島の『慰安婦』たち（上）」『沖縄タイムス』二〇〇七年五月一三日（夕刊）沖縄タイムス社は、二〇〇七年五月一一日から「共同調査団」の宮古島調査内容を報じ、二〇〇七年五月一三日、五月二一日、五月二二日、五月二三日の夕刊には、企画記事で本調査の内容を報じている。日本軍は一九四六年（昭和二一）二月に軍隊の復員完了にともなって軍部に保管されていた野戦用乾パンが民間に払い下げられたとの報が伝わった。（『平良市史 第一巻（通史編２）―戦後編』前掲書、二二頁）

(87)友利吉博（一九三六年生）平良、二〇一五年九月七日、洪玧伸による。

終章 「記憶の場」としての「慰安所」

「私たち遺族にとって、どうしても納得のいかないことです。私の夫が、沖縄戦も終わった昭和二十年七月三日、日本兵に殺されたことについて、日本政府はどのようなつぐないをしてくれるのでしょう。

私は、事情をくわしく書いた陳情書を、昭和四十六年に政府へ提出しました。私の陳情の主旨をわかってくれる人は、どこにもいないようです。そこで私は、この陳情書を県史に記録としてとどめておいて、国の責任を永久に追究してほしいと思っています。以下、その陳情書の全文です。」

（「国の責任を」（大宜味村喜如嘉　知名ウト『沖縄県史第10巻（各論編9）沖縄戦時記録2』一九七四年、五七五頁）

時間軸では「戦後」、既に組織的には崩壊してしまった軍隊に属するものに「殺された」死。この場合、国家責任はどのように問うたらよいのだろうか。「主旨をわかってくれる人」のいない現実、陳情という行為によっては「日本政府のつぐない」は得られなかった、しかしどうしても納得のいかない夫の死を前に、知名ウトが最後に選んだのが、記録を書きとどめることであった。

本書で取り扱った「慰安所」関係の証言の多くは、こうした沖縄県の市町村史の中に記録された証言である。一九七〇年代は、国家責任により救済し切れなかった沖縄住民の体験が、次々と証言され、まとめられた時期である。そして、『沖縄県史　第9巻』（琉球政府編）が発刊された一九七一年は、日本政府が、アジア太平洋戦争の際に日本国が「記録」した朝鮮人連行の名簿を韓国政府に渡した年である。一九七一年一〇月以降、五回にわたって日本政府は強制連行者名簿を韓国に渡している。計五四四冊、マイクロフィルム二六ロールに及ぶこれらの名簿は、現在、韓国の国家記録院等に所蔵されており、「日帝強制連行者」として登録済みの朝鮮人の人数は四八万六九三名。これらの名簿に関しては四五万二六七八名分（九四・二％）が既に一般公開されている。そのうち沖縄に強制連行された朝鮮人の名簿は、『船舶軍（沖縄）留守名簿』というもので、日本軍に所属した軍人・軍属の戦死者、逃亡者、行方不明者などが含まれている。

『船舶軍（沖縄）留守名簿』は、朝鮮人軍夫の規模や動きなどを把握し、戦前・戦後を調べる貴重な資料となっている。『留守名簿』は、靖国合祀を意味する「合祀済」と供託金番号、戦死・逃亡・行方不明の状況も記録されており、強制動員の痕跡を知るためにも重要な資料である。

一方、日本政府が韓国に渡した名簿のうち、公開されたものの中には「慰安婦」の動員記録は存在しない。「日帝強制連行者」名簿のなかで、履歴や病気など個人情報に関連する資料は非公開であるが、そのなかには「慰安婦」関係の名簿とみられる二万八〇一五名分の名簿が含まれているが、関係者のみへの公開となっている。これらの資料は、強制動員者の名簿のなかでも五・八％に過ぎず、日本軍「慰安婦」関連の統計的な資料としては利用できないのが実情だ。そのため、挺身隊問題対策協議会（以下：挺対協）などの関連団体も、多くのことを聞き取り調査に依存してきた。

挺対協と女性部が政府の文書などを利用して聞き取り調査を実施し、二〇〇二年に刊行した『日本軍「慰安婦」証言統計資料集』は、韓国における被害者全体を一括調査・統計化した資料である。出身地、年齢、家族の状況、動員された地域名はもちろん、「慰安所」で出会った他国籍の「慰安婦」についても聞き取り調査を行い、統計化している。その中で沖縄に強制動員されたことが分かった被害者の数は、わずか二人である。一括調査であるため、個別の事情を詳しく聞き取った証言記録はない。

沖縄における「慰安婦」の規模は確定することができず、日本軍関連資料ではラサ島（北大東村所属）の七人の朝鮮人慰安婦の記録が『陣中日誌』にある程度である。(1) この史料では、朝鮮人「慰安婦」の名前や出身、責任業者の名前までもが詳細に記録されているため、確認作業を行ったが、挺身隊問題対策協議会の名簿と一致する生存者は、今のところ見つかっていない。そうした状況にあって最近調査されつつあるアメリカの公文書は、朝鮮人「慰安婦」の引き揚げ状況や、彼女たちの戦後の行方を知るための重要な手掛かりとなっている。一九九四年、戦後直後に、沖縄に駐屯した米軍が作成した一九四五年一〇月と一一月の"REPORT OF MILITARY ACTIVITIES"（軍政活動状況報告）が、スタンフォード大学フーバー研究所のワトキンスの沖縄フィルムの中から発見された。一〇月の報告書では「日本軍が沖縄に残した慰安婦が治安上のトラブルを起こしている」と述べ、「沖縄本島から集められた四〇人と、他の琉球列島から来た一一〇人の朝鮮人慰安婦が、帰国を待っている」と書かれ、一一月の報告書には、「彼女たちは那覇で休憩を取った後、韓国に帰った」と書かれている。一九四五年一〇月三一日付GHQの「Initial Roster of Korean Repatriates」（朝鮮人送還者名簿）からは、"KOREAN WOMEN TO BE EVACUATED TO THE HOMELAND"（祖国に送還予定の朝鮮人女性：〔原史料Ⅰ〕）と、"KOREAN MEN TO BE EVACUATED TO THE HOMELAND"（祖国に送還予定の朝鮮人男性：〔原史料Ⅱ〕）の名前が記録されていることが判明した。一〇ページにわたる名簿に記された氏名の合計は一六四人、その内の男性の名は、わずか一七人に過ぎず、朝鮮人名で一四七人の女性の名が記されている。女性の場合、創氏改名された名前が併記されている場合も多い[2]。

一九四五年一二月一三日の公文書“Routing of Liberty Ship *Gables*”（リバティ船　ゲイブルズ号のルート決定命令）には、石垣島から宮古島まで各々二〇五人及び四五八人の「朝鮮人」、「台湾人」（一一人）「満州人」（一人）を、日本人将校及び軍関係者と共に船に乗せ沖縄本島に送り、さらに日本に復員させる人々

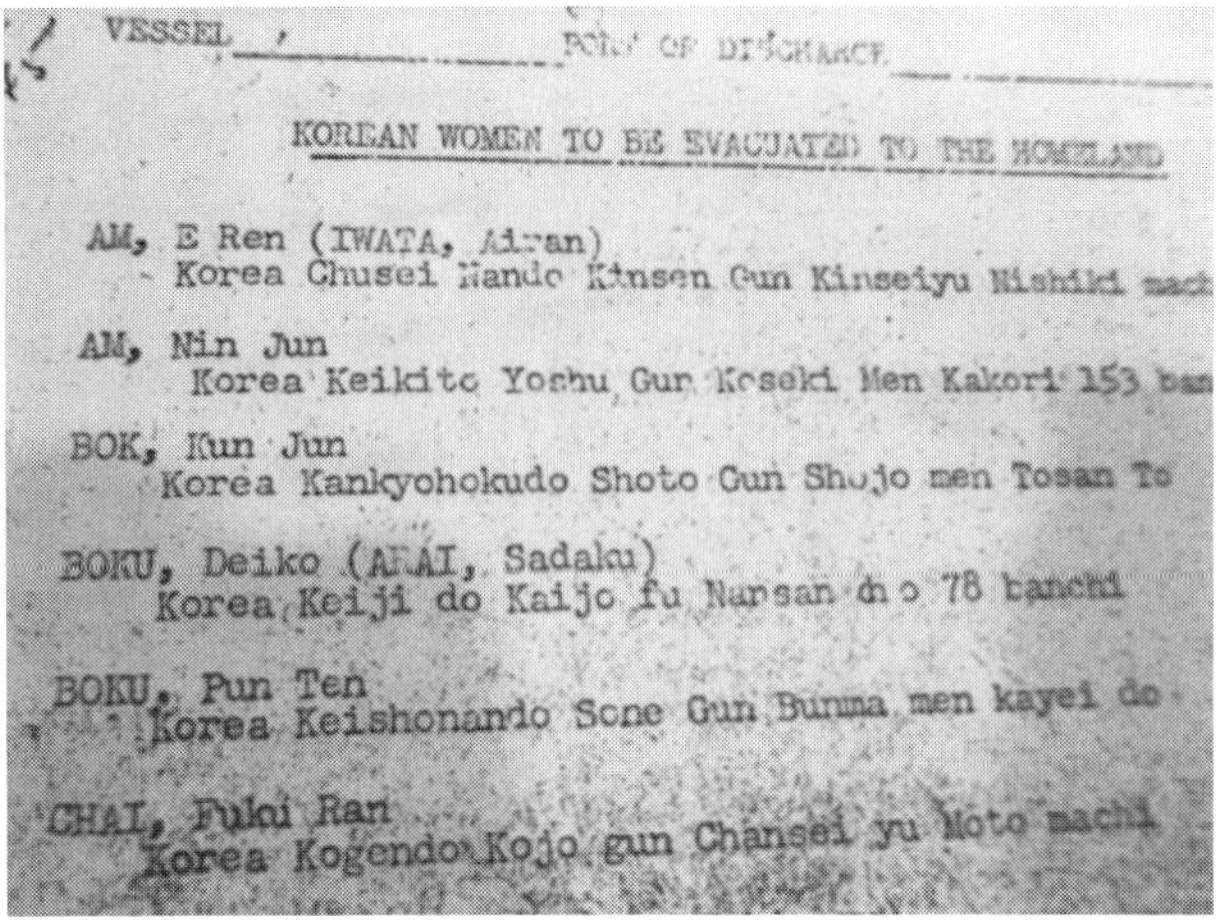
VESSEL ______ PORT OF DISCHARGE ______

KOREAN WOMEN TO BE EVACUATED TO THE HOMELAND

AM, E Ren (IWATA, Airan)
Korea Chusei Nando Kinsen Gun Kinseiyu Nishiki mach

AM, Nin Jun
Korea Keikito Yoshu Gun Koseki Men Kakori 153 ban

BOK, Kun Jun
Korea Kankyohokudo Shoto Gun Shojo men Tosan To

BOKU, Deiko (ARAI, Sadaku)
Korea Keiji do Kaijo fu Nansan cho 78 banchi

BOKU, Pun Ten
Korea Keishonando Sone Gun Bunma men kayei do

CHAI, Fuki Ran
Korea Kogendo Kojo gun Chansei yu Moto machi

原史料Ⅰ　“KOREAN WOMEN TO BE EVACUATED TO THE HOMELAND”（祖国に送還予定の朝鮮人女性）、REPORT OF MILITARY ACTIVITIES（軍政活動状況報告）1945年10月と11月名簿

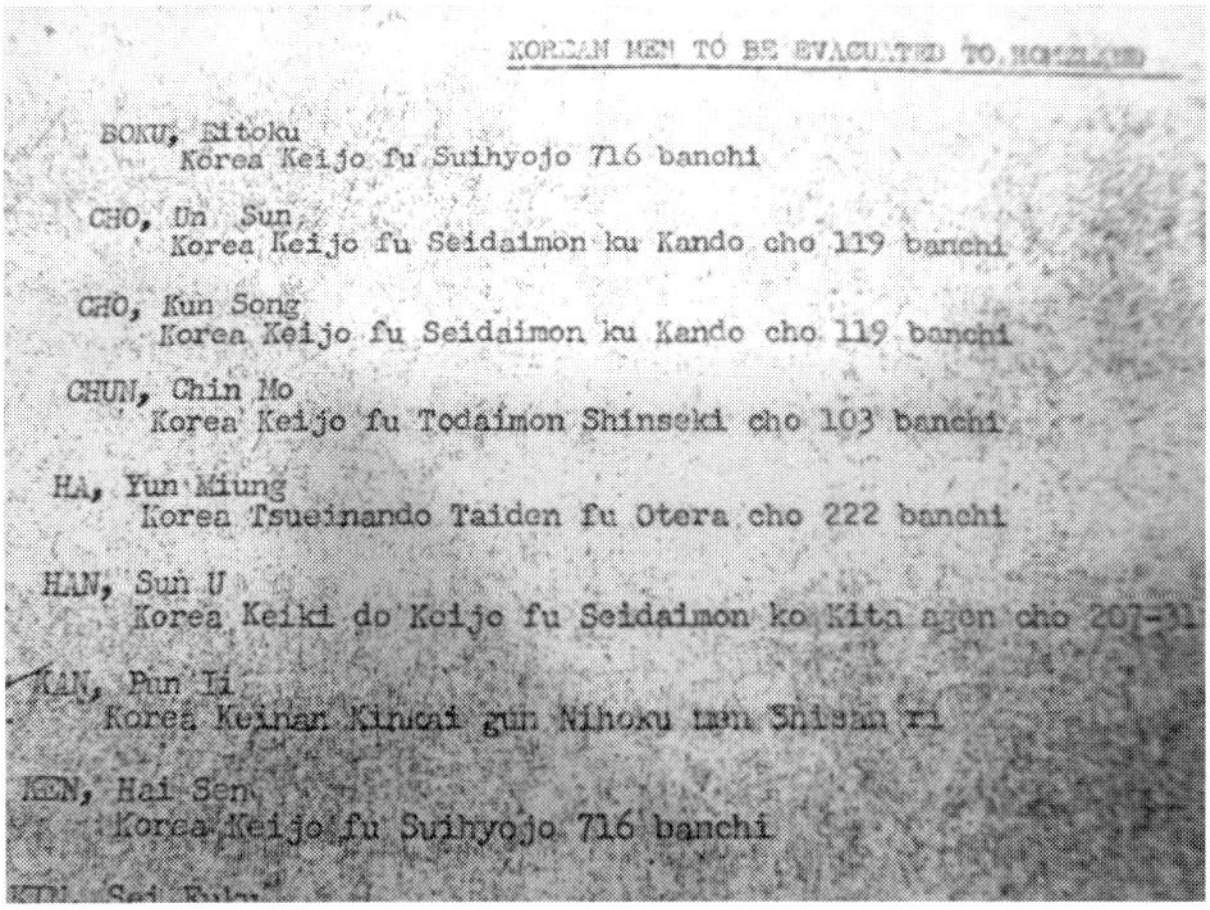
KOREAN MEN TO BE EVACUATED TO HOMELAND

BOKU, Eitoku
Korea Keijo fu Suihyojo 716 banchi

CHO, Un Sun
Korea Keijo fu Seidaimon ku Kando cho 119 banchi

CHO, Kun Song
Korea Keijo fu Seidaimon ku Kando cho 119 banchi

CHUN, Chin Mo
Korea Keijo fu Todaimon Shinseki cho 103 banchi

HA, Yun Miung
Korea Tsueinando Taiden fu Otera cho 222 banchi

HAN, Sun U
Korea Keiki do Keijo fu Seidaimon ko Kita agen cho 207-3

KAN, Pun Ii
Korea Keinan Kinkai gun Nihoku men Shisan ri

KEN, Hai Sen
Korea Keijo fu Suihyojo 716 banchi

原史料Ⅱ　“KOREAN MEN TO BE EVACUATED TO THE HOMELAND”（祖国に送還予定の韓国人男性）、REPORT OF MILITARY ACTIVITIES（軍政活動状況報告）1945年10月と11月名簿

は、横浜に送還することを命じている。この資料では朝鮮人の性別までは分からない。しかし、上記の“Initial Roster of Korean Repatriates”（朝鮮人送還者初期名簿）と“Routing of Liberty Ship *Gables*”（リバティ船　ゲイブルズ号のルート決定命令：洪玧伸発見）は、沖縄にいた朝鮮人の本国送還が早くも一九四五年一二月からスタートしていた可能性をうかがわせる資料である。[3] 収容所の中の様子を知らせる資料も発掘されつつある。キャンプコザで看護婦として米軍の仕事を手伝っている「慰安婦」の姿[4]〔写真1：林博史発見〕

写真1　キャンプコザで祖国への送還を待っている“KOREAN COMFORT GIRLS”

や、座間味の朝鮮人「慰安婦」の写真[5]〔写真2：我部政男発見〕も発掘・公表されている。写真のキャプションから米軍は朝鮮人「慰安婦」のことを“KOREAN COMFORT GIRLS”“GEISHA GIRLS”“JAP KOREAN”と呼んでいたことが分かる。

　このように朝鮮人「慰安婦」たちの収容所内での様子や戦後の状況は、米軍占領資料の中から発掘されつつある。しかし、韓国でこれほど「慰安婦」問題が世論化されているにもかかわらず、名乗り出た「慰安婦」の中で沖縄にいたことを明らかにしている「慰安婦」はほとんどいない。二〇〇七年、筆者は、現在政府に登録されている日本軍「慰安婦」二一五名の名簿のなかから、特に、申告当時のインタビュー内容を検討したが、その結果、四人の女性が沖縄に動員されたことが分かった。しかし、生存している女性

写真２　座間味の“GEISHE GIRLS”“JAP KOREAN”

は一人だけであった。宮古島に動員されたその女性は、固く口を閉ざしたまま亡くなった。

　本国に送還された者の名簿は、数少ないが存在する。朝鮮人女性たちは、「鉄の暴風」と呼ばれる沖縄戦をどのように生き抜いたのだろうか。どのように朝鮮半島に戻ったのだろうか。戦後も本国には戻れず置き去りにされた沖縄の「慰安婦」の実態は、裵奉奇《ぺぽんぎ》によって浮き彫りにされた。[6]『琉球新報』一九七五年一〇月二二日夕刊社会面で、不法滞在者になった元「従軍慰安婦」に対して、入管が本人の希望で特別に在留許可書を出したと報道されたことで、世に名を知られた裵奉奇の証言が、今のところ、沖縄における「慰安婦」の最も具体的で詳しい証言となっている。どのように朝鮮半島に戻ったのかについては、当事者による具体的な証言はない。今、筆者が知る限りでは、宮古島に強制動員され本国に帰ったという佳村文子（創氏名）の「米軍により鹿児島に送られ、ここでLST船でなつかしい故国の釜山に戻った」という短い文書があるのみである。[7]

　沖縄戦における「朝鮮人」の資料について述べてきたが、上記のように、現在GHQの資料なども含めた資料の掘り起こし作業が進められている。しかし、統計資料だけで沖縄戦における住民と朝鮮人及び朝鮮人「慰安婦」の関わり方を推測するのはきわめて困難である。沖縄における「慰安婦」の実態は、全面的に沖縄住民に対する証言調査に依存せざるを得ない。

沖縄における「朝鮮人」慰安婦の数に関する正確な規模は分からないものの、第32軍（南西諸島守備軍）の『陣中日誌』などの日本軍資料には「慰安所」関連の記述が多数残っており、「慰安婦」の存在を直接証言する「慰安所を見た人々」の証言が日本で唯一存在する場所である。沖縄市町村史、特に『読谷村史』[8]、『玉城村史』[9]は、慰安所の項目を設け、その地域における慰安所の設置状況を把握し記述している。こうした取り組みは、近年始まったわけではなく、『浦添市史』の例でみるように八〇年代に既に始まっているもので、「慰安婦」問題がいわゆる政治的な問題として日韓で浮上したのが九〇年代であることを考えると、一〇年以上も早い。

本論文を書き上げるのに大きな手掛かりとなった一九九二年の「慰安所マップ」は、沖縄県や市民グループの間に根強く存在する「証言する」ことを大切にする強い思いから生まれたものであろう。そしてこの取り組みは現在も続いており、一三〇カ所という「慰安所」の数は、新たな住民証言により次々と更新されている。[10]

その他にも、沖縄には「慰安婦」関連の三つの祈念碑も建っ

写真3　渡嘉敷島の「アリランの碑」（1997年建立）

ている。裵奉奇が「慰安所」生活を送った渡嘉敷には早くも一九九七年、「アリランの碑」が建った（写真3）。また、二〇〇六年に建立された「恨の碑」の中に「慰安婦」被害者に対する碑文も刻まれた（写真4）。さらに「慰安婦」をみた住民の提案によって宮古島にも二〇〇八年、「慰安婦」のための碑が建立されている（写真5）。その他に、二〇一九年には読谷に彫刻家金城実により、彫刻「アリランの詩—軍慰安婦像」が彫られた。金城実は二〇二一年には本書の初版（二〇一六年、インパクト出版会）に登場する三人の朝鮮人「慰安婦」の様子を掘っている。(11)

写真5　宮古島の「慰安婦」のための碑（「アリランの碑」及び「女たちへ」）（2008年建立）

ところが、こうした沖縄の住民証言や運動が一九九〇年代になるまで、韓国に伝わることはなかった。それは、韓国は軍事独裁下にあって、こうした取り組みが韓国の巷間に広く知られる機会を得られなかったことに第一の原因がある。また韓国において、朝鮮と琉球の関係は研究されても、戦場の記憶には目を背けてきた研究動向にも大きな原因があったと考えられる。［補章参照］

写真4　読谷の「恨（はん）の碑」（2006年建立）

しかし、本書が沖縄の住民の証言、その「慰安婦」

を見た人々の証言に注目する理由は、書き残された記録に「慰安婦」の存在が明記されてないから、証言を「証拠」として用いようということではない。また、いち早く「慰安婦」、「朝鮮人」を記憶の引き出しから出したのが「沖縄人」であったことに対する驚きを表明したいためでもない。住民側の「慰安所」を見た記憶や問いかけが、「一体あの戦争は何だったのだろうか」という自問から浮かび上がったことこそ、重要と考える。

例えば、『小湾字誌－沖縄戦・米占領下で失われた集落の復元』（一九九五年）のように、沖縄戦により破壊され、その後米軍の基地となったために消滅した集落の「記憶」を復元する中で、おのずと浮き彫りにされた「慰安所」の記憶があった。それは一九八九年、法政大学沖縄文化研究所・小湾字誌調査委員会、浦添市小湾字誌編集委員会の共同の取り組みによって始められ、一九九五年発刊されている。記憶の中に残っている小湾を復元するために、家屋、屋敷、聖地、共同施設、石垣、庭のような空間が、集落風景だけでも八〇〇人以上、各々のテーマを含めると延べ一五〇〇人を超える協力で作成されたが、この村の風景を語る中で「慰安所」を見た人々が、その記憶を語っているのである。

これらの周辺の記憶から沖縄戦を考えようとする理由には、一体、繰り返し「証言」を聞く側は何を求めてそれほど「強制性」に執着しているのだろうか、何故、苦痛を感じた体験、具体的に身を襲った恐怖を、繰り返し語らなければならないのか、という筆者自身の問いかけがある。この問いは現在、沖縄戦を生き抜いた人々と「慰安婦」、両方にかかわる問いである。

「謝罪」と「賠償」の主体は国家として設定される。しかし、証言者を「証言台」に立たせているのは、実は、「国家の戦争責任」以上に、〝ポスト〟を付けられない植民地主義の言説構造そのもの、乱暴に言うなら償いのない「文化」が存在するということを私たちは知っているからである。証言されたものに対する検閲者的な眼差し、嫌悪の表現や行い、人身を冒涜するゴシップのような語り方であったことを、既に、知っている。「慰安婦」や「集団自決」にまで追い込まれた沖縄の人々の存在を「知らない」ということが問題なのではない。少なくともそういう女性たち、そういう沖縄の人がいることは、知らされているのだ。その「存在」は知りながらも、「命令の有無」、「売春婦であった前歴の有無」という状況を証明させようとする、その被害を解釈していく議論の構図が、証言者を絶えず証言台に立たせてきたのである。言い換えれば、償いの主体としての「日本政府」ではなく、「記憶」をめぐる「解釈」の議論の構図、存在を知りながらも沈黙する「不特定多数」の人々に支えられた文化的な要素、その状況的な苦しみこそが、「あの戦争とは何であったのか」を繰り返し自問した人々を、常に証言台に立たせたのではないか。被害者は、社会一般から「日本国家と自分」の関係性を証明し、「強制」という語を導き出さなければ、パブリックのメモリーとしての「被害者」と認められない焦りがある。書きとどめてほしいと願うのは、だからこそ「償いの主体」としての「日本政府」に向かっているのではなく、解釈する側、この問題を「知らない」からと質問する「不特定多数」と、証言者との関係性に向かっているのである。

単純にはっきり言えば、「命令があった」か、それとも「無かった」か、「慰安婦であったか」、それとも「娼婦であったか」はもはや重要ではない。証言者やその証言を支え、被害者側に立つ人々に、それを証明するために実証的な研究に基づいて応答する責任はない。被害証言はこの状況において、常に「強制性」を証明しなければならない立場にあり、抑圧された立場である。従って、この社会一般の議論の構図を変えない限り、「強制性」についての質問は繰り返されることになるからだ。問題は、「命令の有無」、「娼婦か慰安婦か」という問い自体が許されてきた戦後の「文化」そのものではないか。それ故、遅かれ早かれ「国家責任」が法的に解決され、「賠償」という形で金銭的に解決されるとしても、常に、証言者

写真6　座間味の「慰安婦」写真と共に保管されていた子どもたちの写真。米軍病院の“Jap Children”。子どもたちの首は親によって斬られたと書かれている。

は自らの体験を晒し、文化として定着してしまった「質問する側」に、こう反論しなければならない。「私たちはお金のために訴えているのではない」と。

今なすべきことは、「いつまで謝れば良いのか」という質問に、「国家賠償」の成されてない「戦後」の歩みを提示することや、既存の証言の正しさを証明する「証拠」を示すことではない。むしろ、この「文化」として定着してしまった「いつまで謝れば良いのか」という問いかけに、全く他者の目からその体験と体験を繋ぎ合せることで、戦場そのものの状況をより立体的に提示する認識論が必要である。実証的な研究に基づきながらも、その全体の状況を浮かび上がらせる認識論こそが、求められるのである。

例えば、沖縄で「慰安所」を見た人々の証言が、“GEISHA GIRLS”“JAP KOREAN”と書かれた写真にくっきり写っている「慰安婦」の姿以上に多くのことを物語るだろう。「慰安婦」が置かれた状況、その「慰安婦」と共に住民が体験した沖縄戦という空間が、いったい、どのようなものであったのかを、「慰安所」をめぐる証言は有弁に語っているのである。［写真資料6　我部政男提供］

第1部では、「軍・官・民」一体となった沖縄要塞化が始まった時点を、大東諸島の事例を通し、海軍飛行場までをも視野に入れて考えてみた。大東諸島にはそもそも「官」は存在しない。島に動員された労働者の管理や生き方を規定したのが、「企業」であったことに注目した。資源を発掘する名目でこの企業による支配は正当化され、その背後には「帝国日本」があった。かつてこの島を一つの資源発掘のための要塞とした企業に代わって、沖縄戦を準備する軍隊が送り込まれた。そして「自活」のために軍隊のみが残り、企業に属した社員は全員疎開させられる。その軍隊のみが残る島に、女性たちが送り込まれた。軍隊のみが残る島に送り込まれた女性たちは、朝鮮半島と日本本土の遊郭から送り出された女性および遊郭に属していない未成年者を含んでいる。そしてさっそく企業の協力のもと、プランテーションの島の社員宅に「慰安所」が開設された。その管理は軍の「慰安所規定」で定められた。この場合、沖縄から東方に約四〇〇キロも離れている離島に女性を送り込んだのは、業者なのか、それとも軍隊なのか。業者なら「慰安所規定」を定め、看護教育までさせて、女性たちの「生き方」にかかわった軍隊とは何なのか。日本軍「慰安婦」制度をめぐる構造分析そのものではなく、「彼女」の「生き方」に踏み込んできた暴力とは何かを考えるためには、帝国、資本、軍隊が複合的に絡み合いながら形成されていく「戦場」へのプロセスに注目しなければならない。

第1部では、一九四五年に沖縄戦が始まる前の段階からこの島に送られた女性たちへの暴力が、植民地朝鮮と日本の「日常」を横断しながら形成され、国境や境界を超える暴力として働いていたことを示そうとした。それは「慰安婦」たちの名簿だけはなく、大東諸島の、プランテーションから軍隊の島へと変わっていく状況から鮮明に浮かび上がってくる。第一部は限られた史料分析に留まった限界を持つ。しかし、沖縄戦や「慰安婦」問題をめぐる暴力を考えるために、「沖縄戦」や「沖縄に設置された『慰安所』」の問題を、一九四五年以前から始めなければならないことを提起した。(12)

第2部では伊江島、嘉手納、読谷、浦添、西原などに設置された主な日本軍の飛行場の展開を追いながら、結局、こうした「航空戦略」を「主」に、地上戦の備えを「従」に展開していた日本軍の戦略が、持久戦へと展開する過程を追った。単純化していえば、日本軍は「軍・官・民」一体で取り組んだ「飛行場」を自らの手で破壊し、北部から南部へ移動しながら陣地構築に取り組んだ。持久戦はそもそも住民の犠牲を担保にする戦略であったのだが、沖縄住民の「疎開」とは、それによる犠牲から「守るため」というより、「食糧」のためであり、かつ戦争に協力できる住民は、「玉砕」を覚悟させられるものであった。これまでの沖縄戦研究でも広く指摘されてきたように、飛行場建設、さらにその苦役の結晶ともいえる飛行場を破壊し陣地構築のための労働動員が強行される中で、住民の間の不満はやがて、10・10空襲以降、日本軍の「住民スパイ視」などによって徐々に軍に対する信頼そのものを疑う形に変わっていく。

これまでの先行研究で、沖縄に設置された「慰安所」の多くが日本軍の飛行場周辺に設置されてきたことは広く語られてきた。また、日本軍が設置した「慰安所」が、部隊の移動と連動していたことも本書で初めて指摘したわけではない。しかし、本書は各々の飛行場が設置された集落の様子、また住民の「日常」が変わっていく過程を追いつつ、一方で「慰安所」に動員された女性たちに対する「慰安所規定」が、どのように変化していったのかを、住民証言と『陣中日誌』を照らし合わせて検証したことに独自性がある。その分析を通し、10・10空襲以降に「慰安所」をめぐる規定そのものがむしろ強化されていたことを明らかにし、そのことが住民を「スパイ視」した日本軍の認識と密接に関わっていたことを示した。

ところで、日本軍の住民スパイ視が、「軍・官・民」一体を掲げた戦争の亀裂を意味するものなら、地上戦が激しくなる中で、この亀裂を埋めようとする「軍律」はどのような形で現れたのだろうか。第3部では、住民スパイ視が加速化していく中で、目に見えない形の「軍律」として「強かん恐怖」が利用された点に触れた。まず、この10・10空襲前後、住民側に米軍による「強かん恐怖」の言説が広まっていた点を明らかにした。また、それをむしろ軍は捕虜となることを防ぐためのポリティクスとして利用していることを示した点、つまり、日本軍のポリティクスそのものであったことを指摘したうえ、それがそのまま敗戦直後の米軍による「強かん恐怖」から逃れるための、住民側自らの「加害性」を引き起こすポリティクスと化していく過程を分析した。

無論、戦場において女性たちが敵に強かんされることを恐れるのは沖縄に限ったことではない。だが、逆にこれらの「恐怖」が実際に自分の身を襲った際、私たちはどのように「行動」すればよいのだろうか。その「暴力に抗する」ためにも、「恐怖」そのものがいかに目に見えない暴力と繋がっているのかを考えなければならない。

第3部では「慰安所規定」で強化された「外出禁止」区域と「許可地域」が、実は住民の「日常」と密接に関わっていたことを分析している。また実際「慰安婦になるかもしれない」と感じた際、それぞれ「慰安所」を見てきた住民がどのような行動をとったのか、様々な証言を通して提示した。

「慰安婦」問題を論じる際、監禁状態であった女性たちの境遇を、この制度の特徴として取り上げる場合が多い。しかし、本書では、地上戦の恐怖が高まる中、「立ち入り禁止」区域は住民にとって、その場に立ち入る者は「殺される」という住民スパイ視に繋がっていたことを、住民証言を通して同時に浮かび上がらせている。住民の民家を「慰安所」に使用した場合も多く、狭い村社会ではあくまでも「公」

とされた場所が、軍隊の移動と駐屯形態の変化とともに徐々に「立ち入り禁止」区域となっていく。そして、看護教育を受けて戦時動員されていく沖縄の女子高校生たちと同様、「慰安婦」にも「救急法」が教育された。日本軍に依存しなければ生きられない「慰安婦」は、「慰安所規定」によって管理され、戦時「救急法」の教育後に地上戦に参加させていくよう仕向けられていった。

そしてそれを「見る」側の住民は、いつか自分の身に起こるかも知れない恐怖として「慰安所」にいる女性の体験を見ていたのであり、それはかつて中国戦線を経験した人々の語る記憶によってより現実性をおびるものとなっていく。米軍収容所という「戦中」と「戦後」が共存する「空間概念としての一九四五年」を生きた住民は、この「暴力」を回避するために、新たな「立ち入り禁止区域」と「慰安所」を住民側から米軍に提案するのである。

「慰安所」は、結果的に米軍の上陸がない島にも建てられている。第三部で述べた宮古島の体験は、本書の取り組みの中でも最も重要である。この島での体験は、まさに「地上戦」が行われなかった沖縄戦での、「慰安所」が置かれ、かつ島自体が一つの「収容所」となった空間での体験であるからだ。宮古島における「慰安所」の特徴を通し、いわゆる「監禁状態」ではなかった「慰安所」、島の住民のレクレーションの場で、まるでアイドルのように立たされ、「明るみ」に公開されていく「慰安婦」について論じた。明るくアリランの歌を歌っていた「慰安婦」たちのことを、しかし住民は、「自発」的に宮古島に来ていた「娼婦」とは語らない。宮古島にとって、軍隊は住民を守らない、という語りは、全ての物資が途絶えた孤立状況の中で「武器を持たない軍隊が何をしたのか」に関わる。そしてこの「孤立」と「飢え」の様々な体験を通し住民は、問うている。

「宮古島に於ける作戦資料はすべて終戦に方《あた》って焼却したので何物も残ってゐない」

（防衛研修所戦史室「山砲兵第28連隊」『宮古島戦史資料』昭和二〇年一二月）

日本軍は復員を完了した時点から、「上司の命により主として記憶を喚起して草したもの」として宮古島の戦争を書き残している。戦後の時点で書かれた日本軍の記録には、住民の被害状況はもちろん、沖縄本島の日本軍が戦時中書き残した『陣中日誌』などで見られる「慰安所」の記述は一言も書かれていない。宮古島における「慰安所」は、まさに、住民の記憶の中にしか生き残れなかった〃記憶の場〃でもあった。こうした状況は、戸籍までもが全て焼き払われた沖縄の本島でも、言えるのであろう。

確かに住民にとって「慰安所」の朝鮮人は他者であった。しかし、その他者を管理するシステムが、住民の日常を統制し管理する「ポリティクス」でもあったと言える。

このように本書では、その「記憶の場」となった「慰安所」を、住民の証言によって「朝鮮人の」あるいは「沖縄人の」のような所有格では捉えない、あくまでもその経験がどのように重なり、どのような「恐怖」として作用し、また、その「恐怖」に日本軍の軍律というものがいかに作用したのかを分析した。沖縄のように、「日本」に属しながらも他者である朝鮮人「慰安婦」のことを語り続けた地域もまた存在しない。それは、本論文で明らかにしたように、その「慰安所」自体が、住民の生活空間そのものを変質させていった大きな「状況」であったためである。

「琉球国は南海の隣地にして三韓（朝鮮）の秀をあつめ　大明を輔車とし
日地を以て唇歯となす　此の二つの中間にありて湧き出づる処の蓬莱嶋なり

舟楫を以て万国の津梁となし　異産至宝は十方寺刹に充万せり」

（「萬國津梁の鐘文」、漢文訳：筆者による）

アジア太平洋戦争により焼け落ちた首里城の復元によって、琉球王国の繁栄を空間で感じることができるようになったが、その中でも、観光客が最も記念撮影の場所として好むのが、赤い瓦が印象的な「守礼門」である。「守礼門」に書かれている「守礼の邦」とは、歴史的に武器を廃棄して朝貢貿易で繁栄していた琉球王国が、自らを称する言葉であると知られている。

そして、首里城の下に、日本軍が造った巨大な壕が存在することを知りつつも、第32軍の壕に「慰安婦」がいたことは全く語られていない。輝かしい琉球の歴史と、その下に眠っている戦場の歴史は、出会えないのである。

人々が生活する空間として「戦場」を想起すると、それは単に一九四五年を前後にした話ではない。むしろ長い間人々が守ってきた価値観や文化といったものが、いかに「恐怖」の中で倍増されまた、連鎖しているかを問うことが重要であろう。そこに、国家や民族というカテゴリーの何処にも属しきれない人々の「戸惑い」を想起する必要がある。それを考える空間として、本書は沖縄に注目したのである。

註

（1）『大東島支隊第四中隊陣中日誌』（昭和一九年一二月四日）、七人の女性の名前や本籍を記した一覧表（一部非公開）が残っている。本書第1章六四頁を参照されたい。

（2）一九九一年戦争責任センター研究事務局発見。沖縄において同資料は、一九九四年一〇月在日朝鮮人総連調査団が再び発見し、当時発見されたワトキンス文書と共に話題となった。一二月には一九九四年は、強制連行された朝鮮人「慰安婦」原告三人による関釜裁判が開かれる予定であったため、注目された。（「朝鮮人慰安婦は日本軍管理」『琉球新報』一九九四年一一月二九日』）

（3）米軍の沖縄基地司令部からUS Military Government Detachment for the Southern Ryūkyūs.（米軍政府の南方琉球連絡部隊）に当てられた低速貨物船「Liberty Ship *Gables*」の道筋報告書。本報告書は、*Gables* 号の船長が、石垣島、宮古島から朝鮮人、台湾人、日本人などを乗船させ、沖縄本島に運ぶことを米軍政府の南方琉球連絡部隊に知らせるものであった。*Gables* 号は石垣島に向かい、朝鮮人二〇五人、沖縄人五一四人、台湾人七人、満州人一人、戦争犯罪の疑いのある日本人将校七人を引き取るよう命じられた。次に宮古島に行き、四五八人の朝鮮人、四人の台湾人、そして戦争犯罪の疑いで復員資格を認定されなかった三〇三人の日本軍の将校を乗船させることになっていた。宮古島からは、那覇に入港し、日本に帰国する者以外のすべての乗客を降ろし、二〇〇〇人の引揚者を満載にし、横浜で下船するよう命じられた。（Headquarters, Okinawa Base Command, "Subject: Routing of the Liberty Ship *Gables*," 13 December 1945. 所蔵：沖縄公文書館、洪　玧伸発見）この資料は、沖縄離島からの朝鮮人引揚状況を踏まえた資料の発掘や検証が必要であることを示唆する。

（4）戦争責任センター林博史教授発見。なおアメリカ公文書館で発掘された「米軍収容所における慰安婦の写真」については公文書館仲本和彦さんから助言・協力をいただいた。この場を借りて感謝を申し上げたい。

（5）山梨学院大学・我部政男名誉教授発見。

（6）詳しくは、川田文子『赤瓦の家』（筑摩書房、一九八七年）山谷哲夫『沖縄のハルモニ』（晩声社、一九七九年）を参照。

（7）「或る女子挺身員の恨みからんだ事情」『鎮魂』韓国人慰霊塔棒案会、一九七八年一〇月二五日、三〇二頁。

（8）読谷村史編集委員会『読谷村史　第五巻（資料編4）——戦時記録（下巻）』読谷村役場、二〇〇四年。

（9）玉城村史編集委員会『玉城村史　第六巻（戦時記録編）』玉城村役場、二〇〇四年。

（10）二〇一二年六月一五日から二七日まで沖縄女性たちと東京のアクティブ・ミュージアム女たちの戦争と平和資料館（WAM）が、『沖縄戦と日本軍「慰安婦」』展を掲載し大きな反響を呼んだ。パネルは一九九二年「慰安所マップ」調査にかかわった浦崎茂子、高里鈴代、宮城晴美らと、古賀徳子のような若い研究者の努力により作成された。パネル作成のために一九九二年実施された慰安所マップ調査や戦後の米兵による性暴力年表、市町村史収録の公文書などを踏まえ研究会を重ねている。パネルで展示した沖縄戦時の「慰安所」の分布と実態は、『軍隊は女性を守らない――沖縄の日本軍慰安所と米軍の性暴力』（WAM、二〇一二年）にもまとめられている。

（11）森住卓「光と影を読む　金城実―人と作品」『世界』（岩波書店、二〇一二年五月、九五六号）、豊里友行「沖縄の魂を掘る　彫刻家・金城実」『部落解放』（解放出版社、二〇二二年、八二二号）を参照されたい。

（12）内部の異質のものを外に排除し一つの「身体」となった空間（要塞）に現れる植民地主義と帝国主義の連鎖については以下の論文（チャスンギ「資本・奇術・生命：興南・水俣または企業都市の解放戦後」（ハングル論文、『sai』一四号、二〇一三年、四一七―四四八頁）資本やその背後の「帝国」の存在が植民地主義と結びつきながら行使され続ける際、国境、境界を越える暴力はいかに思考すれば良いのか。言葉で表現しえない力としてのしかかってくる暴力に対し、体制や構図ではなく暴力の重層性に戸惑う主体の困難さから考えることの重要さについては以下の論文が手掛かりとなる。（冨山一郎「帝国から―冷戦のはじまりについての省察」『現代思想』二〇〇〇年六月号、一〇二―一一二頁）

補章

韓国における「沖縄学」の系譜

―유구（ゆうぐう）と류큐（りゅうきゅう）の間―

補章を寄せる前に――戦後七〇周年、二つの裁判と「学問」／「運動」

補章は、二〇〇九年までに韓国学術振興会に登録された学術論文を含む一六五編余りの沖縄関連論文を分析し、韓国の近現代史で「沖縄」がどのように認識されたのかを分析し、『現代沖縄の歴史経験』（冨山一郎・森宣雄編著、青弓社、二〇一〇年）にすでに発表した「韓国における沖縄学の現在――유구（ゆうぐう）と류큐（りゅうきゅう）の間」を加筆・修正したものである。「韓国における沖縄学の現在」の発表後、筆者は、ある国際シンポジウムで、その論文を重く受け止めたという一人の韓国の学者と出会った。彼、白永瑞《ぺくよんそ》氏は新崎盛暉の著書のハングル版『沖縄――構造的な差別と抵抗の現場』（創批、二〇一三年）と、自身が東アジア共同体を考える中で、何故、連帯の対象としての沖縄に注目したのかを真摯に描いた著書（『核心現場で東アジアを再び問う』創批、二〇一三年）を手渡してくれた。『沖縄――構造的な差別と抵抗の現場』の訳者後書きにはこう書かれている。

「最近、東アジアに関心を寄せる『批判的知識人』たちの沖縄に対する関心のあり方に対する苦言に出会った。簡単に紹介すると、『日本のあり方』に対する批判のために、沖縄をある種の『メッカ』として政治化していくことに集中すると、そこに住んでいる人々の苦痛を『無化』してしまう恐れがあるとのことだ。住民の苦しみには何の介入もできないまま沖縄を、日本を批判するための道具としてしか扱うことができないのなら、それは、『沖縄の観客化』に過ぎないということである。」

白永瑞氏は上記のように筆者の問題提起を受け止め、沖縄とどのような連帯が可能なのかを様々な角度から考察していた。系譜的な分析を行うことが、真摯にこの問題に向き合おうとした様々な問題認識を軽く見逃してしまう恐れを持つということを、上記の書籍から学ばなくてはならないだろう。少なくとも筆者は、この補章に寄せた「沖縄学」の系譜に、「翻訳」という実践を通して沖縄社会の歴史的経験と韓国のそれを結び付けようとする努力を見逃している。系譜で提示した「沖縄学」というものが、そもそも「学」とは何かという様々な異論の余地の多い観点を含む論文だと思う。

しかしながら、「沖縄」をめぐる韓国社会における「知」の系譜を、ここであえて紹介するのは、まず、韓国でどのように「沖縄」が知られているのかを概論的に知る意味はあると思うからである。[1]また、その中で現在何が抜け落ちているのかを、筆者自身の研究の立ち位置を含めて考えることができるだろうと思うからである。「沖縄」を、韓国の学術論文が、「連帯の対象」に置いて語れば語るほど、筆者はその分析を通して、沖縄自体に含まれている住民の苦しみが「無」となるような、「観客」となるような学問の構図に出会うことになった。

それは、韓国における歴史経験と、沖縄の歴史的な経験が同時に語られることなく、一方的に「日本のあり方」を批判するために、「沖縄」が題材として使われているのではないか、という問題提起でもあった。そもそも「連帯の対象」として「沖縄」を発見したのは、平和の言説を求めた人権・活動家によるものであったことに筆者は注目したい。補章では、韓国の民族学、歴史学の「分野」に、沖縄を「観客」にするいわゆる「沖縄学」の取り組みがあり、その中に「運動における知」と「学門における知」を厳密に区分してきた「学問を取り巻く状況」が存在してきたことを、系譜的な分析を通して明らかにしたい。この韓国の学問を取り巻く状況批判は、実は日本社会における「慰安婦」問題をめぐる「知」の形成にも、どこか通じるものがあるのではなかろうか。筆者は、本書が「慰安婦」について「の」研究ではないことを言明したが、すべての書籍が、その書き手の生きた時代背景や、政治状況を含む「問題認識」のなかで成り立つものであると考えれば、本書が「慰安婦の問題」として読まれてもかまわないと考えている。それは、筆者が本書を一つの形にまとめていた二〇一五年の戦後七〇周年にあって、筆者自身もやはり「慰安婦の問題」を意識しているからだ。日韓両国における「慰安婦」問題とは、解決を急がなければならない政治問題となっている。その中で、日韓の歴史学者も「声明文」を通して、この問題の一日も早い解決を訴えた。戦後七〇年となった節目の年、「慰安婦」問題の解決を求める学者の声明文が相次いだのである。[2] 筆者自身の研究を、もし「慰安婦の問題」とみるなら、この問題をめぐる多くの先行研究は、実は、日本語のテキストによるものであった。だがしかし、個別の研究者の真摯な資料発掘、論文執筆、単著の出版においては、一九九一年にこの問題が浮上して以来、多くの先行研究があるにもかかわらず、日本社会で「歴史学会」「女性学会」で「慰安婦の問題」が議論されたのは、二〇〇〇年代に入ってからであることを、見逃すことはできない。それが、著者自身が、日本語を通して論文を発表してきた、この日本社会の状況でもあるからだ。女性学に限定していうのなら、「韓国」問題の研究は、堅苦しい「植民地時代」の研究ではなく、現代史に集中してきた。国立情報学研究所のデータベースから「朝鮮」をキーワードに博士論文を検索すると、出てくる五七九の中で朝鮮半島の女性史分野で学位を受けた者は七名のみであり、あいにく、すべて韓国人（在日も含めて）であることは何を意味しているのか。そして筆者は、その七名の中の一人となった。もし学者が自らの立ち位置を訴え、議論を深める「場」の一つが学会だと考えるなら、歴史学や女性学などの声明文は、社会一般の「ナショナリズム」を論じる以前に、まず自らの「知」の形成の「あり方」、つまり自己の内側に向けられるべきではなかっただろうか。

そして、「慰安婦」問題が浮上して二〇年が過ぎた二〇一五年、学者が「慰安婦問題」で書いた書物自体が、司法の場に立たされる状況が、日本と韓国、両社会には存在する。そこでは、多くが語られているように見えて、実は語るべき「対象」はすっぽり抜け落ちている。その構図は、二つの裁判が戦後七〇周年に当たる年に行われたことに、最も明確に現れている。

裁判の一つは、一九九一年末から「慰安婦」問題を研究してきた吉見義明氏が著わした、岩波新書『従軍慰安婦』（一九九五年）ないしその英文翻訳書『*Comfort Women: Sexual Slavery in the Japanese Military During World warII*』(Columbia University Press, 2000) に対し、「これはすでに捏造であるということが、様々な証拠によって明らかにされている」と発言した桜内文城衆議院委員を、名誉毀損で告発した裁判（以下：吉見裁判）である。

一方、韓国では朴裕河《ぱくゆは》氏の『帝国の慰安婦』（뿌리와 이파리、二〇一三年）に対し、六月一六日、元「慰安婦」九人が名誉毀損で告発した。日本軍「慰安婦」の真実を歪曲し、被害者の精神的な苦痛を加重したとし、著作物に対する出版禁止処分をも求めた。朴裕河氏は二〇一五年一一月一八日、在宅起訴されている（以下：朴裕河裁判）。この裁判を巡っては、朴裕河氏側の出版・表現・言論の自由についての問題提起や、韓国の民主化に対する懸念を訴える上野千鶴子氏、大沼保昭氏、大江健三郎氏を含む五四人の声明文（一一月二六日）がまず発表された。またそれに対抗する形で、司法の場にまで至ったのは遺憾としながらも、裁判にまで至った被害者（慰安婦）たちの痛みに耳を傾けるためには、この研究を名誉侵害とした被害女性たちの告訴権も真剣に考えるべきである、との主張もある。特に、朴裕河氏が著作の中で、日本帝国に属していた植民地女性たちが、「軍人と『同志的』な関係」にあったとの記述を、被害女性たちの証言はもちろん、既存の「慰安婦」研究の成果を無視したものであり、深刻に受け止めるべき、との「研究者・活動家」の署名（一二月九日）も相次いだ。

筆者自身、吉見義明氏の研究を重要な先行研究の一つとして考えながらも、「慰安婦」問題をめぐる議論は、「公娼制」を含む広範囲の暴力性を問う問題と見ている。一方、朴裕河氏の研究については、研究の方法論と歴史認識に強い違和感を持ち、今回の裁判で問題の核心となっている「同志的関係」という語においては、少なくとも、筆者自身が取り組んできた沖縄戦における事例研究からは、学問上の批判が可能であると考えている。

しかし、ここでの問題は、裁判の「是非」が、日韓それぞれの社会で「反日研究」あるいは「親日研究」という攻撃を浴びつつ展開されている点ではない。問題は、「慰安婦本人の被害体験の証言」を材料として争われながら、この裁判をめぐる議論が、「他者化」された視線によって消費されている点にある。裁判所にあって研究者たちは、未解決の社会問題としての「慰安婦の問題」に、どのようなスタンスで向き合っているのか、説明を求められる。一方、これら学者の議論を「消費」する側は、あたかも「審判する側」であるかのようだ。そして司法上においても、「審判する側」に立っている世論においても、被害女性たちが行った「証言」は、材料として提出されて「消費」されてゆく。研究はそれ自体の書物ではなく、それが生きる社会状況において「消費」され、しかも、過去の記憶にとどまらず今を生きる被害者（慰安婦）の傷つきについては、鈍感になってしまうのである。いつのまにか「慰安婦」本人が、「観客」になってしまう議論の構造が、両社会に形成され、消費されている。

また、吉見裁判がそれほど注目されない中、韓国における朴裕河裁判には過敏な報道が行われている現状も、考えるべき問題の一つであろう。この二つの裁判とも、学者の研究発表である書籍が「司法」の場に引き出され、しかも「名誉」という「傷ついたことを証明しにくい」価値判断を求める裁判となっている。裁判の結果はともあれ、いつの間にか関心は「慰安婦」ではなく、「慰安婦の問題」となっていることに注意を払わなければならない。研究した書物それ自体ではなく、その研究を消費する社会の問題を同時に考えるためにも、「学問」を「運動」とは分類してきた両社会の議論の構造的な問題を系譜的に分析することは、有効なのである。

　日本語で自分の論文をまとめているさなか、上記の二つの裁判をめぐる論議がいまだ「渦中」にある（二〇一五年一二月二八日）なかにあって、「慰安婦解決で日韓の合意」の速報が流れた。韓国政府と日本政府の「合意」が妥結されたとのニュースが飛び込んで来たのだ。「合意が日韓関係改善と持続的発展につながるように協力すると確認」、「慰安婦問題は最終的かつ不可逆的に解決されたことを確認」が、両政府によってなされた。韓国では、「慰安婦」と関連団体の反発が政府の「重い課題」であると報道された。そして「被害者の方々の苦痛を私たちの子孫たちの心に刻み、歴史に二度と繰り返さないこと」を訴える大統領のメッセジーが国民に向けて発表された。(3) 一方、日本では「謝罪の宿命」を「子孫に負わせぬ」というそもそも「忘却」を前提とした訴えが、日本社会に向かってこの「合意」の「正しさ」を説得する名目となっている。(4) 二〇一五年、戦後七〇周年をわずか数日残した時点で、「記憶」と「忘却」をめぐる異なる解釈を許す「合意」の合目的性が、両社会に向けて発信されているのだ。

　筆者の沖縄戦研究は、沖縄の住民の証言を研究の題材にしている点で、「あの戦争は何であったのか」を問う人々によって常に、「あなたはどこから来たのか」を問われる学問であると理解している。それは、単にパスポート上の「韓国人」か「日本人」か、それとも「沖縄人」かを問うのではなく、あの戦争で綺麗に「日本人」と成り切れなかった体験、その故にあの戦争の記憶の傷跡を、「学者」という安定した立場からさも単純に「綺麗に片づけてほしくない」という拒絶でもあった。この場合の「何人」とは「ナショナリズム」ではなく、発話の位置、言葉のあり方についての問いかけであった。それは無論、「書くという倫理」を問うものではあるが、特定の学者に向かってではなく、むしろそれが「消費」されていく状況への問いかけである。「あなたは」と問うても、それが社会に向かっている点ですでに、「学問」とは「運動」と分類できない構造を持っているのである。

以下、補章では、韓国の「沖縄学」の問題、「被害像としての沖縄」のみを語り、「すっぽり抜け落ちている戦場の記憶」について論じる。

しかし、日本社会に生きる「韓国人」の著者として、筆者は「日本人」と名付けられたある一人の若き研究者が、自分の置かれた社会状況や言葉のあり方から、植民地朝鮮の女性に思いを寄せたこと、そして彼女が最後に残した以下の問いかけを記憶しておきたい。

「林展慧氏が指摘しているように、特に日本女性は、日本の女性史の中で過去の日本の旧植民地国に対する日本女性の関わりの部分がすっぽり欠落している事実を認識してみなければならない。」

（橋沢裕子『朝鮮女性運動と日本』新幹社、一九八九年、五六頁）

1．構成すべき「呼び名」の揺らぎ

今、韓国で「沖縄ブーム」が起きている。沖縄関連書籍が次々と翻訳され、「集団自決」問題や、基地移設問題はすぐに韓国の新聞紙上で取り上げられ、日本の右傾化を憂慮する世論を呼び起こす。「昔は長生きだったのに、アメリカの軍隊により普及されたハンバーガー文化のせいで寿命が短くなっている」という話や、沖縄の食べ物、文化、音楽、野球選手たちのキャンプの様子などが、新鮮なニュースとして流れる。こうした関心の高まりとともに韓国・沖縄間の直行便は、沖縄のきれいな海へと韓国の観光客を運んでくる。最初のハングル小説の主人公で義賊として広く知られる洪吉童《ほんぎるどん》が、実在の人物で琉球に亡命したという説が提起され、既存の小説人物と実在の人物をめぐって「記念館」論争も起きている。このように、米軍基地問題から小説の主人公に関わる「琉球」の話まで、沖縄をめぐって様々な言説がある。もちろん、数多い海外ニュースのなかで沖縄は、「飛ぶように売れる」トピックではない。だが、この三年余り様々な分野で沖縄に対する関心が生まれ、言説を生産・消費している点では、まさに「沖縄ブーム」と言ってさしつかえない状況だろう。

しかし、筆者はこれら韓国における「沖縄ブーム」は、次のような二つの方向性、「沖縄の他者化」と「沖縄の観客化」を加速することにつながっていると考える。

第一に、エメラルド一色の海と異国的なイメージとして知られる新婚旅行地、長生きの島、自然豊かな島、といった沖縄を見物の対象とする「沖縄の他者化」である。

第二に、韓国の読者に向かって沖縄の「代わりに語る」ことを躊躇しない学術的な動きによってもたらされた、「沖縄の観客化」である。このような沖縄の観客化は沖縄になりすました語調で「代わりに語る」ことにより、むしろ、言説空間において沖縄自体を「観客」として回収してしまうような傾向がある。

上記の言説構造の共通分母は、何よりもまず、韓国現代史における政治的な自由、その自由がもたらした人と人との「出会い」により触発されたものであった。筆者は、それらの出会いをひとくくりにして軽々しく批判するつもりはない。そのうえで、出会いとは、誘導的な可能性を同時に含むものであるとどこか信じたい欲望の方が強い。

「沖縄ブーム」の問題は、「他者化」された空間としての沖縄が見れば見るほど遠くなり、観客化された沖縄への「共感」を語れば語るほど、沖縄についてではなく自分自身だけをいつのまにか語る、「自己同一化」の陥穽のなかに落ち込んでいく言説構造にある。その言説構造に、どこから介入すればいいのか。介入という行為は、書き手の発話の位置が同時に問われている点で、「書くことの倫理」こそが問われていると言っていいだろう。そういう意味で書き手としての「私」は、「沖縄の他者化」という眼差しよりも、むしろ沖縄との「共感」の可能性を探るために何かを書くこと、それによってもたらされた「沖縄の観客化」という問題に介入したいと考える。それは、韓国でまだ沖縄に出会っていない人々に、文字として沖縄を「固定化」して伝える際に、その「語りの位置」こそが問われていると考えているからだ。

そうした意味で、筆者は韓国の研究者が文字として沖縄を論じる際に用いる「呼び名（おきなわ、りゅぅきゅぅ、ゆぅぐぅ）」の変遷を論じることで「沖縄の観客化」の問題が生じる「語りの位置」について考えてみたい。

現在の「おきなわ」「りゅぅきゅぅ」という名称は、韓国の歴史学や民俗学ではかつて「ゆぅぐぅ」という名称で表現されてきた時期があり、そのことが、現在沖縄学でいう名称といかなる関係でつながっているのか、筆者はその揺れ動く呼び名の変遷を軸に、韓国における沖縄学の系譜をいまでこそたどる必要があると考えているのだ。

一見、安定した呼び名のように見えるが、ハングルの「おきなわ」「りゅぅきゅぅ」という呼び名は、実は、一九六〇年代にはまったく違う呼び名である「ゆぅぐぅ」が用いられていたことに注目したい。「ゆぅぐぅ」とは、琉球という漢字のハングル式読みで、主に歴史学や民俗学の分野で使われ、書かれた沖縄の呼び名であった。この固定化された文字は、韓国社会におけるどのような変動により、「ゆぅぐぅ（유구）」から、「りゅぅきゅぅ（류큐）」へと変遷したのか。そこにこそ、「沖縄の観客化」に対して、書き手の「私」

が介入出来る余地があるのではないかと考えている。

そして本論の論点を提示しておくなら、それは六〇年代から現在までの、韓国における言説構造のなかの「呼び名」の揺れという体験を取りだし、その語りの中に見える書き手の発話の位置を並べるという分析的な作業と、韓国で沖縄を語るとはどういうことなのかを問うという作業である。

まずは次の四つの時期に区分しておきたい。

第一期は、民俗学、歴史学により、はじめて沖縄が研究史に登場する一九六〇年代。第二期は、主に民俗学の分野で沖縄が書かれた時期として七〇年から七九年までで、これは韓国における軍事政権の時期と一致する。第三期は、八〇年代から九五年までで、この時期、韓国の歴史学は、「ゆぅぐぅ」という呼び名で「朝琉関係」に注目していたが、一方、沖縄では朝鮮人「慰安婦」や軍夫の問題が注目された。最後の第四期は、九六年以降から現在（二〇〇九年）までで、米軍基地を抱える沖縄の近現代史が本格的に知られはじめ、同時にその沖縄が「りゅぅきゅぅ」という呼び名で呼ばれた王国の歴史をもつ地域でもあったことが、日本による植民地支配の経験をもつ韓国人の共感を呼びおこす時期である。すでに言及した「沖縄の観客化」が進んだ時期だといえる。

繰り返しになるが、これらの呼び名の揺れを論じるのは、あくまでも安定しているかに見える「呼び名」に、書き手としての「私」が介入することによって、今一度、顕在化させる試みである。

2. 一九六〇年代、呼び名、琉球＝「ゆぅぐぅ」の登場

韓国における沖縄学として沖縄が「発見」されたのは、一九六〇年代歴史学・民俗学の分野であった。それは、「ゆぅぐぅ」という琉球の韓国式漢字読みの誕生でもあった。一九六〇年代、安保改正条約発効

後の沖縄では、反ベトナム戦闘争と共に復帰運動が頂点に達していた。六九年、米軍基地撤収なき沖縄返還を発表した佐藤・ニクソン共同声明でみるように、沖縄に対する「日本の戦後」の立ち位置が、厳しく問われた時代でもある。一方、韓国における六〇年代は、植民地解放後、韓国で政府が樹立されて以来、政治権力を独占していた李承晩《いすんまん》政権が四月革命によって倒れたことで、「最も自由で民主主義が活性化した時期」[5]としてスタートした。しかし、朴正熙《ぱくじょんひ》の軍事クーデターによって早くも一年で独裁政治へと変わり、以降、日本との関係でいえば、朴政権による韓日国交正常化が急スピードで進んだ時期であった。

なぜ、「ゆぅぐぅ」なのか。実は、この第一期において「おきなわ」という呼び名が、最も頻繁に新聞紙上に登場する時期が一度だけあった。それは一九六〇年、ドワイド・D・アイゼンハワーの韓国訪問の時だった。六〇年代を「ゆぅぐぅ」の呼び名の登場期として考察する前に、この新聞紙上に登場した「おきなわ」について言及しておこう。

『東亜日報』は一九六〇年六月二〇日のアイゼンハワー入国までの一週間、「アイク」一色であった。

「日本政府の戦後最大の危機—『アイク』訪問前の『デモ』暴動化へ」「極左、再び示威計画」「共産主義が指令」「アイク、一九日来韓」「訪日取り消しに変更—午前一一時四五分入京、午後八時離韓」「訪問延長要求同意—『アイク』、日本の共産煽動者非難」「アイク歓迎史上最大規模」「準備で大騒ぎ—綿布四〇疋肖像画も登場」「反共陣営結束強化—韓国の防衛力強化政策議論」「アイクの訪韓を歓迎する」「早くも歓迎ネオンサインこうこうと輝き—第二共和国最初の賓客迎える前夜のソウル」「道ごとに『ウェルカム・アイク』」「アイク、民族をあげての歓迎裡に入京」「韓米協定最も緊密化」「熱狂的歓迎に感動─人ごみの交通渋滞にむしろ満足」

四月革命後、長く権力を独占していた李承晩政府を自らの手で倒した民主主義の勝利を実感し、希望と活気であふれていた六月のソウルにアイゼンハワーは降り立った。「アイク」を歓迎する群衆は、権力による「動員」だけではなかった。

アイゼンハワーは、歓迎されるしかるべき人と見なされていた。なぜなら、彼はかつて「朝鮮戦争を解決する」との大統領公約を掲げ、就任後半年で休戦をもたらした「有能」な米国の大統領であり、また、アイゼンハワーが李承晩政権の不正選挙などにも遺憾を表明したからである。米国の支持を得られなくなったおかげで李政権の下野が決定したという背景があったため、アイゼンハワーの人気は高かったのである。また朝鮮戦争一〇周年を迎え、「反共」が高まった時期でもあった。

それに対し日本の安保闘争は、アイゼンハワーの訪日を妨げた「日本左翼の暴力抗議」であり、「日本で民主主義に反対する勢力がいかに強いかを知らしめる行為」として韓国に伝わった。(6)「共産主義者が指令」(7)を出したものであって、「日本のデモ学生たちは、自由世界の見地から見れば日本に不利なことをしている」(8)などの偏向報道が相次いだ。そういう記事の片隅に、「おきなわ」という現代の呼び名が頻繁に登場したのである。

「おきなわ」は、アイゼンハワーが韓国を訪問する前日に立ち寄る予定地のひとつに過ぎなかった。周知のように、安保闘争の最中に沖縄を訪問したアイゼンハワーが、その二時間半の慌ただしい訪沖で出会った最大の声とは、「祖国復帰」を掲げた「沖縄を返せ」というスローガンであった。(9)しかし当時の韓国で、そのことに重点をおいて報道したメディアは見当たらない。これらの沖縄のデモ行進は、韓国を訪問する前に訪ねた「沖縄での反米運動」として、「訪問反対デモでショックを受けたアイク」という形で伝わり、それに対して「韓国の熱狂的な歓迎に感激したアイクの明朗な表情」が強調され報道されたのだ。[10] この時に登場する「おきなわ」とは、単なるアイゼンハワーが訪韓前に立ち寄った場所の地名に過ぎず、全く意味を持たないものであった。

四月革命期は、一九六一年五月一六日、朴正熙の軍事クーデターによって「未完の革命」となる。朴正熙政権が推進した日韓国交正常化、ベトナム派兵、六六年七月「韓米駐屯軍地位協定」の批准が韓米日安保体制を構築するという名目で行われていた点を考えると、沖縄はベトナムへの出撃基地として、六〇年代韓国の政治と最も密接に連動していた。六九年四月、朴正熙が「韓国の小島（済州島）を沖縄の米軍基地の代替地として提供する」とアメリカに緊急に伝えたことは、こうした密接なコミットメントを端的に示している。[11] しかし、沖縄という名称は返還が決定されるまで、かつての「アイク訪韓」の時のように世論に取り上げられることはなかった。また、アイク訪韓歓迎の際に見られた何万人をも超える「親米」歓迎モードは、韓国の近現代史で二度と繰り返されることはなかった。

一方、学術論文では韓国と沖縄の関係性に注目した論文がいくつか、この時期発表されている。まず、歴史学の分野では、李鉉淙《いひょんじょん》「南洋諸国人の往来貿易について」（『史学研究』第一八巻、一九六四年）や閔丙河《みんびょんは》「麗末鮮初の琉球国との関係」（『国際文化』第三巻、一九六六年）といった論文が「朝鮮王朝」と「琉球王国」の関係史を、「ゆぅぐぅ」という呼び名で紹介している。前者は、南洋諸国と朝鮮半島との関係を中心に考察するなか、胡椒などの南洋物産を朝鮮半島に伝えたのが琉球である点について叙述しているものである。後者は、高麗末期から朝鮮初期までの琉球との交流の漂流人送還問題や、貿易などを叙述しながら、両国の交流には日本国の妨害が時どきあったことを指摘している。二つの論考とも漂流人の送還問題を中心に扱い、ある意味でそれが前近代における貿易の手段でもあったと論じている。韓国の歴史学に一九六〇年代に登場した「ゆぅぐぅ」として「発見」された沖縄の歴史とは、朝鮮王朝と関係を持つ「琉球王国」の歴史だった。研究対象となる時代は、琉球王朝が、自然災害によって漂流した人々や拉致されて琉球に連れてこられた被虜人を高麗に送還することで交流が始まったとされる一三八九年（高麗末期）から、薩摩侵略によって琉球の独立王朝が幕を閉じる一六〇九年までで、朝鮮初期が主な対象であった。

また、民俗学分野では、崔在錫《ちぇぜそく》が「韓国の親族集団と琉球の親族集団——主にその類似点と伝播を中心に」（『高麗大学校論文集』第一五輯、一九六九年）で、当時としては困難な「海外調査」（一九六八年一二月二六日～一九六九年一月一八日）を通して韓国と琉球の「門中」の類似性を確認しようとした。崔は、琉球の「門中制度」が韓国から伝播されたと論じている。

筆者の知る限りこれらの論文が、数は少ないものの、「琉球」の歴史に注目した出発点だった。前述したように、一九六〇年代当時、韓国との「関係性」をまったく探らない「おきなわ」というニュースで報じられる名称とは異なり、少なくともこれらの論文は、韓国の歴史と沖縄の歴史の関係性を探ろうとしていた。それは呼び名「ゆぅぐぅ」の発見期であり、沖縄学の始まりでもあった。このように沖縄学の始まりが、歴史学と民俗学という植民地時代に抑圧された分野で戦後、自らの学問の「脱植民地化」を掲げたいわゆる「国学」の分野で起きたことは、きわめて重要である。同時に、安保闘争後の日本で起きた沖縄学へのブームの時期と重なっていることにも注目しなければならない。というのは、植民地からの解放後、朝鮮戦争と軍事政権の独裁という近現代史を経験した韓国では、一九八〇年代末に軍事独裁が終焉をするまで、沖縄への現地調査が物理的に不可能に近い時期が続いたからである。既に崔仁《ちぇいん》宅《てく》も指摘しているように、自由な海外調査が物理的に不可能な時代的状況のなか、フィルドーワークによる方法論が充分に確立できず、起源論、分布論、伝播論に偏り、個々の文化領域について複眼的なアプローチができなかったことは、韓国における日本研究はもちろん、沖縄研究を困難にした理由でもあった。(12)

具体的な現地調査を含む歴史学が発展するのは、一九九〇年代を待たなければならなかった。それまで歴史学では、『朝鮮王朝実録』や『海東諸国紀』をはじめとする朝鮮王朝の古文書に頼った研究が散発的に存在するだけである。一方民俗学では、主に日本に留学している学者を中心に共同調査の形を取った調査が行われた点で、日本民俗学の沖縄への関心と重なり合っていた。

一九六〇年代は、日本で柳田国男の民俗学がブームとなり、沖縄が日本民俗学の「訓練場」となった時期であった。また、七〇年代にも、第二次柳田国男ブームが起きている。これら日本での「南島」沖縄の発見については、村井紀が、柳田国男が発見した「原日本を映し出す鏡」としての沖縄研究と指摘しているように、「南島」論は、同質的な「日本」を固定するための微妙な差異として発見されたものであったといえる。植民地問題、異民族問題、直接には日韓併合を削除し、同質な日本および日本人を追求した柳田が、いわば政治的に作為した「イデオロギー」の場所が沖縄であったならば、この時期韓国に紹介された沖縄とはどういう場所だったのだろうか。(13)

3．一九七〇年代、軍事独裁時代の加速化——韓国民俗学のなかの「おきなわ」

「西欧の新たな文明を受け入れる時期に日帝に抑圧されなければならなかった不運のせいでもあったが、（韓国の民俗学が——引用者）法学、倫理学、自然科学、史学、国文学などに比べて覚醒が遅れ、停滞していたのは事実だ。（中略）韓国学の必要性が今日のように高唱される時期はかつてなかったし、また民俗学研究なしに民族文化の真髄を語ることは出来ないという思いから、ここに民俗学に志をおいた同学たちが集まり『韓国民俗学』を創刊する次第である[14]」

韓国民俗学研究会会長の任東權《いむどんぐぉん》は、戦後初の民俗学の学会誌『韓国民俗学』の創刊（一九六九年）にあたってこのような文章を寄せている。一九六〇年代に成立した屈辱的な韓日外交を克服できないまま、強圧的な軍部独裁と対面せざるを得なかった七〇年代、日本との不適切な外交関係は「民族」と「伝統」についての覚醒のきっかけになった。皮肉にも、いわゆる「韓国学」運動は政府の支援を受け、韓国の民俗学の黎明期を迎えたのである[15]。七〇年から七九年までの時期、韓国における沖縄学は主に民俗学の分野で展開された。ここでは、韓国の民俗学が黎明期を迎えた一九七〇年代を、沖縄学の第二期として捉える。

そもそも韓国の民俗学は、一九一九年からの帝国日本当局による「文化統治政策」下の「民俗調査」や、植民地統治を目的とする「学問」であった日本民俗学に対する反発と反目を抱えていた。朝鮮総督府主導で集められた膨大な資料や、日本人学者によって収集された資料が、植民地政策のために使われたことに対して強い反感を持っていたのである。そのため必然的に、いわゆる「植民地学」への抵抗や、「植民地的状況」に対抗するための、「民族情緒」の探求が、その学問の動機であったといえる[16]。

抑圧された「民族的なもの」への志向や、「植民地史観」を脱するための「民俗文化の基層たるもの」へのあこがれが、韓国民俗学を牽引する力として強く働いた。これが韓国の民俗学が主に巫俗や口伝研究に注目した背景であった。ところが、一九五〇年代後半に李承晩政権によって、「近代意識化」運動とともに迷信打破運動が繰り広げられたことで、これらの動きは再び沈滞した。

しかし、韓国民俗学は一九六九年、ようやく学会誌を持ち、七〇年代にはかつて見られなかった「韓国学」に対する強い関心のもと、政府の支援を受け、文化人類学会と共同で全国民俗総合調査の実施を果した。そのことが、民俗学会が発展するひとつのきっかけとなったのである。しかし民俗学にとって朴政権が七〇年代から推進した「セマウル運動」は、「残存文化についての収集・整理」についての焦りを同時に感じさせるものでもあった。「セマウル運動」は、民俗学が「民俗文化の基層たるもの」とした農村を改革の対象とし、近代化し破壊すべきものと見なしたからである(17)。

いち早く沖縄に関するハングル著作を発表したのは、前述の韓国民俗学研究会会長の任東權であった。「韓琉交流と民俗」（一九七六年）と題されたハングル論考において任は、六〇年代「ゆぅぐぅ」という呼び名で韓国の文化が伝播されたひとつの地域として、「琉球」に注目した韓国民俗学の関心と同一線上の主張をしている。七五年日本民俗学会が主催した外国人民俗学者による日本民俗調査で、任は八日間の調査を実施した。そして、沖縄の豚舎、「万国津梁之鐘」、「高麗瓦」、「衣服」、「門中という語」などから類似点を感じ取った任は、朝鮮時代の漂流記など古文献の記録から推測しても、韓文化の琉球国への伝播がうかがえるとした。すなわち「琉球」は、「韓文化が伝播された十分な可能性がある」地域であって、任は「琉球」が韓国文化の「南進限界線」であるとした(18)。

一九七〇年代中頃まで、研究者はもちろん文化交流を目的とする動きさえも政府の許可を得なければならなかった。韓国における沖縄学を論じる際、韓国における民俗学の性格と同時に、日本に留学していた民俗学者によって書かれたもの、特に、ハングルで伝わった沖縄体験について検討する必要がある。

復帰の翌年、沖縄の現地調査を果したのは、日本留学で民俗学博士号・文学博士号を持つ崔吉城《ちぇぎるそん》であった。崔は一九七三年から七五年にかけて三回にわたって、日本の南日本文化研究所、日本学術振興会、成城大学などの研究支援を受け、共同調査活動を行っている。崔は、復帰の翌年から実施してきた沖縄の調査経験を、韓国の読者に次のように伝えている。

「琉球大学のある学生は筆者に、自分たちは精神的には中国文化を尊敬し、言語・民族的には日本に帰着《ママ》（帰属—引用者）していながら、経済的には米国に依存したいというのが、事実であると話してくれた。この話は、沖縄に旅行しながら人々と話し合うと自然に感じられるものでもある。沖縄が日本に復帰したにもかかわらず、日本人（彼らは本土人を大和人と呼んでいた）について非常に劣等意識ないしは、反抗意識を持っているようである。それは最近の皇太子の沖縄訪問の際におこっているデモを見てもよくうかがえるものである。日本本土人の学者たちに沖縄人たちが反抗意識を見せているが、筆者は韓国人であるために、日本本土人学者の立場とは違ってインフォーマントとの接触が容易いことを感じた。その点において、韓国人学者は沖縄調査に多少有利な点があるともいえる。[19]」

崔にとって、韓国人研究者としての「インフォーマントとの接触が容易い」という状況は、どのようなものだったのだろうか。

当時の沖縄は、一九七二年本土復帰の不安の中で、前にも増して沖縄戦での日本軍による「朝鮮人」虐殺問題が急スピードで世論化された時期であった。住民二二人と久志村出身の女性と結婚し久米島に住み着いた朝鮮人男性と、その子どもたち七人の一家が殺された「久米島朝鮮人一家虐殺事件」に関しては、韓国と沖縄両方の新聞が取りあげ、特に沖縄では大きな反響を呼んだ。六九年から沖縄では民間による朝鮮人の「遺骨返還」の動きがあった。[20] 在沖米軍基地に勤務していた金東善《きむどんそん》は、韓国の『東亜日報』に広告を掲載し、久米島で虐殺された朝鮮人男性の遺族を探そうとした。[21] 久米島事件で当時軍の最高指揮官だった鹿山正が復帰の年である七二年に公に姿を現したことも、復帰の不安に包まれていた沖縄に大きな衝撃を与えた。鹿山は、久米島事件は軍隊を守るために行った行動であることを述べた上、日本軍としての誇りや処罰の正当性を語った。

このような状況が、前に引用した論文の書き手、崔吉城にとって、「韓国人学者は沖縄調査に多少有利な点」があると感じられるように作用したのである。「本土人を大和人と呼んでいた」人々の「反抗意識」は、観念的なものではない。虐殺の記憶は単なる過去ではなく、復帰のなかで再び反復されたのだ。久米島事件の最高指揮官だった鹿山正の具体的な発言によってよみがえった記憶は、「皇太子の沖縄訪問」の際のデモという具体的な行動となって現れた。そこに表象された虐殺された「朝鮮人」とは、過去の問題でもなければ、「朝鮮人」に限定される問題でもなく、沖縄の復帰不安をもっとも生々しく語れる記憶であり、また現在の状況そのものだったのである。

韓国人民俗学者崔にとって、七〇年代当時、沖縄学に力を入れていた「日本の政府および日本人学者」たちの「沖縄学」は、どこか「純粋な学問的なものであるだけでなく、沖縄人としての自負心を持たせるもの」さらに「本土人との相互理解に寄与することを目的としているようである」ように見えた。[22]

一方、崔にとって三度目の沖縄訪問を実行した一九七五年は、韓国の朴政権もかなりの政策的な目的をもって、沖縄の「朝鮮人の慰霊塔」建立に力を入れていた時期だった。

韓国では朴政権の軍事独裁が厳しさを増し、逮捕状なしで知識人が逮捕されていた。ベトナム戦争が長期化し、そこに韓国軍を派兵したことの意味が問われた時代でもあった。日本の満州国軍将校であった朴正熙は、日本軍によって虐殺されたといわれる朝鮮人のための記念碑に「韓国人慰霊塔」の六文字を自ら書き込んだのである。一九七五年二月二六日、「在日大韓民国沖縄地方本部」などの要請を受けて韓国政府が全面的な協力を行った結果であった。

しかし同年一〇月明らかにされた、沖縄に置き去りにされた朝鮮人「慰安婦」裵奉奇《ぺぽんぎ》の存在は、彼女をサポートした組織が「朝鮮総連」であったこともあり、韓国にはそれほど大きな反響を及ぼすことはなかった。むしろ、朴正熙政権は、当時真相究明をはじめ沖縄で活発に活動をしていた「朝鮮総連」と競う形で、「韓国人慰霊塔」の建立に力を入れている。「韓国人慰霊塔」こそ、朝鮮半島をめぐる冷戦構造を象徴するものであった。[23]

日本政府の沖縄への関与を「政策的」だと見る崔にとって、韓国政府の沖縄への関与は、いかなるものだったのだろうか。

朴政権の関わる「韓国人慰霊塔」とは、ただ単に日本軍によって殺された「朝鮮人」を慰霊するという意味を超え、政治性をおびるものであった。それは、沖縄という土地に住んでいる沖縄人の現実と重なる状況のうえで成り立ち、生存者や、歴史的な「恨《はん》」を持つ「朝鮮人」と呼ばれる人々の「共同性」があるからこそ、政治的な力を発揮する「パフォーマンス」でもあった。ただ「慰霊」行為自体は、「被害者」が生存しているだけに単純な批判はできない「厄介なもの」だったはずである。しかし、書き残された文書としてみるかぎり、一九七〇年代の民俗学者たちにとってこれら沖縄をめぐる一連の「厄介な状況」は、それほど衝撃的ではなかったようである。

その後、崔は復帰一〇周年となった沖縄の国際シンポジウムに参加し、そこでの発表をもとにしたハングルによる論文で、以下のように語っている。

「長い間中国に属した王朝であったが、世界大戦後、米国の領土になり、一九七二年五月一五日日本に復帰した。「日本復帰」ということは、もともと日本であったという意味である。人種、言語、文化などは日本に属するが地域性は濃厚である島だ。韓国からみると、（沖縄は：引用者）とても異邦的な場所である。政治・外交的には多少交渉がなかったわけではないけれど、歴史的に深い関係を持つものでもなく、文化的にも、異邦的な場所である。しかし、その島の民俗は、韓国と類似点が多い」(24)

琉球王朝から日本への帰属、そして第二次世界大戦後の米軍による軍政、さらに日本復帰という崔の言及する沖縄の歴史の簡略な叙述のなかに、沖縄戦の部分は完全に抜けている。崔にとって同時期に浮き彫りにされていった沖縄戦の「朝鮮人」問題も、そして崔自身が沖縄で出会った「自らを沖縄人」と呼ぶ人々の問題も「歴史的に深い関係を持つ」ものであると、彼自身には何故、認識できなかったのだろうか。崔がいう「沖縄学」の魅力は、韓国と「類似点が多い」民俗であって、「戦場の記憶」ではなかったということだろうか。

民俗学にとって沖縄がフィールドとして魅力を持つのは、いうまでもなく、既に韓国では消滅してしまった文化の要素がここには現実として残っているためであった。(25) それは、現存する沖縄の民俗を韓国と比較分析し研究することによって、消失してしまった韓国の多くの「民俗的原像」を回復、ないしは理解するうえでの助けになるという期待感であった。(26) とりわけ一九七〇年代を経て、韓国の民俗学は、沖縄研究の一つの柱を確立させた。その柱とは「韓国の原民俗を映す鏡」としての「おきなわ」であった。そしてその民俗を形成している「沖縄人」とは、すべて韓国の原民俗たるものとして取り込まれ、存在しながらも決して映し出されることのない「鏡」の向こう側の存在、すなわち「観客」となるのである。こうして韓国の民俗学における沖縄は、八〇年代には民間信仰、ユタ、年中行事などに集中し、韓国のそれとの類似点を探る方向性へと進んだ。

4．一九八〇年・一九九〇年代韓国の日本学の「ゆぅぐぅ」／「おきなわ」

(1)『海東諸国紀』の「ゆぅぐぅ」

次に、第三期として韓国で光州民主化運動が起る一九八〇年代から、その記憶の聖域化が行われる九五年までの時期に注目する。韓国の近現代史のなかで八〇年代は、「光州民主化運動」に集約されてきたし、それをその「後」の歴史とひとくくりにすることは、かなり乱暴であるといえるかもしれない。しかし、韓国での沖縄学に注目する本稿では、八〇年代は、沖縄と韓国が反米・反日言説で複雑に絡み合うなかで、「同胞虐殺の記憶」を「国家が聖域化する」というある種の「記憶の制度化」の時期として、九五年までの連続性のなかで考えなければならない。

一九八〇年代の韓国では、「軍事独裁打倒」と共に「帝国主義粉砕」「ヤンキー・ゴーホーム」の反米運動が繰り広げられるなかにあって、大学生たちは自らの体に火をつけ、屋上から飛び降りて抗議し、「国家保安法」によって捕まり拷問され、「疑問死」することが相次いだ時代でもある。それらの記憶が、「五・一八民主化運動等に関する特別法」によって国家によって顕彰され、「光州の聖地化」が本格的に進められたのが、九五年であった。

一方、沖縄での一九八〇年代は「沖縄振興開発計画」（一九八二年、二次）で見られるように、復帰後、一貫して進められてきた基地を前提とした日本政府の開発案が本格化される時期であった。九五年は、「平和の礎」が建立され、沖縄戦の記憶がいわゆる「平和行政」の事業となった。また、八〇年代の光州の経験も、沖縄と無関係にあるわけではない。光州民主主義運動の最後の鎮圧部隊となる韓国軍20師団の光州投入を、八〇年五月二三日に米軍は承認している。韓国軍の将軍の要請により、米軍はフィリピンに停泊中であった航空母艦コーラルシー号と、沖縄にいた空中指揮用の空軍機二機を朝鮮半島に移動させたのである。(27)

「記憶の制度化」への過程は、韓国と沖縄のそれぞれの社会で「民主化」と「平和」を祈念しようとする支配権力が、日本と米軍の力を背景にしてむしろ「民主化」や「平和」を抑圧してきた過去を、免罪していくプロセスであったといえる。(28)韓国や沖縄で、たとえ国家主導の「民主化」や「平和」が「祈念」されても、「国家たるものの犯罪性」を問わない限り、依然として植民地主義の問題が残されてしまうのである。それが浮上したのが、一九八二年の教科書問題であった。(29)

そもそも韓国における日本史研究は東洋史学の分野であったが、中国史中心であり、日本史専攻の専門家は少なく、大学でも日本史講座が開設されている史学科さえも少ないのが現状であった。日本史研究論文の多くは、古代韓日関係を論じるものが中心で、李元淳《いうおんすん》が指摘するように、それは近代の抑圧の暗影を追い払い、韓民族の文化的優秀性と政治的優越性を確認しようとする文化意識が、日本古代研究の動機となった。(30)

しかし、八二年の教科書問題は、韓国の歴史学に「日本学」についての関心を高めるきっかけとなった。八〇年代韓国における「日本学」への関心が高まるなかで、九〇年代にようやく韓国の歴史学における沖縄学がはじまるようになったことに注目しよう。八〇年代は、かつて「南洋諸国人の往来貿易」のなかのひとつとしての琉球について李鉉淙が六〇年代の問題認識を引き継いで「琉球南蛮関係」(31)を執筆した程度であった。歴史学における沖縄学は、「韓日関係史」や「韓日文化史」という分野が学問的にも市民権を得た九〇年代に「近世韓日関係史」のなかの一つとして、つまり「日本学」の一つの分野として、出発している。かつて六〇年代に発見された「ゆぅぐぅ」という呼び名は、九〇年代になると本格的に「琉球王国」の歴史として、そして琉球王国と最初に関係を結んだ高麗末期から朝鮮まで約三〇〇年間に及ぶ関係史として、交易、文物交流などの善隣関係―漂流民送還関係などの側面から、体系的に研究され始めた。(32)

一九九〇年代からは「朝琉関係」の研究は韓国史研究支援費を受け、その報告集である『国史館叢』、国史編纂委員会発行の『韓国史』などを中心に発表されている。

李燦《いふん》（九二年、九五年）は、一四七一年（朝鮮成宗二年）に王命により申叔舟《しんすくじゅ》（一四一七―一四七五）が編纂した『海東諸国紀』に収録されている「日本本國之圖」をはじめとする日本関連地図と「琉球國之圖」の六枚の地図について紹介している。「日本本國之圖」は「わが国が制作した版本地図としては最も古い地図」で、「世界で最古の地図」と紹介しながら、日本関連の地図のなかで對馬と一枝島の地図がもっとも詳細である理由を、当時の「倭の侵略を考慮」した安全保障の必要からであったとし、日本地名が同じ音を持つ漢字音を当てて表記されていることから直接現地調査をして、作成されたと考えている。一方、「琉球國之圖」は、琉球国使として複数回にわたり往来していた日本の僧の道安が「日本國圖」とともに伝えた地図で、「琉球（沖縄本島）」だけではなく、周囲の散在する二〇余りの島を含め、距離や有人島などをも表記している地図で、宮廷で珍重されていたという。これらの研究は、『韓国史』のなかでは朝鮮前期における「世界地図製作と編纂」に当たる研究として紹介されている。(33)

一九九三年、楊秀芝《やんすじ》が沖縄をテーマとした初の博士論文『朝鮮・琉球関係研究(34)』をまとめた。この頃から「ゆぅぐぅ」という呼び名が、歴史学の分野で定着し始めた。

河宇鳳《はうぼん》は、朝琉関係史を考えるうえで『朝鮮王朝実録』という史料的な恵みを受けながらも国内で琉球関係研究が極めて不足している実情」を指摘しつつ、「未開拓分野としてその間、提起しきれていない問題が山積している」と、朝琉関係研究の必要性を訴えた。朝琉関係に関する韓国からの研究が必要な理由として河は、特に、「朝鮮と琉球の関係についての日本側の研究に、関心分野と見方の差があり限界がある」ことを指摘している。(35) これら日韓における関心の差が大きい部分が、河も注目している「漂流民」と「被擄人」に関する問題であった。

琉球王国の外交文書は沖縄戦期に多数喪失したが、李元淳は、一部残されている『歴史宝案』のなかから朝鮮との関係外交文書一八件を取り出し、『朝鮮王朝実録』と照合しながら朝鮮前期の朝琉関係を分析している。そのなかに以下のようなくだりがある。

「各地へと連れて行かれ、つらい苦難を受けた被虜朝鮮人のなかには、数奇なことに琉球まで転売された人々もいた。強制的に拉致され、琉球王国まで連れ去られて離散と虐待の苦難を経なければならなかった我が同胞たちが、琉球王国の外交的配慮により本国に送還され帰国したのは、既に高麗末期になってからだった(36)」

韓国の歴史学にとって、一四世紀から「海賊」の形で出没した倭寇が朝鮮人を拉致したことを、日本の「地域史」や「海域史」で単純に「人的な交流」や「人の移動」のような表現で叙述していることは、受け入れがたいことであった。韓国の民俗学が、植民地時代に失われた韓国の「原民俗」を探し求め、沖縄の民俗に注目しながらも、日本の民俗学の先行研究や方法にほとんど異議を持たず、むしろ、一九六〇年代日本の民俗学が沖縄に注目しているとしたら、韓国における歴史学は少なくとも「漂流民」関係の研究においては、これらの民俗学と違う側面を持っている。韓国における歴史学は、むしろ、「略奪され、九死に一生を得て送還されてきた朝鮮人や中国人と倭冠の出会い」を、日本の研究者らがいわゆる「ひとをめぐる交流」という曖昧な形で表現すること自体、「歴史を歪曲」し「美化」するようなもので「警戒」しなければならないものであった。(37)

これらの歴史学における「漂流民」研究は、一四世紀に強制的に拉致されて琉球まで辿りついた朝鮮人の存在を、彼らが沖縄で見たもの、感じたこと、移動、漂流民送還過程での体験などの検討を通して、歴史的に位置づけている。(38)それは、朝鮮王朝時代に九死に一生を得て琉球から送還されてきた人々が書き遺した『漂流記』にみられる「琉球の幻想」までもを視野に入れ、『朝鮮王朝実録』などの古い史料を丁寧に読み解いた結果、まるでおとぎ話のような琉球がいつから善隣関係をもつ地域となったのかを日韓関係史に位置づける努力であった。

しかし、残念ながら韓国の歴史学は、二〇世紀「日本国」の政策により沖縄に組織的に拉致された「慰安婦」や、九死に一生を得て韓国に戻ってきた「朝鮮人軍夫」たちの訴える歴史問題は、今なお研究の対象とはしていない。韓国の歴史学が関心を持つ沖縄との関係史は、あくまでも「朝琉関係史」であり、それは、「善隣関係」を持つ「日韓関係史」の前史であったのである。歴史学者にとって「連行された人々」とは、あくまでも朝鮮王朝から伝わる「琉球國之圖」のなかで生きる人々であった。

(2)　旅する「恨（ハン）」・強制連行地としての「おきなわ」

沖縄戦における朝鮮人「慰安婦」の痕跡を探しに沖縄を訪ねた最初の研究者は、尹貞玉《ゆんじょんおく》であった。尹は、一九八〇年韓国の光州民主化運動の直後と、民主化運動によって政権が代わり光州民主化運動における虐殺の真相究明が行われた八八年、二度にわたって、置き去りにされた元「慰安婦」裵奉奇《ぺぽんぎ》を訪ねている。

「私が沖縄で出会った人々は日本に対して良い感情をもっていなかった。戦争直後、日本軍に裏切られたという不信感や屈辱感をいまも抱いていた。こうした感情が韓国人である私に好感を持たせたようで、「慰安婦」や徴用者に対しても同情的だった。また韓国での学生デモや人権運動などについて多くの関心を示した。若者たちのなかには沖縄の独立を夢見る者もいた。独立とまではいわなくとも自分たちは日本人と違う沖縄人で、江戸時代以前の沖縄は独立王国だったという事実を強調した」（傍点は引用者による）(39)

「『慰安婦』や徴用者に対しても同情的だった」インフォーマントの感情から尹貞玉が感知したのは、他ならない「日本軍に裏切られた」という心情であった。またその「裏切られた」という感情が、韓国人研究者に好感を持たせていることを、尹貞玉は読み取っている。尹はこのような「沖縄人」が抱く「裏切られた」記憶、その人々の記憶のなかに今も生き続ける朝鮮人の「幽霊」を、韓国に伝えた最初の研究者である。

「ハルモニ（沖縄に置き去りにされた元「慰安婦」裵奉奇さん―引用者）の家を後にしながら、私は考えた。故国についてハルモニはそれほどいい思い出はないのかもしれない。だが、ここだって故国よりいい思い出はあるのだろうか。私はまた、ふと戦後に幽霊となって彷徨ったと噂されている「ハルエ」（渡嘉敷の「慰安所」に入れられ沖縄戦中に死んだ「慰安婦」―引用者）を思い浮かべ、遺骨を故国の「忘郷の丘」にでも休ませることはできないかと考えてみた[40]

「寃魂（無実の罪で死んだ人の魂のこと―引用者）となって彷徨っているといわれる挺身隊の遺骨を「故郷」の丘に埋めてあげることはできないでしょうか……」[41]という副題のこの記事は、尹が最初の沖縄取材記録を発表した一九八一年に、『韓国日報』での連載記事の最終回となる八回目の記事として掲載されたものので、尹は、沖縄の裵奉奇と、ハルエの魂について書いている。尹にとって沖縄とは、韓国の社会で「無」にされていた「慰安婦」にされた女性たちが「生者」と「死者」として共存する場所であった。

調査当時、裵奉奇は「慰安婦」の体験を話す唯一の生存者であった。復帰という沖縄の政治的な変動のなかで、「不法滞在者」あるいは追放されるべき「外国人」となる危機を感じて世に出ざるを得なかったのである。

連載には、唯一の「慰安婦」の証言者に出会って、「チジミまで一緒に食べながらあれこれ話をしたが、結局、『慰安婦』については言及もできないまま戻ってきた[42]」ことなどが書かれている。尹は、裵奉奇にいわゆる「証拠探し」のような聞き取りをするのは避けている。手を何回も洗う潔癖症や、「厄払いの方法」として部屋の入口に掛けたにんにくなど、迷信を強く信じている裵奉奇さんの様子、「韓国語はもうすべて忘れたか」との質問に対し、「忘れるもんか、どうやって」と答えたことや、裵奉奇さんが、大事に「包んで、再び包んで、しまっておいた『外国人登録証』を見せてくれた」ことなどを書き留め、「ハルモニは我が国が南北に別れたことを理解できなかった」だけと短く記している。だが、尹は、それに向かって「分断された祖国」の事情を説明したわけではない。この短い文章はむしろ、裵奉奇さんが、自分が韓国人であることを証明しようとして見せた「外国人登録証」には、沖縄戦に強制連行され、分断される前の朝鮮しか知らない裵さんにとって未知の国である、「大韓民国」という国名が示されていることを、裵奉奇さん自身は気づいていないことを痛ましく思う、聞き手としての尹貞玉のためらいを読み取るべきであろう。そして、しつこい質問を避ける尹が、裵奉奇さんの心情を、彼女の潔癖症や、頭痛、迷信、『外国人登録証』を大切にする行為などから感じ取ろうとしていた気づかいに対し、裵奉奇さんは、写真を撮って良いという許可を出すことで応えていたのである。

これらの経験の後、書き手としての尹貞玉は、読み手となる韓国の読者に向けて、せめて「冤魂となって彷徨っているといわれる遺骨を「故郷」の丘に埋めてあげることはできないでしょうか……」と呼びかけたのである。しかし、その呼びかけは、ついに果たされることはなかった。

尹貞玉のこうした沖縄の取材記録を含む記事が、「慰安婦問題」として韓国で反響をおこすのは、一九九〇年代に入ってからの『ハンギョレ』新聞の連載によってであった。韓国の国会で初めて「慰安婦」問題が案件として取り扱われたのは、九一年一〇月二四日付「挺身隊問題対策に関する請願意見指示の件」のなかで、独立記念館に「挺身隊の犠牲者」のための慰霊碑を建立する案だった。しかしそれも、「飽和状態」であるという理由から外された[43]。尹が長年望んでいた「慰安婦のための碑」が建てられるようになるのは二〇〇七年になってからで、しかも沖縄で「慰安婦」を見た証言者の提案によって展開された宮古島での連帯運動によるものであった［第9章参照］。

皮肉にも韓国では、一九九〇年代以降「慰安婦」問題が「我が国の女」の問題として民族のコードとして広がりを見せるなかで、結果的に「慰安婦」問題を通して「おきなわ」が発見された。そしてそれは、単なる「強制連行地」の一つの地域名称に過ぎないものになっていた。韓国で「慰安婦」問題を通して沖縄の「戦場の記憶」に出会うことはなかったのである。

一方、朝鮮人軍夫たちは、自ら「一緒に苦労し、若くして死んだ人たちの悲しみを弔うため」に、かつての「強制連行地」であった沖縄を直接訪れている。(44) 一九八六年一一月一八日、沖縄戦に強制動員された人々で構成された「太平洋同志会」(会長：千澤基)のメンバー五人と、『慶良間諸島』の著者である權丙卓、海野福寿ら七人が、那覇に到着している。彼らは三〇〇名あまりの沖縄側の歓迎を受けた。(45)「太平洋同志会」は、「朝鮮人軍夫」だった沖縄戦生存者二七五人が帰国の輸送船上で帰国後の親睦を図るために結成し、朝鮮戦争後、さらに再結成された旧友会であった(46)[第8章参照]。沖縄行きの目的は「たったひとつ、一緒に苦労し、若くして死んだ人たちの悲しみを弔う」ことだった。(47)

当時の沖縄は、「米軍軍用地の二〇年使用反対県民大会」や「航空軍事利用に反対する宮古島市民大会」、『日の丸』『君が代』反対県民大会」で見るように、「基地経済」が浮き彫りにされて行くなかで、文部省(当時)と沖縄県教育委員会の行政側が一体となった「愛国心」強要の雰囲気のなか、沖縄戦の記憶が再び浮き彫りにされて行く時期であった。そういう時期に、四一年ぶりの「朝鮮人軍夫」の来沖は、「沖縄の暗部」を照らすものとして大きく注目され、朝鮮人軍夫たちが来沖した一八日から二三日の帰国までのすべての行動は、連日の密着取材によって報じられ、大きな反響を呼んだ。

特に衝撃的だったのが、阿嘉島に渡った朝鮮人軍夫らが、かつて空腹のため民家の食糧を盗み取った罪で同僚七人が銃殺された四一年前の処刑現場を見つけたことであった。「駆けつけた島の人々も、彼らの思いにもらい泣きした」(48)と新聞は伝える。阿嘉島で元朝鮮人軍夫たちは、韓国から持ち寄った干し魚やりんごなどを供え「慰霊祭」を行った。七人の「処刑」地跡での招魂団は儒礼にのっとり、沖縄で死んだ四〇人の慶山郡出身同胞の慰霊祭を行い、遺骨のかわりに四一年前の処刑現場の土を、持参した桐の小箱に納めた。[49] 小箱に納められた土は、韓国国旗に包まれ持ち帰られた。[50] 祖国への帰還を果たした「霊」は、慶山郡の慧光寺に納められ、一九八七年四月二〇日、沖縄戦で亡くなった慶山郡出身の「英霊四〇位」を「慰霊」する碑が慶山郡に建った。この碑の建立式には、沖縄と日本から新崎盛暉教授の他、五人が参加している。[51] これらの民間交流は、韓国が六月抗争によって「民主化」される直前に行われたものであった。

沖縄で元朝鮮人軍夫のための「慰霊祭」や「慰霊碑」は、当事者の要求に応じる形で、民間レベルの運動になっていた。それは序章で言及したように、沖縄に招かれ沖縄の平和を論じる交流の場で元朝鮮人軍夫の証言者が、ことごとく「沖縄人」と「日本人」を区別し、日本への「恨《はん》」を表明する姿として表れている。

「慰安婦」の「慰霊碑」とは異なり、韓国の元朝鮮人軍夫の碑は、当事者たちの強い願いに基づく沖縄行きによって具体化され、彼らの出身地や国会議員などからの資金により建立の予算を備えることで形となった。とはいえ彼らもやはり、政府の「独立記念館事業」とは無関係な存在であった。しかし、だからといって彼らは「日帝により破壊された家族像」「民族の収奪」のような「反日コード」の表象から自由な存在だったわけではない。[52] 沖縄はやはり日本の一部であり、「強制連行地」のひとつであった。また、沖縄においては八〇年代以降に市民権を持つ「加害者かつ被害者である沖縄」という言説も、沖縄が日本の一部に編入される過程で、「慰霊の日」廃止などに触発され、「忘れ去られている戦没者」の「朝鮮人」が、ある種の日本政府の制度化に対し予め用意された対抗言説のひとつとして登場する側面を否定できない。

このような、「慰安婦」問題と「朝鮮人軍夫」をめぐる沖縄と韓国の学者や運動家による一連の運動は、韓国における沖縄学を考える際、学会で触れられていない「植民地主義の問題」をはっきりと語ろうとした点で意味を持っているのはまちがいない。韓国の政府（全斗煥《じょんどうふぁん》政権）が行った「独立記念館事業」に収められない「記憶」の存在を碑の形で文字化したのであり、「平和の礎」事業に関しては、南北にきれいに分類されて刻まれた朝鮮人男性の名の間に、決して石に刻まれることのない、裵奉奇さんのような置き去りにされた女性がいることも喚起させた。しかし、これらの女性の名は、植民地の被害を映す表象としてしか韓国での広がりを見せなかった側面があり、やはり沖縄も韓国にとっては「強制連行地」以外の意味をもたなかった。それは沖縄の少女暴行事件をめぐる韓国での受け止め方にも明らかだろう。

「ところで、この事件をめぐる日本人たちの反応を見ながら、旧日本軍の従軍慰安婦だった女性たちが恨《はん》の多い一生を生き、悲しき老年を過ごしていることに考えが及ぶ。（省略）米軍の日本少女性暴力事件を契機に、日本は過ぎ去った侵略と植民地支配過程で行った数多くの誤りについてもその被害者側の立場に立って、もう一度考えることを勧めたい[53]」（傍点は引用者による）

旧日本軍の「慰安婦」だった女性たちが沖縄に置き去りにされ、そこに住みついていることが、韓国には伝わらなかった。沖縄に足を運んだ「慰安婦」研究者や元朝鮮人軍夫たちがそこの住民たちと共有した「裏切られた」という感情や連帯は、日本と韓国を加害者と被害者側にくっきりと二分する韓国の言説空間においては自然と姿を消してしまうのである。

5．一九九〇年代中半〜現在、「共感」と「連帯」という問題

話を最初に戻そう。筆者がこれらの呼び名を軸に、現在（二〇〇九年）韓国でおこっている沖縄学の系譜をたどってみたのは、「沖縄ブーム」のなかで起きている「沖縄の観客化」を問題視するためであった。

最後に、「沖縄の観客化」が進む時期として、一九九六年から現在までを第四期として注目する。現在、「りゅうきゅう」は基地を抱える沖縄の古い歴史として、一般に知られている。では、呼び名「ゆうぐう」は、どこに行ったのか。まず、一九九六年の韓国の国定教科書に初めて書かれた「りゅうきゅう」に関する記述に注目しよう。

「朝鮮初期には、りゅうきゅう、しゃむ、じゃわ　など東南アジア諸国も使臣と土産物を送り、朝鮮の文物を輸入して持って帰った。特に、りゅうきゅうとの文物交流は比較的に頻繁であった。朝鮮初期の交易を通して、朝鮮の先進文物は、日本および東南アジアの国々に大いに影響を与えた」(54)

（一九九六年高等学校『国史』（上））

一九九六年当時として「りゅうきゅう」は、朝鮮王朝との関係のなかで描かれている点で、歴史学でいう「ゆうぐう」への関心と同様である。しかしそれは、「東南アジア諸国」の一部として読まれる書き方となっているのである。(55)

この教科書の記述はしかも、歴史学者が初めて沖縄の現地調査を行った一九九六年に書かれたものであり、当時の調査結果は九九年に、本格的な「朝琉関係史」の研究書『朝鮮と琉球』として発刊されている。『朝鮮と琉球』では、やはり「ゆうぐう」という呼び名で、前述の第三期で論じた歴史学会の論点を継承しており、先行研究が一部を除いて朝鮮前期に集中していたのに対し、朝鮮後期までその対象範囲を拡大している。韓国や中国などの「琉球」関連史料を納めた『朝鮮・琉球関係資料集成』（一九九八年）が、韓国の国史編纂委員会の編纂で出版されるなど、活発な研究活動が行われた。だが、教科書に登場する

「りゅうきゅう」や研究書に現れる「ゆうぐう」が混用されるなか、これらの呼び名が、二〇〇四年に米軍再編の動きとともにニュースで頻繁に流れるようになる「米軍基地のある沖縄」の古い名称であることに一般の韓国人が気づくのはほぼ不可能だっただろう。

一方、民俗学の分野では、一九九七年八月、韓国民俗学会主催の第二回国際民俗学会大会で、崔仁宅《ちぇいんてく》が「韓国における沖縄研究はほとんど皆無で、不毛の地」であったと指摘したうえで、次のような三つの理由から沖縄学が必要だと主張している。第一、韓国と沖縄文化地域との比較研究の意義として、三国関係ではなく、中・韓・日・琉という四国文化圏の設定の可能性がある点。第二、沖縄社会の豊かな島嶼性を通して日韓両社会における島嶼性のあり方を明かに出来るから、そして第三に、「基地問題」と「世界平和」の提言となるためである。(56)

崔の主張が注目に値するのは、一九九五年までは決して登場することのなかった「基地問題」と「世界平和」の提言としての沖縄学の必要性を提起している点である。また、韓国の民俗学が、既存の「文化伝播論ないしは系統論的アプローチ(57)」から充分な方向転回をしない停滞期において、これらの提案は国際民俗学会の大会で発表され一九九八年には日本語で（『共立女子大学総合文化研究所年報』第四号）、さらに二〇〇〇年にはほぼ同じ原稿がハングル（『日本学年報』第九号）で発表された。このハングルの原稿に、崔は、韓国で新たな日本学の動きが芽生えた九〇年代においてすら、沖縄学が充分に発展していない理由として「東アジアにおいて沖縄が示している比重に合う注目を浴びる機会が本土に比べて顕著に少なかった点」を書き加えている。(58)しかしその状況が、九〇年代末から変化していたのである。

一九九六年から始まる反基地運動家たちの沖韓交流と、彼らの「沖縄における基地体験」記は、韓国の沖縄学に新たな刺激を与える現象を巻き起した。反基地運動家たちの沖韓交流は、「守るべき生命、生活を脅かし、人間の尊厳を侵していることを告発し、生命を尊重する人間のための真の安全保障」を提起した二〇〇〇年沖縄のG8サミット開催に対する反対行動で頂点に達した。[59]

韓国の反基地運動家との交流に力を注いでいた新崎盛暉の著作『もうひとつの日本、沖縄の物語』(歴史評論、金キョンジャ訳、一九九八年)、『沖縄現代史』(宮内秋緒・鄭永信共訳、二〇〇八年)が韓国社会に紹介されたきっかけは、反基地運動家の働きかけによるものだった。これらの二冊は、沖縄と韓国の近現代史の接点を考える現在の沖縄学に欠かせない先行研究となっている。また、沖縄戦を含む議論としては、冨山一郎の「平和を作るということ」(『当代評論』vol.7 一九九九年)や『戦場の記憶』(イムソンモ訳、二〇〇二年)が紹介された。韓国におけるこれらの先行研究は、すでに「沖縄ブーム」が起きる前から反基地運動家たちに注目されていたことは重要である。反基地運動家たちは「ヤンキー・ゴー・ホーム」スローガンのあふれる韓国の運動現場「反米」ではなく、暴力そのものに立ち向かう「生命」への志向を提示している。「命どぅ宝」をはじめとする沖縄から伝わった言説は、単なる「幻想」「沖縄で受けた衝撃」「沖縄運動の理想化」ではなく、植民地主義と「米軍犯罪」に対する平和言説を共に考える際に発見され、「共有」されていった具体的な平和言説であった。[60]

韓国の近現代史は、「開発=近代」という六〇年代以降、日本植民地時代の遺産として続いた歴史問題の精算が出来ず、しかも、軍事政権は「同胞虐殺」としての光州の鎮圧を容認した米軍と日本の資源を背後に、経済優先の政策を遂行してきた。九〇年代に「駐屯米軍犯罪」という語が登場した韓国においては、「反日」と「反米」言説は、韓国社会が二つの帝国が作り出した外部の植民地主義以外にも、常にそれらの外部の構造や力によって温存されてきた韓国社会の内なる植民地主義がいまだに重なっているのである。[61]

しかし、反基地運動家たちが最初に沖縄を訪問した一九九六年から、沖縄を韓国の大衆に紹介する言説は、内部の植民地主義に吸収される傾向にあった。「沖縄が抱えている悲しみと恨《はん》の根源は日米安保体制の維持」にあり、[62]「沖縄人」は、実は日本人ではなく「琉球人」と呼ばれてきた事が強調され、韓国に広まった。沖縄戦で日本人に無残に殺された「沖縄人」、日本人による朝鮮人差別と同じく差別の対象にされ、「本土の人間からあんたたちは沖縄人なのかと聞かれると、気持ちが悪くなる」という記憶を持つ「沖縄人」、といったことが、「沖縄人」をめぐる言説として韓国に伝わった。[63]

「『日本は戦争を起こした危険な国だから、アメリカに抑圧してもらわないと困る』というのがあります。韓国でもそういう声はないのだろうか。もし、そういう人がいるならここに来た皆さんに、韓国にいらして『沖縄は日本とは違うんだ』という認識を広めてほしい。それでなければ協力、連帯する気持ちが失われてしまいます[64]」

韓国平澤の「米軍基地返還市民会」代表、金容漢《きむよんはん》は、一九九八年韓国と沖縄の連帯を呼びかける沖縄でのシンポジウムでこのように呼びかけた。

問題なのは、類似を発見したことから「連帯」や「共感」が語られるというより、その「連帯」や「共感」を語るためにはまずもって、「日本人」でないことを言わなければならないという状況が、韓国社会に未だに存在するということだ。一般に「日本人ではなく沖縄人」の体験を強調する形で登場する韓国における沖縄戦の語りこそ、韓国社会の内なる植民地主義が根強いことの反映でもあろう。

しかしながらこの時期の韓国における沖縄学は、韓国で現れる内部／外部の植民地主義に関する議論の場を提示してはいない。沖縄戦についての分析は少なく、むしろ「東アジアのテロル」の体験共有や、反基地運動が広げた「東アジアのネットワーク」形成に対する関心、つまり「東アジアにおける沖縄」

に重きをおいているのだ。

翰林《はんりむ》大学日本学研究所は、『翰林大学日本学研究』第六集に「日本の地方と地方都市に対する総合的研究調査─沖縄県を中心に」という特集を組んだ。現地調査に基づくこの企画は、沖縄に関する初めての本格的「地域研究」である。しかし、そこに見られる「沖縄人」像は、韓国一般大衆が捉える「日本人と違う沖縄人」言説に現れている内なる植民地主義を脱していない。

同研究調査で、梁起豪《やんぎほ》は沖縄について、苦難の近代史を生きている韓国人に同質感を感じさせる「遠くて近い隣人─もうひとつの日本」(65)、「植民地下の朝鮮と類似点の多い沖縄」(66)とは、「戦後日本のアイロニーを鮮明に見せている沖縄」(67)であるとし、「不平等な韓米行政協定(SOFA)による米軍基地と市民団体との葛藤など韓国と同様共通の悩み」(68)をもっている地域の事例研究として、普天間基地移設問題を考察し、日本に向けて沖縄の「継続する苦痛」を断ち切るために、次のように行動するよう言い切った。

「沖縄を含むアジア国家に対する日本の経済的な支援は重要だが、現在日本が直面している問題の核心は、お金ではなく、倫理、道徳、そして国際法である。日本の隣人たちが過去五〇年間、日本に対して要求してきたのは、お金ではなく心情の変化である」(69)

問題は、沖縄に「共感」を示そうとする眼差しが、書き手として分析も充分でないまま、「お金ではなく心情の変化」という突発的な結論を、「沖縄人」になりすまして断言するその瞬間にある。繰り返すが、日本政府の「真実の態度」を語るのが問題ではなく、「継続する苦痛」として捉えた「沖縄人」の苦しみを語るということが、いつの間にか代わってお金を拒否するという、当事者の同意を得ていない書き手の強引な結論になってしまったことだ。最後に梁起豪は、「［一回目の沖縄行きから帰る飛行機のなかで］ヤマトンチュの間の自分を発見したとき、思いなしか彼らの笑顔がとても冷たく思えてならなかった[70]」という、池明観《じみょんくぁん》の次のような文章を、もっとも感動した一文として引用し締めくくる。

「日本のなかに日本とは違った一一〇万の市民が住む地域があるということは、日本にとって幸いなのかも知れない。そこにはガリラヤのような新しい可能性がある。抑えられているために、それは日本におけるアジアへの共感の地として、特有の意味を持ちうるであろう。また今日の日本のあり方が、これからももっと反動化の方向に進んで行くならば、批判的な知識人、民衆は沖縄にそのメッカを発見してもいいのではなかろうか[71]」

確かに、日本のなかに沖縄という異質の一部が存在することは、日本にとって幸いなことなのかもしれない。しかし、その「日本のあり方」について批判するために、「批判的な知識人」や「民衆」が沖縄をある種の「メッカ」として政治化する時の語調が、そこに住んでいる人々の痛みを「無化」してしまうことはないか。いま問われているのは、まさにその「無化」する眼差し、すなわち、沖縄を語りはするが、住民の痛みにはなんらコミットもできず、いつか何かを発見できる土地としてしか沖縄を捉えていないその「沖縄の観客化」である。韓国においてこれらの眼差しは、しばしば沖縄を事例に米軍に対抗する言説を語る場合に、はっきりと現れる。

「沖縄と韓国―近現代史の共有とその関係」という論考で全相仁《じょさんいん》は、沖縄と韓国を「一種の運命共同体」と捉え、「琉球処分」ではなく「琉球併合」という語を使う。それは、全が、琉球が日本に併合されその一部となったため、沖縄がアジアにおける「加害者」とされ、そのことが東アジアの国際関係における「悲劇性そのもの」であったと捉えているからである。[72] 全相仁にとって、帝国日本と米国の覇権主義の「被害者」でもある沖縄に、韓国が「連帯」と「同情」を感じるのは「当然」のことなのである。また、その「同病相憐」意識は、「沖縄の米軍性暴行事件」「従軍慰安婦」「一九九〇年代後半の人権運動及び女性運動」「済州島の四・三事件」「八〇年代光州抗争」などの類似点を列挙することによって強められ、これらの連帯意識が「日本帝国主義、米軍覇権主義、日米同盟中心のアジア体制につながる力の論理に挑戦する」ものであるという方向へと向かっていく。[73] さらに、「韓国、沖縄、台湾、中国、日本などの国際的な市民連帯こそ、二〇世紀に頻発し汚点となった東アジアの歴史的悲劇を真に清算しうる文化的な跳躍台」に他ならないとする。

全のように沖縄との類似性を強調し、「運命共同体」としての認識を新たにする言説では、「過去の従軍慰安婦」問題や「現在の駐屯米軍の犯罪」表現でも明らかであるように、継続する痛みは対比のための修飾語としてしか現れない。そこには、死んだものとしての「慰安婦や軍夫の魂」は言及されていても、戦後「置き去り」にされ沖縄という場所に住み着いた朝鮮人や、沖縄でそのような朝鮮人に出会った、生きている沖縄人の話が登場することはない。[74] 死者もまた単なる修飾語として使われているだけだ。そして、「東アジア」という舞台に、沖縄と韓国の痛みを「同病相憐」として位置づける時、その中に生きている人間の苦痛は、「過去の」と「現在の」と対比させ固定化してしまう危険性をはらむ。

一方、沖縄についての知見が一般に広まり、「基地」問題についての認識も高まるなか、書名の決定をめぐって執筆者間での論争を経て出版された二冊の研究書がある。二〇〇四年から韓国学術振興会の支援を受けて研究が行われ、二〇〇八年に刊行された『基地の島、沖縄』『境界の島、沖縄』である。そのうち『基地の島、沖縄』は「沖縄の実情がある程度知られている状況にあって、こうした題で命名するのは紋切り型に聞こえる恐れがあるし、また、何より沖縄に固定したイメージの烙印を押すのではないか」という内部論争があったが、「イメージの次元以前に、継続している苦痛」の言語記号として用い、このような題目が消えることを願う意味を込めて名付けられたという。(75) 本研究には、社会学、文化人類学、国際政治学、歴史学、女性学など多方面の研究者が参加し、それぞれの分野の学術雑誌に掲載された三〇編近い論文が、上記の二冊として刊行された。こうした研究書の動きが、韓国における「沖縄学のブーム」を引き起こしたともいえ、画期的な試みである。また、このような研究書は、韓国との交流に取り組んできた沖縄のオピニオンリーダーはもちろん、「東アジアのテロル」の共有を模索してきた研究グループや、『継続する植民地主義』（二〇〇五年）『沖縄の占領と日本の復興』（二〇〇六年）などとの議論を経て刊行された点において、これら日本語で刊行された書籍とともに丁寧な読みが必要であろう。

しかしながら、こうした議論のなかで沖縄戦についての住民の証言に注目したのは、屋嘉比収の「沖縄戦での住民虐殺の論理」（『境界の島、沖縄』所収）くらいしかないことを、筆者はあえて問題視したい。無論、記念物や、都市空間、村落、映画、沖縄の基地・軍事化の平和運動など、多方面から沖縄戦に関する記憶が語られ、分析も試みられているのは重要だ。しかし、実際に沖縄戦を経験した「沖縄戦における住民」の証言を分析しようとする試みや、各市町村で取り組んでいる市町村史に関心を払う眼差しを見つけるのは、困難である。住民の証言やその聞き取りが少ないことだけを問題視しているのではない。問題は、韓国人の研究者によって描かれた沖縄戦の語りが、「改めて用意された答え」のように、沖縄戦を分析している点である。

『境界の島、沖縄』で姜《かん》ソンヒョンは、「死への動員とそれに対抗する可能性」という題の論文で、沖縄戦の「集団自決」の事例に言及しているが、冨山一郎、屋嘉比収、林博史、ノーマ・フィールドの議論を論者の問題認識に沿って並べ変え、「体験の内容が戦争体験ではなく移民の体験――それも南洋群島でなく、ハワイやフィリピンのような特定地域の移民体験――が集団自決への道に抵抗できた、その意味合いは大きい」とする。[76] 結論として姜は、「暴力を予感し、それに対抗する可能性は、沖縄の集団自決の事例だけに該当するものではなく、多様有形の「民間人虐殺」の事例も重要な示唆を提示する」とし、「東アジアの歴史で民間人が虐殺された事例は散在している。『南京大虐殺』『沖縄住民虐殺』『台湾二・二八』そして韓国の戦後数えきれないほどの民間人虐殺の名だけでもその証拠は十分」だとする。姜は、「沖縄戦の経験を沖縄あるいは日本だけの経験として限定するのではなく、韓半島、及び東アジアという歴史的な空間で把握することが必要ではなかろうか」と発言することを躊躇しない。[77] だが、その「経験の共有」のために用いられた沖縄の経験とは、あらかじめ用意された答えのなかに、事例として先行研究をはめ込み、証言を分類した「他者化」に他ならない。

　これらの沖縄戦についての「他者化」は、崔《ちぇ》ヒョンのような citizenship 論議を可能としてしまう。崔ヒョンは、沖縄が興味深い理由を、「琉球人が日本人となる過程をみると、近代国家日本が日本人と文化的に明確に区分された種族を、いかに日本の国民あるいは日本民族として変貌させたのかを見ることができる」とし、「これらの変貌が相当部分成功的だったのが、米軍政の下で広範囲で広がった沖縄の復帰運動を見るとわかる」とする。[78] 崔は、沖縄戦から米軍政まで継続する軍事暴力についての言及なしに沖縄人のアイデンティティを「近代的 Citizenship」との関係性のみで論じる。その結果、「復帰運動は、いったん citizenship 制度により近代的な国民のアイデンティティが形成された後は、それを再び変化させるのは難しい」ことを見せる事例となり、「沖縄の被害認識は沖縄人のアイデンティティを米軍制の下では日本に強力に結合させ、返還後は、日本から分離させた」としながら、「その教訓から、小数者たちに被害認識を与えない程度の公平で多様性を包容することのできるcitizenshipが地域共同体のための前提条件となる」とする。(79)崔は東アジア共同体を模索する韓国の学会に東アジアのcitizenshipの研究が欠落していると批判する。崔にとってそれは単なる「空想的な企画としてとどまるという疑いさえ呼び起こす」ものだが、沖縄はまさにその「空想的な企画」を「生産的論議」とするための事例研究として強引に位置付けられる。

多方面からの接近にもかかわらず、沖縄戦の体験を、強制連行された朝鮮人の体験とともに言及している研究も、「韓国人の慰霊塔」をめぐる問題を分析した辛珠柏《しんじゅべく》の論文一編しかない。それは、辛珠柏が言及しているように、韓国の現代史と沖縄との関係を把握できる先行研究がないためでもある。(80)「沖縄ブーム」とはいえ、韓国における沖縄学はまだ始まったばかりである。今ようやく多角的な分析が始められようとしている。「ゆぅぐぅ」という呼び名が使われていたことさえ、分野の違う学問領域においては知られていないのも事実だ。専門領域を問わず本章で、沖縄学の語り方を論じることができたのも、それほど先行研究が多角的に行われていないためでもあった。

しかし、本章で見てきたように、沖縄を語る先行研究のなさは、沖縄をめぐる「知」が選択的に形成されてきたことに起因するものである。それは単なる「沖縄ブーム」の中で見られる現象ではない。むしろ「周辺」として押し付けられた朝鮮半島の歴史経験が、それと類似した沖縄の歴史経験に出会ったとき対面した内部／外部の植民地主義が、連帯の対象として沖縄を「観客化」する「知」を形成させてきたといった方がいいだろう。選択的な語調で語られる「ゆぅぐぅ」や「りゅぅきゅぅ」の間で、韓国の読者は、「周辺」と決め付けられた沖縄から発信される「国民国家への違和感」を「共有」できるだろうか。
鹿野政直は、日本の歴史学研究会から与えられた「国民国家を問う」という課題に応じた「周辺から沖縄」という論考のなかで、以下のように「違和感」を表明する。

「『周辺から』と与えられた表題は、多少わたくしに違和感を覚えさせた。『周辺』と決めつけてしまっていいのか、その違和感がある。[81]」

にもかかわらず鹿野は「『周辺』には『周辺』ゆえに味あわなければならなかった歴史の体験があり、またその体験は主部の性格を照らしだすであろうと」思い返し、「沖縄が反芻している課題は、ひょっとすると『周辺』という概念からの離脱、あるいは『周辺』自体の消滅を、遠望するものであるかもしれない」との希望から日本歴史研究会の課題に応じたという。[82] 鹿野の論文は、韓国で出版された『周辺から見る東アジア』(二〇〇四年)に「周辺から見直す中国と日本」の視点の一つとして翻訳・所収されている。しかしながら、鹿野が感じた「周辺」となりきれない沖縄体験を、韓国の読者は、「周辺」とされた位置づけから「離脱」、ないしは「周辺」そのものを「消滅」させようとする沖縄の意志として読みとれるのだろうか。

近年、韓国では戦後の日本が「平和国家」ではなく、「基地国家(Base-State)」であったとし、沖縄をその「『基地国家』日本の表象＝代行(Representation)」とする見方が注目されているようだ。[83] しかしながら、日本を「基地国家」、韓国を「戦場国家」とし、「基地国家」が、戦後の「平和国家」としての外皮に安住できるようにしたのが、沖縄、つまり「日本の表象＝代行」であるとする場合、鹿野のいう『周辺』ゆえに味わなければならなかった歴史の体験」としての「沖縄戦体験」やその「記憶」は、「代行」以上の意味を持ちうるのであろうか。「類似した痛み」から脱却するためにしばし立ち止まり、次の展望を考える途上に、今、韓国の沖縄学は立っているのかもしれない。

6．韓国で沖縄を語ることの困難さ――「地図上の記憶」から「戦場の記憶」へ

今まで述べてきたように、一九六〇年代に初めて沖縄が韓国の学術論文で発見されて以来、韓国の民俗学は、日本の民俗学と方法論的には同様の文化伝播論ないしは系統論的アプローチを通して、植民地支配や軍事独裁で破壊されて行く韓国の「民俗」の原型を見つけるために沖縄に注目した。一方、韓国の歴史学は、元々韓国の古文書『高麗史』、『朝鮮王朝実録』や中国、琉球の公文書を史料とする朝鮮王朝と琉球王国の関係史をもっぱら研究対象としていた。いち早く沖縄を訪問し、「慰安婦」関連調査を行った調査団や、沖縄の住民と直接交流をもった朝鮮人軍夫たちの言説は、学問的動機にまでは繋がらなかった。本格的な沖縄学が行われる九〇年代末以前の韓国の沖縄学というものは、「日本の民俗学」の眼差しを通して、あるいは、『朝鮮王朝実録』を通して、沖縄とは間接的な出会う研究だったといえるだろう。

本章では意識的な読みを通し、散発的に行われてきた沖縄学の系譜を描いたが、実際のところ、韓国の近現代史においては、沖縄への自由な移動さえも容易いものでなかったのも事実である。しかも学術的な面での日本学ないしは日韓近現代史を始めることさえ容易ではなかった状況の下にあって、沖縄についての本格的な研究は九〇年代後半になってからといって過言ではない。韓国の民俗学及び歴史学を規定したこうした条件が沖縄学の骨格を作ったのは確かだが、当時の韓国人にとって、学問レベルで論じられる「おきなわ」や「ゆぅぐぅ」と呼ばれた歴史は、余りにも遠い存在であった。

しかし、今、韓国における沖縄学は今まで論じられてきた系譜とは全く異なる空間で発展している。直接的な沖縄訪問記が、直ちに沖縄学となるのだ。その体験とは、他ならない「基地を抱える沖縄」である。「東アジアの中の沖縄」という観点から、学問レベルにおいても沖縄は関心の的である。そういう新たな潮流のなかで、現地読みを重視した「りゅうきゅう」の歴史が韓国で発見されたのだと筆者は考える。それは、ある意味で無縁に思えた沖縄が、基地問題を通して連動していることを広く知らせた呼び名でもあった。これらの言説構造の変化には、反基地運動家たちによる沖縄との交流も大きな役割を果たした。そして学問もまた、「共感」と「連帯」を前提に掲げ、沖縄学の新たな流れを形成している。

しかしあえて今、「共感」と「連帯」のなかで語られる韓国における沖縄学に対して、「沖縄人は日本人とは違う」という言説が持つ植民地主義、そしてその「共感」と「連帯」の対象とされる沖縄のアイデンティティに欠かすことのできない沖縄戦が、十分に書き込まれていない現状を指摘せざるを得ない。

韓国の近現代史のなかで「ゆぅぐぅ」がなければ、私たちは、朝鮮と琉球王国の歴史のふれあいに出会うことはできない。時間軸が違うからである。また、「りゅうきゅう」という呼び名を発見した直接的な出会い、すなわち一九九〇年以降の沖縄体験がなければ、沖縄に足を運ぶことができずにいる人々に、「体験を共有」できる手がかりを提示することは不可能であろう。学問は、常に分断された時間軸と空間軸を行き来しながら進められているからである。だが、時間軸と空間軸は、その場に住んでいる人間にとってみれば、決して分類できるものではない。本章で見たとおり、かつて民俗学や歴史学で骨格を作った韓国の沖縄学は、「基地を抱える沖縄」の現状だけでなく、そこに住み着いている「朝鮮人」さえも映し切れなかった。また東アジアの中の沖縄という空間軸を重視する学問では、なぜか、韓国の読者に向かって沖縄になりすました語調で語り、「韓国人＝沖縄人」となる不思議な現象が起きている。そこでは、沖縄は居心地の悪い「他者」ではなく、安心して語りうる「自己」となっていく。そして沖縄人の代わりに語る韓国人の前に、沖縄自身は発言権をなくした「観客」となるのである。

私／私たちは、最も多様な、そして「厄介な呼び名」を持つ沖縄に出会えることこそが必要なのではないだろうか。何故ならそれは触れるたびに、書き手自身がいったい「どこから来たのか」と問われるからでもある。「どこから来たのか」という問いのなかに潜む過去と現在の連続性を、単なる研究することの「不便さ」や「便利さ」ではなく、それぞれの社会がまだ十分に断ち切れてない植民地主義と出会い、向き合う拠点とすることが必要であろう。「ゆぅぐぅ」と「りゅぅきゅぅ」の間、沖縄という空間のなかに、かつて沖縄戦を経験し、今も生きつづける人々の痛みに触れることによって、学問は、その時間と空間の間に存在する「知」の分断を超えることができるのではないだろうか。そこに、厳しく「どこから来たのか」が問われる記憶の場に立ち会う「私」を、位置づけたい。

註

（1）この論文では翻訳や文学についての先行研究を分析対象としていなかった。しかし、近年、文学を専攻とする執筆者により、沖縄と朝鮮関係の一般向けの概説書が出版されている。韓国では、李明元『二つの島―抵抗の両極、韓国と沖縄』（サムチャン、二〇一七年）が沖縄の通史を一般に紹介している。呉世宗は、『沖縄と朝鮮のはざまで―朝鮮人の〈可視性／不可視化をめぐる歴史と語り〉』（明石書店、二〇一九年）は、日本語と韓国語版（ソミョン出版社、二〇一九年）で同時刊行された。呉世宗の著作は、沖縄の朝鮮人についての戦中・戦後史をまとめた概説書である。両者とも本書でまとめた「慰安婦」関連研究を先行研究としながら、沖縄県史の沖縄戦中・戦後史の資料を取り上げるなど、沖縄戦の記憶伝えようとしている。

（2）例えば二〇一五年五月二五日歴史学関連一六団体は『「慰安婦」問題に関する日本歴史学会・歴史教育者団体の声明」を発表している。一六団体は、以下の通りである。日本歴史学協会、大阪歴史学会、九州歴史科学研究会、専修大学歴史学会、総合女性史学会、朝鮮史研究会幹事会、東京学芸大学史学会、東京歴史科学研究会、名古屋歴史科学研究会、日本史研究会、日本史攷究会、日本思想史研究会（京都）、福島大学史学会、歴史科学協議会、歴史学研究会、歴史教育者協議会。六月八日には「二〇一五年日韓歴史問題に関して日本の知識人は声明する」という声明文を、和田春樹・東京大名誉教授、内海愛子・大阪経済法科大特任教授、田中宏・一橋大名誉教授、姜尚中・東京大名誉教授など二八一人に及ぶ「知識人」と名乗ったグループが発表している。声明文では、「日本の知識人たちが韓日国交正常化五〇年を迎え、日本政府が慰安婦問題に対する責任を明確に認め、この問題を早く解決することを要求する」としている（『ハンギョレ』『東京連合ニュース』二〇一五年六月八日参照）。海外からの声明としては、二〇一五年五月五日、エズラ・ヴォーゲル、ブルース・カミングス、入江昭、ジョン・ダワーら一八七人の在米、欧州、豪州歴史学者らが「日本の歴史家たちを支持する声明」を発表している。声明文には「日本の多くの勇気ある歴史家が、アジアでの第二世界大戦に対する正確で公正な歴史を求めていることに対し、心からの賛意を表明するものである」としている。（五月二五日の歴史学関連一六団体声明文は二〇一五年一二月現在「東京歴史科学研究会」のＨＰで、五月五日の在米学者声明文は「アクティブミュージアム女たちの戦争と平和資料館（ＷＡＭ）」のＨＰで全文を確認できる。）

（3）「全文：朴槿恵大統領慰安婦問題合意関連対国民メッセジー」『プレシアン』二〇一五年一二月二八日。

（4）「慰安婦問題　日韓合意」『朝日新聞』二〇一五年一二月二九日、「慰安婦解決で日韓合意」『東京新聞』二〇一五年一二月二九日。

（5）徐仲錫『韓国現代史六〇年』文京洙訳、明石書店、二〇〇八年、六三頁。

（6）「社説：アイゼンハワー米大統領を歓迎」『東亜日報』一九六〇年六月一九日。

（7）「共産主義者が指令」『東亜日報』一九六〇年六月一七日。

（8）「西欧も失望」『東亜日報』一九六〇年六月一八日。
（9）「ア大統領、沖縄訪問大田琉球主席と会談――デモ騒ぎで一時緊張」『朝日新聞』（夕刊）、一九六〇年六月一九日。
（10）「ソウルの『アイク』明朗な表情」『東亜日報』一九六〇年六月二〇日。
（11）一九六九年末、朴正熙大統領が済州島を米軍基地として提供できるとした「公式論評」陳述が残されている。（U.S. Senate, U.S. *Security Agreements and commitments Abroad*, pp.1662-1663）一連の動きは沖縄が日本に返還されることで、米軍基地が縮小され北朝鮮の脅威が高まることを懸念したためであった。（Katharine.H.S.Moon『同盟の中のセックス』（ハングル）、サムイン、二〇〇二年、一〇三、二五〇頁から再引用）
（12）崔仁宅「韓国における沖縄研究の現状と課題」『共立女子大学総合文化研究所年報』第四号、一九九八年、二二七頁。民俗学分野の先行研究を把握する上で崔仁宅の論考は大きな参考となった。参照されたい。
（13）村井紀『南島イデオロギーの発生――柳田国男と植民地主義』岩波書店、二〇〇四年。
（14）『韓国民俗学』（ハングル）、韓国民俗学研究会、創刊号、一九六九年、一―二頁。
（15）韓国の民俗学は、「国学」として発展した側面を持つが、民主化運動の現場では民俗的な衣装や、歌、伝統芸術などが、反軍事政権や反米運動の「抵抗意識」を強める「表現様式」としても用いられている。それが日本の民俗学と違う点である。韓国の場合、それは「国家暴力」に対する抵抗と解放のためのディスクールとしても同時に機能したのである。たとえば、「伝統的」な表現様式を借りて風刺的に時代を批判するマダン劇運動をあげられる。
（16）国立歴史民俗博物館『韓国の民俗学日本の民俗学――二〇〇四年度国立歴史民俗博物館国際研究集会』第一巻、二〇〇五年、一四頁。
（17）民俗学会『韓国民俗学の理解』（ハングル）文学アカデミー、一九九四年、三四―四一頁、崔仁鶴「韓国・沖縄の民間信仰と歳時風俗」（ハングル）『韓国民俗学研究』崔仁鶴編著、仁荷大学校出版部、一九六九年、三一六―三一七頁。
（18）任東權「韓琉文渉と民俗」『人文学研究』（ハングル）三号、中央大学人文学研究所、一九七六年、三一―四一頁。
（19）崔吉城「沖縄のシャーマンについて」『韓国文化人類学』（ハングル）第一〇号、韓国文化人類学会、一九七八年、二八頁。

(20) 武茂憲一「もうひとつの沖縄——沖縄の朝鮮人たち1」『朝鮮研究』日本朝鮮研究所、一九六九年二月号。
(21)『沖縄タイムス』一九六九年六月二二日。遺骨は一九七七年二月釜山に帰った。
(22) 崔吉城「沖縄のシャーマンについて」前掲論文、二八頁。
(23) 辛珠柏「韓国の近現代史と沖縄——傷痕の記憶の連続と断絶」『沖縄米軍基地の政治社会学』第二巻所収『境界の島、沖縄』(ハングル)、ノンヒョン出版社、二〇〇八年、一四七頁。
(24) 崔吉城「韓・琉民俗比較のための視角」『日本学報』(ハングル)第一一号、韓国日本学会、一九八三年、二五頁。
(25) 崔仁鶴「韓国・沖縄の民間信仰と歳時風俗」前掲書、一二九頁。
(26) 崔仁鶴「韓国・沖縄の民間信仰と歳時風俗」前掲書、一六一頁。
(27) 文富軾『失われた記憶を求めて——狂気の時代を考える』板垣竜太訳、現代企画室、二〇〇五年、八六頁。
(28) 記憶の制度化という問題については文富軾の問いかけが重要である。文は、一九八二年釜山米文化院に火をつけることによって光州民主化運動の弾圧に米国が加担したことを暴露した。そのために「スパイ」の罪を負わされ、七年近く監獄生活を送った。文は、政府主導の光州の聖域化を喜ばない。文にとって、「聖域化される記憶は、決して危険ではない。また聖化の過程は実際の記憶を消す過程でもある」(同書、一一二頁) このような文の問いかけを自己への省察として考える冨山一郎の論文とあわせて一読してもらいたい。(冨山一郎「裏切られた希望、あるいは希望について——文富軾『失われた記憶を求めて——狂気の時代を考える』をめぐる省察」『増補 戦場の記憶』日本経済評論社、二〇〇六年、二五六—三〇六頁)
(29) 一九八二年教科書問題については以下の研究が参考となる。鄭根珠『日韓関係における歴史認識問題の反復—教科書問題への対応過程』(早稲田大学モノグラフ四一、早稲田大学出版部、二〇一一年) 同書のなかで鄭根珠は、韓国における「反日」論が「克日」論に変わる過程を実証的に分析しているが、こうした言説の変化は、八二年当時の韓国社会内部における植民地主義を考えるうえで重要である。
(30) 李元淳『韓国から見た日本の歴史教育』(青木書店、一九九四年、二五九—二六四頁) 参照。李元淳は同書が出版された一九九四年当時、韓国国史編纂委員会の委員長を務めており、「朝琉関係史」について関心を持っていた。同時期、国史編纂委員会が発行する書籍に「朝琉関係」の論文が次々と発表されている。李は、後述する九六年の最初の現地調査に同行している。

(31) 李鉉淙「琉球南蛮関係」『韓国史』(ハングル) 第九巻、国史編纂委員会、一九八一年。

(32) 韓国の歴史学における今までの研究成果によると、韓国の古文書『高麗史』を根拠に高麗末の昌王元年である一三八九年、漂流民送還をきっかけとして琉球王国との国交関係が始まった。しかし実際に頻繁に琉球国王使が往来するようになったのは朝鮮王朝時代に入ってからである。『朝鮮王朝実録』によると、朝鮮王朝と琉球の関係は朝鮮建国から一ヶ月足らずの一三九二年八月からであった。朝鮮王朝と琉球間の直接外交は一三九二年から一五〇〇年までの一〇八年間で、日本により朝鮮が侵略される一五九二年壬辰倭乱、琉球においては一六〇九年薩摩侵略後にも、中国の明を仲介にする間接的な外交関係を維持したことが、『朝鮮王朝実録』と『歴代宝案』に見られる。しかし、中国が明から清に変わる一六四四年を契機に既存の明中心の冊封体制が崩壊すると、朝鮮と琉球の間接外交も中止された。研究史では、朝鮮と琉球が外交文書の交換なしに清を通した漂流民送還がおこなわれた一六九五年をもって朝琉関係が終止符を打ったとされる。朝鮮王朝時代になって琉球はおとぎ話の国から善隣関係をもつ外交地域となったといえる。朝鮮半島と琉球王国の関係はおよそ三〇〇年以上にのぼる。

(33) 李燦『『海東諸國紀』の日本及び琉球國之圖」『文化歴史地理』(ハングル) 第四号、一九九二年、一―八頁、李燦「四．地理図の編纂と地図の政策(三) 世界地図の政策」『韓国史二六――朝鮮初期の文化Ⅰ』(ハングル) 国史編纂委員会、一九九五年、二〇五―三〇八頁参照。

(34) 楊秀芝『朝鮮・琉球関係研究――朝鮮前期を中心に』韓国精神文化研究院附設韓国学大学院博士学位論文、一九九三年。

(35) 河宇鳳「朝鮮前期の對琉球関係」『国史館叢』(ハングル) 国史編纂委員会、第五九号、一九九四年、一三五―一三六頁。

(36) 李元淳「『歴代宝案』を通してみた朝鮮前期の朝琉関係――直接通交期を中心に」『国史館叢』(ハングル) 国史編纂委員会、第六五号、一九九五年、七頁。

(37) 民徳基、孫承喆、河宇鳳、李薫、鄭成一「韓日間漂流民に関する研究」『韓日関係史研究』(ハングル) 韓日関係史学会、一二号、二〇〇〇年、六五頁。

(38)日本語としても出版された李薫の研究は一次資料の綿密な検討を踏まえた「漂流民」研究で、歴史学の分野で行われてきた努力の集約といえるべき成果を見せている。(李薫『朝鮮後期漂流民と日韓関係』〈韓国の学術と文化27〉池内敏訳、法政大学出版部、二〇〇八年)

(39)尹貞玉『平和を希求して――「慰安婦」被害者の尊厳回復へのあゆみ』鈴木裕子編・解説、白澤社、二〇〇三年、二二頁。

(40)「連れていかれた人々(8)」『韓国日報』一九八一年九月三日。

(41)「連れていかれた人々(8)」『韓国日報』一九八一年九月三日。

(42)「連れて行かれた人々(7)――悲運の「慰安婦」たち、花のような年に日帝の犠牲物として」『韓国日報』一九八一年八月二九日。

(43)「挺身隊問題対策に関する請願意見指示の件」『国会議事録』(第一五六回文化公報第八次)一九九一年一〇月二四日。

(44)「四一年ぶり沖縄入り=座間味と阿嘉島=沖縄の暗部ライト」『沖縄タイムス』一九八六年一一月一九日。

(45)「友の眠る地で招魂――強制連行の『朝鮮人軍夫』」『沖縄タイムス』一九八六年一一月一九日、千澤基『林耕千澤基回顧録　天も泣き土も泣いて』(ハングル)ソムン社、一九九四年、六五頁。

(46)『林耕千澤基回顧録　天も泣き土も泣いて』(ハングル)前掲書、四二頁。

(47)「友の眠る地で招魂――強制連行の『朝鮮人軍夫』」『沖縄タイムス』一九八六年一一月一九日。

(48)「友よ安らかに眠れ――亡き同僚の『霊』祖国へ」『沖縄タイムス』一九八六年一一月二一日。

(49)海野福寿・權丙卓著『恨――朝鮮人軍夫の沖縄戦』河出書房新社、一九八七年、九頁。

(50)「胸のつかえがとれた――強制連行の元韓国人軍夫たち」『沖縄タイムス』一九八六年一一月二〇日。

(51)『林耕千澤基回顧録　天も泣き土も泣いて』(ハングル)前掲書、九五―九六頁。

(52)沖縄との交流が知られるようになって、韓国では一九八九年六月六日に、韓国放送テレビMBCで「八・一五光復特集『忘却の歳月』」という番組が放映された。沖縄で亡くなった金烈根さんの妻と長男が沖縄を訪ね「慰霊祭」を行った様子を収めたドキュメンタリーであるが、放送局の案内役として千澤基さんが依頼を受け同行している。

(53)「『性暴力』対応日本の二つの顔」『東亜日報』一九九五年一〇月五日。
(54)『高等学校　国史』(上)、国史編纂委員会編、国史編纂委員会、一九九六年(一九九六年三月一日初版発行、二〇〇一年二月一五日印刷、二〇〇一年三月一日再版)、一八六頁。
(55) 国定教科書制度は一九九六年に廃止となり、九六年以降の教科書は検認定制となった。しかし朝琉関係に関する教科書の書き方は、一九九六年から二〇〇七年までほぼ同じ書き方で続いており、新たな教科書には朝鮮王朝の作成した『海東緒国紀』の写真が追加されているだけである。(『高等学校　国史』(上)、国史編纂委員会編、国史編纂委員会、二〇〇二年(二〇〇一年三月一日初版発行、二〇〇六年三月一日第二版発行、二〇〇七年三月一日二刷発行)八九頁。
(56) 崔仁宅「韓国における沖縄研究の現状と課題」『総合文化研究所年報』第四号、一九九八年、二二七―二二九頁。
(57) 崔仁宅「韓国における沖縄研究の現状と課題」『日本学年報』(ハングル)第九号、二〇〇〇年、二九八頁。
(58)「韓国における沖縄研究の現状と課題」前掲論文、三一〇頁。
(59)『沖縄タイムス』二〇〇〇年七月二〇日。
(60) 鄭柚真は「沖縄にはなぜヤンキ・ゴー・ホームスローガンがないのか」(『当代批評』第一四号、センガゲナム、二〇〇一年)「反米と反戦は対立するのか――ロウソクデモを考えながら」(『当代批評』第二一号、センガゲナム、二〇〇三年)で、一九九七年「軍事主義に反対する東アジア米国女性ネットワーク」の会議参加のために訪れた沖縄で「命どぅ宝」に出会い、その感動から、六ヶ月間沖縄に滞在しながら二八人の平和運動家をインタビューした経験を韓国に紹介している。また、二〇〇二年から「fucking U.S.A」という歌や「ヤンキー・ゴー・ホーム」のスローガンを掲げた「反米運動」が激しさを増すなか、平和を語ることを省察する語として沖縄の「命どぅ宝」を、さらに、冨山一郎の「平和を作るということ」(『当代批評』第七号、センガゲナム、一九九九年)を紹介している。
(61) 一九九二年東豆川(ドンドチョン)駐留米軍基地周辺で売春をしていたいわゆる「基地村女性」、尹グミ(当時二六歳)が在韓米軍兵士のケネス・マークレ(Kenneth Markle, 当時二〇歳)により残酷に殺された事件が起きた。ケネス・マークレは、コーラ瓶で頭を殴って殺し、彼女の膣にビール瓶を押し込み、肛門に傘を突き刺した。被害証拠を消すために、被害者の身体を粉石けんで覆った。最後にマッチを被害者の口に詰め込んだ。この事件は、解放後はじめて米軍犯罪を表面化させ、それをきっかけに「駐韓米軍犯罪根絶本部」が結成された。
(62)「なぜ、米兵の地位だけを言うのか――人権と財産を守るためのもう一つの戦争『地位協定』」『ハンギョレ21』ハンギョレ新聞社、一九九六年五月三〇日、六四頁。
(63)「我々が日本人ですか。低い待遇と差別の記憶しか残ってない沖縄」『ハンギョレ21』ハンギョレ新聞社、一九九六年五月三〇日、六一頁。
(64)『第三〇一回沖縄大学土曜教養講座シンポジウム韓国の米軍基地問題、一九九八年一〇月二四日 資料集』米軍基地に反対する運動をとおして沖縄と韓国の民衆の連帯をめざす会 略称：沖・韓民衆連帯、一九九八年、一二頁。
(65)梁起豪「米軍基地と日本の政府間関係についての研究――沖縄普天間基地移転をめぐる中央・地方政府間の関係を中心に」（ハングル）、翰林日本文学研究編集委員会編『翰林大学日本学研究』第六集、翰林大学校翰林科学院日本学研究所、二〇〇一年、一一七頁。
(66)梁起豪、前掲論文、一一八頁。
(67)梁起豪、前掲論文、一一六―一一九頁。
(68)梁起豪、前掲論文、一二〇頁。
(69)梁起豪、前掲論文、一三五頁。
(70)梁起豪、前掲論文、一三五頁（原文は、池明観『破局の時代に生きる信仰』新教出版社、一九八五年、五六頁―五七頁）
(71)梁起豪、前掲論文、一三五頁（原文は、池明観『破局の時代に生きる信仰』前掲書、六五頁）
(72)全相仁「沖縄と韓国：近現代史の共有とその関係」『翰林大学日本学研究』第六集、二〇〇一年、一三八―一四二頁。
(73)全相仁、前掲論文、一四六頁。
(74)全相仁、前掲論文、一三八頁。
(75)「序章」『基地の島、沖縄』（ハングル）、ノンヒョン出版社、二〇〇八年、二九頁。
(76)姜ソンヒョン「死への動員とそれに対する対抗の可能性――沖縄「集団自決」の事例を中心に」『境界の島、沖縄』（ハングル）、ノンヒョン出版社、二〇〇八年、一八八頁。
(77)姜ソンヒョン、前掲論文、一八八―一八九頁。

(78) 崔ヒョン「近代国家とcitizenship――「琉球人」から「日本人」へ」『境界の島、沖縄』、二〇〇八年、三七九頁。
(79) 崔ヒョン、前掲論文、四〇六―四〇七頁。
(80) 辛珠柏「韓国近現代史と沖縄」『境界の島、沖縄』、前掲書、一二三頁。
(81) 鹿野政直「周辺から　沖縄」『国民国家を問う』歴史研究会、青木書店、一九九四年、一九九頁、『周辺からみる東アジア』(ハングル) ムンギル外編、文学と知性社、二〇〇四年、一五六頁。
(82) 鹿野政直「周辺から沖縄」前掲論文、一九九―二〇〇頁。
(83) 南基正「朝鮮戦争と日本――「基地国家」における戦争と平和」(東京大学大学院総合文化研究科博士学位論文、二〇〇〇年) このなかの沖縄に関する見方は、「韓国戦争と『基地国家』日本の誕生――沖縄問題の上部構造」という題で『基地の島、沖縄』(二〇〇八年) にも反映されている。

沖縄の市町村区分

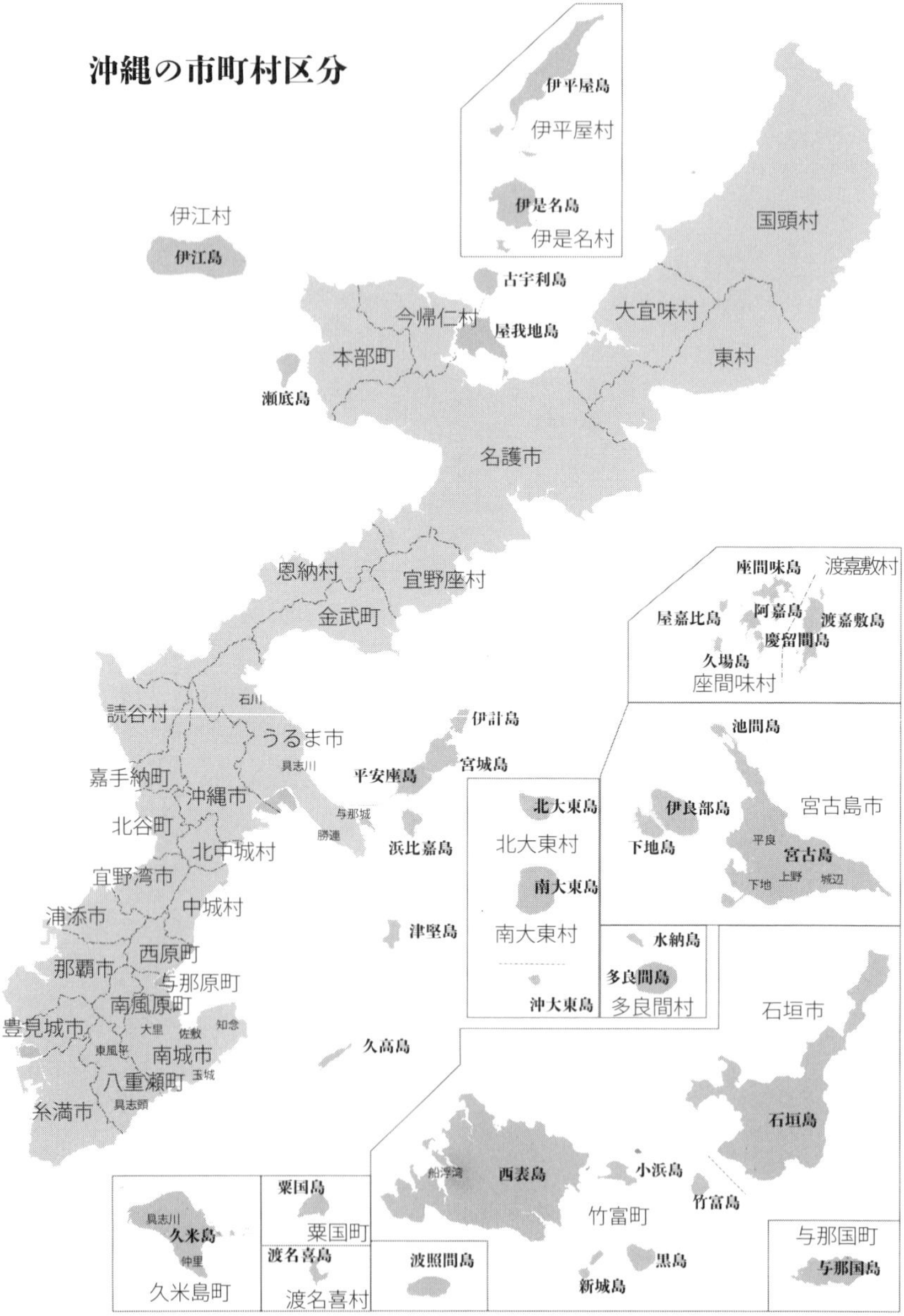
伊平屋島
伊平屋村
伊是名島
伊是名村
伊江村
伊江島
国頭村
古宇利島
今帰仁村
屋我地島
大宜味村
本部町
東村
瀬底島
名護市
恩納村
宜野座村
金武町
座間味島
渡嘉敷村
屋嘉比島
阿嘉島
渡嘉敷島
慶留間島
久場島
座間味村
石川
読谷村
伊計島
うるま市
具志川
宮城島
池間島
嘉手納町
平安座島
沖縄市
北大東島
伊良部島
宮古島市
与那城
北谷町
勝連
浜比嘉島
北大東村
下地島
平良
宮古島
北中城村
宜野湾市
南大東島
下地
上野
城辺
中城村
浦添市
津堅島
南大東村
水納島
西原町
那覇市
与那原町
多良間島
南風原町
沖大東島
多良間村
石垣市
豊見城市
大里
佐敷
知念
東風平
南城市
久高島
八重瀬町
玉城
具志頭
糸満市
石垣島
船浮湾
西表島
小浜島
竹富島
竹富町
粟国島
粟国町
具志川
久米島
仲里
久米島町
渡名喜島
渡名喜村
波照間島
黒島
新城島
与那国町
与那国島

あとがき

本書（二〇一六年二月、初版）は、早稲田大学アジア太平洋研究科に提出した博士論文『沖縄戦下の朝鮮人と『性／生』のポリティクス― 記憶の場としての「慰安所」』（二〇一二年）に加筆・修正したもので、日本学術振興会の二〇一五年度「研究公開促進費」の出版助成支援を受けて出版されたものである。

国際関係学を専門としていた私は、当初、「人間のための安全保障」の理論研究の中で沖縄の歴史経験に注目していた。日韓関係におけるナショナリズムの問題を、沖縄から問い直してみたかった。

しかし、研究を進めるにつれ、私の関心は全く違う切り口、つまり沖縄戦場における「慰安所」を対象とするものになっていった。それはとても単純で素朴な理由である。私が訪ねる、出会う、そして言葉を交わす多くの沖縄住民が、まだ若かった私にかつての「慰安婦」を思い出し、自らの経験を語ってくれたためである。「どうしてここまで記憶しているのだろうか」、「そこから何が見えてくるのだろうか」という問いを素朴に追っていった。それまで意識することもなかった、自らが「韓国人」という事を意識せざるを得ない場面に遭遇した時には戸惑いながら、また、生きている証言者の話を学問として聞くという眼差し自体についても悩みながら、様々な違和感に少しずつ答えを見つけようとしているうち、徐々に形になったものが本書である。その違和感をあえて表現するのなら、自分自身が沖縄に注目した際に設定した「日韓関係のナショナリズムを克服するため」という前提自体が、果たして妥当なのかという問いであった。

その問いは「慰安婦問題が解決」されると、「ナショナリズムは克服」されるのかという問いにも通じる。

むしろ、私たちに必要なのは、その前提で見落としてしまった諸問題、つまり「何処にも属し切れない人々」、その「ごく普通に日常」を生きる人々の体験が、何故「韓国の」そして「日本の」あるいは「沖縄の」体験として分断されて行ったのかという問いではないか。その「の」を取る作業こそ、「ナショナリズム克服」の前に行われるべきではないかなど、疑問が次々と湧いてきた。沖縄戦場で、「慰安婦」「住民」「米軍」「日本軍」が混在する中、どのように目に見えない「恐怖」が拡散されていったのか。それを考える際、「慰安所」は重要な切り口となると考えた。ただ「恐怖」としか言い表すことの出来ない戦場での状況、しかし、学問でこそ、その説明し切れない状況の構造を少しでも目に見える形で言語化することが出来るのではないか。全く違う他者の体験と思えたものが、自らの体験と繋がる時、私たちは、「克服」ではなく、「共感」という一つの認識論に出会えるかもしれない。その「共感」もやはり、他者と自らを「同一視するもの」でないことから出発することが重要である。それが、本書が「慰安婦」「慰安所」ではなく「慰安婦を見た人々」、「慰安所が入ることで変化した状況」という別の視点で書かれた理由である。

「戦場の記憶」に関する多くの原史料が焼却され、限られているとはいえ、これらの史料は既に日本で公開されており、韓国にも多くの史料が渡っている。なお、本書で採用した一次史料を原資料のまま載せ、紹介している手法も、既に沖縄県史には多く用いられている手法でもある。沖縄戦に関しては、『陣中日誌』だけでなく、アメリカ公文書に至るまで、膨大な一次史料が、研究者に利用しやすい形で既にまとめられており、分析可能な方法までも提示している。その道案内にそえば、海外所蔵史料でも手にすることが出来る。もはや、断片的・恣意的に証言を用いる分析の方法は不可能である。本書は、こうした日本でアクセス可能な情報収集、「学問の自由」に支えられ書かれた。

博士論文は、二〇〇四年から始めた沖縄の現地調査を少しずつ発表したものを集めたもので、一部、以下の論文の表現や図を用いたが、基本的に全て新たに書き下ろしたものである。

序章に紹介した朝鮮人軍夫の話は、「研究ノート：言葉を借りた者たちの『慰霊の日』―ある『朝鮮人軍夫』をめぐる証言会、『語られてない五分』へのこだわり」（『女性・戦争・人権』第8号、二〇〇七年）、第二部に関しては、「沖縄から広がる戦後思想の可能性―戦場における女性の体験を通じて」（『戦後・暴力・ジェンダーI　戦後思想のポリティクス』大越愛子・井桁碧編、青弓社、二〇〇五年、所収）、「括弧付きの言葉たちへ」（『戦後・暴力・ジェンダーIII―現代フェミニズムのエシックス』二〇一〇年、所収）が、第3部に関しては、「『慰安婦』をみた人々」（『季刊戦争責任研究』第62号、二〇〇八年）と「総解説　沖縄戦と朝鮮人『慰安婦』」（『戦場の宮古島と「慰安所」―12のことばが刻む「女たちへ」』なんよう文庫、二〇〇九年）がそれぞれ対応する。参照されたい。

沖縄を初めて訪ねたのは二〇〇二年の夏であり、「沖縄戦」や「慰安所」を中心に聞き取り調査を行ったのは二〇〇四年からである。一二年近い歳月の中で、沖縄・韓国を行き来しながら考えてきた素朴な疑問と、長い旅の記録のような本書であるが、今を生きる一人の読者に「私はいま何を見ているのか」という問いとして届くなら、これ以上幸せなことはない。

＊

本書を書くことに当たって、多くの方々にお世話になった。特に、長い博士論文執筆を支えてくださった早稲田大学の五人の先生にこの場を借りて感謝を申し上げたい。『陣中日誌』をはじめから読むという行為は、博士論文の指導教官、後藤乾一先生の指導なしには不可能であった。なお、早稲田大学で山梨学院大学の我部政男先生の講義を聞けたことが、沖縄研究への入り口となった。余談であるが、先生の教え子であるということだけで、数々の一次史料をコピー代なしで頂く幸運にも恵まれた。中原道子先生を通して「女の歴史」を知るための証言の領域の大切さを、篠原初枝先生に国際関係学から捉えるアメリカの「政治」を学んだ。修士課程の早稲田大学のKurt Radtke先生（現在オランダ・ライデン大学）は、初めて学問の楽しさを教えてくださった。なお、学位授与後の研究の場を許してくれた早稲田大学の国際言語文化研究所の池田雅之先生、大阪経済法科大学アジア太平洋研究センターにも感謝している。

恩師後藤乾一先生は、「ヒストリアンの目」で、「知」を通して出会った師との関係に一定の距離感を保ちつつ『「沖縄核密約」を背負って―若泉敬の生涯』（岩波書店、二〇一〇年）をまとめられている。「離見」を通して対等に語りうる関係性、その道筋まで見せてくださった恩師の著作を手に、自分はどういう教え子であるのか自問する。と同時に、何かを教える立場となった今、自分自身がどれだけ恵まれていたのかを知る。ありがとうございました。

本書が本になる具体的な手助けをしてくださった冨山一郎先生に感謝する。第3部の「予感」という語自体、冨山先生との議論から多くのことを学び、沖縄現地調査を通して冨山先生の言葉たちに大きく勇気づけられてきた。博士論文を、大幅に加筆・修正したが、無謀に近い私の書き直し作業を、「ぎりぎりまで催促しない」忍耐力に満ちた編集者深田卓さんの支えがなければ、おそらく、読者は、違う形の本に出会ったと思う。その出会いを冨山先生に感謝する。なお、博士論文執筆時の数々の地図作成には金度希さん、吉川和伸さんに、出版に当たってさらに、インパクト出版会の力添えによって読者に見やすいものとなった。なお、収容所の地図の作成に関しては、『沖縄空白の一年―一九四五―一九四六』（吉川弘文館、二〇一一年）の著者川平成雄先生と、沖縄平和ネットワークの川満昭広さんからの貴重なアドバイスを受けている。

なお、第3部は、博士論文後の現地調査結果や問題認識が含まれている。特に、名護市史の調査に参加できた貴重な経験に感謝している。北部における沖縄戦については、「戦後は米軍収容所から始まった」

「米軍は人を殺さなかった」と断片的に語られる場合が多い。その点、「戦中」と「戦後」が混じり合う住民の「収容所」体験や、北部における沖縄戦体験を丹念に調べた名護市の取り組みは重要である。博士論文執筆段階まで個人として聞き取り調査を行ってきたが、地域史を調査するという熱い思いがどのようなものなのか、博士論文執筆後、名護市史での調査の経験を通して、深く学ばせて頂いた。この場を借りて名護市史関係者の皆さんに深く感謝を申し上げたい。

証言者の皆さん全員の名前を挙げることは出来ないが、最初の現地調査に応じてくれた渡嘉敷の吉川嘉勝さんにお礼を言うことで代えさせていただきたい。互いに何も聞くことも話すことも出来なかった長い昼。私たちは、ただ島中の蝶々の写真をとりまわった。何度も飛び立つ蝶々の写真をとるのはなかなか難しい。でもやっと成功し、帰り道には、生まれたばかりの山羊に出会って子どものように喜んだ。その夜、吉川さんはやっとの思いで、あの「集団自決」を生き抜いた母親が、戦場で死んだ一人の「慰安婦」を葬った話をしてくれた。

「なにも恨むなよ。戦世だからね。飛んであなたの居場所だったところに、帰りなさい」

その吉川さんが、二〇〇七年九月二九日、「教科書検定意見撤回県民大会」の、あの一一万六千人が集まった抗議行動の県民大会の壇上に立った日を忘れない。何万人の前で、自分は「集団自決」の現場からの生き証人だと語る吉川さんに、私はまたあの何万の中で偶然、出会えた。「頑張ってるね」。その頃、「慰安所」調査活動で、沖縄の新聞にも何度か紹介され始めた私に向かって吉川さんのかけてくれた「頑張ってるね」が、いつも、耳元に残っている。

最後に、私事にわたり恐縮だが、喪失感は事後に、自分が取った行動への「問いかけ」と共に来るということは、父に学んだ。韓国の母校中央大学の孫順玉先生と、友人の高重治香さん、青山学院大学の同僚や受講者の支えに感謝したい。なお、この一〇年以上、外国での私生活から全てをサポートしてくださった自分にとっては国籍の違うもう一人の「母」、民輪めぐみさんの力添えに感謝する。本書が読み物らしくなったのであれば、民輪めぐみさんの支えによるものである。本当にありがとうございました。無数の大切な人々に支えられ何とか課題の多い本書を完成することが出来た。本書の執筆中に、永眠した父にかける言葉はまだ見つけられない。ただ、韓国でいわゆる「沖縄ブーム」が起きる中で、紹介された数々の綺麗な沖縄の海の風景に、両親は、娘を思い出していたのだろうと、今は、思う。そして自分にとってこれから見える綺麗な沖縄の海も、また、少しは異なって見えるだろう。

新装改訂版の刊行に際して

本書の刊行（二〇一六年二月）後、私は「関係性」によって作られていく「知」について改めて考えるようになった。共同通信の復帰五〇年全国世論調査によると、今なお六九％に及ぶ人たちが、沖縄の米軍基地の本土移設に反対していることが明らかになった。このことをまず記しておきたい。

構造的な暴力を「暴力」として感知し得ないものの中には、沖縄に対する沈黙を可能にする無意識の働きがある。それにすぐさま植民地主義という語を付けて、「沖縄の」あるいは、「朝鮮の」ような地図上の特定の場所の議論へ展開させる手前に、本書の議論が位置づけられることを願っている。

本書は、二〇一七年沖縄タイムス出版文化賞正賞を受賞した。二〇二〇年にはオランダの出版社Brillから本書の英語版 *"Comfort Stations" as Remembered by Okinawans during World War II* (Leiden/Boston: Brill, 2020) が刊行された。こうした国内外での磁場には、本書の外延を拡張してくれた冨山一郎先生と、ロバート・リケットさんとの出会いがあったことを強調しておきたい。

冨山一郎は、出版後、講演会や書評を通して本書の重要な論点を紹介し、本書が持つ学問的な意味はもちろん、「学問」というカテゴリーを超えて提起している「問い」としての意味までその外延を広めてくださった。

特に、「既に他人事ではない」身体感覚に、本書の題材である慰安婦をみた沖縄住民の経験があることを指摘し、「本書で暴力が日常を戦場化していく中で、『死の政治』と呼ぶ暴力が、「慰安婦」に限定されるものではなく、また資本と軍に通底する動員という問題がそこに重なる」(「他人事ではない身体感覚」『沖縄タイムス』二〇一六年四月二三日)という言葉には多いに励まされた。

また、「問題は予め植民地や植民地主義の枠組みを設定した上で、沖縄を植民地だということではない。同書が沖縄戦と「慰安所」から見出したのは、当該社会が存立するための前提として抱え込まれながら、社会から予め排除される領域のことであり、この前提に捉えられた領域を確保するために、暴力が常時作動しているという問題だ」(「英語版に寄せて・排除された領域問う営み」『沖縄タイムス』二〇二〇年八月二一日)と、本書が見出したものの意味について位置づける。

さらに、冨山一郎は本書を通して、こうした予め排除された領域を読み取りながら、重要な問いかけをなげかけた。それは、「一九七五年と一九九一年。この時間的ズレは一体何を意味するのか」という問いだ。沖縄在住であった元「慰安婦」の裵奉奇《ぺぽんぎ》さんの存在が公になったのが一九七五年であり、それを契機に市町村史という形を取りながら各地域で「慰安所」の事実が明らかになっていった。この展開は、九二年に「慰安所」マップとして結実している。だが、日本では、七五年に沖縄で公の場に「現れ」た裵奉奇《ぺぽんぎ》さんが、最初の「慰安婦」と呼ばれることはない。「慰安婦」問題が登場したのは、二〇〇〇年の女性国際戦犯法廷に向かう一九九〇年前半だとされ、そこでは、一九九一年に実名でカミングアウトした金学順《きむはくすん》証言から始まったと語られる。

　冨山一郎は、前者の焦点が、自らが住まう生活の場所にかかわる「慰安所」の「マップ」であるのに対し、後者はなぜ、証言であり「法廷」なのか。そこには、「慰安婦」問題それ自体に対する、決定的な認識枠組みの違いがあるし、本書が、比類なき意義を有するのは、まずもってこの時間的ズレと認識枠組みの違いの意味を、膨大な資料とその精緻な分析により明らかにした点にある、と指摘した。(*The Asia-Pacific Journal*. Volume 20, Issue 9. May 1, 2022)。この書評は、本書の訳者ロバート・リケットと冨山一郎の共同作業によるものでもあった。こうした書評を得られたことは、研究者として幸運なことであった。

　冨山一郎はこれらの現象に日本社会における「沖縄」についての沈黙をみる。それには、「天皇制を存続させていく戦後日本と米国の野合」の問題があるとし、「沖縄のみならず日本の植民地支配責任も、また在日朝鮮人の処遇も、日本帝国を引き継ぐ形で処理されていった」と指摘した。–(「証言の「後(あと)」–傍らで起きているのだが、すでに他人事ではない」Sogang University Critical Glocal Studies Institute international Conference, 二〇一九年三月)。

　上記のような本書についての冨山一郎の「応答」の中、「一九七五年から九一年までの時間的ズレ」という問いを軸に、沖縄の「不在」「沈黙」「予め排除する」ことが日本社会にどのようなものなのか、再考察できると筆者は考えている。

例えば、二〇〇〇年女性国際戦犯法廷（以下：「法廷」）では、大韓民国、朝鮮民主主義人民共和国、日本、中国、台湾、フィリピン、インドネシア、東ティモール、オランダの計九カ国からの被害女性六四名による証言と証拠に基づいた起訴状が提示された。そのうち三五名の生存者は直接〈証言台〉に立ち、健康上の理由で〈証言台〉に立てない被害者からのビデオ証言を含み、日本軍「慰安婦」とされた各国の被害者が一堂に集まり、日本の国家責任を問う民衆法廷が開かれた。その結果、天皇に有罪判決が下されている。また、この裁判のもう一つの重要な争点は、「公娼制度」により「慰安婦」とされた「日本人慰安婦」の被害も起訴状に含んだことであった。これら「日本人慰安婦」の被害の全貌を示すために提出された資料は、沖縄の辻遊郭から「慰安婦」に動員された女性たちの「慰安所」や『陣中日誌』などの公文書である。証拠番号一八六番として法廷に提出された。

しかし、結果的に「日本国」の責任が追及され、天皇の有罪判決に導く中で、「日本人」としてカテゴリー化された沖縄の女性たちの痛みは、十分に語られることがなかった。それは無論、国ごとの起訴状を作成しなければならなかった「法廷」の持つ限界でもあっただろう。「法廷」が天皇の有罪判決を出したことは重要な成果ではあるが、天皇制維持のために「捨て石」とされた沖縄戦の経験は、国籍を前提する「法廷」の場では不可視化された。と同時に、と共に沖縄戦で「慰安婦」とされた朝鮮人「慰安婦」のことも、国ごとの区分に封じられてしまった。そして、「法廷」後にもこれらの問題を省察する動きは起きていない。

近年オーラルヒストリーを語る場でも、「日本人」慰安婦の経験が注目される書物にも、沖縄は抜け落ちている。それは何故なのか。問題視したいのは、頻繁に語られ、書かれ、消費されながらも、いつしか語りの場の「観客」の位置に置かれてしまう言説構図である。「観客化」は、「特殊化」と言い換えてもよい。

本書で著そうとしたのは、こうした国家に回収されない被害者の経験が重なり合える可能性についてである。それは単に「慰安婦」の経験に限定しているわけではなく、戦争被害者像を予め設定した上で、朝鮮と沖縄を帝国日本の被害地域として語るためでもない。本書は、沖縄人、日本人、朝鮮人というカテゴリーでは区分できない人々の経験が重なる時、その「状況」にどのような暴力が潜んでいるのかを問うことができるのではないか、という希望から書かれている。

＊

本書出版（二〇一六年二月）後、カナダのブリティシュ・コロンビア大学（ＵＢＣ）に一年間、訪問講師として滞在する機会を得て、沖縄北部の「収容所」体験と日系カナダ人の「収容所」体験との比較分析へと問題意識を広げていった。

カナダ滞在中に最も頻繁に連絡を取り合い議論したのは、本書の訳者リケットさんである。違う言語体系で本書を訳しながら、私は何故翻訳が「もう一つの創造」であるのかよく理解できるようになった。特にうれしかったのは、リケットさんが、沖縄の戦前の暮らしの流れ、風景描写、民俗史料に深く共鳴され、人々の日常が戦場と化される沖縄戦の過程も加筆、修正できたことである。本書はいわゆる時間軸に沿った形では書かれてはいない。リケットさんとの出会いがなければ、軍事資料と民俗史料などが複雑に重なる本書の英語版は不可能であっただろう。なお、新装改訂版は英語版による加筆・修正を反映している点で、ロバート・リケットさんとの共同作業でもある

筆者は、カナダ滞在中に英語版の序章の問題認識について、ＵＢＣとニューヨーク大学（ＮＹＵ）で講演した。また、ＮＹＵでの招待講演を企画してくれた島袋アンマリアさんと交わした議論により、日本国に属する一地域に限定されない思想として「沖縄」について、より具体的に考えることが出来た。島

袋アンマリアさんの著書（Annmaria M. Shimabuku, *Alegal: Biopolitics and the Unintelligibility of Okinawan Life* (New York: Fordham University Press, 2019) の二章は、本書の序章と共鳴し合うものがある。

カナダのＵＢＣには、見慣れない文字で建てられた看板や建物があった。かつて先住民の所有であった土地に建てられたため、その土地の先住民が語った言葉で案内看板を建てているのだという。友人の乗松聡子さんと訪ねたバンクーバー島のロイヤル・ブリティッシュ・コロンビア博物館には、ブリティッシュ・コロンビア州がどれくらいの規模の先住民の土地を奪って建てられているのかを３Ｄで示しており、地図上の奪われた土地のボタンを押せば、そこに住んでいた先住民の言葉が流れてきた。全く意味が通じないエコーは、一〇〇以上の違う言語で、好奇心を刺激する形で流れる。地図上に展示され流れていく声、言葉にならないこのエコーの響きを感じる時の感覚を、忘れることが出来ない。

本書では、島（シマ）言葉については訳すことをやめ、そのまま記している。その問題意識は英語版にも適用した。ただ、それが「展示」ではない響きを持つのであれば、そこには、どのような「実践」が必要であろうか。

意味不明なエコー。それを、朝鮮半島の人々と、沖縄の人の心情を指す言葉として、「恨（ハン）」と「チムグリサ」という語で考えることができるかもしれない。「恨《ハン》」とは日本語の「恨み」ではなく、心の底に徐々に沈殿し、わだかまりのようになっているもの、軽く揺さぶるだけではなかなか解決できず残っており、言葉では表現しきれない深い哀しみである。問題は、「私はもうヨハン（余恨）がない」という言葉である。この言葉は、解決された状況を言う場合に使われるだけではなく、死を受け入れる、この世に未練がない時にも使われる。生きるために諦められない何かが恨であり、その故、この言葉には常に「死者」への想いが宿る。つまり「恨」は外に向けての「恨み」ではなく、自分自身への問いかけであり、「死者」

と共に生きる、生きられる意味でもあるのだ。

一方で、「チムグリサ」は、「肝」を指すが、沖縄では「心（ククル）」の言葉があるにもかかわらず、「チム」を用いて表現される場合が多く、日本語的な意味では説明しきれないものである。「チムグルサ」は日本語では「心の苦しみ」となるだろうが、「チムクルサン」を「心苦しいです」「心苦しく思います」のように訳すことは出来ない。それ故、儀間進氏は「チムの文化」の中で、この心情を、「自分の心を相手のほうに寄せて、自分の痛みとして感じている。一緒に肩を寄せ合って、手を握りしめて、黙って座っている、そういう思い」と説明している。他者の不幸に使用される場合には、それを他人のものとして見捨てることの出来ない、自らの感情の情けなさ、心の揺さぶりを表現しているこの言葉は確かに日本語の「気の毒」「遺憾」「残念」などの言語で言葉が向かう、他者への視線とは違う内なる問いかけがある。儀間氏が「心にこだわりたい人は『情』と書いてココロと読ませたら、チムの感じが出てくるように思う」といったのも、他者へのまなざしを指すものと理解できよう（『沖縄の文学〈近代・現代編〉』沖縄時事出版、一九九六年、一一八〜一二〇頁）。

本書で紹介した数々の証言で、私は、「恨（ハン）」を「恨み」、「チムグリサ」を「心苦しい」と訳したら、「自己への問いかけ」としての苦しみの文脈を削除してしまうような場面にしばしば遭遇してきた。安易な民族論、伝統論、運動論のような文脈で用いられてしまうのも、その故である。

しかし、沖縄戦の証言を通してこの言葉を考えると、「恨《ハン》」と「チムグルサ」とは、それが形成された状況への深い理解なしには、安易に「訳されること」を「拒否」する「言葉」ではないか。つまり、この言葉自体、日本語で訳し切れない、訳されるのを「拒否」する言葉ではないか、と考えている。それはある意味、生きている証言者の「証言」の領域を「分析的」な言葉では到底書ききれない時の、書き手として感じる「書くという行為への倫理」との葛藤を、これらの言葉が突きつけているような気がしているのである。

語らないから生きることができる場合もある。「余恨《ヨハン》がない」という言葉のように。その空白から、「強制」を引き出そうとするのではなく状況そのものを語る言葉を、私たちは発見しなければならないのであり、そのためには、「チムグリサ」のようなものを、この戦場を見た人々の言葉から、想像することも大事であろう。

何処か、他者へ届くことを願いつつ、時には受け止められないということを知りつつも、つぶやいてしまう、エコー。その呟き。どうしても消えることのできない「希望」「夢」「挫折」「戸惑い」から外に息を吐くことによって音となったが、まだ届いていない言葉を聴くために、私たちに必要なものは何か。私もまだその答えを探す途上にある。その途上で様々な旅によって、その場で出会った人々との議論によって加筆・修正した本書が、より多様なつぶやきとしてかえってくることを、待ち望んでいる。

このたび新装版として改訂版を刊行することになった。インパクト出版会の深田卓さんと川満昭広さんには大変お世話になった。最後に、この不屈の編集者たちに限りない友情を送る。

二〇二二年八月七日

早稲田大学図書館の地下二階、いつもの席にて。

洪 玧伸（ほんゆんしん）
1978年韓国ソウル生まれ
韓国 中央大学、早稲田大学アジア太平洋研究科修士・博士
専攻は国際関係学
早稲田大学アジア太平洋研究センター特別センター員 、大阪経済法科大学アジア太平洋研究センター客員研究員、同志社大学＜奄美－沖縄－琉球＞研究センター嘱託研究員
現在、青山学院大学・一橋大学・専修大学・恵泉女学園大学等非常勤講師
著書　沖縄戦場の記憶と「慰安所」（インパクト出版会、2016年2月）
"Comfort Stations" as Remembered by Okinawans during World War II,
（Leiden/Boston: Brill, 2020年）
共著に『戦後・暴力・ジェンダーⅠ――戦後思想のポリティクス』（青弓社）、『戦後・暴力・ジェンダーⅢ――現代フェミニズムのエシックス』（青弓社）、『現代沖縄の歴史経験』（青弓社）、著編書『戦場の宮古島と「慰安所」――12のことばが刻む「女たちへ」』（なんよう文庫）など

新装改訂版 **沖縄戦場の記憶と「慰安所」**

2022年10月10日 第1刷

著　者　洪　玧伸
発行人　川満　昭広
装　幀　宗利　淳一
発　行　インパクト出版会
113-0033　東京都文京区本郷2-5-11　服部ビル2F
TEL03-3818-7576　FAX03-3818-8676
E-mail:impact@jca.apc.org
http://www.jca.apc.org/~impact/
郵便振替 00110-9-83148

モリモト印刷